SE 07

Curso MAD360

La diferencia entre aprobar y sacar plaza

Personal de Limpieza y Cocina

COMUNIDAD AUTÓNOMA DE GALICIA

Accede a tu **Curso MAD360** y disfruta de los siguientes recursos:

- Técnicas de Memoria 360.
- Test *online*.
- Temario en formato digital.
- Planificación de estudio.
- Foro entre opositores hasta la fecha del examen.*
- Recursos y novedades exclusivas.
- Consulta sobre la oposición y el proceso selectivo.
- Actualizaciones legislativas (Boletines Oficiales) hasta 60 días antes de la fecha del examen.*

Para acceder al Curso MAD360** será necesaria la compra de todos los libros para esta especialidad de la edición 2023.

Valida los códigos que encuentras en la última página de tus libros y disfruta de la experiencia MAD360.

Infórmate en: mad.es/registro-campus

NOTA IMPORTANTE:

* Examen de esta categoría profesional correspondiente a la convocatoria publicada en el DOG núm. 221 de 21 de noviembre de 2023, o hasta el 31 de diciembre del 2024, lo que se cumpla antes.

** El acceso al CURSO MAD360 estará disponible desde enero de 2024 (algunos recursos podrían estar disponibles en fecha posterior). Tendrá una duración de 365 días, desde la validación de códigos, o hasta el 30 de junio del 2025, lo que se cumpla antes.

MAD se reserva el derecho a ampliar dichas fechas.

Personal de Limpieza y Cocina de la Comunidad Autónoma de Galicia

Escala de Personal de Limpieza y Recursos Naturales y Forestales

Diciembre, 2023

Personal de Limpieza y Cocina de la Comunidad Autónoma de Galicia

Escala de Personal de Limpieza y Recursos Naturales y Forestales

Temario

Volumen 1

JOSEFA GUILLERMA GANCEDO CONS
Licenciada en Derecho
Jefa de Servicio de Administración Empresarial Xunta de Galicia

FRANCISCO JESÚS TORRES FONSECA
Licenciado en Derecho

Primera edición, diciembre 2023 (550 páginas)

IMPRESO EN ESPAÑA
Diseño Portada: 7 Editores
Edita: 7 Editores
Avda. San Francisco Javier, 9 · Edificio Sevilla 2 · Planta 11 · Módulos 25-27 · 41018 Sevilla
Teléfono: 954 784 411 · WEB: www.mad.es · e-mail: administracion@7editores.com
ISBN: 978-84-142-7717-1
ISBN obra completa: 978-84-142-7719-5

Presentación

Presentamos nuestro manual para la adecuada preparación a la convocatoria de plazas de la Escala de Personal de Limpieza y Recursos Naturales y Forestales, **especialidad de Personal de Limpieza y Cocina** de la Comunidad Autónoma de Galicia, conforme a la Resolución de 16 de noviembre de 2023, publicada en el Diario Oficial de Galicia núm. 221, de 21 de noviembre de 2023.

Este volumen contiene los **7 temas que componen la Parte General y los dos primeros temas de la Parte Específica del Programa Oficial** convenientemente desarrollados y actualizados conforme a la normativa vigente en la fecha de publicación de la convocatoria. Además, cuentan con una serie de recursos didácticos, a modo de recordatorios y actividades, que te serán de gran utilidad para asentar los conocimientos y te facilitarán la preparación efectiva de esta parte del programa.

Este manual se completa con otro que contiene los temas 3 a 8 de la Parte Específica del programa de materias, así como otro volumen que incluye una batería de test correspondientes a cada uno de los temas que te has de preparar en esta convocatoria, con la que te ofrecemos una herramienta para autoevaluarte y comprobar los conocimientos adquiridos, favoreciendo así tu entrenamiento eficaz para la preparación de este tipo de pruebas.

Finalmente, a través de nuestro Curso *online* MAD360, te ofrecemos una serie de recursos adicionales para completar tu preparación, consulta las condiciones en la primera página de tu manual.

PARTE GENERAL

PARTE ESPECÍFICA

PARTE GENERAL

TEMA 1

La Constitución Española de 1978: Títulos Preliminar, I, II y Capítulo I del Título III

¿Quieres mejorar tus resultados? Combina este temario en **papel** con los recursos ***online*** del Curso MAD360.

Índice

1. La Constitución Española de 1978: Título Preliminar

1.1. Introducción

Proclamado Rey de España JUAN CARLOS I DE BORBÓN, tras la muerte de FRANCO, el sistema de Leyes Fundamentales que regía el anterior régimen político, se mostró inapropiado para la efectiva implantación de un Estado de Derecho y, consiguientemente, de un régimen democrático, en la forma en que este se entiende en los países occidentales y en la teoría constitucional.

Por ello, utilizando el resorte del referéndum, se aprobó, como nueva Ley Fundamental, la Ley para la Reforma Política (Ley 1/1977, de 4 de enero), que modificó sustancialmente los esquemas de las anteriores Leyes Fundamentales, abriendo la vía para la instauración de un sistema político pluralista, con claro protagonismo de los partidos políticos.

Acto seguido, el 15 de junio de 1977, se celebraron elecciones generales para Cortes, sin que en momento alguno se planteara, al menos formalmente, su carácter de constituyentes. No obstante, a la vista de la citada inadecuación de las Leyes Fundamentales, las nuevas Cortes elegidas democráticamente y representativas del pluripartidismo existente, asumieron como misión fundamental la elaboración de una Constitución.

Para ello, en el seno de la Comisión de Asuntos Constitucionales del Congreso de los Diputados, se designó una Ponencia Constitucional encargada de redactar el Proyecto de Constitución.

Tras la pertinente tramitación parlamentaria, ambas Cámaras (Congreso de los Diputados y Senado), por separado, aprobaron el texto de la Constitución el 31 de octubre de 1978.

Posteriormente, el 6 de diciembre siguiente, se aprobó en referéndum, sancionándolo y promulgándolo el Rey el 27 del mismo mes y año, y publicándose en el Boletín Oficial del Estado el 29 de diciembre de 1978, entrando en vigor ese mismo día, a tenor de lo dispuesto en su Disposición Final.

Actividad 1

¿Qué día se sancionó la Carta Magna?

1.2. Caracteres

La Constitución (CE, en adelante) se caracteriza por:

a) Su codificación en un solo texto, es decir, es una Constitución cerrada, a diferencia de las Leyes Fundamentales que vino a sustituir.

b) Su extensión, fruto de su propio pragmatismo, a diferencia de otras Constituciones occidentales, de breve contenido y, por lo mismo, más flexibles a los cambios y evolución política de los regímenes a que se aplican.

La extensión se debe, además, al laborioso consenso entre las distintas fuerzas políticas al elaborarla, lo que ha quedado reflejado en numerosos artículos del texto constitucional, señaladamente en el 2, como se expondrá.

La contrapartida a esta extensión y a su carácter consensuado es la dificultad en su interpretación y aplicación, resultando fundamental, a estos efectos, la intervención del Tribunal Constitucional, intérprete supremo de la Constitución, según el art. 1 de su Ley reguladora (la Ley Orgánica 2/1979, de 3 de octubre), que ha venido depurando, con la doctrina contenida en sus pronunciamientos, su alcance y significado.

Constitución Española
Don Juan Carlos I.
Rey de España.
A todos los que la presente vieren y entendieren.
Sabed: que las Cortes han aprobado y el Pueblo español ratificado la siguiente Constitución.

Portada de la Constitución Española de 1978

c) Su rigidez, es decir, la imposibilidad de modificarla a través de procedimientos legislativos ordinarios, regulando su Título X los mecanismos de reforma en la forma que después se estudiará.

d) El establecimiento, como forma política del Estado, de la monarquía parlamentaria.

e) La configuración del Estado como unitario regionalizado y no federal.

Finalmente, la CE, aunque no exenta de originalidad, se ha basado en otras Constituciones históricas, como la Española de 9 de diciembre de 1931, y de nuestro entorno, como la Ley Fundamental de Bonn de 1949, la Constitución Italiana de 1947, etc., sin olvidar textos internacionales como la Declaración Universal de Derechos Humanos, el Convenio Europeo para la Protección de los Derechos Humanos y de las Libertades Fundamentales, adoptado en Roma el 4 de noviembre de 1950, entre otros.

1.3. Estructura

Nuestra Constitución, como las Constituciones de la mayor parte de los países europeos y americanos, consta de un preámbulo, una parte dogmática, una parte orgánica, una regulación de las garantías de su mantenimiento y de los procedimientos para, excepcionalmente, proceder a su reforma o revisión, y de un sector dedicado a la estructura socioeconómica del Estado (que podría llamarse Derecho Constitucional Socioeconómico).

Su estructuración concreta se lleva a cabo a través de:

1. El Preámbulo.
2. Ciento sesenta y nueve artículos, repartidos en un Título Preliminar y otros diez Títulos más.

3. Cuatro Disposiciones Adicionales.
4. Nueve Disposiciones Transitorias.
5. Una Disposición Derogatoria.
6. Una Disposición Final.

En cuanto su desarrollo, exponemos, a continuación, una somera idea del contenido de la CE, con especial referencia a los principios generales recogidos en el Título Preliminar.

1.4. Preámbulo

Es muy breve, pero constituye una declaración solemne y de gran fuerza política.

Deja traslucir, como ha señalado el Profesor ALZAGA VILLAAMIL, una filosofía de la libertad y un horizonte de una sociedad democrática más progresiva.

Resume o incorpora ideas que están plasmadas en forma dispositiva en numerosos artículos de la Constitución.

Se trata, en definitiva, de un texto sin fuerza jurídica de obligar, aunque con un gran valor declaratorio-político, constituyendo, en cuanto declaración solemne de intenciones que formula colectivamente el poder constituyente, un factor decisivo o de la mayor importancia a la hora de interpretar rectamente el contenido normativo de nuestra Ley política fundamental.

En el mismo se manifiesta que «la Nación española, deseando establecer la justicia, la libertad y la seguridad y promover el bien de cuantos la integran, en uso de su soberanía, proclama su voluntad de:

- Garantizar la convivencia democrática dentro de la Constitución y de las leyes, conforme a un orden económico y social justo.
- Consolidar un Estado de Derecho que asegure el imperio de la Ley como expresión de la voluntad popular.
- Proteger a todos los españoles y pueblos de España en el ejercicio de los derechos humanos, sus culturas y tradiciones, lenguas e instituciones.
- Promover el progreso de la cultura y de la economía para asegurar a todos una digna calidad de vida.
- Establecer una sociedad democrática avanzada.
- Colaborar en el fortalecimiento de unas relaciones pacíficas y de eficaz cooperación entre todos los pueblos de la Tierra».

Recuerda que...

El Preámbulo de la CE no tiene fuerza jurídica para obligar, pero sí es una declaración solemne de intenciones.

1.5. Título Preliminar

Podría calificarse como la «antesala» de la Constitución, en la que se han recogido preceptos de importancia capital, como los arts. 1, 2 y 9, junto a otros preceptos que no han encontrado una incardinación a lo largo del texto constitucional, y que, por su generalidad, se han agrupado bajo esta rúbrica.

En efecto:

1. El **art. 1** define el tipo de Estado de Derecho por el que se opta (Estado social y democrático de Derecho, que propugna como valores superiores de su ordenamiento jurídico la libertad, la justicia, la igualdad y el pluralismo político), enuncia el titular de la soberanía (el pueblo español) y consagra la llamada forma política del Estado (la Monarquía Parlamentaria).

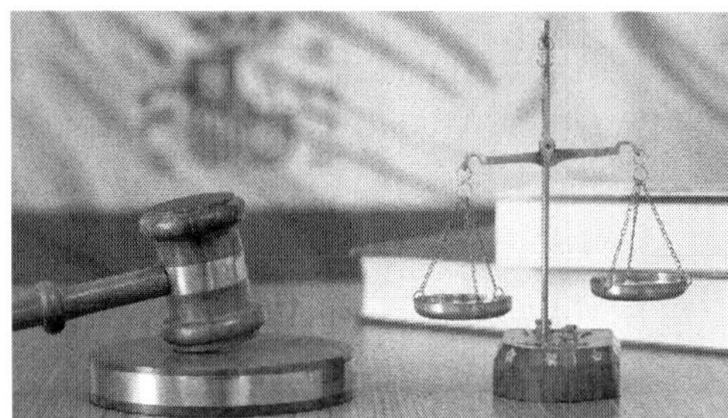

En este contexto, como manifestaciones del Estado de Derecho recogidas en la CE, deben señalarse:

a) El imperio de la Ley, al que se refiere, además del Preámbulo en la forma expuesta, el art. 9,3.º cuando dice que la Constitución garantiza el principio de legalidad; el art. 97, al señalar que el Gobierno ejerce sus funciones de acuerdo con la Constitución y las Leyes, y el art. 103,1.º al establecer que la Administración actúa con sometimiento pleno a la Ley y al Derecho.

b) La división de poderes, prefigurada por CHARLES LOUIS DE SECONDAT, BARÓN DE LA BREDE ET DE MONTESQUIEU, en 1748, en su obra «De l'Esprit des Lois» y recogida por la CE en sus arts. 66,2.º, que dispone que «las Cortes Generales ejercen la potestad legislativa» y «controlan la acción del Gobierno»; 97, al prescribir que «el Gobierno dirige la política interior y exterior, la Administración civil y militar y la defensa del Estado. Ejerce la función ejecutiva y la potestad reglamentaria de acuerdo con la Constitución y las Leyes», y 117,1.º, cuando señala que «la justicia emana del pueblo y se administra en nombre del Rey por Jueces y Magistrados integrantes del Poder Judicial, independientes, inamovibles, responsables y sometidos únicamente al imperio de la Ley».

c) El principio de legalidad en la actuación administrativa, al que se ha hecho referencia.

d) El reconocimiento formal de los derechos y libertades.

Por su parte, como manifestaciones del Estado Social de Derecho, deben citarse, además del principio de igualdad recogido en los arts. 9,2.º y 14, los llamados derechos económicos y sociales, a los que se refiere el Capítulo Tercero del Título I de la CE, y la denominada Constitución económica, plasmada en el Título VII a la que aludiremos más adelante.

Finalmente, como expresión del Estado Democrático de Derecho, debe hacerse mención al reconocimiento de la soberanía popular, manifestado en el art. 1,2.º: «la soberanía nacional reside en el pueblo español, del que emanan los poderes del Estado», en el art. 66,1.º: «las Cortes representan al pueblo español» y en el art. 117: «la justicia emana del pueblo». Asimismo, debe citarse la aceptación del pluralismo político y social, de la que son claros exponentes los arts. 6 y 7 CE, la participación de los ciudadanos en los asuntos públicos, reflejada esencialmente en el art. 23,1.º, así como en los arts. 29 (derecho de petición), 87,3.º (iniciativa legislativa popular), 105 (participación en los procedimientos administrativos), 125 (participación en la administración de la justicia) y 92, 167 y 168 (que recogen la figura del referéndum).

En cuanto a los valores superiores del ordenamiento jurídico, como ha indicado PECES-BARBA, constituyen la meta del Estado y del Derecho que pretende el Constituyente de 1978, siendo el punto de partida de todo el resto del ordenamiento jurídico, en el sentido de que suponen el marco, el límite y el objetivo a alcanzar por el ordenamiento, al que tienen que acoplarse todas las demás normas y al que tienen que ajustar su actuación todos los operadores jurídicos.

Estos valores enunciados en el art. 1 se han plasmado a lo largo del texto constitucional en la forma que sigue:

a) El valor libertad, en el Título I, que regula los derechos y deberes fundamentales, fundamento del orden político y de la paz social (art. 10,1.º CE).

b) El valor justicia se concreta constitucionalmente en los Títulos VI, relativo al Poder Judicial, y IX, sobre el Tribunal Constitucional.

c) El valor igualdad se positiviza en los arts. 9,2.º y 14 CE.

d) El valor pluralismo político es recogido en los arts. 6 y 7 CE.

2. El **art. 2** encierra la transacción más discutida de cuantas han sido acogidas en el articulado de la CE, estableciendo que «la Constitución se fundamenta en la indisoluble unidad de la Nación española, patria común e indivisible de todos los españoles, y reconoce y garantiza el derecho a la autonomía de las nacionalidades y regiones que la integran y la solidaridad entre todas ellas».

   La concreción de este artículo se efectúa en el Título VIII CE: «De la Organización Territorial del Estado».

3. El **art. 9**, que, tras señalar la sujeción de los ciudadanos y de los poderes públicos a la Constitución y al resto del ordenamiento jurídico, e impeler a los segundos a velar por la libertad e igualdad del individuo y de los grupos en que se integra,

así como a facilitar la participación de todos los ciudadanos en la vida política, económica, cultural y social, declara solemnemente los principios de nuestro ordenamiento jurídico, estableciendo como tales los de:

a) Legalidad.
b) Jerarquía normativa.
c) Publicidad de las normas.
d) Irretroactividad de las disposiciones sancionadoras no favorables o restrictivas de derechos individuales.
e) Seguridad jurídica.
f) Responsabilidad e interdicción de la arbitrariedad de los poderes públicos.

Recuerda que...

El Estado español es un Estado social y democrático de Derecho, que propugna como valores superiores de su ordenamiento jurídico la libertad, la justicia, la igualdad y el pluralismo político.

Los restantes artículos de este Título Preliminar tratan de:

1. El castellano como lengua española oficial del Estado, que todos los españoles tienen el deber de conocer y el derecho de usar, así como las restantes lenguas españolas, que serán también oficiales en las respectivas Comunidades Autónomas (**art. 3**).

   En relación con esta previsión constitucional, debe tenerse en cuenta la Carta Europea de las Lenguas Regionales o Minoritarias, de 5 de noviembre de 1992, ratificada por España por Instrumento de ratificación de 2 de febrero de 2001. Asimismo, hay que hacer notar que por el Real Decreto 905/2007, de 6 de julio, se han creado el Consejo de la Lenguas Oficiales en la Administración General del Estado y la Oficina para las Lenguas Oficiales.

2. La bandera de España (formada por tres franjas horizontales, roja, amarilla y roja) y las banderas y enseñas propias de las Comunidades Autónomas (que estas utilizarán junto a la española en sus edificios públicos y actos oficiales) (**art. 4**).

3. La capital del Estado es la villa de Madrid.(**art. 5**).

4. Los partidos políticos, que expresan el pluralismo político, concurren a la formación y manifestación de la voluntad popular y son instrumento fundamental para la participación política. Su creación y el ejercicio de su actividad son libres dentro del respeto a la Constitución y a la Ley, y su estructura interna y funcionamiento deberán ser democráticos (**art. 6**). Sobre los mismos, habrá que estar a lo dispues-

to por la Ley Orgánica 6/2002, de 27 de junio, de Partidos Políticos, así como por la Ley Orgánica 8/2007, de 4 de julio, sobre financiación de los partidos políticos, debiendo hacerse mención a la Ley 43/1998, de 15 de diciembre, de restitución o compensación a los Partidos Políticos de bienes y derechos incautados en aplicación de la normativa sobre responsabilidades políticas del período 1936-1939, modificada por la Ley 50/2007, de 26 de diciembre.

5. Los Sindicatos de trabajadores y las Asociaciones empresariales, que contribuyen a la defensa y promoción de los intereses económicos y sociales que les son propios, con igual pronunciamiento que el de los partidos políticos en cuanto a su creación, ejercicio, estructura interna y funcionamiento (**art. 7**).

6. Las Fuerzas Armadas, que tienen como misión garantizar la soberanía e independencia de España, defender su integridad territorial y el ordenamiento constitucional (**art. 8**), en relación con las cuales ha de tenerse en cuenta la Ley Orgánica 14/2015, de 14 de octubre, del Código Penal Militar, la Ley 17/1999, de 18 de mayo, de Régimen de Personal de las Fuerzas Armadas, la Ley Orgánica 5/2005, de 17 de noviembre, de la Defensa Nacional, dictada en desarrollo de este art. 8 CE, la Ley 8/2006, de 24 de abril, de Tropa y Marinería, la reiterada Ley Orgánica 9/2011, de 27 de julio, de derechos y deberes de los miembros de las Fuerzas Armadas y la citada Ley Orgánica 8/2014, de 4 de diciembre, de Régimen Disciplinario de las Fuerzas Armadas.

Principios	Artículo	Texto
Estado de Derecho	Art. 1.1	España se constituye en un Estado social y democrático de Derecho, que propugna como valores superiores de su ordenamiento jurídico la libertad, la justicia, la igualdad y el pluralismo político.
Estado Democrático	Art. 1.1	España se constituye en un Estado social y democrático de Derecho, que propugna como valores superiores de su ordenamiento jurídico la libertad, la justicia, la igualdad y el pluralismo político.
Estado Social	Art. 1.1	España se constituye en un Estado social y democrático de Derecho, que propugna como valores superiores de su ordenamiento jurídico la libertad, la justicia, la igualdad y el pluralismo político.
Estado Autonómico	Art. 2	La Constitución se fundamenta en la indisoluble unidad de la Nación española, patria común e indivisible de todos los españoles, y reconoce y garantiza el derecho a la autonomía de las nacionalidades y regiones que la integran y la solidaridad entre todas ellas.
Monarquía Parlamentaria	Art. 1.3	La forma política del Estado Español es la Monarquía Parlamentaria.

Actividad 2

¿Cuál de los siguientes no es uno de los valores superiores de nuestro ordenamiento jurídico?

- [ ] a) El pluralismo político.
- [ ] b) La solidaridad.
- [ ] c) La libertad.

2. Título I. De los derechos y deberes fundamentales

2.1. Introducción

Trata de los derechos y deberes fundamentales, comenzando por la declaración general del **art. 10**, conforme al cual:

1. La dignidad de la persona, los derechos inviolables que le son inherentes, el libre desarrollo de la personalidad, el respeto a la Ley y a los derechos de los demás son el fundamento del orden político y de la paz social.
2. Las normas relativas a los derechos fundamentales y a las libertades que la Constitución reconoce se interpretarán de conformidad con la Declaración Universal de Derechos Humanos y los Tratados y Acuerdos Internacionales sobre las mismas materias ratificados por España.

Sabías que...

La **Declaración Universal** de **Derechos Humanos** fue adoptada por la tercera Asamblea General de las Naciones Unidas, el 10 de diciembre de 1948 en París. Ninguno de los 56 miembros de las Naciones Unidas votó en contra del texto, aunque Sudáfrica, Arabia Saudita y la Unión Soviética se abstuvieron.

Junto a estas normas, hay que tener en cuenta lo dispuesto por el art. 2 de la Ley Orgánica 1/2008, de 30 de julio, por la que se autoriza la ratificación por España del Tratado de Lisboa, por el que se modifican el Tratado de la Unión Europea y el Tratado

Constitutivo de la Comunidad Europea, firmado en la capital portuguesa el 13 de diciembre de 2007, según el cual a tenor de lo dispuesto en el párrafo segundo del artículo 10 de la Constitución española, y en el apartado 8 del artículo 1 del Tratado de Lisboa, las normas relativas a los derechos fundamentales y a las libertades que la Constitución reconoce se interpretarán también de conformidad con lo dispuesto en la Carta de los Derechos Fundamentales publicada en el «Diario Oficial de la Unión Europea» de 14 de diciembre de 2007.

Los restantes artículos se agrupan en los siguientes cinco capítulos:

a) El Capítulo Primero, dedicado a los españoles y extranjeros, con tres artículos que tratan, respectivamente, de:

    1. La nacionalidad española, que se adquiere, se conserva y se pierde de acuerdo con lo establecido en la Ley, sin que ningún español de origen pueda ser privado de la misma (art. 11). En relación con este artículo, puede hacerse mención a la Ley 12/2015, de 24 de junio, en materia de concesión de la nacionalidad española a los sefardíes originarios de España, respecto a la que se ha dictado la Instrucción de 29 de septiembre de 2015, de la Dirección General de los Registros y del Notariado, sobre la aplicación de esta Ley 12/2015, de 24 de junio (**art. 11**).

    2. La mayoría de edad de los españoles a los dieciocho años (**art. 12**).

    3. Los derechos y libertades de los extranjeros en España, similares a los de los españoles en los términos que establezcan los tratados y las leyes, que han sido regulados por la Ley Orgánica 4/2000, de 11 de enero, sobre derechos y libertades de los extranjeros en España y su integración social y cuyo Reglamento de ejecución se ha aprobado por el Real Decreto 557/2011, de 20 de abril, por el que se aprueba el Reglamento de la Ley Orgánica 4/2000, sobre derechos y libertades de los extranjeros en España y su integración social, tras su reforma por Ley Orgánica 2/2009, junto al que debe tener en cuenta el Real Decreto 162/2014, de 14 de marzo, por el que se aprueba el reglamento de funcionamiento y régimen interior de los centros de internamiento de extranjeros (que ha derogado parcialmente al anterior) y el Real Decreto 3/2006, de 16 de enero, por el que se regula la composición, competencias y régimen de funcionamiento del Foro para la integración social de los inmigrantes (parcialmente modificado por el Real Decreto 1164/2009, de 10 de julio), incorporándose, atendiendo a criterios de reciprocidad y en los términos que establezca un tratado o una ley, además del derecho de sufragio activo, el sufragio pasivo (o posibilidad de ser elegido) en las elecciones municipales, como consecuencia de la reforma parcial de la Constitución, de 27 de agosto de 1992, llevada a efecto para posibilitar la adhesión al Tratado de Maastricht. Asimismo, ha de tenerse en cuenta la Ley Orgánica 13/2007, de 19 de noviembre, para la persecución extraterritorial del tráfico ilegal o la inmigración clandestina de personas.

En cuanto a la extradición, que solo se concederá en cumplimiento de un tratado o de la ley, atendiendo al principio de reciprocidad y de la que quedan excluidos los delitos políticos, no considerándose como tales los actos de terrorismo (regulada –la extradición pasiva– por Ley 4/1985, de 21 de marzo) y el derecho de asilo en España a favor de ciudadanos de otros países y de los apátridas (regulado por la Ley 12/2009, de 30 de octubre, reguladora del derecho de asilo y de la protección subsidiaria).

Finalmente, cabe mencionar que por sentencia de 10 de febrero de 2015, del Pleno de la Sala Tercera del Tribunal Supremo, se declara inaplicable el inciso «y existan en el centro módulos que garanticen la unidad e intimidad familiar» del artículo 62 bis 1.i) de la Ley Orgánica 4/2000, de 11 de enero; y se anulan diversos incisos de los artículos 7.3, segundo párrafo, 16.2.k), 21.3 y el apartado 2 del artículo 55 del Real Decreto 162/2014, de 14 de marzo, por el que se aprueba el Reglamento de funcionamiento y régimen interior de los Centros de Internamiento de Extranjeros (**art. 13**).

b) El Capítulo Segundo, que se dedica a los derechos y libertades.

c) El Capítulo Tercero, que trata de los principios rectores de la política social y económica, consagrando los llamados derechos sociales.

d) El Capítulo Cuarto, que versa sobre las garantías de las libertades y derechos fundamentales, regulando la figura del Defensor del Pueblo.

e) El Capítulo Quinto, finalmente, que se dedica a la suspensión de los derechos y libertades en los estados de excepción y sitio, así como en la actuación contra bandas armadas o elementos terroristas.

Recuerda que...

La dignidad de la persona, los derechos inviolables que le son inherentes, el libre desarrollo de la personalidad, el respeto a la ley y a los derechos de los demás son el fundamento del orden político y de la paz social.

2.2. Derechos y libertades

2.2.1. Introducción

La CE trata de los derechos y deberes fundamentales de los españoles en su Título I: «De los derechos y deberes fundamentales» y, señaladamente, en los Capítulos:

a) **Segundo**: «De los derechos y libertades», que abarca a los arts. 14 a 38, divididos, tras la mención general del art. 14, en dos Secciones:

   1. Sección 1.ª: «De los derechos fundamentales y de las libertades públicas» (arts. 15 a 29).
   2. Sección 2.ª: «De los derechos y deberes de los ciudadanos» (arts. 30 a 38).

b) **Tercero**: «De los principios rectores de la política social y económica»; Capítulo, este, donde se recogen los denominados «derechos sociales» (arts. 39 a 52).

c) **Cuarto**: «De las garantías de las libertades y derechos fundamentales» (arts. 53 y 54).

d) **Quinto**: «De la suspensión de los derechos y libertades» (art. 55).

2.2.2. Derechos

Como se expuso, el **art. 10 CE** dispone que:

1. La dignidad de la persona, los derechos inviolables que le son inherentes, el libre desarrollo de la personalidad, el respeto a la Ley y a los derechos de los demás son el fundamento del orden político y de la paz social.
2. Las normas relativas a los derechos fundamentales y a las libertades que la Constitución reconoce se interpretarán de conformidad con la Declaración Universal de Derechos Humanos y los Tratados y Acuerdos Internacionales sobre las mismas materias ratificados por España.

Junto a estas normas, hay que tener en cuenta lo dispuesto por el art. 2 de la Ley Orgánica 1/2008, de 30 de julio, por la que se autoriza la ratificación por España del Tratado de Lisboa, por el que se modifican el Tratado de la Unión Europea y el Tratado Constitutivo de la Comunidad Europea, firmado en la capital portuguesa el 13 de diciembre de 2007, según el cual a tenor de lo dispuesto en el párrafo segundo del artículo 10 de la Constitución española, y en el apartado 8 del artículo 1 del Tratado de Lisboa, las normas relativas a los derechos fundamentales y a las libertades que la Constitución reconoce se interpretarán también de conformidad con lo dispuesto en la Carta de los Derechos Fundamentales publicada en el «Diario Oficial de la Unión Europea» de 14 de diciembre de 2007.

Por su parte, el art. 14 CE trata del **principio de igualdad**, al establecer que «los españoles son iguales ante la Ley, sin que pueda prevalecer discriminación alguna por razón de nacimiento, raza, sexo, religión, opinión o cualquier otra condición o circunstancia personal o social». Una plasmación práctica de este derecho es la Ley 33/2006, de 30 de octubre, sobre igualdad del hombre y la mujer en el orden sucesorio de los títulos nobiliarios, junto a la que debe hacerse mención especial a la Ley Orgánica 3/2007, de 22 de marzo, para la igualdad efectiva de mujeres y hombres.

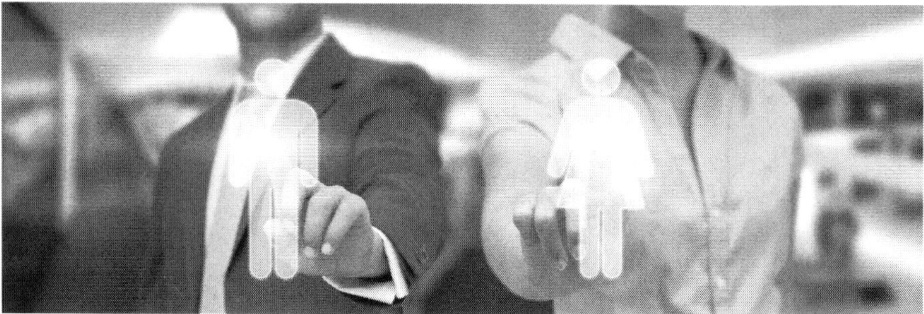

En cuanto a los demás derechos que se reconocen en este Título I, son los siguientes:

Derecho a la vida y a la integridad física y moral, sin que, en ningún caso, pueda ser sometido alguien a tortura ni a penas o tratos inhumanos o degradantes, quedando abolida la pena de muerte, salvo lo que dispongan las leyes penales militares para tiempos de guerra (art. 15), sobre lo que habrá que estar a lo dispuesto en la Ley Orgánica 14/2015, de 14 de octubre, del Código Penal Militar. Sobre la pena de muerte, hay que señalar, asimismo, que España manifestó el 16 de diciembre de 2009 su consentimiento al Protocolo n.º 13 al Convenio para la Protección de los Derechos Humanos y de las Libertades Fundamentales (hecho en Vilna el 3 de mayo de 2002), relativo a la abolición de la pena de muerte en todas las circunstancias, con entrada en vigor en nuestro país el 1 de abril de 2010.

Libertad ideológica, religiosa y de culto (art. 16), sin más limitación en sus manifestaciones que la necesaria para el mantenimiento del orden público protegido por la Ley, y sin que nadie pueda ser obligado a declarar sobre su ideología, religión y creencias, consagrándose la aconfesionalidad del Estado. La libertad religiosa ha sido regulada por la Ley Orgánica 7/1980, de 5 de julio, de Libertad Religiosa, desarrollada por el Real Decreto 932/2013, de 29 de noviembre, por el que se regula la Comisión Asesora de Libertad Religiosa. Asimismo, debe hacerse mención al Real Decreto 593/2015, de 3 de julio, por el que se regula la declaración de notorio arraigo de las confesiones religiosas en España, y al Real Decreto 594/2015, de 3 de julio, por el que se regula el Registro de Entidades Religiosas.

Derecho a la libertad y a la seguridad personal, por lo que nadie podrá ser privado de su libertad, sino con la observancia de lo dispuesto en el art. 17 y en los casos y en la forma prevista en la Ley.

Asimismo, la detención preventiva no podrá durar más del tiempo estrictamente necesario para la realización de las averiguaciones tendentes al esclarecimiento de los hechos, y, en todo caso, en el plazo máximo de setenta y dos horas, el detenido deberá ser puesto en libertad o a disposición de la autoridad judicial.

Por otro lado, toda persona detenida debe ser informada de forma inmediata, y de modo que le sea comprensible, de sus derechos y de las razones de su detención, no pudiendo ser obligada a declarar. Se garantiza la asistencia de Abogado al detenido en las diligencias policiales y judiciales, en los términos que la Ley establezca (esta es la Ley 14/1983, de 12 de diciembre, junto a la que debe tenerse en cuenta la Ley 1/1996, de 10 de enero, de Asistencia Jurídica Gratuita).

Finalmente, la Ley regulará un procedimiento de «habeas corpus» para producir la inmediata puesta a disposición judicial de toda persona detenida ilegalmente (es la Ley Orgánica 6/1984, de 24 de mayo). Asimismo, por Ley se determinará el plazo máximo de duración de la prisión provisional (art. 17).

En relación con estos derechos, ha de hacerse mención a la Ley Orgánica 4/2015, de 30 de marzo, de protección de la seguridad ciudadana, a la que habrá que estar, así como a la mencionada Ley 36/2015, de 28 de septiembre, de Seguridad Nacional.

Derecho al honor, a la intimidad personal y familiar y a la propia imagen, reconocido en el art. 18 y regulado por la Ley Orgánica 1/1982, de 5 de mayo, derogada parcialmente por la Ley Orgánica 10/1995, de 23 de noviembre, del Código Penal, y modificada por la Ley Orgánica 5/2010, de 22 de junio, por la que se modifica la Ley Orgánica 10/1995, de 23 de noviembre, del Código Penal.

Por lo demás, este art. 18 establece que:

a) **El domicilio es inviolable**, sin que pueda hacerse entrada o registro en él sin consentimiento del titular o resolución judicial, salvo en caso de flagrante delito, debiendo tenerse en cuenta, al efecto, la Ley 22/1995, de 17 de agosto, mediante la que se garantiza la presencia Judicial en los registros domiciliarios.

b) Se garantiza el **secreto de las comunicaciones**, y, en especial, de las postales, telegráficas y telefónicas, salvo resolución judicial.

c) **La Ley limitará el uso de la informática** para garantizar el honor y la intimidad personal y familiar de los ciudadanos y el pleno ejercicio de sus derechos (al efecto, habrá que estar a lo dispuesto en la Ley Orgánica 3/2018, de 5 de diciembre, de Protección de Datos Personales y garantía de los derechos digitales).

Derecho a la libre elección de residencia y a la libre circulación por el territorio nacional, recogido en el art. 19, así como el derecho a entrar y salir libremente de España en los términos que la Ley establezca; derecho que no podrá ser limitado por motivos políticos o ideológicos.

Derecho de expresión, que engloba los siguientes, enunciados por el art. 20, según el cual:

1. Se reconocen y protegen los derechos:

   a) A expresar y difundir libremente los pensamientos, ideas y opiniones mediante la palabra, el escrito o cualquier otro medio de reproducción.

   b) A la producción y creación literaria, artística, científica y técnica.

c) A la libertad de cátedra.

d) A comunicar o recibir libremente información veraz por cualquier medio de difusión. La Ley regulará el derecho a la cláusula de conciencia (en concreto, habrá que estar a lo dispuesto en la Ley Orgánica 2/1997, de 19 de junio, reguladora de la cláusula de conciencia de los profesionales de la información) y al secreto profesional en el ejercicio de estas libertades.

2. El ejercicio de estos derechos no puede restringirse mediante ningún tipo de censura previa.

3. La Ley regulará la organización y el control parlamentario de los medios de comunicación social dependientes del Estado o de cualquier ente público y garantizará el acceso a dichos medios de los grupos sociales y políticos significativos, respetando el pluralismo de la sociedad y de las diversas lenguas de España.

4. Estas libertades tienen su límite en el respeto a los derechos reconocidos en este Título I, en los preceptos de las leyes que lo desarrollen y, especialmente, en el derecho al honor, a la intimidad, a la propia imagen, y a la protección de la juventud y de la infancia.

5. Solo podrá acordarse el secuestro de publicaciones, grabaciones y otros medios de información en virtud de resolución judicial.

Derecho de reunión pacífica y sin armas, sin necesidad de autorización previa, y con comunicación previa a la Autoridad, que solo podrá prohibirlas cuando existan razones fundadas de alteración del orden público, con peligro para personas o bienes, en los casos de reuniones en lugares de tránsito público y manifestaciones, según el art. 21 CE (el derecho de reunión se ha regulado por Ley Orgánica 9/1983, de 15 de julio).

Derecho de asociación, debiendo inscribirse en un Registro a los solos efectos de publicidad, y sin que las asociaciones que se creen se disuelvan o suspendan en sus actividades sino en virtud de resolución judicial.

Declara, además, el art. 22, como ilegales, las asociaciones que persigan fines o utilicen medios tipificados como delito. Y prohíbe las asociaciones secretas y las de carácter paramilitar.

El derecho de asociación se ha regulado por la Ley Orgánica 1/2002, de 22 de marzo.

Derecho de participación en los asuntos públicos, directamente o por medio de representantes, libremente elegidos en elecciones periódicas por sufragio universal.

Asimismo, los ciudadanos tienen **derecho a acceder en condiciones de igualdad a las funciones y cargos públicos**, con los requisitos que señalen las Leyes (art. 23).

Sobre este derecho tiene una especial incidencia la Ley Orgánica 3/2007, de 22 de marzo, para la igualdad efectiva de mujeres y hombres, tanto en cuanto al acceso a las funciones y cargos públicos como en lo referente al sistema electoral, así como el Texto Refundido de la Ley del Estatuto Básico del Empleado Público, aprobado por el Real Decreto Legislativo 5/2015, de 30 de octubre.

Derecho de todas las personas a obtener la tutela efectiva de los Jueces y Tribunales en el ejercicio de sus derechos e intereses legítimos, sin que, en ningún caso, pueda producirse indefensión.

Asimismo, todos tienen derecho al Juez ordinario predeterminado por la Ley, a la defensa y a la asistencia de Letrado (sobre lo que debe tenerse en cuenta la Ley 1/1996, de 10 de enero, de Asistencia Jurídica Gratuita), a ser informados de la acusación formulada contra ellos, a un proceso público sin dilaciones indebidas y con todas las garantías, a utilizar los medios de prueba pertinentes para su defensa, a no declarar contra sí mismos, a no confesarse culpables y a la presunción de inocencia.

La Ley regulará los casos en que, por razón de parentesco o de secreto profesional, no se estará obligado a declarar sobre hechos presuntamente delictivos (art. 24).

Principio de legalidad penal, que recoge el art. 25, conforme al cual:

1. Nadie puede ser condenado o sancionado por acciones u omisiones que en el momento de producirse no constituyan delito, falta o infracción administrativa, según la legislación vigente en aquel momento.
2. Las penas privativas de libertad y las medidas de seguridad estarán orientadas hacia la reeducación y reinserción social y no podrán consistir en trabajos forzados. El condenado a pena de prisión que estuviere cumpliendo la misma gozará de los derechos fundamentales de este Capítulo, a excepción de los que se vean expresamente limitados por el contenido del fallo condenatorio, el sentido de la pena y la ley penitenciaria. En todo caso, tendrá derecho a un trabajo remunerado y a los beneficios correspondientes de la Seguridad Social, así como al acceso a la cultura y al desarrollo integral de su personalidad.
3. La Administración civil no podrá imponer sanciones que, directa o subsidiariamente, impliquen privación de libertad.

Recuerda que...

Nuestra CE prohíbe las asociaciones secretas y las de carácter paramilitar.

Prohibición de los Tribunales de Honor en el ámbito de la Administración Civil y de las Organizaciones Profesionales (art. 26).

Derecho a la Educación, que se recoge en el art. 27, conforme al cual:

1. Todos tienen el derecho a la educación. Se reconoce la libertad de enseñanza.
2. La educación tendrá por objeto el pleno desarrollo de la personalidad humana en el respeto a los principios democráticos de convivencia y a los derechos y libertades fundamentales.
3. Los poderes públicos garantizan el derecho que asiste a los padres para que sus hijos reciban la formación religiosa y moral que esté de acuerdo con sus propias convicciones.
4. La enseñanza básica es obligatoria y gratuita.
5. Los poderes públicos garantizan el derecho de todos a la educación mediante una programación general de la enseñanza, con participación efectiva de todos los sectores afectados y la creación de centros docentes.
6. Se reconoce a las personas físicas y jurídicas la libertad de creación de centros docentes, dentro del respeto a los principios constitucionales.
7. Los profesores, los padres y, en su caso, los alumnos intervendrán en el control y gestión de los centros sostenidos por la Administración con fondos públicos, en los términos que la Ley establezca.
8. Los poderes públicos inspeccionarán y homologarán el sistema educativo para garantizar el cumplimiento de las leyes.
9. Los poderes públicos ayudarán a los centros docentes que reúnan los requisitos que la ley establezca.
10. Se reconoce la autonomía de las Universidades en los términos que la ley establezca.

El derecho de educación ha sido regulado por la Ley Orgánica 8/1985, de 3 de julio, Reguladora del Derecho a la Educación, por la Ley Orgánica 5/2002, de 19 de junio, de las Cualificaciones y de la Formación Profesional, y por la reiterada Ley Orgánica 2/2006, de 3 de mayo, de Educación.

Actividad 3

Rellena los huecos con las palabras que faltan:

El artículo 22.5 de la Carta Magna dispone que se prohíben las asociaciones ________ y las de carácter ________.

Derecho de libre sindicación, reconocido en el art. 28 y regulado por la Ley Orgánica 11/1985, de 2 de agosto, de Libertad Sindical, pudiéndose limitar o exceptuar, por Ley, a las Fuerzas o Institutos armados o a los demás Cuerpos sometidos a disciplina militar y debiéndose regular las peculiaridades de su ejercicio para los Funcionarios Públicos, lo que se hizo a través de la Ley 9/1987, de 12 de junio, de Órganos de Representación, Determinación de las Condiciones de Trabajo y Participación del Personal al Servicio de las Administraciones Públicas, prácticamente derogada en su totalidad por la también derogada Ley 7/2007, de 12 de abril, del Estatuto Básico del Empleado Público (actualmente, el Real Decreto Legislativo 5/2015, de 30 de octubre, por el que se aprueba el texto refundido de la Ley del Estatuto Básico del Empleado Público).

Esta libertad sindical comprende el derecho a fundar Sindicatos y a afiliarse al de su elección, así como el derecho de los Sindicatos a formar Confederaciones y a fundar Organizaciones Sindicales Internacionales o a afiliarse a las mismas, sin que pueda ser obligado nadie a afiliarse a un Sindicato.

Se reconoce, también, el **derecho de huelga de los trabajadores** para la defensa de sus intereses, debiendo garantizarse, en todo caso, por Ley, el mantenimiento de los servicios esenciales de la comunidad durante la huelga.

Derecho de petición individual y colectiva, por escrito, en la forma y con los efectos que determine la Ley (se trata de la Ley Orgánica 4/2001, de 12 de noviembre, Reguladora del Derecho de Petición, parcialmente modificada por la mencionada Ley Orgánica 9/2011, de 27 de julio).

En cuanto a los miembros de las Fuerzas o Institutos armados o de los Cuerpos sometidos a disciplina militar, podrá ejercerse este derecho solo individualmente y con arreglo a lo dispuesto en su legislación específica (art. 29).

Derecho-deber de defender a España, recogido en el art. 30 y regulado por la Ley Orgánica 5/2005, de 17 de noviembre, de la Defensa Nacional y derecho a la objeción de conciencia, regulado por la Ley 22/1998, de 6 de julio, reguladora de la Objeción de Conciencia y de la Prestación Social Sustitutoria, desarrollada por el Real Decreto 700/1999, de 30 de abril, por el que se aprueba el Reglamento de la objeción de conciencia y de la prestación social sustitutoria.

Sobre este derecho-deber ha de hacerse notar que desde el 31 de diciembre de 2001 se suspendió la prestación del servicio militar, así como la prestación social sustitutoria del servicio militar.

Asimismo, este artículo dispone que pueda establecerse un servicio civil para el cumplimiento de fines de interés general. Y que mediante Ley podrán regularse los deberes de los ciudadanos en los casos de grave riesgo, catástrofe o calamidad pública. A esta materia se refieren la Ley Orgánica 4/1981, de 1 de junio, de estados de Alarma, Excepción y Sitio, y la Ley 17/2015, de 9 de julio, del Sistema Nacional de Protección Civil.

Derecho del hombre y de la mujer a contraer matrimonio con plena igualdad jurídica. La Ley –dice el artículo 32– regulará las formas de matrimonio, la edad y capacidad para contraerlo, los derechos y deberes de los cónyuges, las causas de separación y disolución y sus efectos (contempladas en la Ley 30/1981, de 7 de julio de 1981, por la que se modifica la regulación del matrimonio en el Código Civil y se determina el procedimiento a seguir en las causas de nulidad, separación y divorcio, que se ha visto afectada por la Ley 15/2005, de 8 de julio, por la que se modifican el Código Civil y la Ley de Enjuiciamiento Civil en materia de separación y divorcio). En relación con este derecho, ha de tenerse en cuenta la Ley 13/2005, de 1 de julio, por la que se modifica el Código Civil en materia de derecho a contraer matrimonio.

Derecho a la propiedad privada y a la herencia, delimitándose el contenido de estos derechos por la función social que han de cumplir (art. 33 CE).

Asimismo, se establece por este art. 33 CE que nadie podrá ser privado de sus bienes y derechos sino por causa justificada de utilidad pública o interés social, mediante la correspondiente indemnización y de conformidad con lo dispuesto por las Leyes (actualmente, la Ley de Expropiación Forzosa, de 16 de diciembre de 1954, sucesivamente modificada).

Derecho de Fundación, para fines de interés general, con arreglo a la Ley, rigiendo para las Fundaciones lo expuesto respecto de las asociaciones (art. 34). Este derecho se ha desarrollado por la Ley 50/2002, de 26 de diciembre, de Fundaciones, así como por la Ley 30/1994, de 24 de noviembre, de Fundaciones y de Incentivos Fiscales a la Participación Privada en Actividades de Interés General **Derecho-deber al trabajo**, al que se refiere el art. 35 y junto al que se reconocen los siguientes derechos:

a) Derecho a la libre elección de profesión u oficio.

b) Derecho a la promoción a través del trabajo.

c) Derecho a una remuneración suficiente para satisfacer sus necesidades y las de la familia, sin que, en ningún caso, pueda hacerse discriminación por razón de sexo.

En cuanto a la regulación del mismo, aparte de las previsiones específicas que puedan existir para determinados segmentos de trabajadores, por ejemplo los integrantes de la

Función Pública en sus múltiples vertientes, que se regulan por su legislación específica, ha de estarse a lo dispuesto en el Texto Refundido de la Ley del Estatuto de los Trabajadores, aprobado por el Real Decreto Legislativo 2/2015, de 23 de octubre. Junto al mismo, ha de hacerse expresa mención a la Ley 20/2007, de 11 de julio, del Estatuto del Trabajo Autónomo, y desarrollada por el Real Decreto 197/2009, de 23 de febrero, por el que se desarrolla el Estatuto del Trabajo Autónomo en materia de contrato del trabajador autónomo económicamente dependiente y su registro y se crea el registro Estatal de asociaciones profesionales de trabajadores autónomos, entre otras. El art. 36 señala que la Ley regulará las peculiaridades propias del régimen jurídico de los **Colegios Profesionales y el ejercicio de las profesiones tituladas**, debiendo ser democráticos la estructura interna y el funcionamiento de los Colegios.

Los Colegios Profesionales se regularon por la Ley 2/1974, de 13 de febrero, que ha sido objeto de diferentes modificaciones.

Derecho a la negociación colectiva, al que se refiere el art. 37, al establecer que «la Ley garantizará el derecho a la negociación colectiva laboral entre los representantes de los trabajadores y empresarios, así como la fuerza vinculante de los convenios».

Esta materia se ha regulado por el Título III, arts. 82 a 92, inclusive, del reiterado Texto Refundido de la Ley del Estatuto de los Trabajadores, junto al que debe tenerse en cuenta el Real Decreto 713/2010, de 28 de mayo, sobre registro y depósito de convenios y acuerdos colectivos de trabajo.

Asimismo, se reconoce el **derecho de los trabajadores y empresarios a adoptar medidas de conflicto colectivo**, debiendo garantizarse el funcionamiento de los servicios esenciales para la comunidad.

Libertad de empresa en el marco de la economía de mercado, garantizando los poderes públicos y protegiendo su ejercicio y la defensa de la productividad, de acuerdo con las exigencias de la economía general y, en su caso, de la planificación (art. 38). Sobre esta materia debe tenerse en cuenta la Ley 15/2007, de 3 de julio, de Defensa de la Competencia, desarrollada por el Real Decreto 261/2008, de 22 de febrero, por el que se aprueba el Reglamento de Defensa de la Competencia.

Junto a los derechos enunciados, el Capítulo III de este Título I reconoce una serie de derechos denominados sociales, como se dijo, como:

El art. 39 trata del **derecho de la familia a ser protegida social, económica y jurídicamente por los poderes públicos**, así como del **derecho de los hijos, iguales ante la Ley con independencia de su filiación y de las madres, cualquiera que sea su estado civil, a una protección** integral (debiendo tenerse en cuenta la citada Ley Orgánica 1/2004, de 28 de diciembre, de Medidas de Protección Integral contra la Violencia de Género, también modificada por Ley Orgánica 8/2015, de 22 de julio, de modificación del sistema de protección a la infancia y a la adolescencia citada y por Ley 42/2015, de 5 de octubre, de reforma de la Ley 1/2000, de 7 de enero, de Enjuiciamiento Civil), reconociéndose, también, el **deber de los padres de prestar asistencia de todo orden a los hijos habidos**

dentro y fuera del matrimonio, durante su minoría de edad y en los demás casos en que legalmente proceda.

El art. 40, por su parte, recoge los siguientes derechos:

a) **Derecho a una distribución más equitativa de la renta y a una política orientada al pleno empleo.**

b) **Derecho a la formación y readaptación profesionales.**

c) **Derecho a la seguridad e higiene en el trabajo,** sobre el que deben tenerse en cuenta las previsiones de la Ley 31/1995, de 8 de noviembre, de Prevención de Riesgos Laborales.

d) **Derecho al descanso necesario**, mediante la limitación de la jornada laboral, las vacaciones periódicas retribuidas y la promoción de centros adecuados.

El art. 41 CE reconoce el **derecho a la Seguridad Social para todos los ciudadanos**, que garantice la asistencia y prestaciones sociales suficientes ante situaciones de necesidad, especialmente en caso de desempleo. Al respecto, puede citarse el Real Decreto Legislativo 8/2015, de 30 de octubre, por el que se aprueba el texto refundido de la Ley General de la Seguridad Social.

El art. 42 impele al Estado a **salvaguardar los derechos económicos y sociales de los trabajadores españoles en el extranjero** y a orientar su política hacia el retorno. Al efecto, debe tenerse en cuenta la Ley 40/2006, de 14 de diciembre, del Estatuto de la ciudadanía española en el exterior.

El art. 43 reconoce el **derecho a la protección de la salud**, a través de medidas preventivas y de las prestaciones y servicios necesarios, debiendo los poderes públicos fomentar la educación sanitaria, la educación física y el deporte, facilitando, además, la adecuada utilización del ocio.

En relación con este derecho, deben tenerse en cuenta, además de la Ley 14/1986, de 25 de abril, General de Sanidad, la Ley 41/2002, de 14 de noviembre, básica reguladora de la autonomía del paciente y de derechos y obligaciones en materia de información y

documentación clínica; la Ley 16/2003, de 28 de mayo de cohesión y calidad del Sistema Nacional de Salud; la Ley 55/2003, de 16 de diciembre, del Estatuto Marco del personal estatutario de los servicios de salud, entre otras.

El art. 44 regula el **derecho de acceso a la cultura por parte de todos**, impeliéndose a los poderes públicos a promover la ciencia y la investigación científica y técnica en beneficio del interés general. Al efecto, debe tenerse en cuenta la Ley 10/2007, de 22 de junio, de la lectura, del libro y de las bibliotecas.

El art. 45 CE sanciona el derecho a **disfrutar de un medio ambiente adecuado para el desarrollo de la persona**, debiendo los poderes públicos velar por la utilización racional de todos los recursos naturales, con el fin de proteger y mejorar la calidad de vida y defender y restaurar el medio ambiente, apoyándose en la indispensable solidaridad colectiva. Para quienes violen estas previsiones, en los términos que la ley fije se establecerán sanciones penales o, en su caso, administrativas, así como la obligación de reparar el daño causado.

El art. 46 señala que los poderes públicos garantizarán la **conservación y** promoverán el **enriquecimiento del patrimonio histórico, cultural y artístico de los pueblos de España y de los bienes que lo integran**, cualquiera que sea su régimen jurídico y su titularidad. La ley penal sancionará los atentados contra este patrimonio.

Conforme al art. 47 CE, todos los españoles tienen **derecho a disfrutar de una vivienda digna y adecuada**, debiendo los poderes públicos regular la utilización del suelo de acuerdo con el interés general para impedir la especulación, y participando la comunidad en las plusvalías que genere la acción urbanística de los Entes Públicos. En relación con esta materia, habrá que estar a la legislación sobre Régimen del Suelo y Ordenación Urbana tanto estatal –constituida, básicamente, por el citado Real Decreto Legislativo 7/2015, de 30 de octubre, por el que se aprueba el texto refundido de la Ley de Suelo y Rehabilitación Urbana, así como la Ley 29/1994, de 24 de noviembre, de Arrendamientos Urbanos.

El art. 48 trata del **derecho de la juventud a una participación libre y eficaz en el desarrollo político, social, económico y cultural**.

El art. 49 CE impone a los poderes públicos la realización de una **política de previsión, tratamiento, rehabilitación e integración de los disminuidos físicos, sensoriales y psíquicos**, a los que prestarán la atención especializada que requieran y los ampararán especialmente para el disfrute de los derechos que el Título I otorga a todos los ciudadanos. Podemos destacar aquí el Real Decreto Legislativo 1/2013, de 29 de noviembre, por el que se aprueba el Texto Refundido de la Ley General de derechos de las personas con discapacidad y de su inclusión social.

El art. 50 se ocupa de la **Tercera Edad**, estableciendo su derecho a pensiones adecuadas y periódicamente actualizadas y a la utilización de un sistema de servicios sociales que atenderán sus problemas específicos de salud, vivienda, cultura y ocio. En relación con este artículo, debe tenerse en cuenta el Real Decreto 117/2005, de 4 de febrero, por el que se regula el Consejo Estatal de las Personas Mayores.

El art. 51 impone a los poderes públicos la obligación de garantizar la **defensa de los consumidores y usuarios**, protegiendo, mediante procedimientos eficaces, la seguridad, la salud y los legítimos intereses económicos de los mismos. Asimismo, se promoverá la información y la educación de los consumidores y usuarios, fomentándose sus organizaciones, a las que se oirá en las cuestiones que les puedan afectar.

En relación con este artículo, ha de tenerse en cuenta el Texto Refundido de la Ley General para la Defensa de los Consumidores y Usuarios y otras leyes complementarias, aprobado por el Real Decreto Legislativo 1/2007, de 16 de noviembre (cuyas últimas modificaciones se han producido por Ley 7/2017, de 2 de noviembre, por la que se incorpora al ordenamiento jurídico español la Directiva 2013/11/UE, del Parlamento Europeo y del Consejo, de 21 de mayo de 2013, relativa a la resolución alternativa de litigios en materia de consumo y por Ley 4/2018, de 11 de junio, por la que se modifica el texto refundido de la Ley General para la Defensa de los Consumidores y Usuarios y otras leyes complementarias, aprobado por Real Decreto Legislativo 1/2007, de 16 de noviembre).

El art. 52 prescribe, finalmente, que la Ley regulará las **Organizaciones Profesionales** que contribuyan a la defensa de sus intereses, cuya estructura interna y funcionamiento deberán ser democráticos.

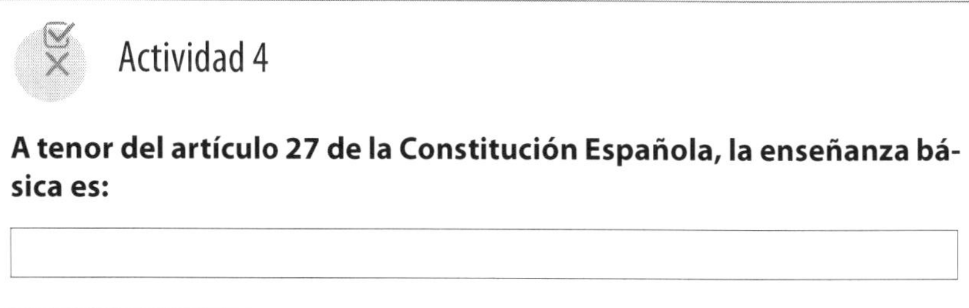

2.2.3. Deberes de los españoles

Fundamentalmente son:

1. **Deber** (que es también un derecho) **de defender a España**, regulándose en el art. 30, además, la prestación obligatoria del servicio militar, remitiéndose a una

regulación por Ley (ya citada) de lo relativo a la objeción de conciencia, así como las causas de exención del servicio militar obligatorio, pudiendo imponer, en su caso, una prestación social sustitutoria.

Asimismo, este artículo dispone que pueda establecerse un servicio civil para el cumplimiento de fines de interés general. Y que mediante Ley podrán regularse los deberes de los ciudadanos en los casos de grave riesgo, catástrofe o calamidad pública (a esta materia se refieren la Ley Orgánica 4/1981, de 1 de junio, de estados de Alarma, Excepción y Sitio, y la citada Ley 17/2015, de 9 de julio, del Sistema Nacional de Protección Civil).

2. **Deberes tributarios**, recogidos en el art. 31,1.º conforme al cual «todos contribuirán al sostenimiento de los gastos públicos de acuerdo con su capacidad económica mediante un sistema tributario justo inspirado en los principios de igualdad y progresividad que, en ningún caso, tendrá alcance confiscatorio».

   A este respecto, el número 3 de este artículo dispone que «solo podrán establecerse prestaciones personales o patrimoniales de carácter público con arreglo a la Ley».

   Por su parte, el número 2 prescribe que «el gasto público realizará una asignación equitativa de los recursos públicos, y su programación y ejecución responderán a los criterios de eficiencia y economía».

3. **Deber** (que, a la vez, es derecho) **de trabajar, sin discriminación por razón de sexo** (art. 35).
4. **Deber de los padres a prestar asistencia de todo orden a sus hijos habidos dentro y fuera del matrimonio, durante su minoría de edad y en los demás casos en que legalmente proceda** (art. 39).
5. **Deber de conservación del medio ambiente**, conforme al art. 45, estableciéndose, en los términos que la Ley fije, sanciones penales (sobre lo que habrá que estar a la Ley Orgánica 10/1995, de 23 de noviembre, del Código Penal) o, en su caso, administrativas, así como la obligación de reparar el daño causado.
6. **Deber de conservación del patrimonio histórico, cultural y artístico** (art. 46).

2.2.4. Garantías de los derechos y libertades

Vienen recogidas en los arts. 53 y 54 CE.

El art. 53 dispone que:

1. Los derechos y libertades reconocidos en el capítulo segundo del presente título (es decir los contenidos en los arts. 14 a 38) vinculan a todos los poderes públicos. Solo por ley, que en todo caso deberá respetar su contenido esencial, podrá regularse el ejercicio de tales derechos y libertades, que se tutelarán de acuerdo con lo previsto en el artículo 161.1.a) (es decir, a través del recurso de inconstitucionalidad ante el Tribunal Constitucional, de acuerdo con lo dispuesto en la Ley Orgánica 2/1979, de 3 de octubre, del Tribunal Constitucional).

2. Cualquier ciudadano podrá recabar la tutela de las libertades y derechos reconocidos en el artículo 14 y la sección primera del capítulo segundo (integrada por los arts. 15 a 29) ante los Tribunales ordinarios por un procedimiento basado en los principios de preferencia y sumariedad (recogido en los arts. 114 a 122 de la Ley 29/1998, de 13 de julio, Reguladora de la Jurisdicción Contencioso-Administrativa) y, en su caso, a través del recurso de amparo ante el Tribunal Constitucional. Este último recurso será aplicable a la objeción de conciencia reconocida en el artículo 30.
3. El reconocimiento, el respeto y la protección de los principios reconocidos en el capítulo tercero (los derechos reconocidos en los arts. 39 a 52) informarán la legislación positiva, la práctica judicial y la actuación de los poderes públicos. Solo podrán ser alegados ante la jurisdicción ordinaria, de acuerdo con lo que dispongan las leyes que los desarrollen.

El art. 54, por su parte, trata del Defensor del Pueblo, estableciendo que «una Ley Orgánica regulará la institución del Defensor del Pueblo, como Alto Comisionado de las Cortes Generales, designado por estas para la defensa de los derechos comprendidos en este Título, a cuyo efecto podrá supervisar la actividad de la Administración, dando cuenta a las Cortes Generales».

Esta Ley Orgánica es la 3/1981, de 6 de abril, junto a la que debe tenerse en cuenta la Ley 36/1985, de 6 de noviembre, por la que se regulan las relaciones entre la Institución del Defensor del Pueblo y las figuras similares de las distintas Comunidades Autónomas.

Finalmente, dentro de estos mecanismos de garantías, hemos de señalar que, una vez agotadas las instancias internas, y en virtud de una Declaración de nuestro Ministerio de Asuntos Exteriores, de 11 de junio de 1981 (renovada el 18 de octubre de 1985, por cinco años, prorrogables tácitamente), se pueden plantear demandas ante el Secretario General del Consejo de Europa, conociendo de las mismas la Comisión Europea de Derechos Humanos, por la violación de los derechos reconocidos en el Convenio Europeo para la Protección de los Derechos Humanos y de las Libertades Fundamentales, de Roma, de 4 de noviembre de 1950. En la actualidad, estas demandas se dirigirán ante el Tribunal ante el Tribunal Europeo de Derechos Humanos.

2.2.5. Suspensión de los derechos y libertades

Viene regulada en el art. 55 de la Constitución, sobre la base del cual se puede hacer la siguiente distinción:

1. Los derechos reconocidos en los artículos 17, 18, apartados 2 y 3, artículos 19, 20, apartados 1,a) y d), y 5, artículos 21, 28, apartado 2, y artículo 37, apartado 2 (es decir, los derechos a la libertad y seguridad personal, la inviolabilidad del domicilio y secreto de las comunicaciones, libertad de residencia y circulación, libertad de expresión e información, de reunión y manifestación, a la huelga y a la adopción de medidas de conflicto colectivo), podrán ser suspendidos cuando se acuerde la declaración del estado de excepción o el de sitio en los términos previstos en la Constitución. Se exceptúa de lo establecido anteriormente el apartado 3 del artículo 17 (el derecho de información del detenido de sus derechos, razones de su

detención y asistencia de Letrado en las diligencias policiales y judiciales) para el supuesto de declaración del estado de excepción (a estos estados de excepción y sitio se refiere el art. 116 de la Constitución).

2. Una ley orgánica podrá determinar la forma y los casos en los que, de forma individual y con la necesaria intervención judicial y el adecuado control parlamentario, los derechos reconocidos en los artículos 17, apartado 2, y 18, apartados 2 y 3 (los derechos de plazo de setenta y dos horas para ser puesto el detenido a disposición de la Autoridad Judicial o en libertad, a la inviolabilidad del domicilio y al secreto de las comunicaciones), pueden ser suspendidos para personas determinadas, en relación con las investigaciones correspondientes a la actuación de bandas armadas o elementos terroristas.

   La utilización injustificada o abusiva de las facultades reconocidas en dicha ley orgánica producirá responsabilidad penal, como violación de los derechos y libertades reconocidos por las leyes (esta suspensión se ha regulado por la Ley Orgánica 4/1988, de 25 de mayo, que reformó la Ley de Enjuiciamiento Criminal en materia de delitos relacionados con la actividad de estas bandas armadas y elementos terroristas o rebeldes).

Los mecanismos de protección para cada derecho y libertad son:

TIPO DE DERECHO	PROTECCIÓN
Principios rectores de la Política Social y Económica (Cap. III) (Nivel más bajo de protección)	Su reconocimiento, respeto y protección han de informar: - La legislación positiva. - La práctica judicial. - La actuación de los poderes públicos.
Derechos y deberes de la Sección II del Capítulo II (Nivel medio de protección)	- Vinculan a todos los poderes públicos en sus actuaciones. - Solo puede regularse su ejercicio mediante Ley que debe respetar su contenido esencial. - Si no lo hiciera se podrá impugnar dicha ley ante el Tribunal Constitucional que la podrá declarar inconstitucional. - Protección ante Tribunales de Justicia por procedimiento ordinario.
Derechos Fundamentales y Libertades Públicas (Sección I, del Capítulo II)(Máxima protección)(Además de lo establecido en el apartado anterior)	- Protección ante Tribunales Ordinarios mediante procedimiento preferente y sumario. - Protección ante el Tribunal Constitucional mediante recurso de amparo. - Su desarrollo solo puede hacerse mediante Ley Orgánica (art. 81). - Se excluye en su desarrollo la delegación legislativa. - Su modificación constitucional se equipara a una reforma total de la Constitución.

Cuadro de clasificación de los derechos y libertades reconocidos en la Constitución		
Tipo	**Regulación**	**Enumeración**
Derechos fundamentales y libertades públicas (Nivel máximo de protección)	Sección I Capítulo II Título I	– Principio de igualdad (14).* – Derecho a la vida y a la integridad física y moral (15). – Derecho a la libertad ideológica, religiosa y de culto (16). – Derecho a la libertad y a la seguridad (17). – Derecho a la intimidad, al honor y a la propia imagen (18). – Derecho a la inviolabilidad del domicilio (18.2) y al secreto de las comunicaciones. – Derecho a elegir libremente residencia y a circular por territorio nacional (19). – Derecho a expresar y difundir libremente los pensamientos, ideas y opiniones (20.1.a). – Derecho a la producción y creación literaria, artística, científica y técnica (20.1.b) – Libertad de prensa (20.1.d). – Libertad de cátedra (20.1.c). – Derecho de reunión pacífica y sin armas (21). – Derecho de asociación (22). – Derecho a participar en los asuntos públicos, directamente o a través de representantes (23). – Derecho de acceso a funciones y cargos públicos (23.2). – Derecho a la tutela judicial efectiva (24). – Principio de legalidad penal (art. 25). – Prohibición de los Tribunales de Honor en el ámbito de la Administración Civil y de las Organizaciones Profesionales (art. 26). – Derecho a la educación (27). – Libertad de enseñanza (27). – Derecho a sindicarse libremente (28). – Derecho de huelga (28.2). – Derecho de petición (29).
Derechos y deberes de los ciudadanos (Nivel medio de protección)	Sección II Capítulo II Título I	– Derecho y deber de defender España (30.1). – Derecho a la objeción de conciencia (30.2). – Deber de sostener los gastos públicos de acuerdo con la capacidad económica (31). – Derecho a contraer matrimonio (32). – Derecho a la propiedad privada y a la herencia (33). – Derecho de fundación (34). – Deber de trabajar y derecho al trabajo (35). – Derecho a la negociación colectiva laboral (37). – Libertad de empresa (38).

.../...

.../...

Principios rectores de la política social y económica (Nivel mínimo de protección)	Capítulo III	– Protección de la familia (39). – Protección a los niños (39.4). – Progreso económico y social (40.1). – Régimen público de Seguridad Social (41). – Protección trabajadores en el extranjero (42). – Derecho a la protección de la salud (43). – Promoción de la cultura y de la ciencia e investigación científica (44). – Protección del medio ambiente (45). – Protección Patrimonio histórico, cultural y artístico (46). – Derecho a una vivienda digna (47). – Protección a la juventud (48). – Protección a disminuidos (49). – Protección a personas de tercera edad (50). – Protección consumidores y usuarios (51).

* El principio de igualdad no está incluido en esta sección, sino justo antes, pero su protección es la misma que los derechos fundamentales y las libertades públicas, es decir, la máxima.

3. Título II. De la Corona

3.1. Introducción

La Corona viene regulada en el Título II, «De la Corona», Título que comprende los arts. 56 a 65.

El art. 1,3.º CE establece, al respecto, como forma política del Estado español, la Monarquía Parlamentaria (última fase de la evolución de la Monarquía, en la que se da una abdicación o retroceso del poder del Rey ante la representación popular: el Parlamento), regulándose los principios a ella atinentes en el Título II.

En el estudio de la misma vamos a seguir lo dispuesto en los arts. 56 a 65.

Recuerda que...

El Título II de la Constitución regula la Corona.

3.2. La figura del Rey

Conforme al art. 56, «el Rey es el Jefe del Estado, símbolo de su unidad y permanencia, arbitra y modera el funcionamiento regular de las instituciones, asume la más alta representación del Estado español en las relaciones internacionales, especialmente con las Naciones de su comunidad histórica, y ejerce las funciones que le atribuyen expresamente la Constitución y las leyes (no tiene, por tanto, ningún poder residual, estando específicamente marcadas sus atribuciones en la CE y en las leyes).

Su título es el de Rey de España y podrá utilizar los demás que correspondan a la Corona (a estos efectos, habrá que estar a lo dispuesto en el Real Decreto 1368/1987, de 6 de noviembre, sobre régimen de títulos, tratamientos y honores de la Familia Real y de los Regentes).

La persona del Rey es inviolable y no está sujeta a responsabilidad. Sus actos estarán siempre refrendados en la forma establecida en el art. 64 (Presidente del Gobierno, Ministros competentes y, en determinados supuestos, el Presidente del Congreso), careciendo de validez sin dicho refrendo, salvo lo dispuesto en el art. 65,2.º («el Rey nombra y releva libremente a los miembros civiles y militares de su Casa»).

Al margen de la inviolabilidad de la persona del Rey en los términos expresados por este art. 56, debe tenerse en cuenta que la Ley Orgánica 4/2014, de 11 de julio, complementaria de la Ley de racionalización del sector público y otras medidas de reforma administrativa por la que se modifica la Ley Orgánica 6/1985, de 1 de julio, del Poder Judicial ha incorporado un art. 55 bis en esta Ley Orgánica del Poder Judicial, atribuyendo a las Salas de lo Civil y de lo Penal del Tribunal Supremo el conocimiento de la tramitación y enjuiciamiento de las acciones civiles y penales, respectivamente, dirigidas contra la Reina consorte o el consorte de la Reina, la Princesa o Príncipe de Asturias y su consorte, así como contra el Rey o Reina que hubiere abdicado y su consorte.

3.3. Sucesión

Viene regulada en el art. 57, conforme al cual:

1. La Corona de España es hereditaria en los sucesores de S.M. Don Juan Carlos I de Borbón, legítimo heredero de la dinastía histórica. La sucesión en el trono seguirá el orden regular de primogenitura y representación, siendo preferida siempre la línea anterior a las posteriores; en la misma línea, el grado más próximo al más remoto; en el mismo grado, el varón a la mujer, y en el mismo sexo, la persona de más edad a la de menos. (Como puede observarse, tras legitimar a la persona de D. Juan Carlos I, dimanando su posición como Monarca de la propia Constitución, ésta sigue el sistema tradicional en nuestra patria de sucesión a la Corona, pretiriendo –aunque no prohibiendo– a las mujeres en el orden sucesorio).
2. El Príncipe heredero, desde su nacimiento o desde que se produzca el hecho que origine el llamamiento, tendrá la dignidad de Príncipe de Asturias y los demás títulos vinculados tradicionalmente al sucesor de la Corona de España.

3. Extinguidas todas las líneas llamadas en Derecho, las Cortes Generales proveerán a la sucesión en la Corona en la forma que más convenga a los intereses de España.
4. Aquellas personas que teniendo derecho a la sucesión en el trono contrajeren matrimonio contra la expresa prohibición del Rey y de las Cortes Generales, quedarán excluidas en la sucesión a la Corona por sí y sus descendientes. (De esto se deduce que no se requiere autorización del Rey y de las Cortes Generales para contraer matrimonio, bastando con que no lo prohíban expresamente, y, por otra parte, que el Rey no entra dentro de esta previsión de la expresa prohibición).
5. Las abdicaciones y renuncias y cualquier duda de hecho o de derecho que ocurra en el orden de sucesión a la Corona se resolverán por una Ley orgánica. (La abdicación comporta ceder los derechos sucesorios al siguiente en la línea de sucesión, mientras que la renuncia comporta la pérdida de los mismos por sí y por los descendientes. Al efecto, hay que hacer mención a la Ley Orgánica 3/2014, de 18 de junio, por la que se hace efectiva la abdicación de Su Majestad el Rey Don Juan Carlos I de Borbón).

3.4. Cónyuge del Rey o de la Reina

Respecto de los mismos prescribe el art. 58 que «la Reina consorte o el consorte de la Reina no podrán asumir funciones constitucionales, salvo lo dispuesto para la Regencia».

Recuerda que...

Serán las Cortes Generales las que proveerán a la sucesión en la Corona en la forma que más convenga a los intereses de España cuando se hayan extinguido todas las líneas llamadas en Derecho.

Actividad 5

Indica si la siguiente cuestión es verdadera o falsa:

Las abdicaciones y renuncias y cualquier duda de hecho o de derecho que ocurra en el orden de sucesión a la Corona se resolverán mediante un Real Decreto.

Verdadera ☐ Falsa ☐

3.5. Regencia

El art. 59 establece, respecto de la misma, que:

1. Cuando el Rey fuere menor de edad, el padre o la madre del Rey y, en su defecto, el pariente mayor de edad más próximo a suceder en la Corona, según el orden establecido en la Constitución, entrará a ejercer inmediatamente la Regencia y la ejercerá durante el tiempo de la minoría de edad del Rey.
2. Si el Rey se inhabilitare para el ejercicio de su autoridad y la imposibilidad fuere reconocida por las Cortes Generales (reunidas, al efecto, en sesión conjunta, conforme al art. 74,1.º CE, al igual que en los restantes supuestos en que este Título II les atribuye expresamente competencias no legislativas), entrará a ejercer inmediatamente la Regencia el Príncipe heredero de la Corona, si fuere mayor de edad. Si no lo fuere, se procederá de la manera prevista en el apartado anterior, hasta que el Príncipe heredero alcance la mayoría de edad.
3. Si no hubiere ninguna persona a quien corresponda la Regencia, ésta será nombrada por las Cortes Generales, y se compondrá de una, tres o cinco personas.
4. Para ejercer la Regencia es preciso ser español y mayor de edad.
5. La Regencia se ejercerá por mandato constitucional y siempre en nombre del Rey. (Se trata el Regente, o Regentes, de un alter ego del Rey, ejerciendo las mismas funciones constitucionales que se reconocen a éste, durante el ejercicio del cargo).

3.6. Tutoría

Conforme al art. 60, «será tutor del Rey menor la persona que en su testamento hubiese nombrado el Rey difunto, siempre que sea mayor de edad y español de nacimiento; si no lo hubiese nombrado, será tutor el padre o la madre, mientras permanezcan viudos. En su defecto, lo nombrarán las Cortes Generales, pero no podrán acumularse los cargos de Regente y de tutor sino en el padre, madre o ascendientes directos del Rey.

El ejercicio de la tutela es también incompatible con el de todo cargo o representación política».

3.7. Juramento

Dispone, al efecto, el art. 61 que:

1. El Rey, al ser proclamado ante las Cortes Generales, prestará juramento de desempeñar fielmente sus funciones, guardar y hacer guardar la Constitución y las Leyes y respetar los derechos de los ciudadanos y de las Comunidades Autónomas.
2. El Príncipe heredero, al alcanzar la mayoría de edad, y el Regente o Regentes al hacerse cargo de sus funciones, prestarán el mismo juramento, así como el de fidelidad al Rey.

Como puede observarse, la Constitución no ha previsto el juramento del Príncipe heredero como tal cuando acceda a esta condición siendo mayor de edad, aunque, sin duda, lo prestará al ser proclamado como Rey.

Sabías que...

El **reinado de Felipe VI** de España comenzó el 19 de junio de 2014, cuando el hasta entonces Príncipe de Asturias **Felipe** de Borbón juró la Constitución ante las Cortes Generales como sucesor de su padre, el Rey Juan Carlos I.

3.8. Funciones del Rey

Vienen señaladas en los arts. 62 y 63 CE, en cuyo contexto hay que entender las menciones que le confiere el art. 56,1.º CE. Son, en particular, las siguientes:

1. Sancionar (es decir, perfeccionar) y promulgar (es decir, otorgarles fuerza obligatoria) las Leyes. (Al respecto, el art. 91 CE establece que «el Rey sancionará en el plazo de quince días las Leyes aprobadas por las Cortes Generales, y las promulgará y ordenará su inmediata publicación», de lo que se deduce que el Rey carece de veto en esta materia, y, por otro lado, que la sanción de las Leyes de las Comunidades Autónomas no le está atribuida, sino a sus respectivos Presidentes, en virtud de lo dispuesto en los distintos Estatutos de Autonomía).
2. Convocar y disolver las Cortes Generales y convocar elecciones en los términos previstos en la Constitución.

   La convocatoria ha de entenderse respecto del comienzo de cada Legislatura, es decir, de las Cortes elegidas nuevamente tras la celebración de elecciones generales, dentro de los veinticinco días siguientes a la celebración de las elecciones, conforme al art. 68,6.º CE (referido al Congreso de los Diputados).

En cuanto a la disolución de las Cortes Generales, se producirá en los siguientes supuestos:

a) Por expiración del mandato de cuatro años (arts. 68,4.º y 69,6.º CE).

b) Por disolución anticipada, propuesta por el Presidente del Gobierno, previa deliberación del Consejo de Ministros, y bajo su exclusiva responsabilidad, del Congreso, del Senado o de las Cortes Generales (art. 115 CE), en cuyo caso el Decreto de disolución lo refrendará el Presidente del Gobierno.

c) Por transcurrir el plazo de dos meses, a partir de la primera votación de investidura (para el nombramiento del Presidente del Gobierno), sin que ningún candidato hubiere obtenido la confianza del Congreso (art. 99,5.º CE).

En cuanto a la convocatoria de elecciones, salvo en los supuestos de disolución anticipada, el Decreto de convocatoria deberá expedirse el día vigésimo quinto anterior a la expiración del mandato de las Cámaras (y Corporaciones Locales, en su caso), publicándose al día siguiente en el Boletín Oficial del Estado (o de la Comunidad Autónoma, en su caso), entrando en vigor el mismo día de su publicación (art. 42,1.º de la Ley Orgánica 5/1985, de 19 de junio, del Régimen Electoral General –LOREG, en adelante–), celebrándose las elecciones el día quincuagésimo cuarto posterior a la convocatoria (art. 42,2.º LOREG, modificado por la Ley Orgánica 13/1994, de 30 de marzo). En este caso, el Real Decreto de convocatoria debe ser refrendado por el Presidente del Gobierno, correspondiendo al Presidente del Congreso el refrendo del Decreto de disolución de las Cortes Generales y de convocatoria de nuevas elecciones (lo que se hará conjuntamente, como en el caso del art. 115 CE) en el supuesto previsto en el art. 99,5.º CE (art. 167 LOREG).

3. Convocar a referéndum en los casos previstos en la Constitución.

   Se trata de los supuestos de referéndum consultivo –art. 92–, constitucional –arts. 167 y 168–, y autonómico –arts. 151 y 152–, celebrándose en todas sus modalidades en la forma prevista en la Ley Orgánica 2/1980, de 18 de enero, de regulación de las distintas modalidades de referéndum.

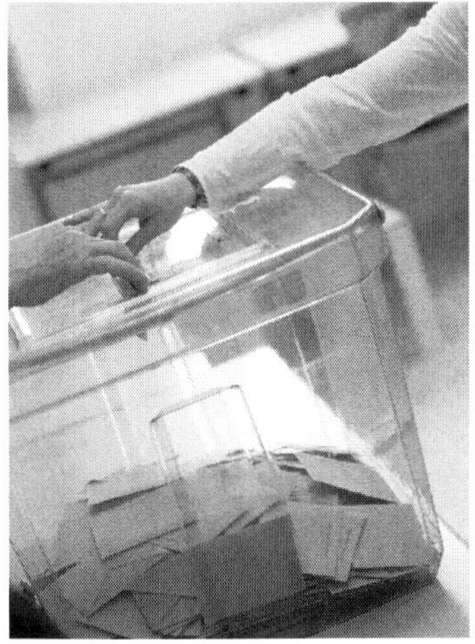

4. Proponer al candidato a Presidente del Gobierno y, en su caso, nombrarlo, así como poner fin a sus funciones en los términos previstos en la Constitución (sobre lo que habrá que estar a lo dispuesto en los arts. 99 y 101 CE).

5. Nombrar y separar a los miembros del Gobierno, a propuesta de su Presidente (a lo que se refiere, asimismo, el art. 100 CE).

6. Expedir los Decretos acordados en el Consejo de Ministros, conferir los empleos civiles y militares y conceder honores y distinciones con arreglo a las Leyes.
7. Ser informado de los asuntos de Estado y presidir, a estos efectos, las sesiones del Consejo de Ministros, cuando lo estime oportuno, a petición del Presidente del Gobierno (de esto se deduce que estas reuniones del Consejo de Ministros son solo informativas y no decisorias, de tal forma que, al abandonarlas el Rey, no puede seguir la reunión, requiriéndose una nueva o distinta convocatoria).
8. El mando supremo de las Fuerzas Armadas (esta función habrá que entenderla en el contexto del art. 97 CE, que atribuye la dirección de la política militar y la defensa del Estado al Gobierno).
9. Ejercer el derecho de gracia con arreglo a la Ley, que no podrá autorizar indultos generales.
10. El Alto Patronazgo de las Reales Academias.
11. Acreditar a los Embajadores y otros representantes diplomáticos (los representantes extranjeros en España están acreditados ante él, disponiendo, al efecto, el art. 4,3.º de la Ley 2/2014, de 25 de marzo, de la Acción y del Servicio Exterior del Estado, que "el Rey acreditará a los Jefes de las Misiones Diplomáticas de España y a sus representantes permanentes ante organizaciones internacionales y recibirá las credenciales de los representantes diplomáticos extranjeros").
12. Manifestar el consentimiento del Estado para obligarse internacionalmente por medio de Tratados, de conformidad con la Constitución y las Leyes (sobre lo que habrá que estar a lo dispuesto en el Capítulo 3.º del Título III de la Constitución, debiendo tenerse en cuenta la Ley 25/2014, de 27 de noviembre, de Tratados y otros Acuerdos Internacionales).
13. Declarar la guerra y hacer la paz, previa autorización de las Cortes Generales.

Actividad 6

Según el artículo 1 de la Constitución Española, España se constituye en un Estado:

- ☐ a) Democrático y plural.
- ☐ b) Constitucional y democrático.
- ☐ c) Social y democrático de Derecho.

3.9. El refrendo

Viene regulado en el art. 64, conforme al cual «los actos del Rey serán refrendados por el Presidente del Gobierno y, en su caso, por los Ministros competentes. La propuesta y el nombramiento del Presidente del Gobierno, y la disolución prevista en el art. 99 (de las Cortes Generales, cuando ningún candidato a Presidente del Gobierno hubiere obtenido la confianza del Congreso, a partir de los dos meses de la primera votación de investidura) serán refrendados por el Presidente del Congreso.

De los actos del Rey serán responsables las personas que los refrenden».

Dada la irresponsabilidad política del Rey reconocida en el art. 56,3.º, se hace necesario refrendar sus actos, para darles validez, respondiendo de los mismos la persona que los refrenda, que, así, asume la responsabilidad que al Rey hubiera correspondido.

Como actos no necesitados de refrendo la Constitución señala en su art. 65 dos supuestos, al disponer que «el Rey recibe de los Presupuestos del Estado una cantidad global para el sostenimiento de su Familia y Casa, y distribuye libremente la misma. (En este supuesto, en realidad, la CE no establece taxativamente la innecesariedad del refrendo, dejando la puerta abierta a que, en su momento, pueda exigirse este).

Sabías que...

El pleno del Congreso de los Diputados aprobó el 31 de octubre de 1978 el texto constitucional por 325 votos a favor, 6 en contra y 14 abstenciones. El Senado lo hizo por 226 votos a favor, 5 en contra y 8 abstenciones.

El Rey nombra y releva libremente a los miembros civiles y militares de su Casa». Esta Casa se reorganizó por el Real Decreto 1677/1987, de 30 de diciembre, habiéndose reestructurado por el Real Decreto 434/1988, de 6 de mayo, que derogó a la anterior. Por el Real Decreto 527/2014, de 20 de junio, se creó el Guion y el Estandarte de Su Majestad el Rey Felipe VI y se modificó el Reglamento de Banderas y Estandartes, Guiones, Insignias y Distintivos, aprobado por Real Decreto 1511/1977, de 21 de enero. Finalmente, por el Real Decreto 979/2015, de 30 de octubre, se crean el Guion y el Estandarte de Su Alteza Real la Princesa de Asturias, y se modifica el Reglamento de Banderas y Estandartes, Guiones, Insignias y Distintivos, aprobado por Real Decreto 1511/1977, de 21 de enero.

Sabías que...

El Diccionario de la RAE define el término refrendar como "autorizar un despacho u otro documento por medio de la firma de persona hábil para ello".

Esquema de las Funciones del Monarca	
El Rey y las Cortes Generales	– Sanción y promulgación de las Leyes. – La convocatoria de las Cortes. – La disolución de las Cortes. – La convocatoria de elecciones.
El Rey y el Poder Ejecutivo	– Proponer candidato a Presidente del Gobierno. – Nombrar y separar a los miembros del Gobierno, a propuesta del Presidente del Gobierno. – Ser informado de los asuntos de Estado y presidir, a estos efectos, las sesiones del Consejo de Ministros. – Expedir los Decretos acordados en el Consejo de Ministros. – Conferir los empleos civiles y militares y conceder honores y distinciones con arreglo a las leyes. – Ejercer el mando supremo de las fuerzas armadas.
El Rey y la Justicia	– Ejercer el derecho de gracia con arreglo a la Ley, la cual no podrá autorizar indultos generales. – La Justicia se administra en nombre del Rey.
El Rey y las Comunidades Autónomas	– Sanción de los respectivos Estatutos de Autonomía. – Convocatoria de referéndums autonómicos. – Nombrar el Presidente de la Comunidad Autónoma. – Símbolo de la unidad y permanencia del Estado.
El Rey y las Relaciones Internacionales	– Acreditar a los Embajadores y otros representantes diplomáticos de España, a la vez que recibir las credenciales de los representantes extranjeros en nuestro país. – Declarar la guerra y hacer la paz, previa autorización de las Cortes Generales. – Manifestar el consentimiento del Estado para obligarse internacionalmente por medio de Tratados, de conformidad con la Constitución y las Leyes.
Otras Funciones	– El Alto Patronazgo de las Reales Academias.

4. Capítulo I del Título III. Las Cámaras

4.1. Introducción

El Poder Legislativo reside en las Cortes Generales, de las que se ocupa el Título III de la Constitución.

En España, desde sus Constituciones del siglo XIX, rigió el sistema bicameral, que funcionó hasta 1931, en que la Constitución de la II República estableció el sistema unicameral, que se mantuvo durante el régimen de FRANCO, a través de la idea (acuñada por MADARIAGA) de la democracia y representación orgánica.

Con la Ley 1/1977, de 4 de enero, para la Reforma Política, se restauró el sistema bicameral, que ha sancionado, también, nuestra vigente Constitución.

Este sistema bicameral asegura una doble discusión y garantiza una mayor madurez en las resoluciones adoptadas por las Cámaras.

Sobre la base del articulado de la CE, pasamos a tratar de este Poder Legislativo, de las Cortes Generales.

Recuerda que...

El Título III de la Constitución regula las Cortes Generales.

4.2. Composición y funciones fundamentales

Conforme al art. 66 CE, «las Cortes Generales representan al pueblo español y están formadas por el Congreso de los Diputados y el Senado.

Las Cortes Generales ejercen la potestad legislativa del Estado, aprueban sus Presupuestos, controlan la acción del Gobierno y tienen las demás competencias que les atribuya la Constitución.

Las Cortes Generales son inviolables».

4.3. Congreso de los Diputados

Conforme al art. 68:

1. El Congreso se compone de un mínimo de 300 y un máximo de 400 Diputados (actualmente hay 350), elegidos por sufragio universal, libre, igual, directo y secreto, en los términos que establezca la Ley (que es la LOREG).

2. La circunscripción electoral es la Provincia. Las poblaciones de Ceuta y Melilla estarán representadas cada una de ellas por un Diputado. La Ley distribuirá el número total de Diputados, asignando una representación mínima inicial a cada circunscripción y distribuyendo los demás en proporción a la población.
3. La elección se verificará en cada circunscripción atendiendo a criterios de representación proporcional.
4. El Congreso es elegido por cuatro años. El mandato de los Diputados termina cuatro años después de su elección o el día de la disolución de la Cámara.

El Congreso de los Diputados

5. Son electores y elegibles todos los españoles que estén en pleno uso de sus derechos políticos.

   La Ley reconocerá y el Estado facilitará el ejercicio del derecho de sufragio a los españoles que se encuentren fuera del territorio de España.
6. Las elecciones tendrán lugar entre los treinta y sesenta días desde la terminación del mandato (en concreto, en los días antes señalados, sobre la base del art. 42,2.º LOREG). El Congreso electo deberá ser convocado dentro de los veinticinco días siguientes a la celebración de las elecciones.

Actividad 7

¿Cuántos diputados hay actualmente en el Congreso de los Diputados?

☐ a) 400.

☐ b) 350.

☐ c) 300.

4.4. Senado

Lo regula el art. 69 de la Constitución, al establecer que:

1. El Senado es la Cámara de representación territorial.
2. En cada Provincia se elegirán cuatro Senadores por sufragio universal, libre, igual, directo y secreto por los votantes de cada una de ellas, en los términos que señale una ley orgánica (ya citada).
3. En las Provincias insulares, cada Isla o agrupación de ellas, con Cabildo o Consejo Insular, constituirá una circunscripción a efectos de elección de Senadores, correspondiendo tres a cada una de las Islas mayores –Gran Canaria, Mallorca y Tenerife– y uno a cada una de las siguientes Islas o agrupaciones: Ibiza-Formentera, Menorca, Fuerteventura, Gomera, Hierro, Lanzarote y La Palma.
4. Las poblaciones de Ceuta y Melilla elegirán cada una de ellas dos Senadores.
5. Las Comunidades Autónomas designarán, además, un Senador y otro más por cada millón de habitantes de su respectivo territorio. La designación corresponderá a la Asamblea Legislativa o, en su defecto, al órgano colegiado superior de la Comunidad Autónoma, de acuerdo con lo que establezcan los Estatutos, que asegurarán, en todo caso, la adecuada representación proporcional.
6. El Senado es elegido por cuatro años. El mandato de los Senadores termina cuatro años después de su elección o el día de la disolución de la Cámara.

Edificio del Senado

4.5. Incompatibilidad, inelegibilidad, inviolabilidad e inmunidad de los Diputados y Senadores

El art. 67,1.º CE parte de que "nadie podrá ser miembro de las dos Cámaras simultáneamente, ni acumular el acta de una Asamblea de Comunidad Autónoma con la de Diputado al Congreso", para señalar, acto seguido, en su número 2, que "los miembros de las Cortes Generales no estarán ligados por mandato imperativo".

En concreto, a la inviolabilidad e inmunidad se refiere el art. 71,1.º a 3.º CE, que establece la inviolabilidad de los Diputados y Senadores por las opiniones manifestadas en el ejercicio de sus funciones, así como la inmunidad durante el período de su mandato, en virtud de la cual solo podrá ser detenidos en caso de flagrante delito, sin que puedan ser inculpados ni procesados sin la previa autorización de la Cámara respectiva, siendo competente en las causas contra Diputados y Senadores la Sala de lo Penal del Tribunal Supremo.

Al margen de ello, en su núm. 4.º, señala este artículo que "los Diputados y Senadores percibirán una asignación que será fijada por las respectivas Cámaras."

En cuanto a las causas de inelegibilidad e incompatibilidad, el art. 70 CE se remite a la Ley electoral (la LOREG) para su determinación, comprendiendo, en todo caso:

a) A los componentes del Tribunal Constitucional.

b) A los altos cargos de la Administración del Estado que determine la Ley, con la excepción de los miembros del Gobierno.

c) Al Defensor del Pueblo.

d) A los Magistrados, Jueces y Fiscales en activo.

e) A los Militares profesionales y miembros de las Fuerzas y Cuerpos de Seguridad y Policía en activo.

f) A los miembros de las Juntas Electorales.

Actividad 8

Indica si las siguientes cuestiones son verdaderas o falsas:

- **El Congreso es la Cámara de representación territorial.**

  Verdadera ☐ Falsa ☐

- **Las elecciones tendrán lugar entre los treinta y sesenta días desde la terminación del mandato.**

  Verdadera ☐ Falsa ☐

- **Las poblaciones de Ceuta y Melilla elegirán cada una de ellas un Senador.**

  Verdadera ☐ Falsa ☐

4.6. Atribuciones

De entre el articulado de la Constitución podemos entresacar, con carácter general, las siguientes:

1. Representar al pueblo español (art. 66).
2. La potestad legislativa del Estado (art. 66).
3. Aprobación de los Presupuestos del Estado (art. 66).
4. Control de la acción del Gobierno (art. 66).
5. Establecer sus propios Reglamentos (art. 72), lo que se efectuó el 10 de febrero de 1982, en cuanto al Congreso de los Diputados, y el 3 de mayo de 1994, respecto del Texto Refundido del Reglamento del Senado, parcial y sucesivamente modificados con posterioridad.
6. La aprobación de sus Presupuestos (art. 72).
7. Elegir sus respectivos Presidentes y los demás miembros de sus Mesas, así como regular el Estatuto del Personal de las Cortes Generales, rigiendo en la actualidad el aprobado por Acuerdo de 27 de marzo de 2006, adoptado por las Mesas del Congreso de los Diputados y del Senado en reunión conjunta, modificado por Acuerdo de 16 de septiembre de 2008, así como por Acuerdo de 21 de septiembre de 2009 y afectado por Resolución de 10 de mayo de 2016, conjunta de las Presidencias del Congreso de los Diputados y del Senado, por la que se publica la modificación del Estatuto del Personal de las Cortes Generales (art. 72).
8. Las competencias, ya examinadas en otro lugar, en relación con la Corona, como nombramiento, en su caso, de Regente y Tutor, etc. (arts. 57, 59, 60 y 63).
9. La aprobación, modificación o derogación de Leyes Orgánicas (art. 81).
10. Delegar en el Gobierno la potestad de dictar normas con rango de Ley sobre materias determinadas (art. 82).
11. Pronunciarse sobre la convalidación o derogación de los Decretos-Leyes dictados por el Gobierno (art. 86), atribuyéndose esta competencia específicamente al Congreso de los Diputados.
12. Velar por el cumplimiento de los Tratados Internacionales y de las Resoluciones emanadas de los Organismos Internacionales o Supranacionales (art. 93).
13. La previa autorización para facultar al Estado para obligarse por medio de Tratados o Convenios Internacionales en los casos que prevé el art. 94.
14. Otorgar la confianza al candidato a la Presidencia del Gobierno (art. 99), correspondiendo esta atribución al Congreso de los Diputados.
15. Someter a interpelaciones y preguntas al Gobierno (art. 111).
16. Pronunciarse sobre la cuestión de confianza planteada por el Presidente del Gobierno (art. 112), ejerciendo esta atribución el Congreso de los Diputados.

17. Exigir la responsabilidad política del Gobierno mediante la moción de censura (art. 113), correspondiendo esta atribución al Congreso de los Diputados.
18. Declaración del estado de sitio y autorización de la declaración del estado de excepción y de la prórroga del estado de alarma declarado por el Gobierno (art. 116), correspondiendo estas atribuciones al Congreso de los Diputados.

4.7. Funcionamiento

Se deduce de los arts. 73 a 80, que pasamos a exponer:

Antes de ello, no obstante, ha de señalarse que cada legislatura va precedida de una solemne sesión de apertura de la misma, que, con arreglo al art. 5 del Reglamento del Congreso, tiene lugar dentro del plazo de los quince días siguientes a la celebración de la sesión constitutiva del propio Congreso, que, a su vez, se celebra el día y hora señalados en el Real Decreto de convocatoria de elecciones generales.

Asimismo, que los Presidentes de las Cámaras ejercen en nombre de las mismas todos los poderes administrativos y facultades de policía en el interior de sus respectivas sedes (art. 72,3.º CE).

4.7.1. Sesiones

Conforme al art. 73, «las Cámaras se reunirán anualmente en dos períodos de sesiones: el primero, de septiembre a diciembre, y el segundo, de febrero a junio.

Las Cámaras podrán reunirse en sesiones extraordinarias a petición del Gobierno, de la Diputación Permanente o de la mayoría absoluta de los miembros de cualquiera de las Cámaras. Las sesiones extraordinarias deberán convocarse sobre un orden del día determinado y serán clausuradas una vez que este haya sido agotado».

El art. 74, por su parte, trata de las sesiones conjuntas de las Cámaras, para ejercer las competencias no legislativas que el Título II (de la Corona) atribuye expresamente a las Cortes, y que serán presididas por el Presidente del Congreso.

4.7.2. Funcionamiento concreto

El art. 75 establece que «las Cámaras funcionarán en Pleno y por Comisiones.

Las Cámaras podrán delegar en las Comisiones Legislativas Permanentes la aprobación de proyectos o proposiciones de Ley. El Pleno podrá, no obstante, recabar en cualquier momento el debate y votación de cualquier proyecto o proposición de Ley que haya sido objeto de esta delegación.

Quedan exceptuados de lo dispuesto en el apartado anterior la reforma constitucional, las cuestiones internacionales, las Leyes Orgánicas y de Bases y los Presupuestos Generales del Estado».

4.7.3. Comisiones de Investigación

Dispone el art. 76, que «el Congreso y el Senado y, en su caso, ambas Cámaras conjuntamente, podrán nombrar Comisiones de Investigación sobre cualquier asunto de interés público. Sus conclusiones no serán vinculantes para los Tribunales, ni afectarán a las resoluciones judiciales, sin perjuicio de que el resultado de la investigación sea comunicado al Ministerio Fiscal para el ejercicio, cuando proceda, de las acciones oportunas.

Será obligatorio comparecer a requerimiento de las Cámaras. La Ley regulará las sanciones que puedan imponerse por incumplimiento de esta obligación».

En concreto, esta materia ha sido regulada por la Ley Orgánica 5/1984, de 24 de mayo, sobre comparecencia ante las Comisiones de Investigación (derogada parcialmente por la Ley Orgánica 19/1995, de 23 de noviembre, del Código Penal), debiendo tenerse en cuenta, también, lo dispuesto en el Real Decreto-Ley 5/1994, de 29 de abril, por el que se regula la obligación de comunicación de determinados datos a requerimiento de las Comisiones Parlamentarias de Investigación.

4.7.4. Peticiones individuales y colectivas

El art. 77 prescribe que «las Cámaras pueden recibir peticiones individuales y colectivas, siempre por escrito, quedando prohibida la presentación directa por manifestaciones ciudadanas.

Las Cámaras pueden remitir al Gobierno las peticiones que reciban. El Gobierno está obligado a explicarse sobre su contenido, siempre que las Cámaras lo exijan».

4.7.5. Diputación Permanente

Conforme al art. 78, «en cada Cámara habrá una Diputación Permanente compuesta por un mínimo de veintiún miembros, que representarán a los grupos parlamentarios, en proporción a su importancia numérica». Estas Diputaciones, que estarán presididas por el Presidente de la Cámara respectiva, asumirán diversas funciones de las mismas en el caso de que hubiesen sido disueltas o hubiere expirado su mandato, y velarán por los poderes de las Cámaras cuando estas no estén reunidas, dando cuenta de los asuntos tratados y de sus decisiones a la Cámara cuando se reúna de nuevo.

4.7.6. Orden del día y quórum

Como regla general, el art. 67,3.º CE dispone que las reuniones de Parlamentarios que se celebren sin convocatoria reglamentaria no vincularán a las Cámaras, y no podrán ejercer sus funciones ni ostentar sus privilegios.

A tenor del art. 67 del Reglamento del Congreso, el Orden del Día de las sesiones del Pleno será fijado por el Presidente, de acuerdo con la Junta de Portavoces.

En cuanto al Orden del Día de las sesiones de las Comisiones del Congreso, se establece por su respectiva Mesa, de acuerdo con el Presidente de la Cámara, teniendo en cuenta el calendario fijado por la Mesa del Congreso.

Por lo que se refiere al Senado, el art. 71 de su Reglamento dispone que el Orden del Día de las sesiones del Pleno se fije por el Presidente, de acuerdo con la Mesa y oída la Junta de Portavoces.

El Orden del Día de las sesiones de las Comisiones en el Senado se fija por el Presidente de la Comisión de que se trate, oída la Mesa respectiva y teniendo en cuenta, en su caso, el programa de trabajo de la Cámara, sin perjuicio de que el Presidente de la Cámara pueda convocarlas, fijando su Orden del Día, cuando lo haga necesario el desarrollo de los trabajos legislativos de la Cámara.

En cuanto al quórum, establece el art. 79 CE que «para adoptar acuerdos, las Cámaras deben estar reunidas reglamentariamente y con asistencia de la mayoría de sus miembros.

Dichos acuerdos, para ser válidos, deberán ser aprobados por la mayoría de los miembros presentes, sin perjuicio de las mayorías especiales que establezcan la Constitución o las Leyes Orgánicas y las que para elección de personas establezcan los Reglamentos de las Cámaras.

El voto de Senadores y Diputados es personal e indelegable».

4.7.7. Publicidad de las sesiones

Establece el art. 80 que «las sesiones plenarias de las Cámaras serán públicas, salvo acuerdo en contrario de cada Cámara, adoptado por mayoría absoluta o con arreglo al Reglamento».

Solución a las actividades

Actividad 1.

El 27 de diciembre de 1978.

Actividad 2.

- ☐ a) El pluralismo político.
- ☑ b) La solidaridad.
- ☐ c) La libertad.

Actividad 3.

El artículo 22.5 de la Carta Magna dispone que se prohíben las asociaciones **secretas** y las de carácter **paramilitar**.

Actividad 4.

Obligatoria y gratuita.

Actividad 5.

Falsa.

Actividad 6.

- ☐ a) Democrático y plural.
- ☐ b) Constitucional y democrático.
- ☑ c) Social y democrático de Derecho.

Actividad 7.

- ☐ a) 400.
- ☑ b) 350.
- ☐ c) 300.

Actividad 8.

- Falsa.
- Verdadera.
- Falsa.

TEMA 2

Ley Orgánica 1/1981, de 6 de abril, del Estatuto de Autonomía de Galicia: Títulos Preliminar, I y II. Competencias: exclusivas, desarrollo legislativo y ejecución

Una buena planificación es imprescindible. Organízate con nuestros **recursos** y **consejos** de tu Curso MAD360.

Índice

1. Estatuto de Autonomía de Galicia

1.1. La autonomía gallega: origen y evolución

1.1.1. Orígenes del autonomismo gallego

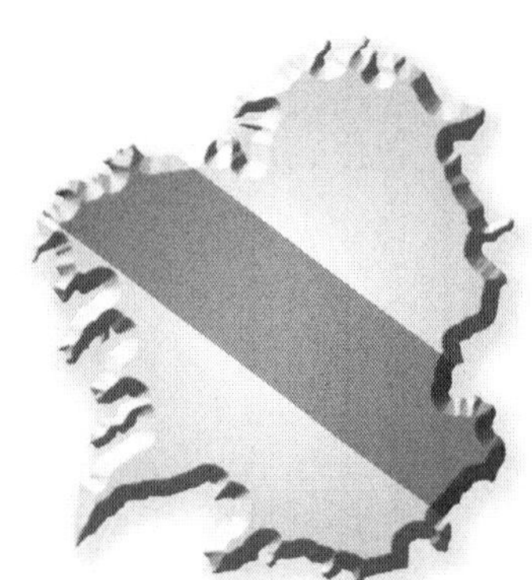

Prescindiendo del rastreo de orígenes remotos en la Edad Media e, incluso, en épocas anteriores, no se puede olvidar que el galleguismo, en cuanto movimiento cultural, encuentra su inspiración en los ambientes románticos del siglo XIX; se pueden citar como manifestaciones políticas de descentralización las siguientes:

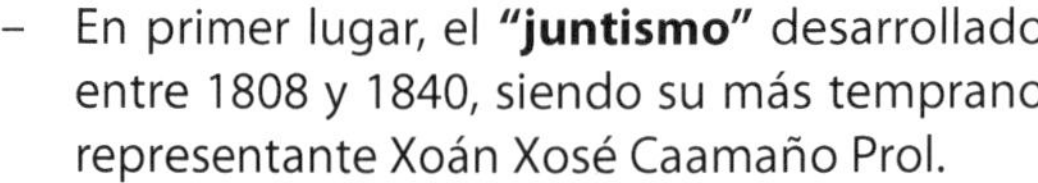

- En primer lugar, el **"juntismo"** desarrollado entre 1808 y 1840, siendo su más temprano representante Xoán Xosé Caamaño Prol.
- En segundo lugar, **el "provincialismo**" se manifiesta entre 1841 y 1888, teniendo como líder a Antolín Faraldo Malvar. Este movimiento es continuado por los historiadores Benito Vicetto y Manuel Murguía. Este último invoca en sus escritos la idea de la nacionalidad.

  La nueva formulación de este movimiento se produce a partir del llamado "Banquete de Conxo" en 1856, año en el que se iniciará el llamado "Rexurdimento" literario gallego.

  Tras la I República, en los años 1881-1882 se produce una reorganización del federalismo gallego. Una Comisión del Consejo Federal de Galicia, redactó en el año 1883 un "Proyecto de Constitución para el futuro Estado Gallego", que concebía a Galicia como un Estado soberano, integrado en una Federación de Estados Españoles.

- En tercer lugar, el **"regionalismo"** representado por un líder indiscutido que fue Alfredo Brañas; elabora su teoría regionalista en la que acuña la expresión "Estado regional descentralizado".
- En cuarto lugar, el **"nacionalismo"** desarrollado a partir de 1916. Ese año Villar Ponte impulsa las Irmandades da Fala. En 1918, Vicente Risco propone como solución para los problemas de Galicia un programa de contenido democrático, integrador y autonomista en el que se definía a Galicia como nacionalidad.

  Este pensamiento nacionalista será recogido por la llamada generación "Nós"[1], integrada, entre otros: por Vicente Risco, Otero Pedrayo y Ramón Cabanillas.

---

[1] La Mesa del Parlamento de Galicia el 16 de marzo de 2021 acordó por unanimidad, conceder la Medalla del Parlamento al conjunto de la Xeración Nós y sus discípulos. El galardón reconoce el legado galleguista de los integrantes de la Xeración Nós, coincidiendo con su primer centenario.

Por último, el Seminario de Estudios Gallegos, creado en 1923 y que tendrá un gran protagonismo en la elaboración del Estatuto de Autonomía de 1936.

- En quinto lugar, el **"Autonomismo"** originado en el año 1931, con la aprobación de la Constitución republicana.

1.1.2. El proyecto de Estatuto de 1936

El anteproyecto de Estatuto de Galicia del Seminario de Estudios Gallegos elaborado en mayo de 1931 fue aprobado en la Asamblea de Municipios gallegos celebrada en 1932.

El 30 de octubre de 1920 ve la luz el primer número de la revista Nosotros, ideada, editada y sostenida, entre 1920 y 1936 por un grupo de intelectuales galleguistas liderados por Antón Losada Diéguez, Vicente Risco, Alfonso R. Castelao, Arturo Noguerol, Florentino López Cuevillas, Francisca Herrera Garrido y Ramón Otero Pedrayo, círculo que se iría ampliando a un conjunto más heterogéneo de colaboradores que participaron en este proyecto, en sus distintas fases, hasta su desaparición en 1936, y que contribuyeron con su labor, en las primeras décadas del siglo XX, al desarrollo, renovación e internacionali-zación de la literatura y de la cultura gallegas.

Personalidades como Xavier Prado "Lameiro", Ánxel Casal o Ramón Cabanillas resultan esenciales en este proyecto, al igual que todas las figuras –cerca de 200- del denominado según círculo, que colaboraron en las diferentes etapas de la revista.

Galleguismo

Unos y otros conformaron un conjunto de personas cosmopolitas, europeístas, cultas y vanguardistas, más hondamente enraizadas en la realidad local. Con ellos, la denomina-da Xeración Nós, el galleguismo comenzó una nueva andadura.

La experiencia de nosotros finalizó abruptamente con el golpe de estado de 1936, la guerra civil y la dictadura, pero su semilla y su ejemplo permanecieron imperecederos en la Galicia territorial y en la emigración, señala el acuerdo adoptado por la Mesa de la Cámara.

El vigente Estatuto de Autonomía de Galicia, promulgado el 6 de abril de 1981, es heredero y continuador del truncado Estatuto de 1936, fruto del esfuerzo y el compromiso galleguista defendido por la Xeración Nós.

Galicia, en deuda con la Xeración Nós

El acuerdo de la Mesa considera que la autonomía política de la Galicia actual es tributaria de la semilla depositada por la Xeración Nós, méritos que la Cámara gallega quiere reconocer con la concesión de la Medalla del Parlamento de Galicia 2021.

Por eso, en el primero centenario de la aparición de la revista Nós, la Medalla del Parlamento de Galicia 2021 se concede al conjunto de los integrantes de la Xeración Nós y sus discípulos y será entregada a las cuatro únicas fundaciones que, a día de hoy, perpetúan la memoria de las figuras constituyentes de la Xeración Nós:

- Fundación Otero Pedrayo
- Fundación Castelao
- Fundación Antón Losada Diéguez
- Fundación Vicente Risco

Por lo que esta Medalla del Parlamento de Galicia se entregó el 6 de abril de 2021, aniversario de la promulgación del Estatuto de Autonomía de Galicia, que celebra su 40 aniversario.

Tras la aprobación por los Municipios gallegos, el texto debía ser sometido a referéndum y aprobado por las Cortes Generales. El referéndum no se celebró hasta junio de 1936. El resultado del mismo fue prácticamente unánime. El escrutinio arrojó un (99,2 %) de votos afirmativos. El 15 de julio de ese mismo año, el Comité Central de la Autonomía de Galicia entregó el Proyecto de Estatuto al Presidente de las Cortes, para así cumplirse el último de los requisitos. Pero no fue objeto de discusión parlamentaria, abortándose su aprobación final, como consecuencia de la Guerra Civil.

Galicia, de acuerdo con la Constitución de 1931, se configuraba como **"región autónoma en el seno del Estado español"**, con implantación de una descentralización política y administrativa. El Estatuto, preveía una Asamblea legislativa, elegida por sufragio universal; un Ejecutivo dualista, diferenciándose entre el Presidente de la Región, elegido por votación popular directa y secreta, y la Xunta de Galicia, formada por su Presidente y los demás miembros, que serán nombrados y separados libremente por aquel.

1.1.3. La transición democrática 1976-1978 y el régimen de pre-autonomías

El proceso se reanuda en la fase de la transición política. La primera etapa de todo este proceso fue la aprobación de la Ley para la Reforma Política de 1977, a la que siguió un reconocimiento gradual de autonomías provisionales, que se inició, con Cataluña, restableciéndose la Generalidad. Tras Cataluña se procede a la aprobación sucesiva de los **regímenes preautonómicos de otras regiones a lo largo de 1978**: País Vasco, **Galicia**, Aragón, País Valenciano y Canarias.

La planificación de la organización de estos regímenes fue la siguiente:

1.º Se crearon unos órganos de gobierno y administración regional.

2.º Se determinó una previsión de transferencia a los entes preautonómicos de competencias y servicios no especificados tanto del Estado como de las Diputaciones, que se irían concretando por acuerdos sucesivos de una Comisión Mixta de transferencias.

Los órganos de gobierno de estos entes preautonómicos se integraban por los Parlamentarios elegidos en las elecciones generales de 1977 y por los Diputados provinciales. Dada su naturaleza administrativa carecía de potestad legislativa.

En Galicia, el Real Decreto-Ley 7/1978, de 16 de marzo, en su disposición final 3.ª, instituye a la Xunta de Galicia, como órgano de Gobierno provisional de Galicia, que actuará mientras perdure la fase preautonómica mientras no se apruebe la Constitución y, de acuerdo con ella, se elabore y se aprueben el Estatuto de Autonomía de Galicia.

Esta Xunta de Galicia provisional estaba compuesta por 11 representantes elegidos por los diputados y senadores proclamados en las elecciones generales a Cortes de 1977 en Galicia y los 3 senadores gallegos de designación real y un representante de cada una de las Diputaciones provinciales gallegas. El presidente de la Xunta de Galicia se elegiría entre los anteriores. El primer presidente de la Xunta preautonómica fue el diputado Antonio Rosón Pérez. Y le correspondía a esta Xunta, dentro del régimen jurídico general y local, las siguientes competencias:

- Elaborar y aprobar las normas de su régimen interior.
- Integrar y coordinar las actuaciones y funciones de las Diputaciones provinciales en cuanto afecte al interés de Galicia.
- Gestionar y administrar las funciones y servicios que le transfiera la Administración del Estado y las Diputaciones gallegas.
- Resolver sobre aquellas materias cuyas competencias le hayan sido transferidas por la Administración del Estado o por las Diputaciones.
- Proponer al Gobierno cuantas medidas afecten a los intereses de Galicia.

Sabías que...

El antecedente más inmediato del actual Estatuto de Autonomía para Galicia es el documento aprobado mediante referéndum el 28 de junio de 1936. Se trata de un texto jurídico que fue prácticamente respaldado de forma unánime por la inmensa mayoría (99,2%) de los votantes y que facilitó que el 15 de julio de ese mismo año, el comité central de la Autonomía de Galicia pudiese entregar el proyecto de Estatuto al presidente de las cortes, órgano que no pudo aprobarlo definitivamente como consecuencia de la guerra civil.

1.1.4. Las Comisiones Mixtas de Transferencias

La segunda fase en la planificación de la organización de los entes preautonómicos, una vez constituida la instauración de los órganos de gobierno y administración regional, era la transferencia de competencias y servicios, a través de acuerdos que se irían concretando en una Comisión Mixta de Transferencias.

En el Decreto 474/1978, de 16 de marzo, se procede a la creación de 2 Comisiones Mixtas: la Comisión Mixta de Transferencias Estado-Comunidad Autónoma y la Comisión Mixta de Transferencias Xunta de Galicia-Diputaciones Provinciales.

1.1.5. El Estatuto de Autonomía: antecedentes y aprobación

El 3 de julio de 1978 el Presidente de la Xunta efectuó un llamamiento a todos los partidos políticos y entidades culturales, sociales y sindicales para la realización de

aportaciones escritas para la redacción del Estatuto. En una reunión de la Asamblea de Parlamentarios de diciembre de 1978 se acordó el nombramiento de una Comisión de 16 personas, entre los que se incluirían no solo representantes de los partidos políticos con representación parlamentaria, sino también personas que pertenecieran a las agrupaciones políticas y sociales que habían realizado aportaciones escritas para la redacción del Estatuto. Esta Comisión redacta las bases para un anteproyecto del Estatuto Gallego.

Para dar cumplimiento a lo establecido en el artículo 151 de la Constitución Española se reunió la Asamblea de Parlamentarios gallegos en mayo de 1979, designando una Ponencia de 9 parlamentarios, pertenecientes a los partidos con representación en esa época. El 25 de junio la Asamblea de parlamentarios aprobaba el proyecto de Estatuto de Autonomía para Galicia, presentándose en el Congreso de los Diputados el día 28 de junio.

El proyecto se remitió a la Comisión Constitucional para su tramitación, abriéndose posteriormente un plazo para presentar motivos de desacuerdo. Se produce entonces una paralización en la tramitación del Estatuto, que termina con la suscripción del llamado "pacto del Hostal" en septiembre de 1980.

El referéndum del Estatuto de Autonomía de Galicia se celebró el día 21 de diciembre de 1980.

El proyecto aprobado fue ratificado por el Congreso de los Diputados y por el Senado, aprobándose por **la Ley Orgánica 1/1981, de 6 de abril**[2].

Sabías que...

El 73,35 % de los votantes lo hizo a favor del Estatuto, si bien el grado de abstención fue elevadísimo.

1.2. Estatutos de Autonomía. Norma institucional básica de Galicia

La Constitución Española de 1978 (CE) determina en su artículo 2 que *"la norma fundamental española se fundamenta en la indisoluble unidad de la Nación española, patria común e indivisible de todos los españoles, reconoce y garantiza* ***el derecho a la autonomía de las nacionalidades*** *y regiones que la integran y la solidaridad entre todas ellas".*

---

2 http://www.revistaestudiosregionales.com/documentos/articulos/pdf172.pdf A iniciativa privada cuando se cumplieron los 85 años del Estatuto de 1936 y los 40 años del Estatuto de 1981, que son los textos legales que marcan la historia política Galicia, se publicó una edición especial de estos textos con una introducción del prestigioso catedrático de Derecho Constitucional, Roberto Blanco Valdés que lleva por título Dos Españas, dos Galicias

Referéndum sobre el proyecto de Estatuto de Autonomía para Galicia
21 de diciembre de 1980

Resultado de la votación						
Juntas Provinciales	Electores	Votantes	Votos en pro	Votos en contra	Papeletas en blanco	Papeletas nulas
La Coruña	844.268	270.827	196.736	56.102	12.068	5.921
Lugo	334.412	65.716	46.981	13.588	3.105	2.042
Orense	355.397	75.226	58.265	12.056	2.945	1.960
Pontevedra	638.821	202.449	148.574	39.702	10.263	3.910
TOTALES	2.172.898	614.218	450.556	121.448	28.381	13.833

Fuente: Congreso de los Diputados

Este **"derecho a la autonomía"** es desarrollado en el Título VIII de la Constitución Española, donde bajo la rúbrica "De la organización territorial del Estado", se sientan las bases del Estado de las Autonomías.

El sistema constitucional español se limita a ofrecer un marco formal que permite a las nacionalidades y regiones acceder a su autogobierno, por lo que la autonomía se configura como un derecho. Así el artículo 143.1 Constitución Española establece que *"en el ejercicio del derecho a la autonomía reconocido en el artículo 2 del texto constitucional, las provincias limítrofes con características históricas, culturales y económicas comunes, los territorios insulares y las provincias con entidad regional histórica podrán acceder a su autogobierno y constituirse en Comunidades Autónomas con arreglo a lo previsto en este Título y en los respectivos Estatutos".*

Recuerda que...

El derecho de autonomía de las nacionalidades y regiones se reconoce y garantiza en el artículo 2 de la Constitución Española de 1978.

El artículo 147.2 de la Constitución Española señala que *"los Estatutos de Autonomía deberán contener:*

a) La denominación de la Comunidad que mejor corresponda a su identidad histórica.

b) La delimitación de su territorio.

c) La denominación, organización y sede de las instituciones autónomas propias.

d) Las competencias asumidas dentro del marco establecido en la Constitución y las bases para el traspaso de los servicios correspondientes a las mismas".

Sabías que...

El Estatuto de Autonomía es pieza clave para el acceso al autogobierno.

El Estatuto de Autonomía se convierte en la primera pieza del denominado "bloque de constitucionalidad", en cuanto norma esencial para completar el texto constitucional concretando el contenido de la autonomía de cada Comunidad Autónoma que pueda constituirse.

La doctrina mayoritaria afirma que el Estatuto de Autonomía es tanto una norma estatal, como una norma autonómica, en base a lo que dispone el artículo 147.1 del texto constitucional señalando que *"dentro de los términos de la presente Constitución, los Estatutos serán la norma institucional básica de cada Comunidad Autónoma y el Estado los reconocerá y amparará como parte integrante de su ordenamiento jurídico."*

Recuerda que...

El Estatuto de Autonomía es tanto una norma estatal como una norma autonómica.

Su **carácter autonómico** se puede matizar en:

1. La formación de los Estatutos que comienza con una «iniciativa autonómica» (artículos 143 y 151 CE).
2. El proyecto de Estatuto es formulado por las representaciones del territorio de que se trata (artículos 146 y 151 CE). Además, en el caso de los Estatutos del artículo 151 CE, la participación "autonómica" se prolonga en la propia fase de aprobación por las Cortes Generales, en cuanto que en tal fase requiere un «común acuerdo para su formulación definitiva», acuerdo que a las Cortes como tales correspondió únicamente «ratificar», o no (artículo 151.2 CE).
3. Igualmente, el principio autonómico se hace presente en su modificación que requerirá un consentimiento de las representaciones del respectivo territorio.

Y su **carácter estatal** se debe:

1. A que el Estatuto es una Ley Orgánica de las Cortes Generales (artículos 81.1, 146, 147.3, 151 CE).
2. El Estatuto es una norma propia del Estado por su propia función y contenido, complemento indispensable de la Constitución.

Cabe concluir que la norma suprema de cada autonomía está constituida por la Constitución y por su Estatuto propio simultáneamente. Así el artículo 147.1 de la Constitución Española señala el principio de supremacía de la Constitución sobre el resto del ordenamiento jurídico, del que los Estatutos de Autonomía forman parte como norma institucional básica de la Comunidad Autónoma que el Estado reconoce y ampara como parte integrante de su ordenamiento jurídico.

La Constitución dota además a los Estatutos, una vez aprobados, de lo que se ha dado en denominar "superrigidez cualificada" según (García de Enterría, 1983). Esta superrigidez implica la necesidad de una conformidad con quórum reforzados de las respectivas Asambleas legislativas, según precisan todos los Estatutos de Autonomía, en virtud de la remisión constitucional a los artículos 147.3 y 152.2. En el caso de los Estatutos del nivel autonómico superior, es necesario, además, un referéndum aprobatorio del cuerpo electoral de la respectiva Comunidad Autónoma.

Respecto de las leyes autonómicas, el Estatuto, es también una norma superior, a la que aquéllas deben subordinarse. Toda norma autonómica que infrinja un precepto del Estatuto de Autonomía sería inconstitucional por infracción de este precepto.

Según el artículo 1.1 del Estatuto de Autonomía de Galicia, *"Galicia como nacionalidad histórica, se constituye en Comunidad Autónoma para acceder a su autogobierno de conformidad con la Constitución Española y con su Estatuto de Autonomía, que es su norma institucional básica"*, Ley orgánica 1/1981, de 6 de abril, y como señala (Rodriguez-Arana Muñoz, 2002) con "el Estatuto de 1981 en la mano, Galicia asume desde su constitución todas las competencias posibles en el marco de los artículos 148 y 149 de la CE".

2. Estructura y contenido

2.1. Estructura

El Estatuto de Autonomía de Galicia (EAG)[3] se estructura en un Título Preliminar, 5 Títulos, de los que los Títulos I y II se dividen en capítulos, 57 artículos, 4 disposiciones adicionales y 7 disposiciones transitorias.

Los títulos se denominan:

- Título Preliminar (artículos 1 a 8).
- Título I: del Poder Gallego.
    * Artículo 9.
        - Capítulo I. Del Parlamento (artículos 10 a 14)
        - Capítulo II. De la Xunta y su Presidente (artículos 15 a 19)
        - Capítulo III. De la Administración de Justicia en Galicia (artículos 20 a 26)
- Título II: de las Competencias de Galicia.
    * Capítulo I. De las competencias en general (artículos 27 a 36)
    * Capítulo II. Del régimen jurídico (artículos 37 y 38)

---

3 La Ley Orgánica 1/1981, de 6 de abril. BOE de 28 de abril de 1981. Revisión vigente desde 18 de julio de 2010.

- Título III: de la Administración Pública gallega (artículos 39 a 41)
- Título IV: de la Economía y la Hacienda (artículos 42 a 55).
- Título V: de la Reforma (artículos 56 y 57).

En relación al contenido específico de estos títulos en este tema únicamente se hace referencia al **Título Preliminar, al título I del poder gallego y al título II de las competencias de Galicia**.

2.2. Contenido

2.2.1. Principios básicos

El **Título Preliminar**, a través de los artículos 1 a 8, establece los principios básicos que rigen la Comunidad Autónoma de Galicia.

- La Comunidad Autónoma, a través de instituciones democráticas, asume como tarea principal la defensa de la identidad de Galicia y de sus intereses y la promoción de solidaridad entre todos cuantos integran el pueblo gallego.
- Los poderes de la Comunidad Autónoma de Galicia emanan de la Constitución, del Estatuto de Autonomía y del pueblo.
- El territorio de Galicia es el comprendido en las actuales provincias de La Coruña, Lugo, Orense y Pontevedra.
- La organización territorial tendrá en cuenta la distribución de la población gallega y sus formas tradicionales de convivencia y asentamiento, que se regularán por una ley del Parlamento gallego.
- Gozan de la condición política de gallegos, los ciudadanos españoles que, de acuerdo con las leyes generales del Estado, tengan vecindad administrativa en cualquiera de los municipios de Galicia.
- Como gallegos, gozan de los derechos políticos definidos en el Estatuto los ciudadanos españoles residentes en el extranjero que hayan tenido la última vecindad administrativa en Galicia y acrediten esta condición en el correspondiente Consulado de España. Gozarán también de estos derechos sus descendientes inscritos como españoles, si así lo solicitan, en la forma que determine la ley del Estado.

Sabías que...

Los derechos, libertades y deberes fundamentales de los gallegos son los establecidos en la Constitución.

- Corresponde a los poderes públicos de Galicia promover las condiciones para que la libertad y la igualdad del individuo y de los grupos en que se integran sean reales y efectivas, remover los obstáculos que impidan o dificulten su plenitud y facilitar la participación de todos los gallegos en la vida política, económica, cultural y social.

  Consecuencia de esto que indica el párrafo 2 del artículo 4 del EAG son las siguientes leyes gallegas: la Ley 2/2014, de 14 de abril, por la igualdad de trato y la no discriminación de lesbianas, gays, transexuales, bisexuales e intersexuales en Galicia, la Ley 10/2011, de 28 de noviembre, de acción voluntaria y la Ley 17/2008, de 29 de diciembre, de participación institucional de las organizaciones sindicales y empresariales más representativas de Galicia.

- Los poderes públicos de la Comunidad Autónoma asumen, como uno de los principios rectores de su política social y económica, el derecho de los gallegos a vivir y trabajar en su propia tierra.

- La lengua propia de Galicia es el gallego. Los idiomas gallego y castellano son oficiales en Galicia y todos tienen el derecho de conocerlos y usarlos. Los poderes públicos de Galicia garantizarán el uso normal y oficial de los dos idiomas y potenciarán la utilización del gallego en todos los órdenes de la vida pública, cultural e informativa, y dispondrán los medios necesarios para facilitar su conocimiento. Nadie podrá ser discriminado por razón de la lengua. La Ley Gallega 3/1983, de 15 de junio, de Normalización Lingüística desarrolla este artículo 5 del EAG.[4]

4 https://www.xunta.gal/a-lingua-galega

- La bandera de Galicia es blanca con una banda diagonal de color azul que la atraviesa desde el ángulo superior izquierdo hasta el inferior derecho. Galicia tiene himno y escudo propios. Estos símbolos son regulados en la Ley Gallega 5/1984, de 29 de mayo, de símbolos de Galicia.[5][6][7]

- Las Comunidades gallegas asentadas fuera de Galicia podrán solicitar, como tales, el reconocimiento de su galleguidad entendida como el derecho a colaborar y compartir la vida social y cultural del pueblo gallego. Una ley del Parlamento regulará, sin perjuicio de las competencias del Estado, el alcance y contenido de aquel reconocimiento a dichas Comunidades, que en ningún caso implicará la concesión de derechos políticos.

  La Comunidad Autónoma podrá solicitar del Estado español que para facilitar lo dispuesto anteriormente celebre los oportunos tratados o convenios con los Estados donde existan dichas Comunidades.

  La Ley del Parlamento gallego que regula este derecho es la Ley gallega 7/2013, de 13 de junio, de galleguidad.[8]

- Una ley de Galicia, para cuya aprobación se requerirá el voto favorable de las dos terceras partes de los miembros de su Parlamento, fijará la sede de las instituciones autonómicas. Esta ley es la Ley gallega 1/1982, de 24 de junio, de fijación de la Sede de las Instituciones Autonómicas de Galicia.

Recuerda que...

Los poderes de la Comunidad Autónoma de Galicia emanan de la Constitución, del Estatuto de Autonomía y del pueblo.

2.2.2. Poder gallego

El **título I, del poder gallego**, se compone del artículo 9 y 3 capítulos, artículos 10 a 26, que están dedicados a los poderes de la Comunidad Autónoma, que se ejercen a través del **Parlamento, de la Junta y de su Presidente**. Las leyes de Galicia ordenarán el funcionamiento de estas instituciones de acuerdo con la Constitución y el Estatuto.

---

5 https://www.xunta.gal/a-bandeira.

6 https://www.xunta.gal/o-himno-de-galicia

7 https://www.xunta.gal/o-escudo

8 https://emigracion.xunta.gal/

2.2.2.1. Parlamento[9]

Los artículos 10 a 14 del Título I del EAG están dedicados al **poder legislativo gallego**, el Parlamento de Galicia. Son funciones del Parlamento de Galicia las siguientes:

a) **Ejercer la potestad legislativa de la Comunidad Autónoma.** El Parlamento sólo podrá delegar esta potestad legislativa en la Junta, en los términos que establecen los artículos 82, 83 y 84 de la Constitución para el supuesto de la delegación legislativa de las Cortes Generales al Gobierno, todo ello en el marco del Estatuto.

b) **Controlar la acción ejecutiva de la Junta, aprobar los presupuestos** y ejercer las otras competencias que le sean atribuidas por la Constitución, por el Estatuto, por las leyes del Estado y las del Parlamento de Galicia.

c) **Designar para cada legislatura de las Cortes Generales a los Senadores representantes de la Comunidad Autónoma Gallega,** de acuerdo con lo previsto en el artículo 69, apartado 5, de la Constitución. Tal designación se hará de forma proporcional a la representación de las distintas fuerzas políticas existentes en el Parlamento de Galicia.

d) **Elegir de entre sus miembros al Presidente de la Junta de Galicia**.

e) **Exigir, en su caso, responsabilidad política a la Junta y a su Presidente**.

f) Solicitar del Gobierno **la adopción de proyectos de Ley** y presentar ante la Mesa del Congreso de los Diputados **proposiciones de Ley**.

g) **Interponer recursos de inconstitucionalidad** y personarse ante el Tribunal Constitucional en los supuestos y en los términos previstos en la Constitución y en la Ley Orgánica del Tribunal Constitucional.

Recuerda que...

El Estatuto de Autonomía de Galicia, aprobado en 1981, reconoce al gallego como lengua propia de Galicia y cooficial de la comunidad, que "todos tienen el derecho de conocerla y usarla", y al mismo tiempo responsabiliza a los poderes públicos de la normalización del gallego en todos los ámbitos.

El Parlamento es inviolable. Está constituido por diputados elegidos por sufragio universal, igual, libre, directo y secreto. El Parlamento será elegido por un plazo de 4 años, de acuerdo con un sistema de representación proporcional, que asegure, además, la representación de las diversas zonas del territorio gallego.

Los miembros del Parlamento de Galicia serán inviolables por los votos y opiniones que emitan en el ejercicio de su cargo. Durante su mandato no podrán ser detenidos ni retenidos

9 http://www.es.parlamentodegalicia.es/Portada/Index

por los actos delictivos cometidos en el territorio de Galicia, sino en caso de flagrante delito, correspondiendo decidir, en todo caso, sobre su inculpación, prisión, procesamiento y juicio al Tribunal Superior de Justicia de Galicia. Fuera de dicho territorio, la responsabilidad penal será exigible, en los mismos términos, ante la Sala de lo Penal del Tribunal Supremo.

La circunscripción electoral será, en todo caso, la provincia.

Una ley del Parlamento de Galicia determinará los plazos y regulará el procedimiento para elección de sus miembros, fijando su número entre 60 y 80, y las causas de inelegibilidad e incompatibilidad que afecten a los puestos o cargos que se desempeñen dentro del ámbito territorial de la Comunidad Autónoma.

El Parlamento, mediante ley, podrá establecer un sistema para que los intereses del conjunto de los gallegos residentes en el extranjero estén presentes en las decisiones de la Comunidad Autónoma.

Sabías que...

Los Diputados no estarán sujetos a mandato imperativo.

La normativa gallega aplicable en un proceso de elecciones al Parlamento de Galicia se centra básicamente en la Ley gallega 8/1985, de 13 de agosto, de elecciones al Parlamento de Galicia y la Ley gallega 9/2015, de 7 de agosto, de financiación de las formaciones políticas y de las fundaciones y entidades vinculadas o dependientes de ellas.

El Parlamento elegirá de entre sus miembros un Presidente, la Mesa y una Diputación Permanente. El Reglamento, que deberá ser aprobado por mayoría absoluta, regulará su composición, régimen y funcionamiento. Este Reglamento, varias veces modificado, es del 1 de septiembre de 1983. Y el Parlamento de Galicia fijará su propio presupuesto.

El Parlamento funcionará en Pleno y en Comisiones, y se reunirá en sesiones ordinarias y extraordinarias.

El Reglamento precisará el número mínimo de Diputados para la formación de Grupos Parlamentarios, la intervención de éstos en el proceso legislativo y las funciones de la Junta de Portavoces de aquéllos. Los Grupos Parlamentarios participarán en todas las Comisiones en proporción al número de sus miembros.

Actividad 2

Rellena los huecos con las palabras que faltan:

Los poderes de la Comunidad Autónoma de Galicia se ejercen a través del ________, de la ________ y de su ________.

La iniciativa legislativa corresponde a los Diputados, al Parlamento y a la Junta. La iniciativa popular para la presentación de proposiciones de ley que hayan de ser tramitadas por el Parlamento de Galicia se regulará por éste mediante ley de acuerdo con lo que establezca la ley orgánica prevista en el artículo 87.3 de la Constitución. La ley reguladora de la iniciativa popular y participación ciudadana es la Ley gallega 7/2015, de 7 de agosto, de iniciativa legislativa popular y participación ciudadana en el Parlamento de Galicia.

Las leyes de Galicia serán promulgadas en nombre del Rey por el Presidente de la Junta y publicadas en el «Diario Oficial de Galicia» y en el «Boletín Oficial del Estado». A efectos de su entrada en vigor regirá la fecha de su publicación en el «Diario Oficial de Galicia».

El control de la constitucionalidad de las leyes del Parlamento de Galicia corresponderá al Tribunal Constitucional.

Corresponde a la Comunidad Autónoma la creación y organización, mediante ley de su Parlamento y con respeto a la institución del **Defensor del Pueblo** establecida en el artículo 54 de la Constitución, de un órgano similar que, en coordinación con aquélla, ejerza las funciones a las que se refiere el mencionado artículo y cualesquiera otras que el Parlamento de Galicia pueda encomendarle. Así se regula la figura del **Valedor do Pobo** por la Ley gallega 6/1984, de 5 de junio, del Valedor del Pueblo.

2.2.2.2. De la Junta y de su Presidente[10] [11]

Los artículos 15 a 19 del Título I del EAG regulan la Junta y su Presidente, que se desarrolla por la Ley gallega 1/1983, de 22 de febrero, normas reguladoras de la Xunta y de su Presidencia.

El Presidente dirige y coordina la acción de la Junta y ostenta la representación de la Comunidad Autónoma y la ordinaria del Estado en Galicia.

El Presidente de la Junta será elegido por el Parlamento Gallego de entre sus miembros y será nombrado por el Rey.

El Presidente del Parlamento, previa consulta con las fuerzas políticas representadas parlamentariamente, y oída la Mesa, propondrá un candidato a Presidente de la Junta.

Alfonso Rueda Valenzuela
Presidente de la Xunta de Galicia

El candidato presentará su programa al Parlamento. Para ser elegido, el candidato deberá, en primera votación, obtener mayoría absoluta; de no obtenerla, se procederá a una nueva 24 horas después de la anterior, y la confianza se entenderá otorgada si obtuviera mayoría simple. Caso de no conseguirse dicha mayoría, se tramitarán sucesivas propuestas en la forma prevista anteriormente.

10 https://www.xunta.gal/a-presidencia/saudo-do-presidente.

11 https://www.xunta.gal/portada

El Presidente de la Junta será políticamente responsable ante el Parlamento. Una ley de Galicia determinará el alcance de tal responsabilidad, así como el Estatuto personal y atribuciones del Presidente.

La Junta es el órgano colegiado de Gobierno de Galicia. Y la Junta de Galicia está compuesta por el Presidente, Vicepresidente o Vicepresidentes, en su caso, y los Consejeros. Los Vicepresidentes y los Consejeros serán nombrados y cesados por el Presidente.

Actividad 3

En relación con el Parlamento de Galicia, señala la opcion incorrecta:

- [ ] a) Una ley del Parlamento de Galicia determinará los plazos y regulará el procedimiento para elección de sus miembros, fijando su número entre 60 y 80.
- [ ] b) Los miembros del Parlamento de Galicia serán inviolables por los votos y opiniones que emitan en el ejercicio de su cargo.
- [ ] c) El Parlamento está constituido por diputados elegidos por sufragio universal, igual, libre, directo y secreto.
- [ ] d) Fuera del territorio de Galicia, la responsabilidad penal de los miembros del Parlamento de Galicia será exigible ante la Sala de lo Penal de la Audiencia Nacional.

Una ley de Galicia regulará la organización de la Junta y las atribuciones y el Estatuto personal de sus componentes. La ley que regula la organización de la Junta es la Ley 16/2010, de 17 de diciembre, de Organización y Funcionamiento de la Administración General y del Sector Público autonómico de Galicia.

La Junta de Galicia responde políticamente ante el Parlamento de forma solidaria, sin perjuicio de la responsabilidad directa de cada uno de sus componentes por su gestión.

La Junta cesa tras la celebración de elecciones al Parlamento gallego; en los casos de pérdida de la confianza parlamentaria, dimisión y fallecimiento de su Presidente.

La Junta cesante continuará en funciones hasta la toma de posesión de la nueva Junta.

El Presidente y los demás miembros de la Junta, durante su mandato y por los actos delictivos cometidos en el territorio de Galicia, no podrán ser detenidos ni retenidos sino en caso de flagrante delito, correspondiendo decidir, en todo caso, sobre su inculpación, prisión, procesamiento y juicio al Tribunal Superior de Justicia de Galicia. Fuera de dicho territorio la responsabilidad penal será exigible en los mismos términos ante la Sala de lo Penal del Tribunal Supremo.

La Junta de Galicia podrá interponer recursos de inconstitucionalidad y personarse ante el Tribunal Constitucional en los supuestos y términos previstos en la Constitución y en la Ley Orgánica del Tribunal Constitucional.

Recuerda que...

El Presidente dirige y coordina la acción de la Junta y ostenta la representación de la Comunidad Autónoma y la ordinaria del Estado en Galicia.

2.2.2.3. De la Administración de Justicia en Galicia[12]

Los artículos 20 a 26 del Título I del EAG regulan la Administración de Justicia en Galicia. Y corresponde a la Comunidad Autónoma:

1. Ejercer todas las facultades que las Leyes Orgánicas del Poder Judicial y del Consejo General del Poder Judicial reconozcan o atribuyan al Gobierno del Estado. En desarrollo de este precepto se regula la asistencia jurídica gratuita en Galicia a través del Decreto gallego 269/2008, 6 noviembre, por el que se aprueba el Reglamento de asistencia jurídica gratuita de Galicia.

2. Fijar la delimitación de las demarcaciones territoriales de los órganos jurisdiccionales en Galicia, teniendo en cuenta, entre otros criterios, los límites de los tradicionales partidos judiciales y las características geográficas y de población.

El Tribunal Superior de Justicia de Galicia, en el que se integrará la actual Audiencia Territorial, es el órgano jurisdiccional en que culminará la organización judicial en su ámbito territorial y ante el que se agotarán las sucesivas instancias procesales, en los términos del artículo 152 de la Constitución y de acuerdo con el Estatuto.

Actividad 4

¿Quién nombra y cesa a los vicepresidentes y los consejeros de la Xunta de Galicia?

- ☐ a) El Rey.
- ☐ b) El Parlamento Gallego.
- ☐ c) El Presidente de la Xunta.
- ☐ d) El Tribunal Superior de Justicia de Galicia.

---

12 https://www.poderjudicial.es/cgpj/gl/Poder-Xudicial/Tribunais-Superiores-de-Xustiza/TSX-Galicia/ https://www.xunta.gal/o-tribunal-superior-de-xustiza?langId=es_ES

La **competencia de los órganos jurisdiccionales en Galicia** se extiende:

a) En el orden civil, a todas las instancias y grados, incluidos los recursos de casación y de revisión en las materias de Derecho Civil gallego.

b) En el orden penal y social, a todas las instancias y grados, con excepción de los recursos de casación y de revisión.

c) En el orden contencioso-administrativo, a todas las instancias y grados, cuando se trate de actos dictados por la Junta y por la Administración de Galicia, en las materias cuya legislación corresponda en exclusiva a la Comunidad Autónoma y la que, de acuerdo con la ley de dicha jurisdicción, le corresponda en relación con los actos dictados por la Administración del Estado en Galicia.

d) A las cuestiones de competencia entre órganos judiciales en Galicia.

e) A los recursos sobre calificación de documentos referentes al derecho privativo gallego que deban tener acceso a los Registros de la Propiedad.

En las restantes materias se podrá interponer, cuando proceda, ante el Tribunal Supremo, el recurso de casación o el que corresponda, según las leyes del Estado y, en su caso, el de revisión. El Tribunal Supremo resolverá también los conflictos de competencia y jurisdicción entre los Tribunales de Galicia y los del resto de España.

Sabías que...

El Presidente del Tribunal Superior de Justicia de Galicia será nombrado por el Rey a propuesta del Consejo General del Poder Judicial.

El **nombramiento de los Magistrados, Jueces y Secretarios del Tribunal Superior de Justicia** se efectuará en la forma prevista en las Leyes Orgánicas del Poder Judicial y del Consejo General del Poder Judicial.

A instancia de la Comunidad Autónoma, el órgano competente convocará los concursos y oposiciones para cubrir las plazas vacantes en Galicia de Magistrados, Jueces, Secretarios judiciales y restante personal al servicio de la Administración de Justicia, de acuerdo con lo que disponga la Ley Orgánica del Poder Judicial.

Corresponde íntegramente al Estado, de conformidad con las leyes generales, la organización y el funcionamiento del Ministerio Fiscal.

En la resolución de los concursos y oposiciones para proveer los puestos de Magistrados, Jueces, Secretarios judiciales, Fiscales y todos los funcionarios al servicio de la Administración de Justicia, será mérito preferente la especialización en el Derecho gallego y el conocimiento del idioma del país.

Los **Notarios y los Registradores de la Propiedad y Mercantiles** serán nombrados por la Comunidad Autónoma, de conformidad con las leyes del Estado. Para la provisión de notarías, los candidatos serán admitidos en igualdad de derechos, tanto si ejercen en el territorio de Galicia como en el resto de España. En estos concursos y oposiciones será mérito preferente la especialización en Derecho gallego y el conocimiento del idioma del país. En ningún caso podrá establecerse la excepción de naturaleza o vecindad.

La Comunidad Autónoma participará en la fijación de las demarcaciones correspondientes a los Registros de la Propiedad y Mercantiles para acomodarlas a lo que se disponga en aplicación del artículo 20, párrafo 2, del Estatuto de Autonomía de Galicia. También participará en la fijación de las demarcaciones notariales y del número de Notarios, de acuerdo con lo previsto en las leyes del Estado.

2.2.3. Competencias de Galicia

El **título II del EAG regula las competencias de Galicia** en los artículos 27 a 38 divididos en 2 capítulos. En el ámbito del Estatuto de Autonomía de Galicia se clasifican de la siguiente forma:

A) **Competencias exclusivas,** entre las que podemos distinguir:

1. **Competencias exclusivas plenas o íntegras (de primer grado)**. Son aquellas en las que Galicia dispone de la totalidad de la materia, atribuyéndosele el conjunto de todas las funciones públicas de ordenación y ejecución, sobre esa materia.

   Son, con algunas excepciones, las contenidas en el artículo 27 del Estatuto de Autonomía de Galicia, a las que habría que añadir las del artículo 31 (educación), y del artículo 32 (promoción de los valores culturales del pueblo gallego).

2. **Competencias exclusivas de segundo grado o relativas**. Son las contenidas en el artículo 30 del Estatuto de Autonomía de Galicia. Son aquellas en las que la potestad legislativa de la Comunidad Autónoma sobre tales materias está de acuerdo con las bases y la ordenación de la actuación económica general y la política monetaria del Estado.

Actividad 5

Indica si la siguiente cuestión es verdadera o falsa:

El Tribunal Superior de Justicia de Galicia es el órgano jurisdiccional en que culmina la organización judicial en la Comunidad Autónoma de Galicia.

Verdadera ☐ Falsa ☐

B) **Competencias compartidas**

Pueden integrarse en esta categoría todas aquellas competencias en las que, en relación con una determinada materia, pueden ejercitarse simultánea pero separadamente, funciones propias por cada ente, en virtud del reparto constitucional de títulos competenciales. Pueden distinguirse dos supuestos:

1. **Competencias compartidas de primer nivel**, que podemos encontrar en los artículos 28, 33 y 34 del Estatuto de Autonomía de Galicia. En ellas es competencia de la Comunidad Autónoma de Galicia el desarrollo legislativo y la ejecución de la legislación básica del Estado, en los términos que la misma establezca.

   En el artículo 27 del Estatuto de Autonomía de Galicia también encontramos alguna de estas competencias, como aquellas que en materia de régimen local recoge el artículo 27.1.2.º del Estatuto de Autonomía de Galicia.

2. **Competencias compartidas de segundo nivel**, que facultan a la Comunidad Autónoma de Galicia para la ejecución de la legislación del Estado. Son las recogidas en los artículos 29 y 33 del texto estatutario de Galicia.

C) **Competencias concurrentes**

Se entiende por tales aquellas competencias que ejercen de un modo exclusivo la Comunidad Autónoma y el Estado sobre unas mismas materias y que exigen, obviamente, una delimitación de cuál es el ámbito en el que una y otro ejercen con exclusividad sus respectivas competencias.

Estas competencias aparecen como competencias exclusivas en el artículo 27 del Estatuto de Autonomía de Galicia. La delimitación del ámbito puede hacerse:

1. Por referencia al territorio de la Comunidad Autónoma de Galicia (27.8 Ferrocarriles y carreteras no incorporados a la red del Estado y cuyo itinerario se desarrolle íntegramente en el territorio de la Comunidad Autónoma y, en los mismos términos, el transporte llevado a cabo por estos medios o por cable).
2. Por referencia al interés comunitario o supracomunitario (27.7 Obras públicas que no tengan la calificación legal del interés general del Estado o cuya ejecución o explotación no afecte a otra Comunidad Autónoma o provincia).

3. Las competencias de la Comunidad Autónoma de Galicia: exclusivas, desarrollo legislativo y ejecución

Como se mencionó en el apartado anterior el contenido del título II del Estatuto de Autonomía de Galicia está dedicado a las **competencias de Galicia**, en el capítulo I, artículos 27 a 36, se establecen las competencias en general, y el capítulo II, artículos 37 y 38, su régimen jurídico.

3.1. Competencias en general

Las competencias que se pueden ejercer por los distintos órganos gubernamentales, que configuran la Xunta de Galicia, se pueden clasificar en exclusivas, compartidas y concurrentes:

A) Competencias exclusivas

Las competencias exclusivas se distinguen en los siguientes grupos:

1. Competencias exclusivas plenas o íntegras

Las **competencias exclusivas de primer grado o plenas o integras** son aquéllas en las que Galicia dispone de la totalidad de la materia, atribuyéndosele el conjunto de todas las funciones públicas de ordenación y ejecución sobre esa materia. Son, con algunas excepciones, los apartados 2, 7 y 8, las contenidas en el artículo 27 del Estatuto de Autonomía de Galicia, a las que habría que añadir las del artículo 31 en materia de educación y del artículo 32 en materia de promoción de los valores culturales del pueblo gallego.

El contenido de estos artículos es el siguiente:

Artículo 27

En el marco del Estatuto corresponde a la Comunidad Autónoma gallega la **competencia exclusiva** de las siguientes materias:

1. Organización de sus instituciones de autogobierno. Como consecuencia de esta competencia se ha aprobado por el Parlamento de Galicia la Ley gallega 16/2010, de 17 de diciembre, de organización y funcionamiento de la Administración general y del sector público autonómico de Galicia.
2. Organización y régimen jurídico de las comarcas y parroquias rurales como entidades locales propias de Galicia, alteraciones de términos municipales comprendidos dentro de su territorio y, en general, las funciones que sobre el Régimen Local correspondan a la Comunidad Autónoma al amparo del artículo 149.1.18 de la Constitución y su desarrollo. Como consecuencia de esta competencia se han aprobado en el Parlamento de Galicia las siguientes leyes: la Ley 4/2012, de 12 de abril, del Área Metropolitana de Vigo y la Ley 5/1997, de 22 de julio, reguladora de la Administración Local de Galicia.

3. Ordenación del territorio y del litoral, urbanismo y vivienda. En aplicación de esta competencia el Parlamento de Galicia aprobó las siguientes leyes: la Ley 1/2021, de 8 de enero, de ordenación del territorio, la Ley 2/2016, de 10 de febrero, del suelo de Galicia, la Ley 3/2013, de 20 de mayo, de impulso y ordenación de las infraestructuras de telecomunicaciones de Galicia, la Ley 8/2012, de 29 de junio, de vivienda de Galicia y la Ley 9/2010, de 4 de noviembre, de aguas de Galicia.
4. Conservación, modificación y desarrollo de las instituciones del Derecho civil gallego. En aplicación de esta competencia se aprobó por el Parlamento de Galicia la Ley 2/2006, de 14 de junio, de derecho civil de Galicia.
5. Las normas procesales y procedimientos administrativos que se deriven del específico Derecho gallego o de la organización propia de los poderes públicos gallegos. Se aprueba en el ejercicio de esta competencia la Ley gallega 5/2005, de 25 de abril, reguladora del recurso de casación en materia de derecho civil de Galicia.
6. Estadísticas para los fines de la Comunidad Autónoma gallega. Como consecuencia de esta competencia es la Ley gallega 9/1988, de 19 de julio, de Estadística de Galicia.
7. Obras públicas que no tengan la calificación legal de interés general del Estado o cuya ejecución o explotación no afecte a otra Comunidad Autónoma o provincia.
8. Ferrocarriles y carreteras no incorporados a la red del Estado y cuyo itinerario se desarrolle íntegramente en el territorio de la Comunidad Autónoma y, en los mismos términos, el transporte llevado a cabo por estos medios o por cable. En aplicación de esta competencia se han aprobado las siguientes leyes gallegas: la Ley 8/2013, de 28 de junio, de carreteras de Galicia, la Ley 5/2009, de 26 de noviembre, de medidas urgentes para la modernización del sector del transporte público de Galicia y la Ley 6/1996, de 9 de julio, de coordinación de los servicios de transportes urbanos e interurbanos por carretera de Galicia.

9. Los puertos, aeropuertos y helipuertos no calificados de interés general por el Estado y los puertos de refugio y puertos y aeropuertos deportivos. En aplicación de esta competencia se aprueba la Ley Gallega: la Ley 6/2017, de 12 de diciembre, de puertos de Galicia.
10. Montes, aprovechamientos forestales, vías pecuarias y pastos, sin perjuicio de lo dispuesto en el artículo 149.1.23 de la Constitución. Como consecuencia de la aplicación de esta competencia se han aprobado por el Parlamento de Galicia las siguientes leyes: la Ley 7/2012, de 28 de junio, de montes de Galicia y la Ley 3/2007, de 9 de abril, de prevención y defensa contra los incendios forestales de Galicia.
11. Régimen jurídico de los montes vecinales en mano común.
12. Aprovechamiento hidráulico, canales y regadíos cuando las aguas discurran íntegramente dentro del territorio de la Comunidad, sin perjuicio de lo dispuesto en el artículo 149.1.22 de la Constitución. Como consecuencia de la aplicación de esta competencia se han aprobado por el Parlamento de Galicia las siguientes leyes: la Ley 9/2019, de 11 de diciembre, de medidas de garantía del abastecimiento en episodios de sequía y en situaciones de riesgo sanitario, la Ley 9/2010, de 4 de noviembre, de aguas de Galicia y la Ley 5/2006, de 30 de junio, para la protección, la conservación y la mejora de los ríos gallegos.
13. Instalaciones de producción, distribución y transporte de energía eléctrica cuando este transporte no salga de su territorio y su aprovechamiento no afecte a otra provincia o comunidad autónoma, sin perjuicio de lo dispuesto en el artículo 149. 1. 22 y 25 de la Constitución. En aplicación de esta competencia se ha aprobado por el legislativo gallego la Ley 8/2009, de 22 de diciembre, por la que se regula el aprovechamiento eólico en Galicia y se crean el canon eólico y el Fondo de Compensación Ambiental.

14. Las aguas minerales y termales. Las aguas subterráneas, sin perjuicio de lo dispuesto en el artículo 149.1.22 de la Constitución, y en el número 7 de este artículo 27. En aplicación de esta competencia, el legislativo gallego aprueba la Ley 8/2019, de

23 de diciembre, de regulación del aprovechamiento lúdico de las aguas termales de Galicia y la Ley 5/1995, de 7 de junio, de regulación de las aguas minerales, termales, de manantial y de los establecimientos balnearios de la Comunidad Autónoma de Galicia.

15. La pesca en las rías y demás aguas interiores, el marisqueo, la acuicultura, la caza, la pesca fluvial y lacustre. En aplicación de esta competencia se aprueban por el Parlamento de Galicia las leyes siguientes: la Ley 2/2021, de 8 de enero, de pesca continental de Galicia, la Ley 13/2013, de 23 de diciembre, de caza de Galicia y la Ley 11/2008, de 3 de diciembre, de pesca de Galicia.
16. Las ferias y mercados interiores.
17. La artesanía. En aplicación de esta competencia se aprueba por el legislativo gallego la Ley 1/1992, de 11 de marzo, de artesanía de Galicia.
18. Patrimonio histórico, artístico, arquitectónico, arqueológico, de interés de Galicia, sin perjuicio de lo que dispone el artículo 149.1.28 de la Constitución; archivos, bibliotecas y museos de interés para la Comunidad Autónoma, y que no sean de titularidad estatal; conservatorios de música y servicios de Bellas Artes de interés para la Comunidad. Como consecuencia de la aplicación de esta competencia se aprueban por el legislativo gallego las siguientes leyes: la Ley 3/2013, de 20 de mayo, de impulso y ordenación de las infraestructuras de telecomunicaciones de Galicia y la Ley 5/2012, de 15 de junio, de bibliotecas de Galicia.

19. El fomento de la cultura y de la investigación en Galicia, sin perjuicio de lo establecido en el artículo 149.2 de la Constitución. En aplicación de esta competencia, el legislativo gallego aprueba las siguientes leyes: la Ley 7/2021, de 17 de febrero, de museos y otros centros museísticos de Galicia, la Ley 5/2013, de 30 de mayo, de fomento de la investigación y de la innovación de Galicia, la Ley 4/2008, de 23 de mayo, de creación de la Agencia Gallega de las Industrias Culturales y la Ley 17/2006, de 27 de diciembre, del libro y de la lectura de Galicia.
20. La promoción y la enseñanza de la lengua gallega.

21. La promoción y la ordenación del turismo dentro de la Comunidad. En aplicación de esta competencia, el legislativo gallego aprueba la Ley 7/2011, de 27 de octubre, del turismo de Galicia.
22. La promoción del deporte y la adecuada utilización del ocio. En aplicación de esta competencia se aprueba por el legislativo gallego las siguientes leyes: la Ley 6/2012, de 19 de junio, de juventud de Galicia y la Ley 3/2012, de 2 de abril, del deporte de Galicia.
23. Asistencia social. Como consecuencia de la aplicación de esta competencia, el Parlamento de Galicia aprobó las siguientes leyes: la Ley 10/2013, de 27 de noviembre, de inclusión social de Galicia, la Ley 6/2012, de 19 de junio, de juventud de Galicia, la Ley 10/2011, de 28 de noviembre, de acción voluntaria, la Ley 3/2011, de 30 de junio, de apoyo a la familia y a la convivencia de Galicia, la Ley 5/2010, de 23 de junio, por la que se establece y regula una red de apoyo a la mujer embarazada, la Ley 13/2008, de 3 de diciembre, de servicios sociales de Galicia y la Ley 11/2007, de 27 de julio, gallega para la prevención y el tratamiento integral de la violencia de género.
24. La promoción del desarrollo comunitario. En aplicación de esta competencia el legislativo gallego aprobó las siguientes leyes: la Ley 6/2012, de 19 de junio, de juventud de Galicia y la Ley 3/2011, de 30 de junio, de apoyo a la familia y a la convivencia de Galicia.
25. La creación de una Policía Autónoma, de acuerdo con lo que disponga la Ley Orgánica prevista en el artículo 149.1.29 de la Constitución. En aplicación de esta competencia el legislativo gallego aprobó la Ley 8/2007, de 13 de junio, de Policía de Galicia.
26. El régimen de las fundaciones de interés gallego. En aplicación de esta competencia, el Parlamento de Galicia aprobó la Ley 12/2006, de 1 de diciembre, de fundaciones de interés gallego.
27. Casinos, juegos y apuestas, con exclusión de las Apuestas Mutuas Deportivo Benéficas. Esta competencia se desarrolla por la Ley 14/1985, de 23 de octubre, reguladora de los Juegos y Apuestas en Galicia.
28. Los centros de contratación de mercancías y valores, de conformidad con las normas generales de Derecho mercantil.
29. Cofradías de Pescadores, Cámaras de la Propiedad, Agrarias, de Comercio, Industria y Navegación y otras de naturaleza equivalente, sin perjuicio de lo que dispone el artículo 149 de la Constitución. En aplicación de esta competencia, el Parlamento de Galicia aprueba las siguientes leyes: la Ley 1/2006, de 5 de junio, del Consejo Agrario Gallego, la Ley 5/2004, de 8 de julio, de cámaras oficiales de comercio, industria y navegación de Galicia y la Ley 9/1993, de 8 de julio, de Cofradías de Pescadores de Galicia.
30. Normas adicionales sobre protección del medio ambiente y del paisaje en los términos del artículo 149.1.23 de la Constitución. En aplicación de esta competencia el legislativo gallego aprobó las siguientes leyes: la Ley 6/2021, de 17 de febrero, de residuos y suelos contaminados de Galicia, la Ley 5/2019, de 2 de agosto, del patrimonio natural y de la biodiversidad de Galicia, la Ley 4/2017, de 3 de octubre,

de protección y bienestar de los animales de compañía en Galicia, la Ley 3/2013, de 20 de mayo, de impulso y ordenación de las infraestructuras de telecomunicaciones de Galicia, la Ley 15/2008, de 19 de diciembre, del impuesto sobre el daño medioambiental causado por determinados usos y aprovechamientos del agua embalsada, la Ley 7/2008, de 7 de julio, de protección del paisaje de Galicia, la Ley 5/2006, de 30 de junio, para la protección, la conservación y la mejora de los ríos gallegos, la Ley 8/2002, de 18 de diciembre, de protección del ambiente atmosférico de Galicia y la Ley 1/1995, de 2 de enero, de Protección Ambiental de la Comunidad Autónoma de Galicia.

31. Publicidad, sin perjuicio de las normas dictadas por el Estado para sectores y medios específicos.
32. Las restantes materias que con este carácter y mediante ley orgánica sean transferidas por el Estado.

Artículo 31

Es de la **competencia plena** de la Comunidad Autónoma gallega la regulación y administración de la enseñanza en toda su extensión, niveles y grados, modalidades y especialidades, en el ámbito de sus competencias, sin perjuicio de lo dispuesto en el artículo 27 de la Constitución y en las leyes orgánicas que, conforme al apartado primero del artículo 81 de la misma, lo desarrollen, de las facultades que atribuye al Estado el número 30 del apartado 1 del artículo 149 de la Constitución, y de la alta inspección necesaria para su cumplimiento y garantía.

En desarrollo de esta competencia, el Parlamento de Galicia ha aprobado las siguientes leyes: la Ley 6/2013, de 13 de junio, del Sistema Universitario de Galicia, la Ley 4/2011, de 30 de junio, de convivencia y participación de la comunidad educativa y la Ley 9/1992, de 24 de julio, de educación y promoción de adultos en el ámbito de la Comunidad Autónoma de Galicia.

Artículo 32

Corresponde a la Comunidad Autónoma la defensa y promoción de los valores culturales del pueblo gallego. A tal fin, y mediante ley del Parlamento, se constituirá un Fondo Cultural Gallego y el Consejo de la Cultura Gallega.

2. Competencias exclusivas de segundo grado o relativas

Las **competencias exclusivas de segundo grado o relativas** son aquéllas en las que la potestad legislativa de la Comunidad Autónoma sobre tales materias se ejerce de acuerdo con las bases y la ordenación de la actuación económica general y la política monetaria del Estado.

Las competencias exclusivas de segundo grado o relativas son las contenidas en el artículo 30 Estatuto de Autonomía de Galicia. Su contenido es el siguiente:

Artículo 30

1. **De acuerdo con las bases y la ordenación de la actuación económica general y la política monetaria del Estado**, corresponde a la Comunidad Autónoma gallega, en los términos de lo dispuesto en los artículos 38, 131 y 149.1.11 y 13 de la Constitución la **competencia exclusiva** de las siguientes materias:

Uno. Fomento y planificación de la actividad económica de Galicia. En ejecución de esta competencia se aprueba por el Parlamento de Galicia la Ley 3/2013, de 20 de mayo, de impulso y ordenación de las infraestructuras de telecomunicaciones de Galicia.

Dos. Industria, sin perjuicio de lo que determinen las normas del Estado por razones de seguridad, sanitarias o de interés militar y las normas relacionadas con las industrias que estén sujetas a la legislación de minas, hidrocarburos y energía nuclear. Queda reservada a la competencia exclusiva del Estado la autorización para transferencia de tecnología extranjera. En ejecución de esta competencia se aprueban el Decreto legislativo 1/2015, de 12 de febrero, por el que se aprueba el texto refundido de las disposiciones legales de la Comunidad Autónoma de Galicia en materia de política industrial.

Tres. Agricultura y ganadería. En ejecución de esta competencia se aprueban por el Parlamento de Galicia las siguientes leyes: la Ley 11/2021, de 14 de mayo, de recuperación de la tierra agraria de Galicia, la Ley 4/2015, de 17 de junio, de mejora de la estructura territorial agraria de Galicia y la Ley 2/2005, de 18 de febrero, de promoción y defensa de la calidad alimentaria gallega.

Cuatro. Comercio interior, defensa del consumidor y del usuario, sin perjuicio de la política general de precios y de la legislación sobre la defensa de la competencia. Denominaciones de origen en colaboración con el Estado. En ejecución de esta competencia el Parlamento de Galicia aprueba las siguientes leyes: la Ley 2/2012, de 28 de marzo, gallega de protección general de las personas consumidoras y usuarias, la Ley 13/2010, de 17 de diciembre, del comercio interior de Galicia, la Ley 13/2006, de 27 de diciembre, de horarios comerciales de Galicia y la Ley 2/2005, de 18 de febrero, de promoción y defensa de la calidad alimentaria gallega.

Cinco. Instituciones de crédito corporativo, público y territorial y Cajas de Ahorro. En ejecución de esta competencia se aprueba el Decreto Legislativo 1/2005, de 10 de marzo, por el que se aprueba el texto refundido de las leyes 7/1985, de 17 de julio y 4/1996, de 31 de mayo, de cajas de ahorros de Galicia.

Seis. Sector público económico de Galicia, en cuanto no esté contemplado por otras normas de este Estatuto.

Siete. El desarrollo y ejecución en Galicia de:

a) Los planes establecidos por el Estado para la reestructuración de sectores económicos.

b) Programas genéricos para Galicia estimuladores de la ampliación de actividades productivas e implantación de nuevas empresas.

c) Programas de actuación referidos a comarcas deprimidas o en crisis.

2. La Comunidad Autónoma gallega participará, asimismo, en la gestión del sector público económico estatal, en los casos y actividades que procedan.

Recuerda que...

De acuerdo con las bases y la ordenación de la actuación económica general y la política monetaria del Estado es competencia exclusiva de la Comunidad Autónoma de Galicia la agricultura y ganadería.

B) Competencias compartidas

Puede integrarse en las **competencias compartidas**, todas aquéllas en las que, en relación con una determinada materia pueden ejercitarse simultánea, pero separadamente, funciones propias por cada ente, en virtud del reparto constitucional de títulos competenciales. Pueden distinguirse dos supuestos:

1. Competencias compartidas de primer nivel, que podemos encontrar en los artículos 28, 33 y 34 del Estatuto de Autonomía de Galicia

En ellas es competencia de la Comunidad Autónoma de Galicia el desarrollo legislativo y la ejecución de la legislación básica del Estado, en los términos que la misma establezca. El contenido de estos artículos es el siguiente:

Artículo 28

Es competencia de la Comunidad Autónoma gallega el desarrollo legislativo y la ejecución de la legislación del Estado en los términos que la misma establezca, de las siguientes materias:

1. Régimen Jurídico de la Administración Pública de Galicia y régimen estatutario de sus funcionarios. En desarrollo de esta competencia se aprueban las siguientes leyes por el Parlamento de Galicia: la Ley 1/2016, de 18 de enero, de transparencia y buen gobierno, la Ley 2/2015, de 29 de abril, del empleo público de Galicia, la Ley 16/2010, de 17 de diciembre, de organización y funcionamiento de la Administración general y del sector público autonómico de Galicia; además también se aprobaron los decretos legislativos siguientes: el Decreto Legislativo 1/2008, de 13 de marzo, por el que se aprueba el texto refundido de la Ley de la función pública de Galicia y el Decreto Legislativo 1/1999, de 7 de octubre, por el que se aprueba el texto refundido de la Ley de régimen financiero y presupuestario de Galicia.
2. Expropiación forzosa, contratos y concesiones administrativas en el ámbito de las competencias propias de la Comunidad Autónoma.
3. Régimen minero y energético. En ejecución de esta competencia, el Parlamento de Galicia aprobó la Ley 3/2008, de 23 de mayo, de ordenación de la minería de Galicia.

4. Reserva al sector público de recursos o servicios esenciales, especialmente en caso de monopolio e intervención de empresas cuando lo exija el interés general.
5. Ordenación del sector pesquero.
6. Puertos pesqueros.
7. Entidades cooperativas. En ejecución de esta competencia, el Parlamento de Galicia aprueba la Ley 5/1998, de 18 de diciembre, de cooperativas de Galicia.
8. Establecimientos farmacéuticos. En ejecución de esta competencia, el Parlamento de Galicia aprobó la Ley 5/1999, de 21 de mayo, de ordenación farmacéutica.

Artículo 33

1. **Corresponde a la Comunidad Autónoma el desarrollo legislativo y la ejecución de la legislación básica del Estado** en materia de sanidad interior. En ejecución de esta competencia se aprobaron las siguientes normas: el Decreto 151/2014, de 20 de noviembre, de sanidad mortuoria de Galicia y la Ley 8/2008, de 10 de julio, de salud de Galicia.
2. En materia de Seguridad Social, **corresponderá a la Comunidad Autónoma el desarrollo legislativo y la ejecución de la legislación básica del Estado**, salvo las normas que configuran el régimen económico de la misma.

   Corresponde también a la Comunidad Autónoma la gestión del régimen económico de la Seguridad Social en Galicia, sin perjuicio de la Caja Única.
3. Corresponderá también a la Comunidad Autónoma **la ejecución de la legislación del Estado** sobre productos farmacéuticos.
4. La Comunidad Autónoma podrá organizar y administrar a tales fines y dentro de su territorio todos los servicios relacionados con las materias antes expresadas, y ejercerá la tutela de las instituciones, entidades y fundaciones en materia de Sanidad y Seguridad Social, reservándose el Estado la alta inspección conducente al cumplimiento de las funciones y competencias contenidas en este artículo. Ejemplo de esta competencia es la Ley 5/2015, de 26 de junio, de derechos y garantías de la dignidad de las personas enfermas terminales.

Artículo 34

1. En el marco de las normas básicas del Estado, **corresponde a la Comunidad Autónoma el desarrollo legislativo y la ejecución** del régimen de Radiodifusión y Televisión en los términos y casos establecidos en la ley que regule el Estatuto jurídico de la Radio y la Televisión.
2. Igualmente le corresponde, en el marco de las normas básicas del Estado**, el desarrollo legislativo y la ejecución** del régimen de prensa y, en general, de todos los medios de comunicación social.
3. En los términos establecidos en los apartados anteriores de este artículo, la Comunidad Autónoma podrá regular, crear y mantener su propia televisión, radio y prensa y, en general, todos los medios de comunicación social para el cumplimiento de sus fines.

En ejecución de esta competencia regulada en el artículo 34 del EAG, el Parlamento de Galicia aprueba las siguientes leyes: la Ley 9/2011, de 9 de noviembre, de los medios públicos de comunicación audiovisual de Galicia y la Ley 6/1999, de 1 de septiembre, del audiovisual de Galicia.

En el artículo 27 del Estatuto de Autonomía de Galicia también encontramos alguna de estas competencias, como aquellas que en materia de régimen local recoge el artículo 27.2 del Estatuto de Autonomía.

2. Competencias compartidas de segundo nivel, que facultan a la Comunidad Autónoma de Galicia para la ejecución de la legislación del Estado

Son las recogidas en los artículos 29 y 33 del texto estatutario de Galicia. El contenido de estos preceptos es el siguiente:

Artículo 29

Corresponde a la Comunidad Autónoma gallega **la ejecución de la legislación del Estado** en las siguientes materias:

1. Laboral, asumiendo las facultades, competencias y servicios que en este ámbito, y a nivel de ejecución, ostenta actualmente el Estado respecto a las relaciones laborales, sin perjuicio de la alta inspección de éste. Quedan reservadas al Estado todas las competencias en materia de migraciones interiores y exteriores, fondos de ámbito nacional y de empleo, sin perjuicio de lo que establezcan las normas del Estado sobre estas materias. En ejecución de esta competencia, el Parlamento de Galicia aprueba la Ley 14/2007, de 30 de octubre, por la que se crea y regula el Instituto Gallego de Seguridad y Salud Laboral.
2. Propiedad industrial e intelectual.
3. Salvamento marítimo.

4. Vertidos industriales y contaminantes en las aguas territoriales del Estado correspondientes al litoral gallego. En ejecución de esta competencia, el Parlamento de Galicia aprueba la Ley 9/2010, de 4 de noviembre, de aguas de Galicia.

Sabías que...

En ejecución de la competencia del artículo 29.4 del EAG, el Parlamento de Galicia aprueba la Ley 9/2010, de 4 de noviembre, de aguas de Galicia.

5. Las restantes materias que se atribuyen en el presente Estatuto expresamente como de competencia de ejecución y las que con este carácter y mediante ley orgánica sean transferidas por el Estado.

Artículo 33

1. Corresponde a la Comunidad Autónoma **el desarrollo legislativo y la ejecución de la legislación básica del Estado** en materia de sanidad interior. En ejecución de esta competencia se aprobaron las siguientes normas: el Decreto 151/2014, de 20 de noviembre, de sanidad mortuoria de Galicia y la Ley 8/2008, de 10 de julio, de salud de Galicia.
2. En materia de Seguridad Social, corresponderá a la Comunidad Autónoma **el desarrollo legislativo y la ejecución de la legislación básica del Estado**, salvo las normas que configuran el régimen económico de la misma.

   Corresponde también a la Comunidad Autónoma la gestión del régimen económico de la Seguridad Social en Galicia, sin perjuicio de la Caja Única.
3. Corresponderá también a la Comunidad Autónoma **la ejecución de la legislación del Estado** sobre productos farmacéuticos.
4. La Comunidad Autónoma podrá organizar y administrar a tales fines y dentro de su territorio todos los servicios relacionados con las materias antes expresadas, y ejercerá la tutela de las instituciones, entidades y fundaciones en materia de Sanidad y Seguridad Social, reservándose el Estado la alta inspección conducente al cumplimiento de las funciones y competencias contenidas en este artículo. Ejemplo de esta competencia es la Ley 5/2015, de 26 de junio, de derechos y garantías de la dignidad de las personas enfermas terminales.

Recuerda que...

Le corresponde a la Comunidad Autónoma el desarrollo legislativo y la ejecución de la legislación básica del Estado en materia de sanidad interior.

C) Competencias concurrentes

Se entiende por **competencias concurrentes**, aquéllas competencias que ejerce de un modo exclusivo la Comunidad Autónoma y el Estado sobre una misma materia y que exigen, obviamente, una delimitación de cuál es el ámbito en el que una y otro ejercen con exclusividad sus respectivas competencias.

Estas competencias aparecen como **competencias exclusivas** en el artículo 27 del Estatuto de Autonomía de Galicia.

La delimitación del ámbito puede hacerse a título de ejemplo de la siguiente manera:

1. Por referencia al territorio de la Comunidad Autónoma de Galicia (artículo 27.8 Ferrocarriles y carreteras no incorporados a la red del Estado y cuyo itinerario se desarrolle íntegramente en el territorio de la Comunidad Autónoma y, en los mismos términos, el transporte llevado a cabo por estos medios o por cable).
2. Por referencia al interés comunitario o supracomunitario (artículo 27.7 Obras públicas que no tengan la calificación legal del interés general del Estado o cuya ejecución o explotación no afecte a otra Comunidad Autónoma o provincia).

Recuerda que...

La ordenación del sector pesquero es competencia de la Comunidad Autónoma gallega, en el marco del desarrollo legislativo y la ejecución de la legislación del Estado.

3.2. Formas de colaboración y asunción de competencias

En los artículos 35 y 36 del Título II del EAG se regulan las formas de colaboración y asunción de competencias. La Comunidad Autónoma podrá celebrar **convenios** con otras Comunidades Autónomas para la gestión y prestación de servicios propios de la exclusiva competencia de las mismas. La celebración de los citados convenios, antes de su entrada en vigor, deberá ser comunicada a las Cortes Generales. Si las Cortes Generales, o alguna de las Cámaras, manifestaran reparos en el plazo de 30 días, a partir de la recepción de la comunicación, el convenio deberá seguir el trámite previsto legalmente. Si transcurrido dicho plazo no se hubiesen manifestado reparos al convenio, entrará en vigor. Y también podrá establecer **acuerdos de cooperación** con otras Comunidades Autónomas, previa autorización de las Cortes Generales. Además la Comunidad Autónoma gallega podrá solicitar del Gobierno que celebre y presente, en su caso, a las Cortes Generales, para su autorización, **los tratados o convenios** que permita el establecimiento de relaciones culturales con los Estados con los que mantenga particulares vínculos culturales o lingüísticos.

Por último, la Comunidad Autónoma gallega podrá solicitar del Estado **la transferencia o delegación de competencias** no asumidas en el Estatuto de Autonomía de Galicia. Corresponde al Parlamento de Galicia la competencia para formular las solicitudes, y para determinar el organismo de la Comunidad Autónoma gallega a cuyo favor se deberá atribuir en cada caso la competencia transferida o delegada.

3.3. Régimen jurídico

El régimen jurídico de las competencias establecidas en el capítulo I del Título II del EAG se regula en los artículos 37 y 38 del Estatuto. Las competencias de la Comunidad Autónoma de Galicia se entienden referidas a su **territorio**. En las materias de su **competencia exclusiva** le corresponde al **Parlamento la potestad legislativa** en los términos previstos en el Estatuto y en las Leyes del Estado a las que el mismo se refiere, correspondiéndole a la **Junta la potestad reglamentaria y la función ejecutiva**.

Las **competencias de ejecución** en la Comunidad Autónoma llevan implícitas la correspondiente potestad reglamentaria, la administración y la inspección. En los supuestos previstos en los artículos 28 y 29 del Estatuto de Autonomía de Galicia, o en otros preceptos del mismo, con análogo carácter, el ejercicio de esas potestades por la Comunidad Autónoma se realizará de conformidad con las normas reglamentarias de carácter general que, en desarrollo de su legislación, dicte el Estado.

Sabías que...

El texto del Estatuto ha permanecido sin modificar hasta hoy en día constando de un título preliminar y 5 títulos que contienen 57 artículos, 4 disposiciones adicionales y 7 disposiciones transitorias.

En materias de **competencia exclusiva de la Comunidad Autónoma, el Derecho propio de Galicia es aplicable en su territorio con preferencia a cualquier otro, en los términos previstos en el Estatuto**. A falta de Derecho propio de Galicia, será de aplicación supletoria el Derecho del Estado. En la determinación de las **fuentes del Derecho Civil** se respetarán por el Estado las normas del Derecho Civil gallego, reguladas por la Ley 2/2006, de 14 de junio, de derecho civil de Galicia.

Solución a las actividades

Actividad 1.

El Título II.

Actividad 2.

Los poderes de la Comunidad Autónoma de Galicia se ejercen a través del **Parlamento**, de la **Junta** y de su **Presidente**.

Actividad 3.

- ☐ a) Una ley del Parlamento de Galicia determinará los plazos y regulará el procedimiento para elección de sus miembros, fijando su número entre 60 y 80.
- ☐ b) Los miembros del Parlamento de Galicia serán inviolables por los votos y opiniones que emitan en el ejercicio de su cargo.
- ☐ c) El Parlamento está constituido por diputados elegidos por sufragio universal, igual, libre, directo y secreto.
- ☑ d) Fuera del territorio de Galicia, la responsabilidad penal de los miembros del Parlamento de Galicia será exigible ante la Sala de lo Penal de la Audiencia Nacional.

Actividad 4.

- ☐ a) El Rey.
- ☐ b) El Parlamento Gallego.
- ☐ c) El Presidente de la Xunta.
- ☐ d) El Tribunal Superior de Justicia de Galicia.

Actividad 5.

Verdadero.

TEMA 3

Ley 39/2015, de 1 de octubre, del Procedimiento Administrativo Común de las Administraciones Públicas: Títulos Preliminar, I, II, III

Sigue nuestras **Técnicas de Memoria 360** y sácale el máximo rendimiento a tus horas de estudio.

Índice

1. Título Preliminar. Disposiciones generales

El Título Preliminar, sobre disposiciones generales, tras abordar el ámbito objetivo y subjetivo de aplicación, incluye como innovación en el objeto de la Ley, con carácter básico, los principios que informan el ejercicio de la iniciativa legislativa y la potestad reglamentaria de las Administraciones.

Antes de referirnos al objeto y ámbito de aplicación de la Ley recogidos en sus artículos 1º y 2º, respectivamente, vamos a referirnos primero a la estructura de la Ley.

1.1. Estructura de la Ley

La LPACAP consta de 133 artículos, distribuidos en siete Títulos, ocho Disposiciones Adicionales, cinco Disposiciones Transitorias, una Disposición Derogatoria y siete Disposiciones Finales.

En concreto, los Títulos tratan de:

a) Título Preliminar: Disposiciones generales.

b) Título I: De los interesados en el procedimiento.

c) Título II: De la actividad de las Administraciones Públicas.

d) Título III: De los actos administrativos.

e) Título IV: De las disposiciones sobre el procedimiento administrativo común.

f) Título V: De la revisión de los actos en vía administrativa.

g) Título VI: De la iniciativa legislativa y de la potestad para dictar reglamentos y otras disposiciones.

1.2. Objeto

Según su art. 1, la LPACAP, "tiene por objeto regular los requisitos de validez y eficacia de los actos administrativos, el procedimiento administrativo común a todas las Administraciones Públicas, incluyendo el sancionador y el de reclamación de responsabilidad de las Administraciones Públicas, así como los principios a los que se ha de ajustar el ejercicio de la iniciativa legislativa y la potestad reglamentaria.

Solo mediante ley, cuando resulte eficaz, proporcionado y necesario para la consecución de los fines propios del procedimiento, y de manera motivada, podrán incluirse trámites adicionales o distintos a los contemplados en esta Ley. Reglamentariamente podrán establecerse especialidades del procedimiento referidas a los órganos competentes, plazos propios del concreto procedimiento por razón de la materia, formas de iniciación y terminación, publicación e informes a recabar".

1.3. Ámbito de aplicación

El art. 2 LPACAP se refiere al ámbito subjetivo de aplicación, prescribiendo que:

1. La presente Ley se aplica al sector público, que comprende:

   a) La Administración General del Estado (sobre la que incide especialmente la Ley 40/2015, de 1 de octubre, de Régimen Jurídico del Sector Público –LRJSP, en otras citas–, de la que se trata en otros lugares de este Libro).

   b) Las Administraciones de las Comunidades Autónomas (debiendo estarse a lo dispuesto en sus respectivos Estatutos de Autonomía y su legislación de desarrollo).

   c) Las Entidades que integran la Administración Local (respecto de la cual ha de tenerse en cuenta, con carácter básico la Ley 7/1985, de 2 de abril, reguladora de las Bases del Régimen Local –LRL, en lo sucesivo–).

   d) El sector público institucional (del que trata la citada LRJSP).

2. El sector público institucional se integra por:

   a) Cualesquiera organismos públicos y entidades de derecho público vinculados o dependientes de las Administraciones Públicas.

   b) Las entidades de derecho privado vinculadas o dependientes de las Administraciones Públicas, que quedarán sujetas a lo dispuesto en las normas de esta Ley que específicamente se refieran a las mismas, y en todo caso, cuando ejerzan potestades administrativas.

   c) Las Universidades públicas, que se regirán por su normativa específica y supletoriamente por las previsiones de esta Ley (sobre lo que habrá que estar, con carácter general, a lo dispuesto por la Ley Orgánica 2/2023, de 22 de marzo, del Sistema Universitario).

3. Tienen la consideración de Administraciones Públicas la Administración General del Estado, las Administraciones de las Comunidades Autónomas, las Entidades que integran la Administración Local, así como los organismos públicos y entidades de derecho público previstos en la letra a) del apartado 2 anterior.
4. Las Corporaciones de Derecho Público se regirán por su normativa específica en el ejercicio de las funciones públicas que les hayan sido atribuidas por Ley o delegadas por una Administración Pública, y supletoriamente por la presente Ley.

2. Título I. De los interesados en el procedimiento

2.1. Los interesados en el procedimiento. Concepto de interesado

Para estudiar la figura del interesado, en la terminología de la Ley 39/2015, de 1 de octubre, del Procedimiento Administrativo Común de las Administraciones Públicas (LPACAP, en adelante), inexcusablemente, antes debe hacerse mención a la relación jurídico-administrativa.

Para CASTÁN, la relación jurídica no es otra cosa que una relación de la vida práctica a la que el Derecho objetivo da significado jurídico, atribuyéndole determinados efectos, o, en otros términos, una relación de la vida real protegida y regulada, en todo o en parte, por el Derecho.

Por ejemplo, el matrimonio es una relación real entre dos personas que adquiere la condición de jurídica cuando se celebra con arreglo a la legislación vigente, civil o eclesiástica.

Para DE CASTRO, es la situación jurídica en la que se encuentran las personas, organizada unitariamente dentro del orden jurídico total por un especial principio jurídico.

Si trasladamos este esquema al ámbito administrativo, nos encontraremos con la relación jurídico-administrativa, en la que, de una parte, está la Administración, y, de otra, el Administrado (las personas físicas o jurídicas), como regla general.

Sobre los interesados en el procedimiento trata el Título I de la LPACAP, arts. 3 a 12, así como otros artículos de la misma (por ejemplo, el art. 53 y los arts. 82 y 83). Esta LPACAC, a diferencia del art. 35 de la derogada, con efectos de 2 de octubre de 2016, Ley 30/1992, de 26 de noviembre, de Régimen Jurídico de las Administraciones Públicas y del Procedimiento Administrativo Común (LRJAP y PAC, en lo sucesivo), ha diferenciado, con buen criterio a nuestro juicio, los derechos de las personas en sus relaciones con las Administraciones Públicas (art. 13) y los derechos del interesado en el procedimiento (art. 53).

2.1.1. Concepto de la relación jurídica

ENTRENA CUESTA la definió como «una relación social concreta regulada por el Derecho Administrativo».

2.1.2. Caracteres

Esta relación jurídico-administrativa, para que sea tal, ha de reunir los siguientes caracteres:

a) Presencia en ella de la Administración, como sujeto de la relación, normalmente en el lado activo de la misma, junto al Administrado, que suele situarse en el lado pasivo.

b) La Administración ha de intervenir en tal relación como tal, y no como persona de Derecho Privado.

   Esto es tanto como decir que ha de actuar –la Administración– al servicio de los intereses generales a que le obliga el art. 103,1.º de la Constitución, de 27 de diciembre de 1978 (CE, en adelante).

c) Como se expuso, la Administración actúa normalmente como parte activa de la relación, es decir, ejercita en ella las potestades y prerrogativas que el ordenamiento jurídico le reconoce para el cumplimiento de sus fines.

   Esto no obsta a que, en determinadas relaciones, sea el sujeto pasivo, por ejercer el particular un derecho subjetivo frente a ella, por ser objeto, por ejemplo, de una reclamación de responsabilidad por daños ocasionados como consecuencia del funcionamiento de los servicios públicos.

d) Finalmente, esta relación está regulada por el Derecho Administrativo.

2.1.3. Elementos

Con ENTRENA CUESTA, podemos distinguir:

1. El elemento subjetivo, que es doble: un sujeto activo y un sujeto pasivo. Por lo general, como se ha dicho, el lado activo es desempeñado por la Administración Pública, y el pasivo por el Administrado, lo que no impide en ocasiones que se entable una relación jurídico-administrativa entre dos sujetos con carácter públi-

co, dando lugar a las denominadas relaciones interadministrativas; e, igualmente, que en una relación jurídico-administrativa resulte sujeto activo el administrado y pasivo la Administración (pensemos en la acción de responsabilidad interpuesta por aquel contra esta a que aludíamos).

2. El objeto, constituido por los actos humanos (desempeño de su cargo por el funcionario, por ejemplo) o las cosas (el dominio público), en cuanto integrantes del bien jurídico tutelado por la norma.

3. El contenido, que se descompone en una serie de derechos y obligaciones que recaen sobre el objeto de la relación (derecho al uso privativo del dominio público, etc.) y corresponden a los sujetos que en ella intervienen.

4. Respecto a la causa, la relación social que sirve de soporte a la relación jurídico-administrativa adquiere esta naturaleza en cuanto es regulada por el Derecho Administrativo. Pero el ordenamiento jurídico vincula el nacimiento de la relación a la concurrencia de ciertos hechos que, por ello, son calificados de jurídicos y que pueden considerarse su causa (la relación de servicios nace por el hecho jurídico del acto de nombramiento y posterior toma de posesión por el funcionario).

2.1.4. Nacimiento, modificación y extinción

En cuanto a su nacimiento, toda relación jurídico-administrativa tiene su punto de arranque en una disposición legal –en sentido amplio–, un negocio jurídico (por ejemplo, un contrato administrativo), un hecho o un acto (esencialmente, administrativo).

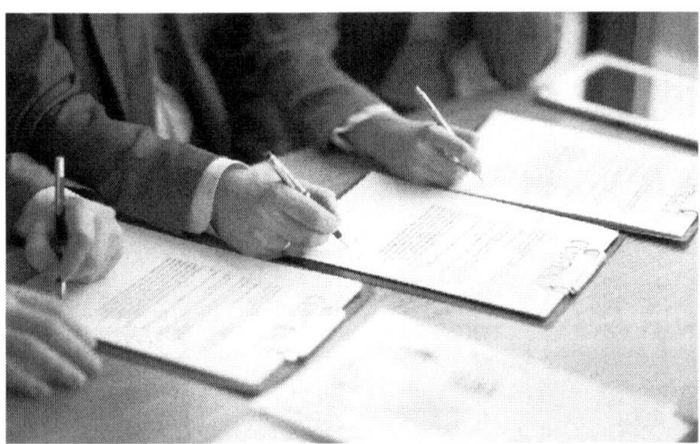

Su modificación puede afectar a los sujetos (por ejemplo, el cambio de un particular en la titularidad de una Licencia de Apertura de un Establecimiento), al objeto (por ejemplo, redimir a metálico la prestación personal a que se refiere el art. 129,3.º del Texto Refundido de la Ley Reguladora, de las Haciendas Locales, aprobado por el Real Decreto Legislativo 2/2004, de 5 de marzo) o al contenido de la relación, es decir, a los derechos y deberes de los sujetos en la misma (que puede producirse, por ejemplo, cuando la Administración hace uso del *ius variandi* en la contratación administrativa, modificando unilateralmente los términos del contrato de que se trate).

Finalmente, respecto a la extinción, puede deberse a la propia Ley, que determine cuándo se extingue la relación. Asimismo, las relaciones personalísimas, por ejemplo la que mantiene un funcionario con la Administración, se extinguen por la muerte del primero, aunque se generen otras relaciones a resultas de la misma, como el devengo de pensión en favor del cónyuge e hijos.

2.1.5. El administrado o interesado

2.1.5.1. Introducción

De todo lo ya expuesto, se deduce que el Administrado es uno de los sujetos de la relación jurídico-administrativa, normalmente el pasivo, al ser el destinatario de las prerrogativas o potestades del otro sujeto (la Administración) en el seno de dicha relación.

En definitiva, el hombre cuando entra en relación con la Administración, adquiere la condición de Administrado.

2.1.5.2. Clases de Administrados

Administrado puede ser toda persona física o jurídica que entre en relación con la Administración, por lo que puede hacerse una tipología del mismo en función de lo que realmente sea (individuo, persona jurídica, etc.).

En la Doctrina científica ha sido tradicional la distinción entre:

a) Administrado simple: Es aquel que se encuentra respecto de la Administración en un estado de sujeción general y que es tratado por la norma de una forma impersonal, siendo esta la posición normal.

   Así, Administrado simple es cualquier ciudadano que deambule por una vía pública, cuyo uso no tiene limitado sino por directrices de carácter general. El que hace un uso común general del dominio público.

b) Administrado cualificado: Es aquel que se encuentra respecto de la Administración en un estado de sujeción especial, es decir, especialmente vinculado a ella, lo que puede derivar, por ejemplo, de la relación funcionarial, del uso común especial o del uso privativo del dominio público, de la realización de una prestación personal (como el antiguo servicio militar), etc.

2.1.5.3. El administrado o interesado en el procedimiento administrativo

El art. 4 LPACAP, en cuanto a la actuación dentro de los procedimientos administrativos, conceptúa al interesado señalando que:

1. Se consideran interesados en el procedimiento administrativo:
   a) Quienes lo promuevan como titulares de derechos o intereses legítimos individuales o colectivos.
   b) Los que, sin haber iniciado el procedimiento, tengan derechos que puedan resultar afectados por la decisión que en el mismo se adopte.
   c) Aquellos cuyos intereses legítimos, individuales o colectivos, puedan resultar afectados por la resolución y se personen en el procedimiento en tanto no haya recaído resolución definitiva.
2. Las asociaciones y organizaciones representativas de intereses económicos y sociales serán titulares de intereses legítimos colectivos en los términos que la Ley reconozca.
3. Cuando la condición de interesado derivase de alguna relación jurídica transmisible, el derecho-habiente sucederá en tal condición cualquiera que sea el estado del procedimiento.

A tenor del los arts. 62.5 y 83.2 LPACAP, la presentación de una denuncia y la comparecencia en el trámite de información pública, respectivamente, no confieren u otorgan, por sí solas, la condición de interesado en el procedimiento.

2.1.5.4. Pluralidad de interesados

Según el art. 7 LPACAP, cuando en una solicitud, escrito o comunicación figuren varios interesados, las actuaciones a que den lugar se efectuarán con el representante o el interesado que expresamente hayan señalado, y, en su defecto, con el que figure en primer término.

Actividad 1

Cuando en una solicitud, escrito o comunicación figuren varios interesados, las actuaciones a que den lugar se efectuarán con el representante o el interesado que expresamente hayan señalado y, en su defecto, ¿con quién?

- ☐ a) Con el que tenga mayor edad de entre los interesados.
- ☐ b) Con el que la Administración establezca.
- ☐ c) Con el que tenga más formación de entre los interesados.
- ☐ d) Con el que figure en primer término.

2.1.5.5. Nuevos interesados en el procedimiento

Si durante la instrucción de un procedimiento que no haya tenido publicidad, se advierte la existencia de personas que sean titulares de derechos o intereses legítimos y directos cuya identificación resulte del expediente y que puedan resultar afectados por la resolución que se dicte, se comunicará a dichas personas la tramitación del procedimiento (art. 8 LPACAP).

2.2. Capacidad de obrar y representación

2.2.1. Capacidad de obrar

Así como en el Derecho Privado existe una teoría general de la capacidad de las personas, en virtud de la cual quien ostente la capacidad jurídica (desde el nacimiento, prácticamente) y de obrar (desde que, como regla general, se alcanza la mayoría de edad) puede entablar todo tipo de relaciones jurídicas con otros (por ejemplo, adquirir o vender bienes), en el Derecho Administrativo no se ha elaborado esta teoría respecto del Administrado, dado que la relación jurídico-administrativa suele establecerse *intuitu personae* (en consideración a la persona); en consecuencia, el ordenamiento jurídico exige diversos requisitos de capacidad según el tipo de relación de que se trate (así, por ejemplo, para el acceso a la Función Pública, se suelen especificar todos los requisitos que ha de reunir la persona que pretenda servir a la Administración: mayoría de edad, titulación específica para la plaza a que se opta, etc.).

Por eso, habrá que estar a la norma en concreto que regule la relación de que se trate para saber qué capacidad es exigible al Administrado, sin perjuicio de que, el propio Derecho Administrativo se base en las reglas de la capacidad de Derecho Privado, o de que, en ocasiones (por ejemplo, para plantear un recurso económico-administrativo) permita a los menores de edad (incapaces de obrar en el Derecho Privado) actuar en defensa de sus intereses.

En cuanto a las circunstancias modificativas de la capacidad, igual remisión debe hacerse a la doctrina civilista, sin perjuicio de algunas especialidades propias del Derecho Administrativo, como la mencionada en el párrafo anterior respecto a los menores de edad.

En esta línea hay que insertar la dicción del art. 3 LPACAP, según el cual, a los efectos previstos en esta Ley, tendrán capacidad de obrar ante las Administraciones Públicas:

a) Las personas físicas o jurídicas que ostenten capacidad de obrar con arreglo a las normas civiles.

b) Los menores de edad para el ejercicio y defensa de aquellos de sus derechos e intereses cuya actuación esté permitida por el ordenamiento jurídico sin la asistencia de la persona que ejerza la patria potestad, tutela o curatela. Se exceptúa el supuesto de los menores incapacitados, cuando la extensión de la incapacitación afecte al ejercicio y defensa de los derechos o intereses de que se trate.

c) Cuando la Ley así lo declare expresamente, los grupos de afectados, las uniones y entidades sin personalidad jurídica y los patrimonios independientes o autónomos.

En concreto, entre las causas modificativas de la capacidad, podemos citar las siguientes:

a) La nacionalidad, dado que el hecho de ser extranjero puede modificar la capacidad jurídico-administrativa para el ejercicio, por ejemplo, de la Función Pública, respecto de la cual exige, con carácter general, el art. 56 del Texto Refundido de la Ley del Estatuto Básico del Empleado Público, aprobado por el Real Decreto Legislativo 5/2015, de 30 de octubre (TR-LEBEP, en adelante) "tener nacionalidad española, sin perjuicio de lo dispuesto en el artículo siguiente" (que prevé, por ejemplo, que "los nacionales de los Estados miembros de la Unión Europea podrán acceder, como personal funcionario, en igualdad de condiciones que los españoles a los empleos públicos, con excepción de aquellos que directa o indirectamente impliquen una participación en el ejercicio del poder público o en las funciones que tienen por objeto la salvaguardia de los intereses del Estado o de las Administraciones Públicas").

b) La edad, aunque no se pueda hablar como se ha expuesto antes de una mayoría de edad en Derecho Administrativo, sino que habrá que estar a lo exigido para cada caso concreto, pudiendo influir la edad, por ejemplo, para el acceso a la función pública (que exige la mayoría de edad, como se indicó) y para la extinción de la relación funcionarial por jubilación.

c) La enfermedad, que puede tener relevancia, sin ir más lejos, en aquellos supuestos en que para el desempeño de funciones públicas se deba acreditar una aptitud física determinada (como en el supuesto de los miembros de los Cuerpos y Fuerzas de Seguridad y los de los Servicios de Extinción de Incendios y Salvamento), sin olvidar que puede ser causas de extinción de la relación funcionarial por imposibilidad física.

d) La condena penal, que, en determinados casos, puede llevar aparejada la inhabilitación absoluta o especial para el ejercicio de determinados derechos, incluso de la propia función pública, constituyéndose asimismo en una prohibición de contratar con la Administración.

e) El domicilio, que modifica la capacidad jurídico-administrativa por ejemplo en materia tributaria, al ser determinante como lugar donde han de aplicarse los impuestos municipales (el de Vehículos de Tracción Mecánica, entre otros), o en el supuesto de aprovechamiento de los bienes comunales, reservado por el art. 79 de la Ley 7/1985, de 2 de abril, Reguladora de las Bases del Régimen Local (LRL, en lo sucesivo) al común de los vecinos.

f) La declaración en concurso de un concesionario o contratista, que puede modificar la relación jurídico-administrativa que mantiene con la Administración o impedir su nacimiento al constituir una causa de prohibición de contratar con la Administración con las matizaciones establecidas en la legislación sobre contratos públicos.

g) La suspensión derivada de un proceso penal o disciplinario de un empleado público.

2.2.2. Representación

2.2.2.1. Introducción

A tenor del art. 5 LPACAP:

1. Los interesados con capacidad de obrar podrán actuar por medio de representante, entendiéndose con este las actuaciones administrativas, salvo manifestación expresa en contra del interesado.

2. Las personas físicas con capacidad de obrar y las personas jurídicas, siempre que ello esté previsto en sus Estatutos, podrán actuar en representación de otras ante las Administraciones Públicas.

3. Para formular solicitudes, presentar declaraciones responsables o comunicaciones, interponer recursos, desistir de acciones y renunciar a derechos en nombre de otra persona, deberá acreditarse la representación. Para los actos y gestiones de mero trámite se presumirá aquella representación.

4. La representación podrá acreditarse mediante cualquier medio válido en Derecho que deje constancia fidedigna de su existencia.

   A estos efectos, se entenderá acreditada la representación realizada mediante apoderamiento *apud acta* efectuado por comparecencia personal o comparecencia electrónica en la correspondiente sede electrónica, o a través de la acreditación de su inscripción en el registro electrónico de apoderamientos de la Administración Pública competente.

5. El órgano competente para la tramitación del procedimiento deberá incorporar al expediente administrativo acreditación de la condición de representante y de los poderes que tiene reconocidos en dicho momento. El documento electrónico que acredite el resultado de la consulta al registro electrónico de apoderamientos correspondiente tendrá la condición de acreditación a estos efectos.

6. La falta o insuficiente acreditación de la representación no impedirá que se tenga por realizado el acto de que se trate, siempre que se aporte aquella o se subsane el defecto dentro del plazo de diez días que deberá conceder al efecto el órgano administrativo, o de un plazo superior cuando las circunstancias del caso así lo requieran.
7. Las Administraciones Públicas podrán habilitar con carácter general o específico a personas físicas o jurídicas autorizadas para la realización de determinadas transacciones electrónicas en representación de los interesados. Dicha habilitación deberá especificar las condiciones y obligaciones a las que se comprometen los que así adquieran la condición de representantes, y determinará la presunción de validez de la representación salvo que la normativa de aplicación prevea otra cosa. Las Administraciones Públicas podrán requerir, en cualquier momento, la acreditación de dicha representación. No obstante, siempre podrá comparecer el interesado por sí mismo en el procedimiento.

2.2.2.2. Registros electrónicos de apoderamientos

A tenor del art. 6 LPACAP:

1. La Administración General del Estado, las Comunidades Autónomas y las Entidades Locales dispondrán de un registro electrónico general de apoderamientos, en el que deberán inscribirse, al menos, los de carácter general otorgados apud acta, presencial o electrónicamente, por quien ostente la condición de interesado en un procedimiento administrativo a favor de representante, para actuar en su nombre ante las Administraciones Públicas. También deberá constar el bastanteo realizado del poder.

   En el ámbito estatal, este registro será el Registro Electrónico de Apoderamientos de la Administración General del Estado.

   Los registros generales de apoderamientos no impedirán la existencia de registros particulares en cada Organismo donde se inscriban los poderes otorgados para la realización de trámites específicos en el mismo. Cada Organismo podrá disponer de su propio registro electrónico de apoderamientos.
2. Los registros electrónicos generales y particulares de apoderamientos pertenecientes a todas y cada una de las Administraciones, deberán ser plenamente interoperables entre sí, de modo que se garantice su interconexión, compatibilidad informática, así como la transmisión telemática de las solicitudes, escritos y comunicaciones que se incorporen a los mismos.

   Los registros electrónicos generales y particulares de apoderamientos permitirán comprobar válidamente la representación de quienes actúen ante las Administraciones Públicas en nombre de un tercero, mediante la consulta a otros registros administrativos similares, al registro mercantil, de la propiedad, y a los protocolos notariales.

   Los registros mercantiles, de la propiedad, y de los protocolos notariales serán interoperables con los registros electrónicos generales y particulares de apoderamientos.

3. Los asientos que se realicen en los registros electrónicos generales y particulares de apoderamientos deberán contener, al menos, la siguiente información:

   a) Nombre y apellidos o la denominación o razón social, documento nacional de identidad, número de identificación fiscal o documento equivalente del poderdante.

   b) Nombre y apellidos o la denominación o razón social, documento nacional de identidad, número de identificación fiscal o documento equivalente del apoderado.

   c) Fecha de inscripción.

   d) Período de tiempo por el cual se otorga el poder.

   e) Tipo de poder según las facultades que otorgue.

4. Los poderes que se inscriban en los registros electrónicos generales y particulares de apoderamientos deberán corresponder a alguna de las siguientes tipologías:

   a) Un poder general para que el apoderado pueda actuar en nombre del poderdante en cualquier actuación administrativa y ante cualquier Administración.

   b) Un poder para que el apoderado pueda actuar en nombre del poderdante en cualquier actuación administrativa ante una Administración u Organismo concreto.

   c) Un poder para que el apoderado pueda actuar en nombre del poderdante únicamente para la realización de determinados trámites especificados en el poder.

   Cada Comunidad Autónoma aprobará los modelos de poderes inscribibles en el registro cuando se circunscriba a actuaciones ante su respectiva Administración.

5. El apoderamiento «apud acta» se otorgará mediante comparecencia electrónica en la correspondiente sede electrónica haciendo uso de los sistemas de firma electrónica previstos en esta Ley, o bien mediante comparecencia personal en las oficinas de asistencia en materia de registros.

6. Los poderes inscritos en el registro tendrán una validez determinada máxima de cinco años a contar desde la fecha de inscripción. En todo caso, en cualquier momento antes de la finalización de dicho plazo el poderdante podrá revocar o prorrogar el poder. Las prórrogas otorgadas por el poderdante al registro tendrán una validez determinada máxima de cinco años a contar desde la fecha de inscripción.

7. Las solicitudes de inscripción del poder, de revocación, de prórroga o de denuncia del mismo podrán dirigirse a cualquier registro, debiendo quedar inscrita esta circunstancia en el registro de la Administración u Organismo ante la que tenga efectos el poder y surtiendo efectos desde la fecha en la que se produzca dicha inscripción.

Sobre esta materia, la Disposición Adicional Segunda de la LPACAP, trata de la adhesión de las Comunidades Autónomas y Entidades Locales a las plataformas y registros de la Administración General del Estado, suponiendo que, para cumplir con lo previsto en materia de registro electrónico de apoderamientos, registro electrónico, archivo electrónico único, plataforma de intermediación de datos y punto de acceso general electrónico de la Administración, las Comunidades Autónomas y las Entidades Locales podrán adherirse voluntariamente y a través de medios electrónicos a las plataformas y registros establecidos al efecto por la Administración General del Estado. Su no adhesión, deberá justificarse en términos de eficiencia conforme al artículo 7 de la Ley Orgánica 2/2012, de 27 de abril, de Estabilidad Presupuestaria y Sostenibilidad Financiera (según el cual: "1. Las políticas de gasto público deberán encuadrarse en un marco de planificación plurianual y de programación y presupuestación, atendiendo a la situación económica, a los objetivos de política económica y al cumplimiento de los principios de estabilidad presupuestaria y sostenibilidad financiera. 2. La gestión de los recursos públicos estará orientada por la eficacia, la eficiencia, la economía y la calidad, a cuyo fin se aplicarán políticas de racionalización del gasto y de mejora de la gestión del sector público. 3. Las disposiciones legales y reglamentarias, en su fase de elaboración y aprobación, los actos administrativos, los contratos y los convenios de colaboración, así como cualquier otra actuación de los sujetos incluidos en el ámbito de aplicación de esta Ley que afecten a los gastos o ingresos públicos presentes o futuros, deberán valorar sus repercusiones y efectos, y supeditarse de forma estricta al cumplimiento de las exigencias de los principios de estabilidad presupuestaria y sostenibilidad financiera").

En el caso que una Comunidad Autónoma o una Entidad Local justifique ante el Ministerio de Hacienda y Administraciones Públicas que puede prestar el servicio de un modo más eficiente, de acuerdo con los criterios previstos en el párrafo anterior, y opte por mantener su propio registro o plataforma, las citadas Administraciones deberán garantizar que este cumple con los requisitos del Esquema Nacional de Interoperabilidad, el Esquema Nacional de Seguridad, y sus normas técnicas de desarrollo, de modo que se garantice su compatibilidad informática e interconexión, así como la transmisión telemática de las solicitudes, escritos y comunicaciones que se realicen en sus correspondientes registros y plataformas.

Por su parte, la Disposición Transitoria Cuarta de la LPACAP, prescribe que, mientras no entren en vigor las previsiones relativas al registro electrónico de apoderamientos, registro electrónico, punto de acceso general electrónico de la Administración y archivo único electrónico, las Administraciones Públicas mantendrán los mismos canales, medios o sistemas electrónicos vigentes relativos a dichas materias, que permitan garantizar el derecho de las personas a relacionarse electrónicamente con las Administraciones.

Por último, debe tenerse en cuenta que, a tenor de la Disposición Final Séptima, modificada por Real Decreto-ley 11/2018, de 31 de agosto, sobre entrada en vigor de la LPACAP, «la presente Ley entrará en vigor al año de su publicación en el "Boletín Oficial del Estado". No obstante, las previsiones relativas al registro electrónico de apoderamientos, registro electrónico, registro de empleados públicos habilitados, punto de acceso general electrónico de la Administración y archivo único electrónico, producirán efectos a partir del día 2 de octubre de 2020».

2.3. Identificación y firma de los interesados en el procedimiento administrativo

2.3.1. Sistemas de identificación de los interesados en el procedimiento

El art. 9 de la LPACAP, sobre los sistemas de identificación de los interesados en el procedimiento, dispone que:

1. Las Administraciones Públicas están obligadas a verificar la identidad de los interesados en el procedimiento administrativo, mediante la comprobación de su nombre y apellidos o denominación o razón social, según corresponda, que consten en el Documento Nacional de Identidad o documento identificativo equivalente.
2. Los interesados podrán identificarse electrónicamente ante las Administraciones Públicas a través de cualquier sistema que cuente con un registro previo como usuario que permita garantizar su identidad. En particular, serán admitidos, los sistemas siguientes:

    a) Sistemas basados en certificados electrónicos reconocidos o cualificados de firma electrónica expedidos por prestadores incluidos en la «Lista de confianza de prestadores de servicios de certificación». A estos efectos, se entienden comprendidos entre los citados certificados electrónicos reconocidos o cualificados los de persona jurídica y de entidad sin personalidad jurídica (sobre lo que habrá que estar a lo dispuesto en la Ley 59/2003, de 19 de diciembre, de firma electrónica, sucesivamente modificada por la Ley 56/2007, de 28 de diciembre, de Medidas de Impulso de la Sociedad de la Información; por la Ley 9/2014, de 9 de mayo, General de Telecomunicaciones; por la Ley 25/2015, de 28 de julio, de mecanismo de segunda oportunidad, reducción de la carga financiera y otras medidas de orden social y por la propia LPACAP).

    b) Sistemas basados en certificados electrónicos reconocidos o cualificados de sello electrónico expedidos por prestadores incluidos en la «Lista de confianza de prestadores de servicios de certificación».

    c) Cualquier otro sistema que las Administraciones públicas consideren válido en los términos y condiciones que se establezca, siempre que cuenten con un registro previo como usuario que permita garantizar su identidad y previa comunicación a la Secretaría General de Administración Digital del Ministerio

de Asuntos Económicos y Transformación Digital. Esta comunicación vendrá acompañada de una declaración responsable de que se cumple con todos los requisitos establecidos en la normativa vigente. De forma previa a la eficacia jurídica del sistema, habrán de transcurrir dos meses desde dicha comunicación, durante los cuales el órgano estatal competente por motivos de seguridad pública podrá acudir a la vía jurisdiccional, previo informe vinculante de la Secretaría de Estado de Seguridad, que deberá emitir en el plazo de diez días desde su solicitud.

Las Administraciones Públicas deberán garantizar que la utilización de uno de los sistemas previstos en las letras a) y b) sea posible para todo procedimiento, aun cuando se admita para ese mismo procedimiento alguno de los previstos en la letra c).

3. En todo caso, la aceptación de alguno de estos sistemas por la Administración General del Estado servirá para acreditar frente a todas las Administraciones Públicas, salvo prueba en contrario, la identificación electrónica de los interesados en el procedimiento administrativo.

2.3.2. Sistemas de firma admitidos por las Administraciones Públicas

A tenor del art. 10 LPACAP:

1. Los interesados podrán firmar a través de cualquier medio que permita acreditar la autenticidad de la expresión de su voluntad y consentimiento, así como la integridad e inalterabilidad del documento.

2. En el caso de que los interesados optaran por relacionarse con las Administraciones Públicas a través de medios electrónicos, se considerarán válidos a efectos de firma:

   a) Sistemas de firma electrónica reconocida o cualificada y avanzada basados en certificados electrónicos reconocidos o cualificados de firma electrónica expedidos por prestadores incluidos en la «Lista de confianza de prestadores de servicios de certificación». A estos efectos, se entienden comprendidos entre los citados certificados electrónicos reconocidos o cualificados los de persona jurídica y de entidad sin personalidad jurídica.

b) Sistemas de sello electrónico reconocido o cualificado y de sello electrónico avanzado basados en certificados electrónicos reconocidos o cualificados de sello electrónico incluidos en la «Lista de confianza de prestadores de servicios de certificación».

c) Cualquier otro sistema que las Administraciones públicas consideren válido en los términos y condiciones que se establezca, siempre que cuenten con un registro previo como usuario que permita garantizar su identidad y previa comunicación a la Secretaría General de Administración Digital del Ministerio de Asuntos Económicos y Transformación Digital. Esta comunicación vendrá acompañada de una declaración responsable de que se cumple con todos los requisitos establecidos en la normativa vigente. De forma previa a la eficacia jurídica del sistema, habrán de transcurrir dos meses desde dicha comunicación, durante los cuales el órgano estatal competente por motivos de seguridad pública podrá acudir a la vía jurisdiccional, previo informe vinculante de la Secretaría de Estado de Seguridad, que deberá emitir en el plazo de diez días desde su solicitud.

Las Administraciones Públicas deberán garantizar que la utilización de uno de los sistemas previstos en las letras a) y b) sea posible para todos los procedimientos en todos sus trámites, aun cuando adicionalmente se permita alguno de los previstos al amparo de lo dispuesto en la letra c).

3. Cuando así lo disponga expresamente la normativa reguladora aplicable, las Administraciones Públicas podrán admitir los sistemas de identificación contemplados en esta Ley como sistema de firma cuando permitan acreditar la autenticidad de la expresión de la voluntad y consentimiento de los interesados.

4. Cuando los interesados utilicen un sistema de firma de los previstos en este artículo, su identidad se entenderá ya acreditada mediante el propio acto de la firma.

2.3.3. Uso de medios de identificación y firma en el procedimiento administrativo

El art. 11 LPACAP se refiere al uso de los medios de identificación y firma en el procedimiento administrativo, señalando que:

1. Con carácter general, para realizar cualquier actuación prevista en el procedimiento administrativo, será suficiente con que los interesados acrediten previamente su identidad a través de cualquiera de los medios de identificación previstos en esta Ley.

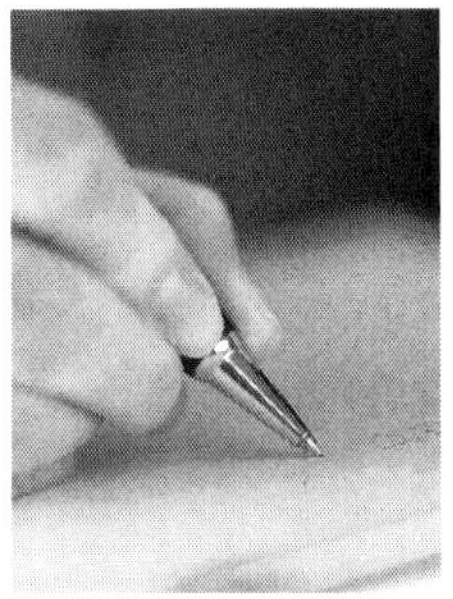

2. Las Administraciones Públicas solo requerirán a los interesados el uso obligatorio de firma para:

   a) Formular solicitudes.

   b) Presentar declaraciones responsables o comunicaciones.

   c) Interponer recursos.

   d) Desistir de acciones.

   e) Renunciar a derechos.

2.3.4. Asistencia en el uso de medios electrónicos a los interesados

Por su parte, el art. 12 LPACAP, sobre la asistencia en el uso de medios electrónicos a los interesados, prescribe que:

1. Las Administraciones Públicas deberán garantizar que los interesados pueden relacionarse con la Administración a través de medios electrónicos, para lo que pondrán a su disposición los canales de acceso que sean necesarios así como los sistemas y aplicaciones que en cada caso se determinen.
2. Las Administraciones Públicas asistirán en el uso de medios electrónicos a los interesados no incluidos en los apartados 2 y 3 del artículo 14 que así lo soliciten, especialmente en lo referente a la identificación y firma electrónica, presentación de solicitudes a través del registro electrónico general y obtención de copias auténticas.

   Asimismo, si alguno de estos interesados no dispone de los medios electrónicos necesarios, su identificación o firma electrónica en el procedimiento administrativo podrá ser válidamente realizada por un funcionario público mediante el uso del sistema de firma electrónica del que esté dotado para ello. En este caso, será necesario que el interesado que carezca de los medios electrónicos necesarios se identifique ante el funcionario y preste su consentimiento expreso para esta actuación, de lo que deberá quedar constancia para los casos de discrepancia o litigio.
3. La Administración General del Estado, las Comunidades Autónomas y las Entidades Locales mantendrán actualizado un registro, u otro sistema equivalente, donde constarán los funcionarios habilitados para la identificación o firma regulada en este artículo. Estos registros o sistemas deberán ser plenamente interoperables y estar interconectados con los de las restantes Administraciones Públicas, a los efectos de comprobar la validez de las citadas habilitaciones.

   En este registro o sistema equivalente, al menos, constarán los funcionarios que presten servicios en las oficinas de asistencia en materia de registros.

3. Título II. De la actividad de las Administraciones Públicas

3.1. La actividad de las Administraciones Públicas: normas generales de actuación

La Ley 39/2015, de 1 de octubre, del Procedimiento Administrativo Común de las Administraciones Públicas (LPACAP, en adelante), trata de la actividad de las Administraciones Públicas en su Título II, arts. 13 a 33, estableciendo una serie de normas generales de actuación, en las que incluye la obligación de resolver y el silencio administrativo, la emisión de documentos por las Administraciones Públicas, la validez y eficacia de las copias realizadas por las mismas y los documentos aportados por los interesados al procedimiento administrativo, tras lo que trata de los términos y plazos.

3.1.1. Normas generales

3.1.1.1. Derechos de las personas en sus relaciones con las Administraciones Públicas

El art. 13 LPACAP se refiere a los derechos de las personas en sus relaciones con las Administraciones Públicas, disociándose de esta forma, con buen criterio, de los derechos de los interesados en el procedimiento administrativo (a los que se refiere el art. 53 LPACAP), y señala que quienes, de conformidad con el artículo 3, tienen capacidad de obrar ante las Administraciones Públicas, son titulares, en sus relaciones con ellas, de los siguientes derechos:

a) A comunicarse con las Administraciones Públicas a través de un Punto de Acceso General electrónico de la Administración (sobre lo que el art. 53.1,a, de esta LPACAP dispone que quienes se relacionen con las Administraciones Públicas a través de medios electrónicos, tendrán derecho a consultar la información a la que se refiere el párrafo anterior –respecto a conocer en, cualquier momento, el estado de tramitación de los procedimientos en los que sea interesado, en el Punto de Acceso General electrónico de la Administración que funcionará como un portal de acceso. Se entenderá cumplida la obligación de la Administración de facilitar copias de los documentos contenidos en los procedimientos mediante la puesta a disposición de las mismas en el Punto de Acceso General electrónico de la Administración competente o en las sedes electrónicas que correspondan. En cuanto a este Punto de Acceso, debe estarse a lo dispuesto en la Orden HAP/1949/2014, de 13 de octubre, por la que se regula el Punto de Acceso General de la Administración General del Estado y se crea su sede electrónica, debiendo tenerse en cuenta las previsiones de la Disposición Transitoria Cuarta y la Disposición Final Séptima de esta LPACAP).

b) A ser asistidos en el uso de medios electrónicos en sus relaciones con las Administraciones Públicas.

c) A utilizar las lenguas oficiales en el territorio de su Comunidad Autónoma, de acuerdo con lo previsto en esta Ley y en el resto del ordenamiento jurídico (sobre lo que trata el art. 15, que luego se estudiará, debiendo tenerse en cuenta la Carta Europea de las Lenguas Regionales o Minoritarias, aprobada por el Consejo de Europa en Estrasburgo el 5 de noviembre de 1992, ratificada por España a través de Instrumento de ratificación de 2 de febrero de 2001, así como el Real Decreto 905/2007, de 6 de julio, por el que se crean el Consejo de las Lenguas Oficiales en la Administración General del Estado y la Oficina para las Lenguas Oficiales).

d) Al acceso a la información pública, archivos y registros, de acuerdo con lo previsto en la Ley 19/2013, de 9 de diciembre, de transparencia, acceso a la información pública y buen gobierno y el resto del Ordenamiento Jurídico (a la que dedicaremos un apartado específico de este epígrafe. Este Derecho se ha consagrado en el art. 105,b, de nuestra vigente Constitución, de 27 de diciembre de 1978 –CE, en otras citas–, que señala que la ley regulará «*el acceso de los ciudadanos a los archivos y registros administrativos, salvo en lo que afecte a la seguridad y defensa del Estado, la averiguación de los delitos y la intimidad de las personas*»).

e) A ser tratados con respeto y deferencia por las autoridades y empleados públicos, que habrán de facilitarles el ejercicio de sus derechos y el cumplimiento de sus obligaciones (al efecto, el art. 54.1 del Texto Refundido de la Ley del Estatuto Básico del Empleado Público, aprobado por el Real Decreto Legislativo 5/2015, de 30 de octubre, prescribe que los empleados públicos «*tratarán con atención y respeto a los ciudadanos, a sus superiores y a los restantes empleados públicos*». A su vez, el art. 95.2,b) de este Estatuto recoge entre las faltas muy graves «*toda actuación que suponga discriminación por razón de origen racial o étnico, religión o convicciones, discapacidad, edad u orientación sexual, lengua, opinión, lugar de nacimiento o vecindad, sexo o cualquier otra condición o circunstancia personal o social, así como el acoso por razón de origen racial o étnico, religión o convicciones, discapacidad, edad u orientación sexual y el acoso moral, sexual y por razón de sexo*»).

f) A exigir las responsabilidades de las Administraciones Públicas y autoridades, cuando así corresponda legalmente (la responsabilidad patrimonial de las Administraciones Públicas se regula por los arts. 32 a 35 de la Ley 40/2015, de 1 de octubre, de Régimen Jurídico del Sector Público –LRJSP, en sucesivas llamadas–, así como por los arts. 1.1., 24.1., 35.1,h), 61.4, 62.3, 65, 67, 81, 82.5, 86.5, 91, 92, 96.4 y 114.1,e), y las Disposiciones Transitoria Quinta y Derogatoria Única.2,d) de esta LPACAP. Por su parte, la responsabilidad de las autoridades y personal al servicio de las Administraciones Públicas se regula por los arts. 36 y 37 de la citada LRJSP).

g) A la obtención y utilización de los medios de identificación y firma electrónica contemplados en esta Ley.

h) A la protección de datos de carácter personal, y en particular a la seguridad y confidencialidad de los datos que figuren en los ficheros, sistemas y aplicaciones de las Administraciones Públicas (sobre lo que debe estarse a lo dispuesto en la Ley Orgánica 3/2018, de 5 de diciembre, de Protección de Datos Personales y garantía de los derechos digitales).

i) Cualesquiera otros que les reconozcan la Constitución (por ejemplo, en los arts. 14 a 52) y las leyes (entre otros, el art. 19 de esta LPACAP, sobre el derecho a no comparecer ante la Administración Pública, salvo que se exija por Ley formal, o el art. 75.3 de la misma, sobre la compatibilidad con sus obligaciones laborales o profesionales cuando se requiera la intervención de un interesado en los actos de instrucción de un procedimiento).

Estos derechos se entienden sin perjuicio de los reconocidos en el artículo 53 referidos a los interesados en el procedimiento administrativo.

Actividad 2

¿Cuál es la Ley que regula la transparencia, el acceso a la información pública y el buen gobierno?

- ☐ a) La Ley 19/2013, de 9 de diciembre.
- ☐ b) La Ley 24/2014, de 5 de enero.
- ☐ c) La Ley 2/2015, de 7 de mayo.
- ☐ d) La Ley 17/2012, de 5 de octubre.

3.1.1.2. Derecho y obligación de relacionarse electrónicamente con las Administraciones Públicas

A tenor del art. 14:

1. Las personas físicas podrán elegir en todo momento si se comunican con las Administraciones Públicas para el ejercicio de sus derechos y obligaciones a través de medios electrónicos o no, salvo que estén obligadas a relacionarse a través de medios electrónicos con las Administraciones Públicas. El medio elegido por la persona para comunicarse con las Administraciones Públicas podrá ser modificado por aquella en cualquier momento.
2. En todo caso, estarán obligados a relacionarse a través de medios electrónicos con las Administraciones Públicas para la realización de cualquier trámite de un procedimiento administrativo, al menos, los siguientes sujetos:

   a) Las personas jurídicas.

   b) Las entidades sin personalidad jurídica.

   c) Quienes ejerzan una actividad profesional para la que se requiera colegiación obligatoria, para los trámites y actuaciones que realicen con las Administraciones Públicas en ejercicio de dicha actividad profesional. En todo caso, dentro de este colectivo se entenderán incluidos los notarios y registradores de la propiedad y mercantiles.

   d) Quienes representen a un interesado que esté obligado a relacionarse electrónicamente con la Administración.

   e) Los empleados de las Administraciones Públicas para los trámites y actuaciones que realicen con ellas por razón de su condición de empleado público, en la forma en que se determine reglamentariamente por cada Administración.

3. Reglamentariamente, las Administraciones podrán establecer la obligación de relacionarse con ellas a través de medios electrónicos para determinados procedimientos y para ciertos colectivos de personas físicas que por razón de su capacidad económica, técnica, dedicación profesional u otros motivos quede acreditado que tienen acceso y disponibilidad de los medios electrónicos necesarios.

3.1.1.3. Lengua de los procedimientos

Sobre la lengua de los procedimientos, prescribe el art. 15 que:

1. La lengua de los procedimientos tramitados por la Administración General del Estado será el castellano. No obstante lo anterior, los interesados que se dirijan a los órganos de la Administración General del Estado con sede en el territorio de una Comunidad Autónoma podrán utilizar también la lengua que sea cooficial en ella.

   En este caso, el procedimiento se tramitará en la lengua elegida por el interesado. Si concurrieran varios interesados en el procedimiento, y existiera discrepancia en cuanto a la lengua, el procedimiento se tramitará en castellano, si bien los documentos o testimonios que requieran los interesados se expedirán en la lengua elegida por los mismos.

2. En los procedimientos tramitados por las Administraciones de las Comunidades Autónomas y de las Entidades Locales, el uso de la lengua se ajustará a lo previsto en la legislación autonómica correspondiente.

3. La Administración Pública instructora deberá traducir al castellano los documentos, expedientes o partes de los mismos que deban surtir efecto fuera del territorio de la Comunidad Autónoma y los documentos dirigidos a los interesados que así lo soliciten expresamente. Si debieran surtir efectos en el territorio de una Comunidad Autónoma donde sea cooficial esa misma lengua distinta del castellano, no será precisa su traducción.

3.1.1.4. Registros

Sobre los Registros (respecto de los cuales han de tenerse en cuenta la Disposición Transitoria Cuarta y la Disposición Final Séptima de esta LPACAP), dispone el art. 16 que:

1. Cada Administración dispondrá de un Registro Electrónico General, en el que se hará el correspondiente asiento de todo documento que sea presentado o que se reciba en cualquier órgano administrativo, Organismo público o Entidad vinculado o dependiente a estos. También se podrán anotar en el mismo, la salida de los documentos oficiales dirigidos a otros órganos o particulares.

   Los Organismos públicos vinculados o dependientes de cada Administración podrán disponer de su propio registro electrónico plenamente interoperable e interconectado con el Registro Electrónico General de la Administración de la que depende.

   El Registro Electrónico General de cada Administración funcionará como un portal que facilitará el acceso a los registros electrónicos de cada Organismo. Tanto el Registro Electrónico General de cada Administración como los registros electrónicos de cada Organismo cumplirán con las garantías y medidas de seguridad previstas en la legislación en materia de protección de datos de carácter personal.

Las disposiciones de creación de los registros electrónicos se publicarán en el diario oficial correspondiente y su texto íntegro deberá estar disponible para consulta en la sede electrónica de acceso al registro. En todo caso, las disposiciones de creación de registros electrónicos especificarán el órgano o unidad responsable de su gestión, así como la fecha y hora oficial y los días declarados como inhábiles.

En la sede electrónica de acceso a cada registro figurará la relación actualizada de trámites que pueden iniciarse en el mismo.

2. Los asientos se anotarán respetando el orden temporal de recepción o salida de los documentos, e indicarán la fecha del día en que se produzcan. Concluido el trámite de registro, los documentos serán cursados sin dilación a sus destinatarios y a las unidades administrativas correspondientes desde el registro en que hubieran sido recibidas.
3. El registro electrónico de cada Administración u Organismo garantizará la constancia, en cada asiento que se practique, de un número, epígrafe expresivo de su naturaleza, fecha y hora de su presentación, identificación del interesado, órgano administrativo remitente, si procede, y persona u órgano administrativo al que se envía, y, en su caso, referencia al contenido del documento que se registra. Para ello, se emitirá automáticamente un recibo consistente en una copia autenticada del documento de que se trate, incluyendo la fecha y hora de presentación y el número de entrada de registro, así como un recibo acreditativo de otros documentos que, en su caso, lo acompañen, que garantice la integridad y el no repudio de los mismos.
4. Los documentos que los interesados dirijan a los órganos de las Administraciones Públicas podrán presentarse:
   a) En el registro electrónico de la Administración u Organismo al que se dirijan, así como en los restantes registros electrónicos de cualquiera de los sujetos a los que se refiere el artículo 2.1.
   b) En las oficinas de Correos, en la forma que reglamentariamente se establezca.
   c) En las representaciones diplomáticas u oficinas consulares de España en el extranjero.
   d) En las oficinas de asistencia en materia de registros (sobre las que la Disposición Adicional Cuarta de esta LPACAP, prescribe que «*las Administraciones Públicas deberán mantener permanentemente actualizado en la correspondiente sede electrónica un directorio geográfico que permita al interesado identificar la oficina de asistencia en materia de registros más próxima a su domicilio*»).
   e) En cualquier otro que establezcan las disposiciones vigentes.

Los registros electrónicos de todas y cada una de las Administraciones, deberán ser plenamente interoperables, de modo que se garantice su compatibilidad informática e interconexión, así como la transmisión telemática de los asientos registrales y de los documentos que se presenten en cualquiera de los registros.

5. Los documentos presentados de manera presencial ante las Administraciones Públicas, deberán ser digitalizados, de acuerdo con lo previsto en el artículo 27 y demás normativa aplicable, por la oficina de asistencia en materia de registros en la que hayan sido presentados para su incorporación al expediente administrativo electrónico, devolviéndose los originales al interesado, sin perjuicio de aquellos supuestos en que la norma determine la custodia por la Administración de los documentos presentados o resulte obligatoria la presentación de objetos o de documentos en un soporte específico no susceptibles de digitalización.

   Reglamentariamente, las Administraciones podrán establecer la obligación de presentar determinados documentos por medios electrónicos para ciertos procedimientos y colectivos de personas físicas que, por razón de su capacidad económica, técnica, dedicación profesional u otros motivos quede acreditado que tienen acceso y disponibilidad de los medios electrónicos necesarios.

6. Podrán hacerse efectivos mediante transferencia dirigida a la oficina pública correspondiente cualesquiera cantidades que haya que satisfacer en el momento de la presentación de documentos a las Administraciones Públicas, sin perjuicio de la posibilidad de su abono por otros medios.

7. Las Administraciones Públicas deberán hacer pública y mantener actualizada una relación de las oficinas en las que se prestará asistencia para la presentación electrónica de documentos.

8. No se tendrán por presentados en el registro aquellos documentos e información cuyo régimen especial establezca otra forma de presentación.

3.1.1.5. Archivo de documentos

El art. 17 (respecto del cual han de tenerse en cuenta, también, la Disposición Transitoria Cuarta y la Disposición Final Séptima de esta LPACAP), establece que:

1. Cada Administración deberá mantener un archivo electrónico único de los documentos electrónicos que correspondan a procedimientos finalizados, en los términos establecidos en la normativa reguladora aplicable.

2. Los documentos electrónicos deberán conservarse en un formato que permita garantizar la autenticidad, integridad y conservación del documento, así como su consulta con independencia del tiempo transcurrido desde su emisión. Se asegurará en todo caso la posibilidad de trasladar los datos a otros formatos y soportes que garanticen el acceso desde diferentes aplicaciones. La eliminación de dichos documentos deberá ser autorizada de acuerdo a lo dispuesto en la normativa aplicable.

3. Los medios o soportes en que se almacenen documentos, deberán contar con medidas de seguridad, de acuerdo con lo previsto en el Esquema Nacional de Seguridad, que garanticen la integridad, autenticidad, confidencialidad, calidad, protección y conservación de los documentos almacenados. En particular, asegurarán la identificación de los usuarios y el control de accesos, así como el cumplimiento de las garantías previstas en la legislación de protección de datos.

3.1.1.6. Ley de transparencia, acceso a la información pública y buen gobierno

Como se ha expuesto, unos de los derechos reconocidos por el art. 13 LPACAP es el de acceso a la información pública, archivos y registros, de acuerdo con lo previsto en la Ley 19/2013, de 9 de diciembre, de transparencia, acceso a la información pública y buen gobierno (Ley 19/2013, en las siguientes menciones), que pasamos a analizar.

Incidencia sobre su entrada en vigor

A tenor de la Disposición Final novena de la Ley 19/2013, la entrada en vigor de esta ley se producirá de acuerdo con las siguientes reglas:

- Las disposiciones previstas en el título II entrarán en vigor al día siguiente de su publicación en el «Boletín Oficial del Estado» (es decir, el 11 de diciembre de 2013).
- El título preliminar, el título I (en el que se incluye lo relativo a la Información pública) y el título III entrarán en vigor al año de su publicación en el «Boletín Oficial del Estado» (que tuvo lugar el 10 de diciembre de 2013).
- Los órganos de las Comunidades Autónomas y Entidades Locales dispondrán de un plazo máximo de dos años para adaptarse a las obligaciones contenidas en esta Ley (con conclusión el 10 de diciembre de 2015).

Derecho de acceso a la información pública

Todas las personas tienen derecho a acceder a la información pública, en los términos previstos en el artículo 105.b) de la Constitución Española, desarrollados por esta Ley. Asimismo, y en el ámbito de sus respectivas competencias, será de aplicación la correspondiente normativa autonómica (art. 12).

Se entiende por información pública los contenidos o documentos, cualquiera que sea su formato o soporte, que obren en poder de alguno de los sujetos incluidos en el ámbito de aplicación de este título (referido a la transparencia de la actividad pública) y que hayan sido elaborados o adquiridos en el ejercicio de sus funciones (art. 13).

En cuanto a los límites al derecho de acceso, dispone el art. 14 que:

1. El derecho de acceso podrá ser limitado cuando acceder a la información suponga un perjuicio para:

   a) La seguridad nacional.

   b) La defensa.

c) Las relaciones exteriores.

d) La seguridad pública.

e) La prevención, investigación y sanción de los ilícitos penales, administrativos o disciplinarios.

f) La igualdad de las partes en los procesos judiciales y la tutela judicial efectiva.

g) Las funciones administrativas de vigilancia, inspección y control.

h) Los intereses económicos y comerciales.

i) La política económica y monetaria.

j) El secreto profesional y la propiedad intelectual e industrial.

k) La garantía de la confidencialidad o el secreto requerido en procesos de toma de decisión.

l) La protección del medio ambiente.

2. La aplicación de los límites será justificada y proporcionada a su objeto y finalidad de protección y atenderá a las circunstancias del caso concreto, especialmente a la concurrencia de un interés público o privado superior que justifique el acceso.
3. Las resoluciones que de conformidad con lo previsto en la sección 2.ª se dicten en aplicación de este artículo serán objeto de publicidad previa disociación de los datos de carácter personal que contuvieran y sin perjuicio de lo dispuesto en el apartado 3 del artículo 20, una vez hayan sido notificadas a los interesados.

Respecto a la protección de datos personales, establece el art. 15 de la Ley 19/2013, modificado por la Ley Orgánica 3/2018, de 5 de diciembre, que:

1. Si la información solicitada contuviera datos personales que revelen la ideología, afiliación sindical, religión o creencias, el acceso únicamente se podrá autorizar en caso de que se contase con el consentimiento expreso y por escrito del afectado, a menos que dicho afectado hubiese hecho manifiestamente públicos los datos con anterioridad a que se solicitase el acceso.

Si la información incluyese datos personales que hagan referencia al origen racial, a la salud o a la vida sexual, incluyese datos genéticos o biométricos o contuviera datos relativos a la comisión de infracciones penales o administrativas que no conllevasen la amonestación pública al infractor, el acceso solo se podrá autorizar en caso de que se cuente con el consentimiento expreso del afectado o si aquel estuviera amparado por una norma con rango de ley.

2. Con carácter general, y salvo que en el caso concreto prevalezca la protección de datos personales u otros derechos constitucionalmente protegidos sobre el interés público en la divulgación que lo impida, se concederá el acceso a información que contenga datos meramente identificativos relacionados con la organización, funcionamiento o actividad pública del órgano.

3. Cuando la información solicitada no contuviera datos especialmente protegidos, el órgano al que se dirija la solicitud concederá el acceso previa ponderación suficientemente razonada del interés público en la divulgación de la información y los derechos de los afectados cuyos datos aparezcan en la información solicitada, en particular su derecho fundamental a la protección de datos de carácter personal.

   Para la realización de la citada ponderación, dicho órgano tomará particularmente en consideración los siguientes criterios:

   a) El menor perjuicio a los afectados derivado del transcurso de los plazos establecidos en el artículo 57 de la Ley 16/1985, de 25 de junio, del Patrimonio Histórico Español.

   b) La justificación por los solicitantes de su petición en el ejercicio de un derecho o el hecho de que tengan la condición de investigadores y motiven el acceso en fines históricos, científicos o estadísticos.

   c) El menor perjuicio de los derechos de los afectados en caso de que los documentos únicamente contuviesen datos de carácter meramente identificativo de aquéllos.

   d) La mayor garantía de los derechos de los afectados en caso de que los datos contenidos en el documento puedan afectar a su intimidad o a su seguridad, o se refieran a menores de edad.

4. No será aplicable lo establecido en los apartados anteriores si el acceso se efectúa previa disociación de los datos de carácter personal de modo que se impida la identificación de las personas afectadas.

5. La normativa de protección de datos personales será de aplicación al tratamiento posterior de los obtenidos a través del ejercicio del derecho de acceso.

El art. 16 trata de la posibilidad de acceso parcial, señalando que en los casos en que la aplicación de alguno de los límites previstos en el artículo 14 no afecte a la totalidad de la información, se concederá el acceso parcial previa omisión de la información afectada por el límite salvo que de ello resulte una información distorsionada o que carezca de sentido. En este caso, deberá indicarse al solicitante que parte de la información ha sido omitida.

Ejercicio del derecho de acceso a la información pública

Los arts. 17 a 22, inclusive, Ley 19/2013 regulan el ejercicio del derecho de acceso a la información pública, prescribiendo el primero de ellos, sobre la **solicitud de acceso a la información**, que:

1. El procedimiento para el ejercicio del derecho de acceso se iniciará con la presentación de la correspondiente solicitud, que deberá dirigirse al titular del órgano administrativo o entidad que posea la información. Cuando se trate de información en posesión de personas físicas o jurídicas que presten servicios públicos o ejerzan potestades administrativas, la solicitud se dirigirá a la Administración, organismo o entidad de las previstas en el artículo 2.1 a las que se encuentren vinculadas.
2. La solicitud podrá presentarse por cualquier medio que permita tener constancia de:
    a) La identidad del solicitante.
    b) La información que se solicita.
    c) Una dirección de contacto, preferentemente electrónica, a efectos de comunicaciones.
    d) En su caso, la modalidad que se prefiera para acceder a la información solicitada.
3. El solicitante no está obligado a motivar su solicitud de acceso a la información. Sin embargo, podrá exponer los motivos por los que solicita la información y que podrán ser tenidos en cuenta cuando se dicte la resolución. No obstante, la ausencia de motivación no será por si sola causa de rechazo de la solicitud.
4. Los solicitantes de información podrán dirigirse a las Administraciones Públicas en cualquiera de las lenguas cooficiales del Estado en el territorio en el que radique la Administración en cuestión.

El art. 18 se refiere a las **causas de inadmisión**, disponiendo que:

1. Se inadmitirán a trámite, mediante resolución motivada, las solicitudes:
    a) Que se refieran a información que esté en curso de elaboración o de publicación general.
    b) Referidas a información que tenga carácter auxiliar o de apoyo como la contenida en notas, borradores, opiniones, resúmenes, comunicaciones e informes internos o entre órganos o entidades administrativas.
    c) Relativas a información para cuya divulgación sea necesaria una acción previa de reelaboración.
    d) Dirigidas a un órgano en cuyo poder no obre la información cuando se desconozca el competente.
    e) Que sean manifiestamente repetitivas o tengan un carácter abusivo no justificado con la finalidad de transparencia de esta Ley.

2. En el caso en que se inadmita la solicitud por concurrir la causa prevista en la letra d) del apartado anterior, el órgano que acuerde la inadmisión deberá indicar en la resolución el órgano que, a su juicio, es competente para conocer de la solicitud.

Sobre la **tramitación de las solicitudes**, dispone el art. 19 que:

1. Si la solicitud se refiere a información que no obre en poder del sujeto al que se dirige, este la remitirá al competente, si lo conociera, e informará de esta circunstancia al solicitante.
2. Cuando la solicitud no identifique de forma suficiente la información, se pedirá al solicitante que la concrete en un plazo de diez días, con indicación de que, en caso de no hacerlo, se le tendrá por desistido, así como de la suspensión del plazo para dictar resolución.
3. Si la información solicitada pudiera afectar a derechos o intereses de terceros, debidamente identificados, se les concederá un plazo de quince días para que puedan realizar las alegaciones que estimen oportunas. El solicitante deberá ser informado de esta circunstancia, así como de la suspensión del plazo para dictar resolución hasta que se hayan recibido las alegaciones o haya transcurrido el plazo para su presentación.
4. Cuando la información objeto de la solicitud, aun obrando en poder del sujeto al que se dirige, haya sido elaborada o generada en su integridad o parte principal por otro, se le remitirá la solicitud a este para que decida sobre el acceso.

El art. 20, acto seguido, trata de la **resolución de estas solicitudes**, señalando que:

1. La resolución en la que se conceda o deniegue el acceso deberá notificarse al solicitante y a los terceros afectados que así lo hayan solicitado en el plazo máximo de un mes desde la recepción de la solicitud por el órgano competente para resolver.

   Este plazo podrá ampliarse por otro mes en el caso de que el volumen o la complejidad de la información que se solicita así lo hagan necesario y previa notificación al solicitante.
2. Serán motivadas las resoluciones que denieguen el acceso, las que concedan el acceso parcial o a través de una modalidad distinta a la solicitada y las que permitan el acceso cuando haya habido oposición de un tercero. En este último supuesto, se indicará expresamente al interesado que el acceso solo tendrá lugar cuando haya transcurrido el plazo del artículo 22.2.
3. Cuando la mera indicación de la existencia o no de la información supusiera la vulneración de alguno de los límites al acceso se indicará esta circunstancia al desestimarse la solicitud.
4. Transcurrido el plazo máximo para resolver sin que se haya dictado y notificado resolución expresa se entenderá que la solicitud ha sido desestimada.
5. Las resoluciones dictadas en materia de acceso a la información pública son recurribles directamente ante la Jurisdicción Contencioso-administrativa, sin perjuicio de la posibilidad de interposición de la reclamación potestativa prevista en el artículo 24.

6. El incumplimiento reiterado de la obligación de resolver en plazo tendrá la consideración de infracción grave a los efectos de la aplicación a sus responsables del régimen disciplinario previsto en la correspondiente normativa reguladora.

En este contexto, el art. 21 se refiere a las **Unidades de Información**, como órganos de las Administraciones Públicas dedicadas a esta materia, disponiendo que:

1. Las Administraciones Públicas incluidas en el ámbito de aplicación de este título establecerán sistemas para integrar la gestión de solicitudes de información de los ciudadanos en el funcionamiento de su organización interna.
2. En el ámbito de la Administración General del Estado, existirán unidades especializadas que tendrán las siguientes funciones:
   a) Recabar y difundir la información a la que se refiere el capítulo II del título I de esta Ley.
   b) Recibir y dar tramitación a las solicitudes de acceso a la información.
   c) Realizar los trámites internos necesarios para dar acceso a la información solicitada.
   d) Realizar el seguimiento y control de la correcta tramitación de las solicitudes de acceso a la información.
   e) Llevar un registro de las solicitudes de acceso a la información.
   f) Asegurar la disponibilidad en la respectiva página web o sede electrónica de la información cuyo acceso se solicita con más frecuencia.
   g) Mantener actualizado un mapa de contenidos en el que queden identificados los distintos tipos de información que obre en poder del órgano.
   h) Todas aquellas que sean necesarias para asegurar una correcta aplicación de las disposiciones de esta Ley.
3. El resto de las entidades incluidas en el ámbito de aplicación de este título identificarán claramente el órgano competente para conocer de las solicitudes de acceso.

Por último, sobre la **formalización del acceso**, prescribe el art. 22 que:

1. El acceso a la información se realizará preferentemente por vía electrónica, salvo cuando no sea posible o el solicitante haya señalado expresamente otro medio. Cuando no pueda darse el acceso en el momento de la notificación de la resolución deberá otorgarse, en cualquier caso, en un plazo no superior a diez días.
2. Si ha existido oposición de tercero, el acceso solo tendrá lugar cuando, habiéndose concedido dicho acceso, haya transcurrido el plazo para interponer recurso contencioso administrativo sin que se haya formalizado o haya sido resuelto confirmando el derecho a recibir la información.
3. Si la información ya ha sido publicada, la resolución podrá limitarse a indicar al solicitante cómo puede acceder a ella.

4. El acceso a la información será gratuito. No obstante, la expedición de copias o la trasposición de la información a un formato diferente al original podrá dar lugar a la exigencia de exacciones en los términos previstos en la Ley 8/1989, de 13 de abril, de Tasas y Precios Públicos, o, en su caso, conforme a la normativa autonómica o local que resulte aplicable.

Régimen de impugnaciones

Los arts. 23 y 24 Ley 19/2013 regulan los **recursos y reclamaciones** que proceden en esta materia, prescribiendo el primero de ellos que:

1. La reclamación prevista en el artículo siguiente tendrá la consideración de sustitutiva de los recursos administrativos de conformidad con lo dispuesto en el artículo 107.2 de la Ley 30/1992, de 26 de noviembre, de Régimen Jurídico de las Administraciones Públicas y del Procedimiento Administrativo Común (esta mención debe realizarse al art. 112.2 LPACAP).
2. No obstante lo dispuesto en el apartado anterior, contra las resoluciones dictadas por los órganos previstos en el artículo 2.1.f) (altas instituciones del Estado y autonómicas, en relación con sus actividades sujetas al Derecho Administrativo) solo cabrá la interposición de recurso contencioso-administrativo.

En particular, el art. 24 trata de la **reclamación ante el Consejo de Transparencia y Buen Gobierno**, señalando que:

1. Frente a toda resolución expresa o presunta en materia de acceso podrá interponerse una reclamación ante el Consejo de Transparencia y Buen Gobierno, con carácter potestativo y previo a su impugnación en vía contencioso-administrativa.

2. La reclamación se interpondrá en el plazo de un mes a contar desde el día siguiente al de la notificación del acto impugnado o desde el día siguiente a aquel en que se produzcan los efectos del silencio administrativo.
3. La tramitación de la reclamación se ajustará a lo dispuesto en materia de recursos en la Ley 30/1992, de 26 de noviembre, de Régimen Jurídico de las Administraciones Públicas y del Procedimiento Administrativo Común (en la LPACAP).

   Cuando la denegación del acceso a la información se fundamente en la protección de derechos o intereses de terceros se otorgará, previamente a la resolución de la reclamación, trámite de audiencia a las personas que pudieran resultar afectadas para que aleguen lo que a su derecho convenga.

4. El plazo máximo para resolver y notificar la resolución será de tres meses, transcurrido el cual, la reclamación se entenderá desestimada.
5. Las resoluciones del Consejo de Transparencia y Buen Gobierno se publicarán, previa disociación de los datos de carácter personal que contuvieran, por medios electrónicos y en los términos en que se establezca reglamentariamente, una vez se hayan notificado a los interesados.

   El Presidente del Consejo de Transparencia y Buen Gobierno comunicará al Defensor del Pueblo las resoluciones que dicte en aplicación de este artículo.
6. La competencia para conocer de dichas reclamaciones corresponderá al Consejo de Transparencia y Buen Gobierno, salvo en aquellos supuestos en que las Comunidades Autónomas atribuyan dicha competencia a un órgano específico, de acuerdo con lo establecido en la disposición adicional cuarta de esta Ley.

Sobre el Consejo de Transparencia y Buen Gobierno, debe tenerse en cuenta el Real Decreto 919/2014, de 31 de octubre, por el que se aprueba el Estatuto del Consejo de Transparencia y Buen Gobierno.

Actividad 3

Rellena el hueco con la palabra que falta:

El acceso a la información se realizará preferentemente por vía electrónica, salvo cuando no sea posible o el solicitante haya señalado expresamente otro medio. Cuando no pueda darse el acceso en el momento de la notificación de la resolución deberá otorgarse, en cualquier caso, en un plazo no superior a ______ días.

3.1.1.7. Colaboración de las personas

El art. 18 se refiere a la colaboración de las personas, señalando que:

1. Las personas colaborarán con la Administración en los términos previstos en la Ley que en cada caso resulte aplicable, y a falta de previsión expresa, facilitarán a la Administración los informes, inspecciones y otros actos de investigación que requieran para el ejercicio de sus competencias, salvo que la revelación de la información solicitada por la Administración atentara contra el honor, la intimidad personal o familiar o supusieran la comunicación de datos confidenciales de terceros de los que tengan conocimiento por la prestación de servicios profesionales de diagnóstico, asesoramiento o defensa, sin perjuicio de lo dispuesto en la legislación en materia de blanqueo de capitales y finan-

ciación de actividades terroristas (sobre lo que debe estarse a lo dispuesto en la Ley 10/2010, de 28 de abril, de prevención del blanqueo de capitales y de la financiación del terrorismo, modificada por la Ley 21/2011, de 16 de julio, de dinero electrónico y por la ya mencionada Ley 19/2013, de 9 de diciembre, de transparencia, acceso a la información pública y buen gobierno, así como el Real Decreto 304/2014, de 5 de mayo, por el que se aprueba el Reglamento de la Ley 10/2010, de 28 de abril, de prevención del blanqueo de capitales y de la financiación del terrorismo).

2. Los interesados en un procedimiento que conozcan datos que permitan identificar a otros interesados que no hayan comparecido en él tienen el deber de proporcionárselos a la Administración actuante.
3. Cuando las inspecciones requieran la entrada en el domicilio del afectado o en los restantes lugares que requieran autorización del titular, se estará a lo dispuesto en el artículo 100.

3.1.1.8. Comparecencia de las personas

El art. 19, por su parte, prescribe, en relación con la comparecencia de las personas ante las oficinas públicas, que:

1. La comparecencia de las personas ante las oficinas públicas, ya sea presencialmente o por medios electrónicos, solo será obligatoria cuando así esté previsto en una norma con rango de ley (es decir, no basta con que una norma reglamentaria la exija por sí misma).
2. En los casos en que proceda la comparecencia, la correspondiente citación hará constar expresamente el lugar, fecha, hora, los medios disponibles y objeto de la comparecencia, así como los efectos de no atenderla.
3. Las Administraciones Públicas entregarán al interesado certificación acreditativa de la comparecencia cuando así lo solicite.

3.1.1.9. Responsabilidad de la tramitación

Sobre la responsabilidad de la tramitación, dispone el art. 20 que:

1. Los titulares de las unidades administrativas y el personal al servicio de las Administraciones Públicas que tuviesen a su cargo la resolución o el despacho de los asuntos, serán responsables directos de su tramitación y adoptarán las medidas oportunas para remover los obstáculos que impidan, dificulten o retrasen el ejercicio pleno de los derechos de los interesados o el respeto a sus intereses legítimos, disponiendo lo necesario para evitar y eliminar toda anormalidad en la tramitación de procedimientos.
2. Los interesados podrán solicitar la exigencia de esa responsabilidad a la Administración Pública de que dependa el personal afectado.

3.1.1.10. Emisión de documentos por las Administraciones Públicas

A tenor del art. 26 LPACAP:

1. Se entiende por documentos públicos administrativos los válidamente emitidos por los órganos de las Administraciones Públicas. Las Administraciones Públicas emitirán los documentos administrativos por escrito, a través de medios electrónicos, a menos que su naturaleza exija otra forma más adecuada de expresión y constancia.

2. Para ser considerados válidos, los documentos electrónicos administrativos deberán:
   a) Contener información de cualquier naturaleza archivada en un soporte electrónico según un formato determinado susceptible de identificación y tratamiento diferenciado.
   b) Disponer de los datos de identificación que permitan su individualización, sin perjuicio de su posible incorporación a un expediente electrónico.
   c) Incorporar una referencia temporal del momento en que han sido emitidos.
   d) Incorporar los metadatos mínimos exigidos.
   e) Incorporar las firmas electrónicas que correspondan de acuerdo con lo previsto en la normativa aplicable.

   Se considerarán válidos los documentos electrónicos, que cumpliendo estos requisitos, sean trasladados a un tercero a través de medios electrónicos.
3. No requerirán de firma electrónica, los documentos electrónicos emitidos por las Administraciones Públicas que se publiquen con carácter meramente informativo, así como aquellos que no formen parte de un expediente administrativo. En todo caso, será necesario identificar el origen de estos documentos.

3.1.1.11. Validez y eficacia de las copias realizadas por las Administraciones Públicas

Según el art. 27 LPACAP:

1. Cada Administración Pública determinará los órganos que tengan atribuidas las competencias de expedición de copias auténticas de los documentos públicos administrativos o privados.

Las copias auténticas de documentos privados surten únicamente efectos administrativos. Las copias auténticas realizadas por una Administración Pública tendrán validez en las restantes Administraciones.

A estos efectos, la Administración General del Estado, las Comunidades Autónomas y las Entidades Locales podrán realizar copias auténticas mediante funcionario habilitado o mediante actuación administrativa automatizada.

Se deberá mantener actualizado un registro, u otro sistema equivalente, donde constarán los funcionarios habilitados para la expedición de copias auténticas que deberán ser plenamente interoperables y estar interconectados con los de las restantes Administraciones Públicas, a los efectos de comprobar la validez de la citada habilitación. En este registro o sistema equivalente constarán, al menos, los funcionarios que presten servicios en las oficinas de asistencia en materia de registros.

2. Tendrán la consideración de copia auténtica de un documento público administrativo o privado las realizadas, cualquiera que sea su soporte, por los órganos competentes de las Administraciones Públicas en las que quede garantizada la identidad del órgano que ha realizado la copia y su contenido.

   Las copias auténticas tendrán la misma validez y eficacia que los documentos originales.

3. Para garantizar la identidad y contenido de las copias electrónicas o en papel, y por tanto su carácter de copias auténticas, las Administraciones Públicas deberán ajustarse a lo previsto en el Esquema Nacional de Interoperabilidad (sobre el que debe tenerse en cuenta el Real Decreto 4/2010, de 8 de enero, por el que se regula el Esquema Nacional de Interoperabilidad en el ámbito de la Administración Electrónica, modificado por el Real Decreto 1495/2011, de 24 de octubre, por el que se desarrolla la Ley 37/2007, de 16 de noviembre, sobre reutilización de la información del sector público, para el ámbito del sector público estatal; téngase en cuenta, asimismo, la Resolución de 19 de febrero de 2013, de la Secretaría de Estado de Administraciones Públicas, por la que se aprueba la Norma Técnica de Interoperabilidad de Reutilización de recursos de la información), el Esquema Nacional de Seguridad (al que se refiere el Real Decreto 3/2010, de 8 de enero, por el que se regula el Esquema Nacional de Seguridad en el ámbito de la Administración Electrónica, modificado por el mencionado Real Decreto 951/2015, de 23 de octubre) y sus normas técnicas de desarrollo, así como a las siguientes reglas:

   a) Las copias electrónicas de un documento electrónico original o de una copia electrónica auténtica, con o sin cambio de formato, deberán incluir los metadatos que acrediten su condición de copia y que se visualicen al consultar el documento.

   b) Las copias electrónicas de documentos en soporte papel o en otro soporte no electrónico susceptible de digitalización, requerirán que el documento haya sido digitalizado y deberán incluir los metadatos que acrediten su condición de copia y que se visualicen al consultar el documento.

Se entiende por digitalización, el proceso tecnológico que permite convertir un documento en soporte papel o en otro soporte no electrónico en un fichero electrónico que contiene la imagen codificada, fiel e íntegra del documento.

c) Las copias en soporte papel de documentos electrónicos requerirán que en las mismas figure la condición de copia y contendrán un código generado electrónicamente u otro sistema de verificación, que permitirá contrastar la autenticidad de la copia mediante el acceso a los archivos electrónicos del órgano u Organismo público emisor.

d) Las copias en soporte papel de documentos originales emitidos en dicho soporte se proporcionarán mediante una copia auténtica en papel del documento electrónico que se encuentre en poder de la Administración o bien mediante una puesta de manifiesto electrónica conteniendo copia auténtica del documento original.

A estos efectos, las Administraciones harán públicos, a través de la sede electrónica correspondiente, los códigos seguros de verificación u otro sistema de verificación utilizado.

4. Los interesados podrán solicitar, en cualquier momento, la expedición de copias auténticas de los documentos públicos administrativos que hayan sido válidamente emitidos por las Administraciones Públicas. La solicitud se dirigirá al órgano que emitió el documento original, debiendo expedirse, salvo las excepciones derivadas de la aplicación de la Ley 19/2013, de 9 de diciembre, en el plazo de quince días a contar desde la recepción de la solicitud en el registro electrónico de la Administración u Organismo competente.

   Asimismo, las Administraciones Públicas estarán obligadas a expedir copias auténticas electrónicas de cualquier documento en papel que presenten los interesados y que se vaya a incorporar a un expediente administrativo.

5. Cuando las Administraciones Públicas expidan copias auténticas electrónicas, deberá quedar expresamente así indicado en el documento de la copia.

6. La expedición de copias auténticas de documentos públicos notariales, registrales y judiciales, así como de los diarios oficiales, se regirá por su legislación específica.

3.1.1.12. Documentos aportados por los interesados al procedimiento administrativo

Por último, el art. 28, respecto a los documentos aportado por los interesados al procedimiento administrativo, prescribe que:

1. Los interesados deberán aportar al procedimiento administrativo los datos y documentos exigidos por las Administraciones Públicas de acuerdo con lo dispuesto en la normativa aplicable. Asimismo, los interesados podrán aportar cualquier otro documento que estimen conveniente.

2. Los interesados tienen derecho a no aportar documentos que ya se encuentren en poder de la Administración actuante o hayan sido elaborados por cualquier otra Administración. La administración actuante podrá consultar o recabar dichos documentos salvo que el interesado se opusiera a ello. No cabrá la oposición cuando la aportación del documento se exigiera en el marco del ejercicio de potestades sancionadoras o de inspección.

   Las Administraciones Públicas deberán recabar los documentos electrónicamente a través de sus redes corporativas o mediante consulta a las plataformas de intermediación de datos u otros sistemas electrónicos habilitados al efecto.

   Cuando se trate de informes preceptivos ya elaborados por un órgano administrativo distinto al que tramita el procedimiento, estos deberán ser remitidos en el plazo de diez días a contar desde su solicitud. Cumplido este plazo, se informará al interesado de que puede aportar este informe o esperar a su remisión por el órgano competente.

3. Las Administraciones no exigirán a los interesados la presentación de documentos originales, salvo que, con carácter excepcional, la normativa reguladora aplicable establezca lo contrario.

   Asimismo, las Administraciones Públicas no requerirán a los interesados datos o documentos no exigidos por la normativa reguladora aplicable o que hayan sido aportados anteriormente por el interesado a cualquier Administración. A estos efectos, el interesado deberá indicar en qué momento y ante qué órgano administrativo presentó los citados documentos, debiendo las Administraciones Públicas recabarlos electrónicamente a través de sus redes corporativas o de una consulta a las plataformas de intermediación de datos u otros sistemas electrónicos habilitados al efecto, salvo que conste en el procedimiento la oposición expresa del interesado o la ley especial aplicable requiera su consentimiento expreso. Excepcionalmente, si las Administraciones Públicas no pudieran recabar los citados documentos, podrán solicitar nuevamente al interesado su aportación.

4. Cuando con carácter excepcional, y de acuerdo con lo previsto en esta Ley, la Administración solicitara al interesado la presentación de un documento original y éste estuviera en formato papel, el interesado deberá obtener una copia auténtica, según los requisitos establecidos en el artículo 27, con carácter previo a su presentación electrónica. La copia electrónica resultante reflejará expresamente esta circunstancia.

5. Excepcionalmente, cuando la relevancia del documento en el procedimiento lo exija o existan dudas derivadas de la calidad de la copia, las Administraciones podrán solicitar de manera motivada el cotejo de las copias aportadas por el interesado, para lo que podrán requerir la exhibición del documento o de la información original.

6. Las copias que aporten los interesados al procedimiento administrativo tendrán eficacia, exclusivamente en el ámbito de la actividad de las Administraciones Públicas.

7. Los interesados se responsabilizarán de la veracidad de los documentos que presenten.

Actividad 4

Indica si la siguiente cuestión es verdadera o falsa:

Los interesados en un procedimiento que conozcan datos que permitan identificar a otros interesados que no hayan comparecido en él tienen el deber de proporcionárselos a la Administración actuante.

Verdadera ☐ Falsa ☐

3.2. La obligación de resolver y el silencio administrativo

Los arts. 21 a 25 LPACAP tratan de esta materia en la forma que se expone en los siguientes apartados.

3.2.1. Obligación de resolver

Con arreglo al art. 21:

1. La Administración está obligada a dictar resolución expresa y a notificarla en todos los procedimientos cualquiera que sea su forma de iniciación (respecto de lo cual debe tenerse en cuenta lo señalado por el apartado 3 del art. 24 de esta LPACAP).

   En los casos de prescripción, renuncia del derecho, caducidad del procedimiento o desistimiento de la solicitud, así como de desaparición sobrevenida del objeto del procedimiento, la resolución consistirá en la declaración de la circunstancia que concurra en cada caso, con indicación de los hechos producidos y las normas aplicables (debiendo motivarse la misma, a tenor del art. 35.1,e, de esta LPACAP).

   Se exceptúan de la obligación a que se refiere el párrafo primero, los supuestos de terminación del procedimiento por pacto o convenio, así como los procedimientos relativos al ejercicio de derechos sometidos únicamente al deber de declaración responsable o comunicación a la Administración.

2. El plazo máximo en el que debe notificarse la resolución expresa será el fijado por la norma reguladora del correspondiente procedimiento.

   Este plazo no podrá exceder de seis meses salvo que una norma con rango de Ley establezca uno mayor o así venga previsto en el Derecho de la Unión Europea.

3. Cuando las normas reguladoras de los procedimientos no fijen el plazo máximo, éste será de tres meses. Este plazo y los previstos en el apartado anterior se contarán:

   a) En los procedimientos iniciados de oficio, desde la fecha del acuerdo de iniciación.

   b) En los iniciados a solicitud del interesado, desde la fecha en que la solicitud haya tenido entrada en el registro electrónico de la Administración u Organismo competente para su tramitación.

4. Las Administraciones Públicas deben publicar y mantener actualizadas en el portal web, a efectos informativos, las relaciones de procedimientos de su competencia, con indicación de los plazos máximos de duración de los mismos, así como de los efectos que produzca el silencio administrativo.

   En todo caso, las Administraciones Públicas informarán a los interesados del plazo máximo establecido para la resolución de los procedimientos y para la notificación de los actos que les pongan término, así como de los efectos que pueda producir el silencio administrativo. Dicha mención se incluirá en la notificación o publicación del acuerdo de iniciación de oficio, o en la comunicación que se dirigirá al efecto al interesado dentro de los diez días siguientes a la recepción de la solicitud iniciadora del procedimiento en el registro electrónico de la Administración u Organismo competente para su tramitación. En este último caso, la comunicación indicará además la fecha en que la solicitud ha sido recibida por el órgano competente (sobre lo que debe, mientras no se dicte otra norma al efecto, debe tenerse en cuenta el Real Decreto 137/2010, de 12 de febrero, por el que se establecen criterios para la emisión de la comunicación a los interesados prevista en el art. 42.4 de la derogada Ley 30/1992, de 26 de noviembre).

5. Cuando el número de las solicitudes formuladas o las personas afectadas pudieran suponer un incumplimiento del plazo máximo de resolución, el órgano competente para resolver, a propuesta razonada del órgano instructor, o el superior jerárquico del órgano competente para resolver, a propuesta de éste, podrán habilitar los medios personales y materiales para cumplir con el despacho adecuado y en plazo.

6. El personal al servicio de las Administraciones Públicas que tenga a su cargo el despacho de los asuntos, así como los titulares de los órganos administrativos competentes para instruir y resolver son directamente responsables, en el ámbito de sus competencias del cumplimiento de la obligación legal de dictar resolución expresa en plazo.

   El incumplimiento de dicha obligación dará lugar a la exigencia de responsabilidad disciplinaria, sin perjuicio de la que hubiere lugar de acuerdo con la normativa aplicable (al efecto, el art. 95,2.º,g) del citado Texto Refundido de la Ley del Estatuto Básico del Empleado Público, considera falta muy grave «*el notorio incumplimiento de las funciones esenciales inherentes al puesto de trabajo o funciones encomendadas*»; por su parte, los arts. 7 y 8 del Reglamento de Régimen Disciplinario de los Funcionarios de la Administración del Estado, aprobado por el Real Decreto 33/1986, de 10 de enero, derogado parcialmente por el también derogado (por el Real Decreto 349/2001, de 4 de abril, por el que se regula la composición y fun-

ciones de la Comisión Superior de Personal) Real Decreto 1085/1990, de 31 de agosto, sobre composición y funciones de la Comisión Superior de Personal, y por la Ley 31/1991, de 30 de diciembre, de Presupuestos Generales del Estado para 1992, prevén, como falta grave, la «*falta de rendimiento que afecte al normal funcionamiento de los servicios y no constituya falta muy grave*», y, como falta leve, «*el incumplimiento de los deberes y obligaciones del funcionario, siempre que no deban ser calificados como falta muy grave o grave*»).

3.2.2. Suspensión del plazo máximo para resolver

Según el art. 22:

1. El transcurso del plazo máximo legal para resolver un procedimiento y notificar la resolución se podrá suspender en los siguientes casos:

   a) Cuando deba requerirse a cualquier interesado para la subsanación de deficiencias o la aportación de documentos y otros elementos de juicio necesarios, por el tiempo que medie entre la notificación del requerimiento y su efectivo cumplimiento por el destinatario, o, en su defecto, por el del plazo concedido, todo ello sin perjuicio de lo previsto en el artículo 68 de la presente Ley.

   b) Cuando deba obtenerse un pronunciamiento previo y preceptivo de un órgano de la Unión Europea, por el tiempo que medie entre la petición, que habrá de comunicarse a los interesados, y la notificación del pronunciamiento a la Administración instructora, que también deberá serles comunicada.

   c) Cuando exista un procedimiento no finalizado en el ámbito de la Unión Europea que condicione directamente el contenido de la resolución de que se trate, desde que se tenga constancia de su existencia, lo que deberá ser comunicado a los interesados, hasta que se resuelva, lo que también habrá de ser notificado.

   d) Cuando se soliciten informes preceptivos a un órgano de la misma o distinta Administración, por el tiempo que medie entre la petición, que deberá comunicarse a los interesados, y la recepción del informe, que igualmente deberá ser comunicada a los mismos. Este plazo de suspensión no podrá exceder en ningún caso de tres meses. En caso de no recibirse el informe en el plazo indicado, proseguirá el procedimiento.

   e) Cuando deban realizarse pruebas técnicas o análisis contradictorios o dirimentes propuestos por los interesados, durante el tiempo necesario para la incorporación de los resultados al expediente.

   f) Cuando se inicien negociaciones con vistas a la conclusión de un pacto o convenio en los términos previstos en el artículo 86 de esta Ley, desde la declaración formal al respecto y hasta la conclusión sin efecto, en su caso, de las referidas negociaciones, que se constatará mediante declaración formulada por la Administración o los interesados.

   g) Cuando para la resolución del procedimiento sea indispensable la obtención de un previo pronunciamiento por parte de un órgano jurisdiccional, desde el momento en que se solicita, lo que habrá de comunicarse a los interesados, hasta que la Administración tenga constancia del mismo, lo que también deberá serles comunicado.

2. El transcurso del plazo máximo legal para resolver un procedimiento y notificar la resolución se suspenderá en los siguientes casos:

   a) Cuando una Administración Pública requiera a otra para que anule o revise un acto que entienda que es ilegal y que constituya la base para el que la primera haya de dictar en el ámbito de sus competencias, en el supuesto al que se refiere el apartado 5 del artículo 39 de esta Ley, desde que se realiza el requerimiento hasta que se atienda o, en su caso, se resuelva el recurso interpuesto ante la jurisdicción contencioso administrativa. Deberá ser comunicado a los interesados tanto la realización del requerimiento, como su cumplimiento o, en su caso, la resolución del correspondiente recurso contencioso-administrativo.

   b) Cuando el órgano competente para resolver decida realizar alguna actuación complementaria de las previstas en el artículo 87, desde el momento en que se notifique a los interesados el acuerdo motivado del inicio de las actuaciones hasta que se produzca su terminación.

   c) Cuando los interesados promuevan la recusación en cualquier momento de la tramitación de un procedimiento, desde que esta se plantee hasta que sea resuelta por el superior jerárquico del recusado (sobre la recusación, trata el art. 24 de la LRJSP).

3.2.3. Ampliación del plazo máximo para resolver y notificar

Sobre la ampliación del plazo dispone el art. 23 que:

1. Excepcionalmente, cuando se hayan agotado los medios personales y materiales disponibles a los que se refiere el apartado 5 del artículo 21, el órgano competente para resolver, a propuesta, en su caso, del órgano instructor o el superior jerárquico del órgano competente para resolver, podrá acordar de manera motivada (en la forma prevista en el art. 35 de esta LPACAP) la ampliación del plazo máximo de resolución y notificación, no pudiendo ser éste superior al establecido para la tramitación del procedimiento.

2. Contra el acuerdo que resuelva sobre la ampliación de plazos, que deberá ser notificado a los interesados, no cabrá recurso alguno.

3.2.4. Silencio administrativo en procedimientos iniciados a solicitud del interesado

A tenor del art. 24:

1. En los procedimientos iniciados a solicitud del interesado, sin perjuicio de la resolución que la Administración debe dictar en la forma prevista en el apartado 3 de este artículo, el vencimiento del plazo máximo sin haberse notificado resolución expresa,

legitima al interesado o interesados para entenderla estimada por silencio administrativo, excepto en los supuestos en los que una norma con rango de ley o una norma de Derecho de la Unión Europea o de Derecho internacional aplicable en España establezcan lo contrario. Cuando el procedimiento tenga por objeto el acceso a actividades o su ejercicio, la ley que disponga el carácter desestimatorio del silencio deberá fundarse en la concurrencia de razones imperiosas de interés general.

El silencio tendrá efecto desestimatorio en los procedimientos relativos al ejercicio del derecho de petición, a que se refiere el artículo 29 de la Constitución (según el cual «*Todos los españoles tendrán el derecho de petición individual y colectiva, por escrito, en la forma y con los efectos que determine la Ley. Los miembros de las Fuerzas o Institutos armados o de los Cuerpos sometidos a disciplina militar podrán ejercer este derecho solo individualmente y con arreglo a lo dispuesto en la legislación específica*». El derecho de petición se ha regulado por la Ley Orgánica 4/2001, de 12 de noviembre, reguladora del Derecho de Petición, modificada por la Ley Orgánica 9/2011, de 27 de julio, de derechos y deberes de los miembros de las Fuerzas Armadas), aquellos cuya estimación tuviera como consecuencia que se transfirieran al solicitante o a terceros facultades relativas al dominio público o al servicio público, impliquen el ejercicio de actividades que puedan dañar el medio ambiente y en los procedimientos de responsabilidad patrimonial de las Administraciones Públicas (como reconoce el art. 91.3 de esta LPACAP).

El sentido del silencio también será desestimatorio en los procedimientos de impugnación de actos y disposiciones y en los de revisión de oficio iniciados a solicitud de los interesados (a los que se refieren los arts. 122.2, 123.2, 126.3 y 106.5 de esta LPACAP). No obstante, cuando el recurso de alzada se haya interpuesto contra la desestimación por silencio administrativo de una solicitud por el transcurso del plazo, se entenderá estimado el mismo si, llegado el plazo de resolución, el órgano administrativo competente no dictase y notificase resolución expresa, siempre que no se refiera a las materias enumeradas en el párrafo anterior de este apartado.

2. La estimación por silencio administrativo tiene a todos los efectos la consideración de acto administrativo finalizador del procedimiento. La desestimación por silencio administrativo tiene los solos efectos de permitir a los interesados la interposición del recurso administrativo o contencioso-administrativo que resulte procedente.

3. La obligación de dictar resolución expresa a que se refiere el apartado primero del artículo 21 se sujetará al siguiente régimen:

   a) En los casos de estimación por silencio administrativo, la resolución expresa posterior a la producción del acto solo podrá dictarse de ser confirmatoria del mismo.

   b) En los casos de desestimación por silencio administrativo, la resolución expresa posterior al vencimiento del plazo se adoptará por la Administración sin vinculación alguna al sentido del silencio.

4. Los actos administrativos producidos por silencio administrativo se podrán hacer valer tanto ante la Administración como ante cualquier persona física o jurídica, pública o privada. Los mismos producen efectos desde el vencimiento del plazo

máximo en el que debe dictarse y notificarse la resolución expresa sin que la misma se haya expedido, y su existencia puede ser acreditada por cualquier medio de prueba admitido en Derecho, incluido el certificado acreditativo del silencio producido. Este certificado se expedirá de oficio por el órgano competente para resolver en el plazo de quince días desde que expire el plazo máximo para resolver el procedimiento. Sin perjuicio de lo anterior, el interesado podrá pedirlo en cualquier momento, computándose el plazo indicado anteriormente desde el día siguiente a aquel en que la petición tuviese entrada en el registro electrónico de la Administración u Organismo competente para resolver.

3.2.5. Falta de resolución expresa en procedimientos iniciados de oficio

Por último, el art. 25 trata de la falta de resolución en los procedimientos iniciados de oficio, disponiendo que:

1. En los procedimientos iniciados de oficio, el vencimiento del plazo máximo establecido sin que se haya dictado y notificado resolución expresa no exime a la Administración del cumplimiento de la obligación legal de resolver, produciendo los siguientes efectos:
   a) En el caso de procedimientos de los que pudiera derivarse el reconocimiento o, en su caso, la constitución de derechos u otras situaciones jurídicas favorables, los interesados que hubieren comparecido podrán entender desestimadas sus pretensiones por silencio administrativo.
   b) En los procedimientos en que la Administración ejercite potestades sancionadoras o, en general, de intervención, susceptibles de producir efectos desfavorables o de gravamen, se producirá la caducidad. En estos casos, la resolución que declare la caducidad ordenará el archivo de las actuaciones, con los efectos previstos en el artículo 95.
2. En los supuestos en los que el procedimiento se hubiera paralizado por causa imputable al interesado, se interrumpirá el cómputo del plazo para resolver y notificar la resolución.

Actividad 5

En los supuestos en los que el procedimiento se hubiera paralizado por causa imputable al interesado:

☐ a) Se interrumpirá el cómputo del plazo para resolver y notificar la resolución.

☐ b) Se producirá la caducidad del procedimiento de forma inmediata.

☐ c) No se interrumpirá el cómputo del plazo para resolver.

☐ d) Se producirá el archivo de las actuaciones.

3.3. Términos y plazos

Los arts. 29 a 33 tratan de los términos y plazos, pudiéndose destacar, como novedades respecto a la Ley 30/1992, de 26 de noviembre, el cómputo por horas y la declaración de inhábiles de los sábados como regla general.

3.3.1. Obligatoriedad de términos y plazos

Los términos y plazos establecidos en esta u otras leyes obligan a las autoridades y personal al servicio de las Administraciones Públicas competentes para la tramitación de los asuntos, así como a los interesados en los mismos (art. 29).

3.3.2. Cómputo de plazos

Con arreglo al art. 30:

1. Salvo que por Ley o en el Derecho de la Unión Europea se disponga otro cómputo, cuando los plazos se señalen por horas, se entiende que éstas son hábiles. Son hábiles todas las horas del día que formen parte de un día hábil.

   Los plazos expresados por horas se contarán de hora en hora y de minuto en minuto desde la hora y minuto en que tenga lugar la notificación o publicación del acto de que se trate y no podrán tener una duración superior a veinticuatro horas, en cuyo caso se expresarán en días.

2. Siempre que por Ley o en el Derecho de la Unión Europea no se exprese otro cómputo, cuando los plazos se señalen por días, se entiende que éstos son hábiles, excluyéndose del cómputo los sábados, los domingos y los declarados festivos.

   Cuando los plazos se hayan señalado por días naturales por declararlo así una ley o por el Derecho de la Unión Europea, se hará constar esta circunstancia en las correspondientes notificaciones.

3. Los plazos expresados en días se contarán a partir del día siguiente a aquel en que tenga lugar la notificación o publicación del acto de que se trate, o desde el siguiente a aquel en que se produzca la estimación o la desestimación por silencio administrativo.

4. Si el plazo se fija en meses o años, éstos se computarán a partir del día siguiente a aquel en que tenga lugar la notificación o publicación del acto de que se trate, o desde el siguiente a aquel en que se produzca la estimación o desestimación por silencio administrativo.

   El plazo concluirá el mismo día en que se produjo la notificación, publicación o silencio administrativo en el mes o el año de vencimiento. Si en el mes de vencimiento no hubiera día equivalente a aquel en que comienza el cómputo, se entenderá que el plazo expira el último día del mes.

5. Cuando el último día del plazo sea inhábil, se entenderá prorrogado al primer día hábil siguiente.

6. Cuando un día fuese hábil en el municipio o Comunidad Autónoma en que residiese el interesado, e inhábil en la sede del órgano administrativo, o a la inversa, se considerará inhábil en todo caso.
7. La Administración General del Estado y las Administraciones de las Comunidades Autónomas, con sujeción al calendario laboral oficial, fijarán, en su respectivo ámbito, el calendario de días inhábiles a efectos de cómputos de plazos. El calendario aprobado por las Comunidades Autónomas comprenderá los días inhábiles de las Entidades Locales correspondientes a su ámbito territorial, a las que será de aplicación.

   Dicho calendario deberá publicarse antes del comienzo de cada año en el diario oficial que corresponda, así como en otros medios de difusión que garanticen su conocimiento generalizado.
8. La declaración de un día como hábil o inhábil a efectos de cómputo de plazos no determina por sí sola el funcionamiento de los centros de trabajo de las Administraciones Públicas, la organización del tiempo de trabajo o el régimen de jornada y horarios de las mismas.

Recuerda que...

Como regla general, cuando los plazos se señalen por días, se entiende que estos son hábiles, excluyéndose del cómputo los sábados, los domingos y los declarados festivos.

3.3.3. Cómputo de plazos en los registros

A tenor del art. 31:

1. Cada Administración Pública publicará los días y el horario en el que deban permanecer abiertas las oficinas que prestarán asistencia para la presentación electrónica de documentos, garantizando el derecho de los interesados a ser asistidos en el uso de medios electrónicos.
2. El registro electrónico de cada Administración u Organismo se regirá a efectos de cómputo de los plazos, por la fecha y hora oficial de la sede electrónica de acceso, que deberá contar con las medidas de seguridad necesarias para garantizar su integridad y figurar de modo accesible y visible.

   El funcionamiento del registro electrónico se regirá por las siguientes reglas:

   a) Permitirá la presentación de documentos todos los días del año durante las veinticuatro horas.
   b) A los efectos del cómputo de plazo fijado en días hábiles, y en lo que se refiere al cumplimiento de plazos por los interesados, la presentación en un día inhábil se entenderá realizada en la primera hora del primer día hábil siguiente salvo que una norma permita expresamente la recepción en día inhábil.

Los documentos se considerarán presentados por el orden de hora efectiva en el que lo fueron en el día inhábil. Los documentos presentados en el día inhábil se reputarán anteriores, según el mismo orden, a los que lo fueran el primer día hábil posterior.

c) El inicio del cómputo de los plazos que hayan de cumplir las Administraciones Públicas vendrá determinado por la fecha y hora de presentación en el registro electrónico de cada Administración u Organismo. En todo caso, la fecha y hora efectiva de inicio del cómputo de plazos deberá ser comunicada a quien presentó el documento.

3. La sede electrónica del registro de cada Administración Pública u Organismo, determinará, atendiendo al ámbito territorial en el que ejerce sus competencias el titular de aquella y al calendario previsto en el artículo 30.7, los días que se considerarán inhábiles a los efectos previstos en este artículo. Este será el único calendario de días inhábiles que se aplicará a efectos del cómputo de plazos en los registros electrónicos, sin que resulte de aplicación a los mismos lo dispuesto en el artículo 30.6.

3.3.4. Ampliación

Sobre la ampliación de los plazos, que deberá ser motivada (art. 35.1,e, LPACAP), prescribe el art. 32 que:

1. La Administración, salvo precepto en contrario, podrá conceder de oficio o a petición de los interesados, una ampliación de los plazos establecidos, que no exceda de la mitad de los mismos, si las circunstancias lo aconsejan y con ello no se perjudican derechos de tercero. El acuerdo de ampliación deberá ser notificado a los interesados.
2. La ampliación de los plazos por el tiempo máximo permitido se aplicará en todo caso a los procedimientos tramitados por las misiones diplomáticas y oficinas consulares, así como a aquellos que, sustanciándose en el interior, exijan cumplimentar algún trámite en el extranjero o en los que intervengan interesados residentes fuera de España.
3. Tanto la petición de los interesados como la decisión sobre la ampliación deberán producirse, en todo caso, antes del vencimiento del plazo de que se trate. En ningún caso podrá ser objeto de ampliación un plazo ya vencido. Los acuerdos sobre ampliación de plazos o sobre su denegación no serán susceptibles de recurso, sin perjuicio del procedente contra la resolución que ponga fin al procedimiento.
4. Cuando una incidencia técnica haya imposibilitado el funcionamiento ordinario del sistema o aplicación que corresponda, y hasta que se solucione el problema, la Administración podrá determinar una ampliación de los plazos no vencidos, debiendo publicar en la sede electrónica tanto la incidencia técnica acontecida como la ampliación concreta del plazo no vencido.
5. Cuando como consecuencia de un ciberincidente se hayan visto gravemente afectados los servicios y sistemas utilizados para la tramitación de los procedimientos y el ejercicio de los derechos de los interesados que prevé la normativa vigente, la Administración podrá acordar la ampliación general de plazos de los procedi-

mientos administrativos. (Número 5 del artículo 32 introducido por la disposición final vigésima primera del R.D.-ley 6/2022, de 29 de marzo, por el que se adoptan medidas urgentes en el marco del Plan Nacional de respuesta a las consecuencias económicas y sociales de la guerra en Ucrania).

3.3.5. Tramitación de urgencia

Por último, sobre la tramitación de urgencia, que también deberá ser motivada (art. 35.1,e, LPACAP), y que no debe confundirse con la tramitación simplificada del procedimiento administrativo común regulada en el art. 96 LPACAP, dispone el art. 33 que:

1. Cuando razones de interés público lo aconsejen, se podrá acordar, de oficio o a petición del interesado, la aplicación al procedimiento de la tramitación de urgencia, por la cual se reducirán a la mitad los plazos establecidos para el procedimiento ordinario, salvo los relativos a la presentación de solicitudes y recursos.
2. No cabrá recurso alguno contra el acuerdo que declare la aplicación de la tramitación de urgencia al procedimiento, sin perjuicio del procedente contra la resolución que ponga fin al procedimiento.

Recuerda que...

Según el art. 33 LPACAP, se puede distinguir entre el procedimiento ordinario y el procedimiento de urgencia.

Además, el artículo 96 LPACAP contempla la tramitación simplificada del procedimiento administrativo común, que deberán ser resueltos en treinta días, a contar desde el siguiente al que se notifique al interesado el acuerdo de tramitación simplificada del procedimiento, salvo que reste menos para su tramitación ordinaria.

4. Título III. De los actos administrativos

4.1. Los actos administrativos: requisitos de los actos administrativos

4.1.1. Concepto legal

El art. 1 de la Ley 29/1998, de 13 de julio, reguladora de la Jurisdicción Contencioso-Administrativa (LJCA, en lo sucesivo), los define, al tratar del ámbito de esta jurisdicción, como «la actuación de las Administraciones Públicas sujeta al Derecho Administrativo».

4.1.2. Clases de actos administrativos

La Doctrina científica (y, dentro de ella, por ejemplo, ENTRENA CUESTA, GARRIDO FALLA, GARCÍA DE ENTERRÍA, PAREJO ALFONSO, entre otros), ha elaborado variadísimas clasificaciones del acto administrativo, dada la heterogeneidad de los mismos, lo que imposibilita la determinación de una clasificación general que los comprenda.

Por ello, dentro de este epígrafe, se puede hacer referencia a las clasificaciones más pacífica y generalmente aceptadas, pudiéndose distinguir entre:

a) Actos simples y complejos, según que provengan de un solo órgano administrativo o de dos o más órganos administrativos.

   Ejemplo de los primeros es la declaración de excedencia voluntaria realizada por el Alcalde respecto de un funcionario, mientras que acto complejo, dentro de esta órbita local, podría ser, por ejemplo, el acuerdo que adoptan varios Ayuntamientos para mancomunarse o para celebrar un concierto entre ellos, globalmente considerado.

   A este respecto, como ha señalado GARRIDO FALLA, dentro de este concepto de acto complejo no deben incluirse los actos de los órganos colegiados (el Pleno de una Corporación Local, por ejemplo, que, pese a estar integrado por una pluralidad de personas, cuyo voto forma el acto administrativo que se adopte, no manifiesta al exterior una pluralidad de voluntades, sino una sola: la del órgano colegiado a través del pertinente acuerdo), los sujetos a la aprobación de un órgano superior (por ejemplo, la alteración de un término municipal, que requiere el previo acuerdo del Ayuntamiento afectado y, luego, la aprobación definitiva por el órgano competente de la Comunidad Autónoma a que pertenezca) y los actos que integran un expediente o procedimiento administrativo.

b) Actos singulares y generales, según se dirijan a una persona o un grupo determinado de personas o a una pluralidad indeterminada de las mismas.

   Ejemplo de los primeros es la referida declaración de excedencia voluntaria, mientras que de los segundos podría ser la convocatoria de unas oposiciones.

c) Actos expresos y presuntos, según se manifiesten formalmente, por escrito generalmente, o surjan al exterior en virtud del mecanismo del silencio administrativo, que, como se verá, puede ser positivo (entendiéndose concedido al particular lo que solicitaba a la Administración, por ejemplo en materia de licencias de obras, conforme al art. 9 del Reglamento de Servicios de las Corporaciones Locales, de 17 de junio de 1955 –RSCL, en las restantes referencias–) o negativo (por el cual, la inacción de la Administración se entiende en el sentido de que deniega lo que el particular había solicitado de la misma).

d) Actos reglados y discrecionales, según que la Administración, al dictarlos, se limite a aplicar una norma que le señala claramente la decisión a adoptar en el supuesto del hecho de que se trate (por ejemplo, una licencia de obras, en la que la Administración, si la solicitud de la misma se ajusta al ordenamiento y planeamiento urbanístico vigente, no puede denegarla), o tenga –la Administración– libertad en la emisión de dicho acto, pudiendo optar entre diversas alternativas que la Ley le ofrece, pero sin olvidar que el fin de toda su actuación es el interés general (como reconoce el art. 103,1.º de nuestra vigente Constitución, de 27 de diciembre de 1978 –CE en otras llamadas–, al disponer que «*la Administración sirve con objetividad los intereses generales...*»), por lo que, por amplia que sea la potestad discrecional de que goza, esta puede ser fiscalizada si la Administración se aparta de dicho fin.

A este respecto, como señaló una Sentencia de la Sala Tercera del Tribunal Supremo, de 11 de marzo de 1991 (Aranzadi n.º 3.095), «la Administración está obligada a servir con la máxima objetividad los intereses públicos o generales y a someterse en su actividad al Derecho, garantizando la Constitución en su art. 9,3.º la interdicción de la arbitrariedad por los poderes públicos. La admisión de la discrecionalidad administrativa para la realización de determinados actos, de ningún modo puede significar el reconocimiento de la arbitrariedad prohibida por la Constitución. Las facultades discrecionales de la Administración pueden ser objeto de control jurisdiccional a través del control de los hechos determinantes del acto administrativo (extendiéndose la revisión jurisdiccional, en este caso, en primer lugar, a la verificación de la realidad de los hechos y, en segundo término, a comprobar si la decisión discrecional guarda coherencia lógica con aquellos), no menos que a la luz de los Principios Generales del Derecho, que, por informar la totalidad del ordenamiento jurídico, también lo hacen respecto de la norma habilitante de la potestad discrecional».

e) Actos definitivos y actos de trámite, según pongan fin al expediente administrativo o formen parte del mismo, como una fase del mismo, sin tener carácter resolutivo.

   Ejemplo de los primeros es la resolución que dicta la Administración al concluir el procedimiento (la concesión de la licencia de obras solicitada por un particular), mientras que de los segundos puede ser un informe que se emite en dicho procedimiento para ilustrar o asesorar a la Administración sobre la decisión que debe adoptar (el informe de un Técnico sobre la adecuación urbanística del proyecto presentado con la solicitud de licencia de obras).

f) Actos favorables y actos de gravamen, según reconozcan al administrado un derecho o supriman una limitación preexistente para el ejercicio del mismo (por ejemplo, una autorización), produciéndole un resultado ventajoso, o impongan al mismo un deber, gravamen o carga (por ejemplo, una orden de ejecución dictada por un Ayuntamiento para que un particular revoque la fachada de un edificio de su propiedad que se encuentra en mal estado, o la imposición de una sanción al ciudadano).

g) Actos constitutivos y actos declarativos, según crean, modifiquen o extingan relaciones o situaciones jurídicas (por ejemplo, el nombramiento de un funcionario, por el que se crea la relación jurídica funcionarial que le va a ligar a la Administración con un vínculo de sujeción especial), o se limiten a constatar o acreditar una situación jurídica, sin alterarla ni incidir sobre su contenido (por ejemplo la expedición de una certificación sobre el empadronamiento de un administrado).

Al margen de estas clasificaciones, por lo demás, también se ha distinguido entre actos que causan estado en la vía administrativa o que la agotan, abriendo la vía jurisdiccional y actos que no causan dicho estado, susceptibles, por ello, de ser revisados aun en el seno de la Administración; actos de tracto instantáneo (una licencia de obras, que se agota con la realización de las obras que ampara) y actos de tracto sucesivo (la licencia de apertura de un establecimiento hostelero, que no se agota mientras que dicho establecimiento esté funcionando, pudiendo la Administración incidir sobre la misma, adecuándola a las nuevas necesidades, normativas, etc., que surjan); actos unilaterales y actos plurilaterales o múltiples, etc.

4.1.3. Requisitos del acto administrativo

Al tratar de los requisitos del acto administrativo, hay que remitirse a los elementos del mismos, que, de entre la también variedad de los mismos que la Doctrina científica distingue en el acto administrativo, por nuestra parte podemos clasificarlos en subjetivos, objetivos y formales.

4.1.3.1. Elementos subjetivos

a) El sujeto activo, que es un órgano de la Administración, que ha de actuar dotado de capacidad y competencia (entendida esta, como indica GARCÍA DE ENTERRÍA, como «la medida de la potestad que corresponde a cada órgano», es decir, por la actividad que puede realizar legítimamente cada órgano, para lo que el ordenamiento le reconoce las prerrogativas y potestades que procedan). La capacidad pertenece a la persona jurídico-pública, mientras la competencia está atribuida al órgano de esa persona, distinguiendo la Doctrina tres clases de competencia:

    1. Territorial, en virtud de la cual cada órgano administrativo tiene competencia preferentemente respecto de sus iguales, en la circunscripción que se le asigna, en la que, por otra parte, solamente puede ejercerla.

       A estos efectos, en función del ámbito territorial, sobre el que se le asigna la competencia, se puede distinguir entre órganos con competencia nacional (que abarca a todo el territorio de la Nación, como por ejemplo, el Consejo de Ministros), órganos con competencia autonómica (circunscrita territorialmente a una Comunidad Autónoma, como la atribuida al Consejo de Gobierno de la misma o a un Consejero), órganos con competencia local (bien provincial, como el Pleno de una Diputación Provincial, bien municipal, como la del Alcalde o el Pleno de un Ayuntamiento) y órganos con competencia de localización inferior a la municipal (como la que puede ostentar un Representante Personal del Alcalde en un Poblado o una Barriada o en un Distrito de una ciudad, conforme al art. 122 del Reglamento de Organización, Funcionamiento y Régimen Jurídico de las Entidades Locales, aprobado por el Real Decreto 2568/1986, de 28 de noviembre –ROFRJEL, en adelante–).

Por lo demás, la violación de esta competencia territorial, es decir, la intervención de un órgano administrativo en el ámbito territorial reservado a otro, comporta la nulidad absoluta o de pleno derecho del acto que, en su caso, dicte, conforme al art. 47.1,b) LPACAP.

2. Funcional, por la que se atribuye a cada órgano de la Administración una materia sobre la que solo él será competente.

   Es el criterio que se sigue para atribuir, dentro de la Administración estatal o autonómica, por ejemplo, la competencia a las distintas Direcciones Generales de un Ministerio o Consejería, respectivamente.

   Su violación, esto es, la incursión de un órgano administrativo en la esfera de competencia material de otro órgano, supone, también, en base al citado art. 47.1,b) LPACAP una nulidad de pleno derecho.

3. Jerárquica, en virtud de la cual se atribuye la competencia, dentro de la estructuración de los órganos de la Administración, a unos u otros órganos preferentemente respecto a sus superiores o inferiores.

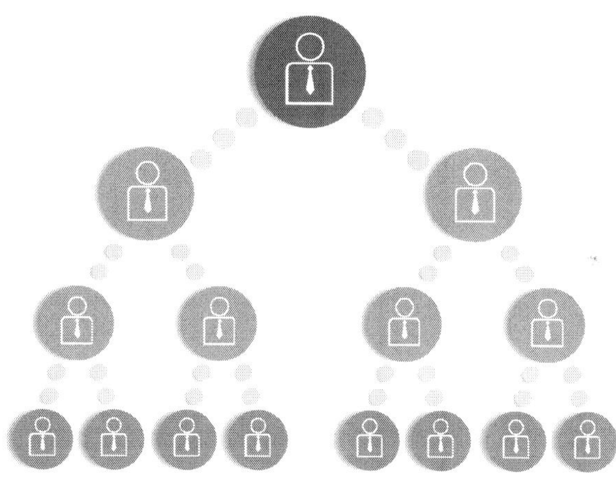

   La violación de este tipo de competencia, es decir, que un órgano inferior, por ejemplo, invada la esfera de atribuciones de su superior jerárquico, se sanciona con la nulidad relativa o anulabilidad, como se deduce del art. 52.3 LPACAP, al permitir la convalidación de los actos administrativos en que se haya incurrido en incompetencia jerárquica (lo que hará el órgano competente cuando sea superior jerárquico del que dictó el acto viciado).

GARCÍA DE ENTERRÍA habla, también, de otro tipo de competencia ratione temporis, afirmando que la competencia de los órganos administrativos puede limitarse por razón del tiempo, bien en términos absolutos (por ejemplo, la disponibilidad sobre los créditos presupuestarios, que solo es posible durante el ejercicio a que el Presupuesto se refiere), bien en términos relativos (citando, a este efecto, la po-

sibilidad de suspensión de licencias recogida en la antigua legislación urbanística estatal, que se limitaba a un máximo de dos años, sin que pudiera acordarse una nueva suspensión hasta que transcurrieran cinco años de la anterior).

En definitiva, como indica este mismo Autor, en un órgano deben confluir todos los criterios de competencia (material, territorial, etc.) para que, en ejercicio de la misma, pueda dictar válidamente el acto administrativo que dicha competencia autorice.

Además, por otra parte, se requiere que la persona o personas físicas que actúen como titulares de dicho órgano ostenten la investidura legítima de tales (nombramiento legal, toma de posesión, situación de actividad o ejercicio, suplencia legal en su caso, como señala este Autor), no estén incursos en alguna de las causas de abstención que enumera el art. 23 de la Ley 40/2015, de 1 de octubre, de Régimen Jurídico del Sector Público (LRJSP, en otras llamadas), y procedan en las condiciones legales prescritas para poder actuar como tales titulares del órgano, especialmente cuando se trate de órganos colegiados (en cuyo caso debe estarse, a falta de normativa específica, a lo dispuesto en los arts. 15 a 18 LRJSP y, en concreto, sobre los órganos colegiados de la Administración General del Estado, en los arts. 19 a 22 LRJSP, comportando la infracción de estas normas una nulidad de pleno derecho del acto que se dicte, a tenor de lo dispuesto en el art. 47.1,e) LPACAP, que califica como actos nulos de pleno derecho «los dictados prescindiendo total y absolutamente del procedimiento legalmente establecido o de las normas que contienen las reglas esenciales para la formación de la voluntad de los órganos colegiados».

b) El sujeto pasivo, es decir, el destinatario del acto, que puede ser la colectividad o una parte de ella (actos de carácter general), o una o varias personas concretas o individualizadas (actos de carácter individual).

   Realmente, no es un elemento del acto, toda vez que no tiene otra relación con el mismo que el irle dirigido.

4.1.3.2. Elementos objetivos

La Doctrina suele considerar como tales al contenido y la causa.

a) El contenido, que es el objeto del acto, o sea, el efecto práctico perseguido con el mismo. Ha de ser determinado o determinable, posible y lícito, disponiendo el art. 34.2 LPACAP que «*el contenido de los actos se ajustará a lo dispuesto por el ordenamiento jurídico y será determinado y adecuado a los fines de aquellos*». En sentido estricto, el contenido puede definirse como la declaración de voluntad, de deseo, conocimiento o juicio en que el acto consiste, distinguiendo GARRIDO FALLA tres partes en el mismo:

   1. Contenido natural, que es el que necesariamente forma parte del acto administrativo y sirve para individualizarlo respecto de los demás (por ejemplo, la transferencia coactiva de la propiedad de un particular a un Ente Público en la expropiación forzosa).

2. Contenido implícito, que se refiere a aquellas cláusulas no expresas, pero que deben entenderse incluidas en el acto, porque el ordenamiento jurídico las supone en todos los actos de la misma especie, citando este Autor, como ejemplo, la temporalidad del nombramiento de un alto cargo político, que hay que presumirla en el acto de nombramiento (como en el supuesto del Personal Eventual o de confianza en las distintas Administraciones Públicas, a que se refiere el art. 12 del Texto Refundido de la Ley del Estatuto Básico del Empleado Público, aprobado por el Real Decreto Legislativo 5/2015, de 30 de octubre –TR-LEBEP, en otras citas–, que califica su nombramiento «*con carácter no permanente*»).
3. Contenido eventual, que son aquellas cláusulas que el órgano administrativo puede introducir en el acto. Entre éstas, deben consignarse las llamadas «cláusulas accesorias», esto es, la condición, el término y el modo.

   Respecto de estas cláusulas accesorias, como señala la generalidad de la Doctrina científica, hay que entender válida su inclusión en el acto administrativo cuando se esté ejerciendo una potestad discrecional (siempre, por otra parte, que no se incurra en arbitrariedad), así como cuando la propia Ley habilite expresamente a la Administración para ello, debiendo, por el contrario, estimarse nula su inclusión fuera de estos casos, sin que esta nulidad provoque la del acto en que se contienen si por sí mismo, como señaló una Sentencia del Tribunal Supremo de 25 de noviembre de 1985 (Aranzadi n.º 484), puede producir los efectos propios de su naturaleza y contenido con independencia de la citada cláusula accesoria, y como se deriva del art. 49.2 LPACAP, a cuyo tenor «la nulidad o anulabilidad en parte del acto administrativo no implicará la de las partes del mismo independientes de aquella, salvo que la parte viciada sea de tal importancia que sin ella el acto administrativo no hubiera sido dictado».

Por último, en relación con el contenido, ha de hacerse notar que el art. 47.1,c) y d) LPACAP sanciona con nulidad absoluta o de pleno derecho los actos «*que tengan un contenido imposible*» y «*que sean constitutivos de infracción penal o se dicten como consecuencia de esta*», siendo anulables aquellos cuyo contenido incurra en «*cualquier infracción del ordenamiento jurídico, incluso la desviación de poder*» (art. 48.1 LPACAP).

Y que, como se expuso, conforme al art. 34.2 LPACAP, «*el contenido de los actos se ajustará a lo dispuesto por el ordenamiento jurídico y será determinado y adecuado a los fines de aquellos*».

b) La causa, que es el por qué se dicta un acto administrativo; hace referencia a la razón justificadora de cada acto, o sea, la circunstancia que justifica en cada caso que un acto administrativo se dicte (GARRIDO FALLA).

De aquí que, como señala ENTRENA CUESTA, los presupuestos de hecho del acto se incorporen como elementos del mismo, de donde, si fallan dichos presupuestos (este Autor citaba, a título de ejemplo, la convocatoria de una cátedra que no está vacante), el acto resultante estará viciado, lo que ocurrirá, también, según GARRIDO FALLA, cuando al dictar el acto se aprecien erróneamente estos presupuestos de hecho.

Por lo demás, íntimamente relacionado con la causa está el fin perseguido con el acto, el llamado elemento teleológico del mismo, que, como indica el último de los Autores citados, es la respuesta a la pregunta de «para qué» se dicta éste.

Al respecto, en todo acto administrativo cabe distinguir entre un fin inmediato (el efecto práctico que realmente se pretende con el mismo) y un fin remoto (que es siempre el interés público al que está avocada toda la actuación de la Administración, que, si resulta transgredido, puede provocar un recurso por desviación de poder, definida esta por el art. 70,2.º LJCA como «*el ejercicio de potestades administrativas para fines distintos de los fijados por el ordenamiento jurídico*»).

4.1.3.3. Elementos formales

La forma se manifiesta en dos aspectos concretos:

a) El procedimiento, que es la vía a través de la cual se elabora la declaración de voluntad, deseo, conocimiento o juicio de la Administración, en que consiste el acto. En este sentido, se le ha definido como el cauce formal de la serie de actuaciones en que se concreta la actividad administrativa de los órganos de la Administración para que sus resoluciones tengan validez jurídica.

   Respecto del mismo, el art. 34.1 LPACAP, establece que «*los actos administrativos que dicten las Administraciones Públicas, bien de oficio o a instancia del interesado, se producirán por el órgano competente ajustándose a los requisitos y al procedimiento establecido*».

b) La forma de la declaración o exteriorización del acto, respecto de la cual se puede afirmar que, frente al principio de libertad de forma que rige en el ámbito del Derecho Privado, en el Derecho Administrativo esta está tasada generalmente, debiendo producirse los actos administrativos «*por escrito a través de medios electrónicos, a menos que su naturaleza exijan o permita otra forma más adecuada de expresión y constancia*», como establece el art. 36.1 LPACAP.

Al respecto, este mismo art. 36, en sus apartados 2 y 3, dispone que «*en los casos en que los órganos administrativos ejerzan su competencia de forma verbal, la constancia escrita del acto, cuando sea necesaria, se efectuará y firmará por el titular del órgano inferior o funcionario que la reciba oralmente, expresando en la comunicación del mismo la autoridad de la que procede. Si se tratara de resoluciones, el titular de la competencia deberá autorizar una relación de las que haya dictado de forma verbal, con expresión de su contenido*», y que «*cuando deba dictarse una serie de actos administrativos de la misma naturaleza, tales como nombramientos, concesiones o licencias, podrán refundirse en un único acto, acordado por el órgano competente, que especificará las personas u otras circunstancias que individualicen los efectos del acto para cada interesado*».

Por lo demás, según tenga el acto un destinatario concreto o individualizado o vaya destinado a una pluralidad de personas, habrá de notificarse o publicarse, respectivamente, debiendo, además, motivarse en los supuestos que estudiamos, específicamente, en el siguiente apartado.

4.1.3.4. Motivación

Según el art. 35 LPACAP:

1. Serán motivados, con sucinta referencia de hechos y fundamentos de derecho:
    a) Los actos que limiten derechos subjetivos o intereses legítimos.
    b) Los actos que resuelvan procedimientos de revisión de oficio de disposiciones o actos administrativos, recursos administrativos y procedimientos de arbitraje y los que declaren su inadmisión.
    c) Los actos que se separen del criterio seguido en actuaciones precedentes o del dictamen de órganos consultivos.
    d) Los acuerdos de suspensión de actos, cualquiera que sea el motivo de esta, así como la adopción de medidas provisionales previstas en el artículo 56.
    e) Los acuerdos de aplicación de la tramitación de urgencia, de ampliación de plazos y de realización de actuaciones complementarias (a que se refieren los arts. 32 y 33 de esta LPACAP).
    f) Los actos que rechacen pruebas propuestas por los interesados (sobre lo que trata el art. 77.3 de esta LPACAP).
    g) Los actos que acuerden la terminación del procedimiento por la imposibilidad material de continuarlo por causas sobrevenidas, así como los que acuerden el desistimiento por la Administración en procedimientos iniciados de oficio (debiendo estarse a lo dispuesto en los arts. 21.1, 84.2 y 93 de esta LPACAP).
    h) Las propuestas de resolución en los procedimientos de carácter sancionador, así como los actos que resuelvan procedimientos de carácter sancionador o de responsabilidad patrimonial (sobre lo que tratan los arts. 89.3 y 91.2 de esta LPACAP).

i) Los actos que se dicten en el ejercicio de potestades discrecionales, así como los que deban serlo en virtud de disposición legal (por ejemplo la obligación de motivar la decisión de alterar la tramitación cronológica del expediente a que se refiere el art. 71.2 de esta LPACAP) o reglamentaria expresa.

2. La motivación de los actos que pongan fin a los procedimientos selectivos y de concurrencia competitiva se realizará de conformidad con lo que dispongan las normas que regulen sus convocatorias, debiendo, en todo caso, quedar acreditados en el procedimiento los fundamentos de la resolución que se adopte.

La motivación, como se desprende de lo anterior, Consiste en la exteriorización de las razones que han llevado a la Administración a dictar un acto determinado, según ENTRENA CUESTA, quien hace referencia a una Sentencia del Tribunal Supremo, de 21 de marzo de 1968, para la que la motivación «no solo tiene por finalidad conocer con mayor certeza y exactitud la voluntad manifestada, sino que debe considerarse encaminada, primordialmente, a hacer posible el control o fiscalización jurisdiccional de los actos de la Administración, estableciendo la necesaria relación de causalidad entre los antecedentes de hecho, el Derecho aplicable y la decisión adoptada».

Respecto de la misma, la Sala Tercera del Tribunal Supremo, en Sentencia de 15 de febrero de 1991 (Aranzadi n.º 1.186), ha señalado que «el art. 43 LPA (actualmente, con la nueva LPACAP, esta referencia hay que entenderla hecha al art. 35 de la misma) impone la motivación de los actos administrativos que expresan un juicio, pues la motivación –STS, 4 de abril 1987– «es la expresión racional del juicio emitido y de las resoluciones que implican un gravamen para el destinatario», pues «si la Administración Pública ha de servir con objetividad los intereses generales, como le impone el art. 103 de la Constitución Española, es a través de la motivación del acto como se puede conocer si la actuación merece la conceptuación de objetiva por adecuarse al cumplimiento de sus fines, sin que tal motivación se pueda cumplir mediante fórmulas convencionales (como el socorrido, en el ámbito funcionarial, «por necesidades de servicio», apostillaríamos nosotros), sino dando razón plena del proceso lógico y jurídico que determina la decisión»..., debiendo «realizarse con la amplitud necesaria para el debido conocimiento de los interesados y su posterior defensa de derechos» –STS, 9 de febrero 1987–, aspirando «a que el administrado pueda conocer claramente el fundamento de la decisión administrativa, para poder impugnarla criticando sus Bases, y a que el órgano que decide los recursos pueda desarrollar el control que le corresponde con plenitud, examinando con todos los datos si el acto se ajusta o no a Derecho».

En cuanto al tratamiento legal de la motivación, debe partirse del inciso primero del art. 88.3 LPACAP, según el cual *«las resoluciones contendrán la decisión, que será motivada en los casos a que se refiere el artículo 35»*.

Como puede observarse, la regla general es la no motivación, salvo en los supuestos del art. 35 o que venga exigidos por disposición legal (en concreto, en el ámbito tributario, el art. 103.3 de la Ley 58/2003, de 17 de diciembre, General Tributaria (LGT, en otras referencias), prescribe que *«Los actos de liquidación, los de comprobación de valor, los que impongan una obligación, los que denieguen un beneficio fiscal o la suspensión de la ejecución de actos de aplicación de los tributos, así como cuantos otros se dispongan en la normativa vigente, serán motivados con referencia sucinta a los hechos y fundamentos de derecho) o reglamentaria»*.

Recuerda que...

La regla general es la no motivación de los actos administrativos, salvo en los supuestos del art. 35 o que venga exigidos por una disposición legal.

4.2. Eficacia de los actos administrativos

4.2.1. Introducción

Los arts. 37 a 46 LPACAP tratan de la eficacia de los actos administrativos, abordando el principio de inderogabilidad de los reglamentos, la ejecutividad de los actos, su eficacia propiamente dicha y lo concerniente al régimen de notificaciones y publicaciones, en la forma que estudiamos en los siguientes apartados.

4.2.2. Inderogabilidad singular

Según el art. 37:

1. Las resoluciones administrativas de carácter particular no podrán vulnerar lo establecido en una disposición de carácter general, aunque aquellas procedan de un órgano de igual o superior jerarquía al que dictó la disposición general.
2. Son nulas las resoluciones administrativas que vulneren lo establecido en una disposición reglamentaria, así como aquellas que incurran en alguna de las causas recogidas en el artículo 47.

4.2.3. Ejecutividad

Los actos de las Administraciones Públicas sujetos al Derecho Administrativo serán ejecutivos con arreglo a lo dispuesto en esta Ley (art. 38).

4.2.4. Efectos

Partiendo de que un acto administrativo se perfecciona una vez que está constituido por el conjunto de elementos que funcionan como requisito de validez, no es, por la simple circunstancia de reunir dichos requisitos, jurídicamente eficaz, debiendo estarse a lo dispuesto por el art. 39, con arreglo al cual:

1. Los actos de las Administraciones Públicas sujetos al Derecho Administrativo se presumirán válidos y producirán efectos desde la fecha en que se dicten, salvo que en ellos se disponga otra cosa.
2. La eficacia quedará demorada cuando así lo exija el contenido del acto o esté supeditada a su notificación, publicación o aprobación superior.

3. Excepcionalmente, podrá otorgarse eficacia retroactiva a los actos cuando se dicten en sustitución de actos anulados, así como cuando produzcan efectos favorables al interesado, siempre que los supuestos de hecho necesarios existieran ya en la fecha a que se retrotraiga la eficacia del acto y ésta no lesione derechos o intereses legítimos de otras personas.

4. Las normas y actos dictados por los órganos de las Administraciones Públicas en el ejercicio de su propia competencia deberán ser observadas por el resto de los órganos administrativos, aunque no dependan jerárquicamente entre sí o pertenezcan a otra Administración.

5. Cuando una Administración Pública tenga que dictar, en el ámbito de sus competencias, un acto que necesariamente tenga por base otro dictado por una Administración Pública distinta y aquella entienda que es ilegal, podrá requerir a ésta previamente para que anule o revise el acto de acuerdo con lo dispuesto en el artículo 44 de la Ley 29/1998, de 13 de julio, reguladora de la Jurisdicción Contencioso- Administrativa, y, de rechazar el requerimiento, podrá interponer recurso contencioso-administrativo. En estos casos, quedará suspendido el procedimiento para dictar resolución.

El art. 44 de esta LJCA, parcialmente modificado por la Ley 34/2015, de 21 de septiembre, de modificación parcial de la Ley 58/2003, de 17 de diciembre, General Tributaria, y sobre cuyo apartado 4 habrá que estar a lo dispuesto en los arts. 65 a 67 de la Ley 7/1985, de 2 de abril, Reguladora de las Bases del Régimen Local, prescribe que:

1. En los litigios entre Administraciones públicas no cabrá interponer recurso en vía administrativa. No obstante, cuando una Administración interponga recurso contencioso-administrativo contra otra, podrá requerirla previamente para que derogue la disposición, anule o revoque el acto, haga cesar o modifique la actuación material, o inicie la actividad a que esté obligada.

   Cuando la Administración contratante, el contratista o terceros pretendan recurrir las decisiones adoptadas por los órganos administrativos a los que corresponde resolver los recursos especiales y las reclamaciones en materia de contratación a que se refiere la legislación de Contratos del Sector Público interpondrán el recurso directamente y sin necesidad de previo requerimiento o recurso administrativo.

2. El requerimiento deberá dirigirse al órgano competente mediante escrito razonado que concretará la disposición, acto, actuación o inactividad, y deberá producirse en el plazo de dos meses contados desde la publicación de la norma o desde que la Administración requirente hubiera conocido o podido conocer el acto, actuación o inactividad.

3. El requerimiento se entenderá rechazado si, dentro del mes siguiente a su recepción, el requerido no lo contestara.

4. Queda a salvo lo dispuesto sobre esta materia en la legislación de régimen local.

4.2.5. Cesación de la eficacia

La eficacia del acto puede cesar temporal o definitivamente.

La cesación temporal tiene lugar con motivo de la suspensión del acto, a lo que se refieren los arts. 108 y 117 LPACAP, en materia de revisión de oficio de los actos administrativos y de recursos administrativos, respectivamente.

En cuanto a la cesación definitiva, se puede producir por cualquiera de las siguientes causas:

a) El total cumplimiento del propio acto.

b) El transcurso del plazo en él mismo señalado, si estaba limitado en el tiempo.

c) El cumplimiento de la condición resolutoria a que pudiera estar sujeto.

d) La desaparición de los presupuestos de hecho que motivaron que se dictase.

e) La anulación o revocación del propio acto.

Recuerda que...

La denominada ejecutividad del acto administrativo significa que cuando este se dicte puede y deber ser llevado a la práctica.

4.2.6. Ejecutividad y acción de oficio

Fuera de los supuestos establecidos respecto de la suspensión, la regla general en cuanto a la eficacia de los actos administrativos es la contenida en el ya enunciado art. 39.1 LPACAP, que, como se vio, parte de la presunción de validez de todo acto (correspondiendo al particular interesado demostrar lo contrario) y le otorga plenos efectos.

Es la denominada ejecutividad del acto administrativo, en virtud de la cual cuando éste se dicte puede y deber ser llevado a la práctica.

Sabías que...

La Ley 39/2015, de 1 de octubre, del Procedimiento Administrativo Común de las Administraciones Públicas, incluye los sábados como días inhábiles, equiparándose así los plazos administrativos y procesales.

Y junto a ella, se ha distinguido la ejecutoriedad, ejecución forzosa o acción de oficio (que en cualquiera de estas formas es llamada), regulada por extenso en los arts. 97 a 105 LPACAP, y en virtud de la cual la Administración lleva a la práctica el acto administrativo cuando el particular obligado a ello no lo hace voluntariamente.

4.2.7. Notificación

4.2.7.1. Introducción

Como se expuso, el apartado 2 del art. 39 LPACAP señala que la eficacia quedará demorada cuando así lo exija el contenido del acto o esté supeditada a su notificación, publicación o aprobación superior.

La notificación se regula en los arts. 40 a 44, inclusive, LPACAP, disponiendo el primero de ellos que:

1. El órgano que dicte las resoluciones y actos administrativos los notificará a los interesados cuyos derechos e intereses sean afectados por aquellos, en los términos previstos en los artículos siguientes.
2. Toda notificación deberá ser cursada dentro del plazo de diez días a partir de la fecha en que el acto haya sido dictado, y deberá contener el texto íntegro de la resolución, con indicación de si pone fin o no a la vía administrativa, la expresión de los recursos que procedan, en su caso, en vía administrativa y judicial, el órgano ante el que hubieran de presentarse y el plazo para interponerlos, sin perjuicio de que los interesados puedan ejercitar, en su caso, cualquier otro que estimen procedente.
3. Las notificaciones que, conteniendo el texto íntegro del acto, omitiesen alguno de los demás requisitos previstos en el apartado anterior, surtirán efecto a partir de la fecha en que el interesado realice actuaciones que supongan el conocimiento del contenido y alcance de la resolución o acto objeto de la notificación, o interponga cualquier recurso que proceda.
4. Sin perjuicio de lo establecido en el apartado anterior, y a los solos efectos de entender cumplida la obligación de notificar dentro del plazo máximo de duración de los procedimientos, será suficiente la notificación que contenga, cuando menos, el texto íntegro de la resolución, así como el intento de notificación debidamente acreditado.

   (En relación con lo expuesto en este apartado, similar al contenido en el art. 58.4 de la derogada Ley 30/1992, de 26 de noviembre, de Régimen Jurídico de las Administraciones Públicas y del Procedimiento Administrativo Común –LRJAP y PAC, en lo sucesivo–, la Sala Tercera del Tribunal Supremo, a través de Sentencia de 17 de noviembre de 2003, fijó la siguiente doctrina legal: «*Que el inciso intento de notificación debidamente acreditado que emplea el artículo 58.4 de la Ley 30/1992, de 26 de noviembre, de Régimen Jurídico de las Administraciones Públicas y del Procedimiento Administrativo Común, se refiere al intento de notificación personal por cualquier procedimiento que cumpla con las exigencias legales contempladas en el artículo 59.1 de la Ley 30/1992, pero que resulte infructuoso por cualquier circunstancia y que quede debidamente acreditado. De esta manera, bastará para entender concluso un procedimiento administrativo dentro del plazo máximo que la ley le asigne, en aplicación del referido artículo 58.4 de la Ley 30/1992, el intento de notificación por cualquier medio legalmente admisible según los términos del artículo 59 de la Ley 30/1992, y que se practique con todas las garantías legales aunque resulte frustrado finalmente, y siempre que quede debida constancia del mismo en el expediente.*

En relación con la práctica de la notificación por medio de correo certificado con acuse de recibo, el intento de notificación queda culminado, a los efectos del artículo 58.4 de la Ley 30/1992, en el momento en que la Administración reciba la devolución del envío, por no haberse logrado practicar la notificación, siempre que quede constancia de ello en el expediente»).

5. Las Administraciones Públicas podrán adoptar las medidas que consideren necesarias para la protección de los datos personales que consten en las resoluciones y actos administrativos, cuando éstos tengan por destinatarios a más de un interesado.

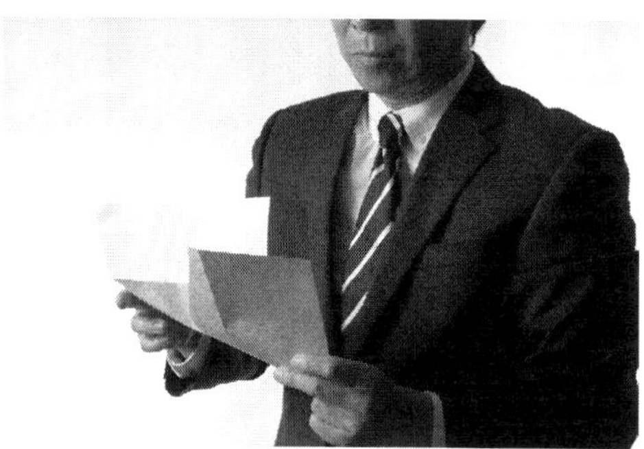

4.2.7.2. Condiciones generales para la práctica de las notificaciones

A tenor del art. 41 LPACAP:

1. Las notificaciones se practicarán preferentemente por medios electrónicos y, en todo caso, cuando el interesado resulte obligado a recibirlas por esta vía.

   No obstante lo anterior, las Administraciones podrán practicar las notificaciones por medios no electrónicos en los siguientes supuestos:

   a) Cuando la notificación se realice con ocasión de la comparecencia espontánea del interesado o su representante en las oficinas de asistencia en materia de registro y solicite la comunicación o notificación personal en ese momento.

   b) Cuando para asegurar la eficacia de la actuación administrativa resulte necesario practicar la notificación por entrega directa de un empleado público de la Administración notificante.

   Con independencia del medio utilizado, las notificaciones serán válidas siempre que permitan tener constancia de su envío o puesta a disposición, de la recepción o acceso por el interesado o su representante, de sus fechas y horas, del contenido íntegro, y de la identidad fidedigna del remitente y destinatario de la misma. La acreditación de la notificación efectuada se incorporará al expediente.

   Los interesados que no estén obligados a recibir notificaciones electrónicas, podrán decidir y comunicar en cualquier momento a la Administración Pública, me-

diante los modelos normalizados que se establezcan al efecto, que las notificaciones sucesivas se practiquen o dejen de practicarse por medios electrónicos.

Reglamentariamente, las Administraciones podrán establecer la obligación de practicar electrónicamente las notificaciones para determinados procedimientos y para ciertos colectivos de personas físicas que por razón de su capacidad económica, técnica, dedicación profesional u otros motivos quede acreditado que tienen acceso y disponibilidad de los medios electrónicos necesarios.

Adicionalmente, el interesado podrá identificar un dispositivo electrónico y/o una dirección de correo electrónico que servirán para el envío de los avisos regulados en este artículo, pero no para la práctica de notificaciones.

2. En ningún caso se efectuarán por medios electrónicos las siguientes notificaciones:
   a) Aquellas en las que el acto a notificar vaya acompañado de elementos que no sean susceptibles de conversión en formato electrónico.
   b) Las que contengan medios de pago a favor de los obligados, tales como cheques.
3. En los procedimientos iniciados a solicitud del interesado, la notificación se practicará por el medio señalado al efecto por aquel. Esta notificación será electrónica en los casos en los que exista obligación de relacionarse de esta forma con la Administración.

   Cuando no fuera posible realizar la notificación de acuerdo con lo señalado en la solicitud, se practicará en cualquier lugar adecuado a tal fin, y por cualquier medio que permita tener constancia de la recepción por el interesado o su representante, así como de la fecha, la identidad y el contenido del acto notificado.
4. En los procedimientos iniciados de oficio, a los solos efectos de su iniciación, las Administraciones Públicas podrán recabar, mediante consulta a las bases de datos del Instituto Nacional de Estadística, los datos sobre el domicilio del interesado recogidos en el Padrón Municipal, remitidos por las Entidades Locales en aplicación de lo previsto en la Ley 7/1985, de 2 de abril, reguladora de las Bases del Régimen Local.
5. Cuando el interesado o su representante rechace la notificación de una actuación administrativa, se hará constar en el expediente, especificándose las circunstancias del intento de notificación y el medio, dando por efectuado el trámite y siguiéndose el procedimiento.
6. Con independencia de que la notificación se realice en papel o por medios electrónicos, las Administraciones Públicas enviarán un aviso al dispositivo electrónico y/o a la dirección de correo electrónico del interesado que éste haya comunicado, informándole de la puesta a disposición de una notificación en la sede electrónica de la Administración u Organismo correspondiente o en la dirección electrónica habilitada única. La falta de práctica de este aviso no impedirá que la notificación sea considerada plenamente válida.
7. Cuando el interesado fuera notificado por distintos cauces, se tomará como fecha de notificación la de aquella que se hubiera producido en primer lugar.

4.2.7.3. Práctica de las notificaciones en papel

Sobre las notificaciones en papel, prescribe el art. 42 que:

1. Todas las notificaciones que se practiquen en papel deberán ser puestas a disposición del interesado en la sede electrónica de la Administración u Organismo actuante para que pueda acceder al contenido de las mismas de forma voluntaria.
2. Cuando la notificación se practique en el domicilio del interesado, de no hallarse presente éste en el momento de entregarse la notificación, podrá hacerse cargo de la misma cualquier persona mayor de catorce años que se encuentre en el domicilio y haga constar su identidad. Si nadie se hiciera cargo de la notificación, se hará constar esta circunstancia en el expediente, junto con el día y la hora en que se intentó la notificación, intento que se repetirá por una sola vez y en una hora distinta dentro de los tres días siguientes. En caso de que el primer intento de notificación se haya realizado antes de las quince horas, el segundo intento deberá realizarse después de las quince horas y viceversa, dejando en todo caso al menos un margen de diferencia de tres horas entre ambos intentos de notificación. Si el segundo intento también resultara infructuoso, se procederá en la forma prevista en el artículo 44.

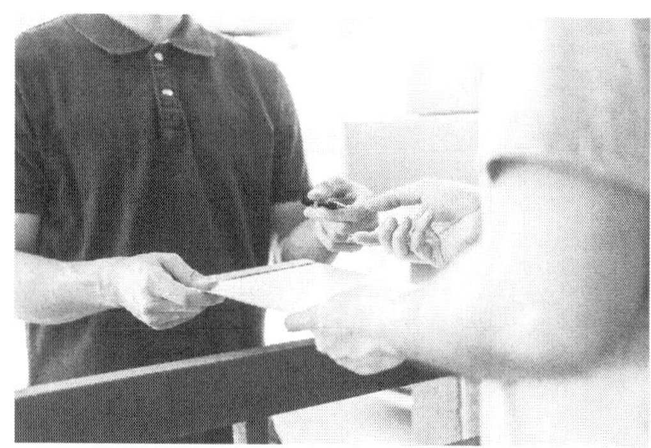

(Este apartado, que difiere favorablemente del antiguo párrafo segundo del apartado 2 del art. 59 de la LRJAP y PAC, además de incorporar lo relativo a la edad de mayor de 14 años, señala cómo ha de efectuarse el segundo intento de notificación y el margen de diferencia entre una y otra notificación. De esta forma, salva la desafortunada interpretación dada por la Sala Tercera del Tribunal Supremo, en Sentencia de 28 de octubre de 2004, que fijó como doctrina legal «*que, a efecto de dar cumplimiento al artículo 59.2 de la Ley 30/1992, de 26 de noviembre, reformada por la Ley 4/1999, de 13 de enero, la expresión en una hora distinta determina la validez de cualquier notificación que guarde una diferencia de al menos sesenta minutos a la hora en que se practicó el primer intento de notificación*»).

3. Cuando el interesado accediera al contenido de la notificación en sede electrónica, se le ofrecerá la posibilidad de que el resto de notificaciones se puedan realizar a través de medios electrónicos.

4.2.7.4. Práctica de las notificaciones a través de medios electrónicos

Según el art. 43:

1. Las notificaciones por medios electrónicos se practicarán mediante comparecencia en la sede electrónica de la Administración u Organismo actuante, a través de la dirección electrónica habilitada única o mediante ambos sistemas, según disponga cada Administración u Organismo.

   A los efectos previstos en este artículo, se entiende por comparecencia en la sede electrónica, el acceso por el interesado o su representante debidamente identificado al contenido de la notificación.

2. Las notificaciones por medios electrónicos se entenderán practicadas en el momento en que se produzca el acceso a su contenido.

   Cuando la notificación por medios electrónicos sea de carácter obligatorio, o haya sido expresamente elegida por el interesado, se entenderá rechazada cuando hayan transcurrido diez días naturales desde la puesta a disposición de la notificación sin que se acceda a su contenido.

3. Se entenderá cumplida la obligación a la que se refiere el artículo 40.4 con la puesta a disposición de la notificación en la sede electrónica de la Administración u Organismo actuante o en la dirección electrónica habilitada única.

4. Los interesados podrán acceder a las notificaciones desde el Punto de Acceso General electrónico de la Administración, que funcionará como un portal de acceso.

4.2.7.5. Notificación infructuosa

El art. 44, sobre la notificación defectuosa, prescribe que, cuando los interesados en un procedimiento sean desconocidos, se ignore el lugar de la notificación o bien, intentada esta, no se hubiese podido practicar, la notificación se hará por medio de un anuncio publicado en el «Boletín Oficial del Estado».

Asimismo, previamente y con carácter facultativo, las Administraciones podrán publicar un anuncio en el boletín oficial de la Comunidad Autónoma o de la Provincia, en el tablón de edictos del Ayuntamiento del último domicilio del interesado o del Consulado o Sección Consular de la Embajada correspondiente.

Las Administraciones Públicas podrán establecer otras formas de notificación complementarias a través de los restantes medios de difusión, que no excluirán la obligación de publicar el correspondiente anuncio en el «Boletín Oficial del Estado».

La Disposición Adicional Tercera de esta LPACAP, sobre esta materia señala que:

1. El «Boletín Oficial del Estado» pondrá a disposición de las diversas Administraciones Públicas, un sistema automatizado de remisión y gestión telemática para la publicación de los anuncios de notificación en el mismo previstos en el artículo

44 de esta Ley y en esta disposición adicional. Dicho sistema, que cumplirá con lo establecido en esta Ley, y su normativa de desarrollo, garantizará la celeridad de la publicación, su correcta y fiel inserción, así como la identificación del órgano remitente.

2. En aquellos procedimientos administrativos que cuenten con normativa específica, de concurrir los supuestos previstos en el artículo 44 de esta Ley, la práctica de la notificación se hará, en todo caso, mediante un anuncio publicado en el «Boletín Oficial del Estado», sin perjuicio de que previamente y con carácter facultativo pueda realizarse en la forma prevista por dicha normativa específica.
3. La publicación en el «Boletín Oficial del Estado» de los anuncios a que se refieren los dos párrafos anteriores se efectuará sin contraprestación económica alguna por parte de quienes la hayan solicitado.

4.2.8. Publicación

El art. 45 se refiere a la publicación, a cuyos efectos dispone que:

1. Los actos administrativos serán objeto de publicación cuando así lo establezcan las normas reguladoras de cada procedimiento o cuando lo aconsejen razones de interés público apreciadas por el órgano competente.

   En todo caso, los actos administrativos serán objeto de publicación, surtiendo ésta los efectos de la notificación, en los siguientes casos:

   a) Cuando el acto tenga por destinatario a una pluralidad indeterminada de personas o cuando la Administración estime que la notificación efectuada a un solo interesado es insuficiente para garantizar la notificación a todos, siendo, en este último caso, adicional a la individualmente realizada.

   b) Cuando se trate de actos integrantes de un procedimiento selectivo o de concurrencia competitiva de cualquier tipo. En este caso, la convocatoria del procedimiento deberá indicar el medio donde se efectuarán las sucesivas publicaciones, careciendo de validez las que se lleven a cabo en lugares distintos.

2. La publicación de un acto deberá contener los mismos elementos que el artículo 40.2 exige respecto de las notificaciones. Será también aplicable a la publicación lo establecido en el apartado 3 del mismo artículo.

   En los supuestos de publicaciones de actos que contengan elementos comunes, podrán publicarse de forma conjunta los aspectos coincidentes, especificándose solamente los aspectos individuales de cada acto.

3. La publicación de los actos se realizará en el diario oficial que corresponda, según cuál sea la Administración de la que proceda el acto a notificar.

4. Sin perjuicio de lo dispuesto en el artículo 44, la publicación de actos y comunicaciones que, por disposición legal o reglamentaria deba practicarse en tablón de anuncios o edictos, se entenderá cumplida por su publicación en el Diario oficial correspondiente.

4.2.9. Indicación de notificaciones y publicaciones

Por último, según el art. 46, si el órgano competente apreciase que la notificación por medio de anuncios o la publicación de un acto lesiona derechos o intereses legítimos, se limitará a publicar en el Diario oficial que corresponda una somera indicación del contenido del acto y del lugar donde los interesados podrán comparecer, en el plazo que se establezca, para conocimiento del contenido íntegro del mencionado acto y constancia de tal conocimiento.

Adicionalmente y de manera facultativa, las Administraciones podrán establecer otras formas de notificación complementarias a través de los restantes medios de difusión que no excluirán la obligación de publicar en el correspondiente Diario oficial.

4.3. Nulidad y anulabilidad

4.3.1. Introducción

El art. 39.1 LPACAP establece, como se expuso, que «*los actos de las Administraciones Públicas sujetos al Derecho Administrativo se presumirán válidos y producirán efectos desde la fecha en que se dicten, salvo que en ellos se disponga otra cosa*», es decir, se parte de una presunción de validez de los actos administrativos, de donde se deriva su ejecutividad y, en su caso, ejecución forzosa.

Esta presunción de legitimidad y validez del acto administrativo es *iuris tantum*, es decir, que admite prueba en contrario a través de la interposición del correspondiente recurso administrativo y, en su caso, contencioso-administrativo por el particular afectado por el acto que entiende ilegal, pudiéndose producir, en los supuestos previstos en los arts. 108 y 117 LPACAP, en materia de revisión de oficio de los actos administrativos y de recursos administrativos, respectivamente, la suspensión de los efectos del acto.

En este contexto, no es infrecuente que el acto administrativo adolezca de vicios o no se ajuste exactamente a lo que el ordenamiento jurídico determina en cada caso, pudiéndonos encontrar ante los siguientes supuestos:

a) La nulidad absoluta o de pleno derecho del acto administrativo.

b) La nulidad relativa o anulabilidad del mismo.

c) La irregularidad del acto.

Junto a ellos, por lo demás, hay Autores que hablan de la inexistencia del acto, cuando carece de los requisitos necesarios para ser considerado como un acto propiamente dicho (GARCÍA DE ENTERRÍA, que cita, a título de ejemplo, un Decreto dictado por un particular o una pena de muerte impuesta por un Alcalde), en cuyo caso carece absolutamente de efectos, pudiendo desconocer el administrado dicho acto, sin que de su pasividad, como indica este Autor, pueda derivársele perjuicio alguno material o jurídico.

4.3.2. Nulidad absoluta o de pleno derecho

Los supuestos de nulidad absoluta, en nuestro Derecho Administrativo, son la excepción (lo que no significa que sean infrecuentes), por cuanto la regla general cuando un acto infringe el ordenamiento jurídico es su nulidad relativa o anulabilidad.

En concreto, los actos nulos de pleno derecho que establece la Ley en este ámbito vienen señalados en el art. 47.1 LPACAP, a cuyo tenor los actos de las Administraciones Públicas son nulos de pleno derecho en los casos siguientes:

a) Los que lesionen los derechos y libertades susceptibles de amparo constitucional (es decir, los recogidos en los arts. 14 a 29 CE, a los que se añade el derecho a la objeción de conciencia, recogido en el art. 30 de la misma, conforme al art. 53,2.º CE).

b) Los dictados por órgano manifiestamente incompetente por razón de la materia o del territorio (es decir, cuando se incurra en incompetencia funcional o territorial, ya que la incompetencia jerárquica se castiga con la anulabilidad, permitiendo la propia LPACAP, como se verá sobre la base de su art. 52, la posibilidad de convalidar el acto, al reputarlo como simplemente anulable).

c) Los que tengan un contenido imposible.

d) Los que sean constitutivos de infracción penal o se dicten como consecuencia de ésta.

e) Los dictados prescindiendo total y absolutamente del procedimiento legalmente establecido o de las normas que contienen las reglas esenciales para la formación de la voluntad de los órganos colegiados.

f) Los actos expresos o presuntos contrarios al ordenamiento jurídico por los que se adquieren facultades o derechos cuando se carezca de los requisitos esenciales para su adquisición.

g) Cualquiera otro que se establezca expresamente en una disposición de rango de Ley.

También serán nulas de pleno derecho –continúa este artículo, en su apartado 2– las disposiciones administrativas que vulneren la Constitución, las leyes u otras disposiciones administrativas de rango superior, las que regulen materias reservadas a la Ley, y las que establezcan la retroactividad de disposiciones sancionadoras no favorables o restrictivas de derechos individuales (el art. 9.3 de la CE, como es conocido, prescribe que «*La Constitución garantiza el principio de legalidad, la jerarquía normativa, la publicidad de las normas, la irretroactividad de las disposiciones sancionadoras no favorables o restrictivas de derechos individuales, la seguridad jurídica, la responsabilidad y la interdicción de la arbitrariedad de los poderes públicos*»).

Finalmente, hay que hacer notar que el art. 47 LPACAP recoge los supuestos típicos de nulidad absoluta, sin que tenga el carácter de exclusivo o único, ya que en otras Leyes o disposiciones administrativas nos encontramos con otros supuestos de nulidad absoluta, por ejemplo en materia de contratación administrativa, cuando la Administración celebra un contrato con una persona que no reúne los requisitos establecidos por la propia LCSP.

4.3.3. Nulidad relativa o anulabilidad

Como se expuso, es la regla general en nuestro Derecho respecto de los actos administrativos que incurren en algún vicio (que no sea motivo de simple irregularidad).

Al respecto, el art. 48.1 LPACAP dispone que «*son anulables los actos de la Administración que incurran en cualquier infracción del ordenamiento jurídico, incluso la desviación de poder*».

Ahora bien, como señala el apartado 2 de este artículo, «*no obstante, el defecto de forma solo determinará la anulabilidad cuando el acto carezca de los requisitos formales indispensables para alcanzar su fin o dé lugar a la indefensión de los interesados*».

El apartado 3 de este art. 48, acto seguido, dispone que «*la realización de actuaciones administrativas fuera del tiempo establecido para ellas solo implicará la anulabilidad del acto cuando así lo imponga la naturaleza del término o plazo*».

En cuanto a la desviación de poder, es definida por el art. 70,2.º LJCA como «*el ejercicio de potestades administrativas para fines distintos de los fijados por el Ordenamiento Jurídico*», es decir, utilizar una vía legal de actuación, pero para una finalidad distinta a aquella para lo que está concebida.

4.3.4. Diferencias entre la nulidad absoluta o de pleno derecho y la nulidad relativa o anulabilidad

La generalidad de la Doctrina y la Jurisprudencia, basándose en la derogada LRJAP y PAC (lo que es trasladable a la LPACAP), han señalado las siguientes:

a) En la nulidad absoluta el vicio que la provoca tiene una trascendencia *erga omnes*, por lo que cualquier persona puede impugnar el acto y los propios Tribunales, aunque no se alegue este vicio, si lo detectan deben declararlo.

   En la anulabilidad, por el contrario, el vicio solo puede ser alegado por los interesados, los que tengan un derecho o interés legítimo y directo en relación con el acto, y, por otra parte, si no se alega por el recurrente, los Tribunales no pueden declararla de oficio.

b) En la nulidad de pleno derecho, la acción para combatir el acto no prescribe, como reconoce una Sentencia de 21 de diciembre de 1990 (Aranzadi de 1991, n.º 1.700), pudiendo, incluso, la Administración en cualquier momento, de oficio o a instancia de parte y previo dictamen favorable del Consejo de Estado, declararla (art. 102 LRJAP y PAC, actual art. 106 LPACAP), sin que pueda convalidar el acto administrativo (art. 67 LRJAP y PAC, actual art. 52 LPACAP).

   En los supuestos de anulabilidad, el interesado ha de presentar contra el acto que entiende ilegal los recursos procedentes en los plazos, realmente cortos, previstos en la Ley, de forma que, si no lo hace, el acto queda firme e inatacable (salvo en los supuestos del recurso de revisión). Por su parte, la Administración, en base al art. 67.1 LRJAP y PAC, actual art. 52.1 LPACAP, puede convalidar el acto, a través de la subsanación de los vicios de que adolezca.

c) Finalmente, en la nulidad absoluta, los efectos de la declaración –por la propia Administración o por la Jurisdicción Contencioso–Administrativa, se retrotraen al momento en que se dictó el acto, es decir, tiene dicha declaración efectos *ex tunc*, mientras que en la anulabilidad, los efectos de la declaración de nulidad del acto se producen *ex nunc*, desde el momento en que se lleva a efecto, manteniéndose, por lo tanto, todos los efectos o consecuencias del acto surgidos desde que se dictó hasta que es objeto de anulación.

4.3.5. Irregularidad

Se produce cuando el acto presenta un vicio que no le hace incurrir en nulidad absoluta ni en anulabilidad.

Ha de tratarse, por lo tanto, de un vicio de carácter secundario que no invalida el acto.

La LPACAP contempla como supuestos de la misma los simples defectos de forma que se produzcan en la emisión del acto, siempre que éste, como consecuencia de los mismos no carezca de los requisitos formales indispensables para alcanzar su fin o no dé lugar a la indefensión de los interesados (art. 48.2), así como las actuaciones administrativas realizadas fuera del tiempo establecido para ellas, respecto de las que el art. 48.3 dispone que «*solo implicará la anulabilidad del acto cuando así lo imponga la naturaleza del término o plazo*».

4.3.6. Conversión de actos viciados

Al igual que respecto a la convalidación y la conservación de actos y trámites, la conversión se aplica a los actos anulables y no a los nulos de pleno derecho, recogiendo estas figuras la LPACAP por el principio favorable que subyace en la misma respecto a la conservación de los actos administrativos, sobre la base de la propia presunción de validez de que parte en el art. 39.1, evitando así una generalizada invalidación de dichos actos.

En concreto, sobre la conversión de actos viciados, dispone el art. 50 LPACAP que los actos nulos o anulables que, sin embargo, contengan los elementos constitutivos de otro distinto producirán los efectos de éste.

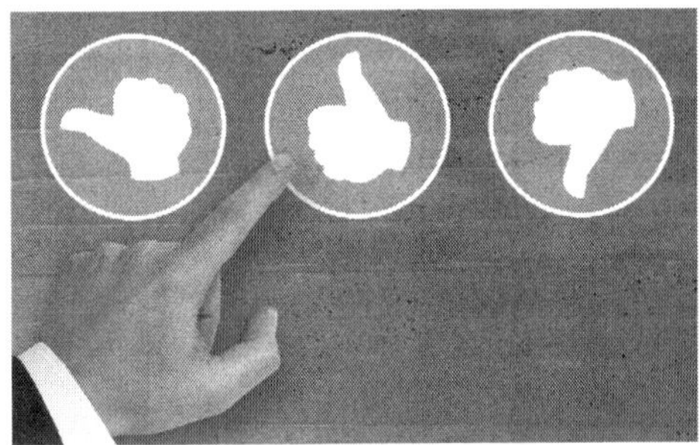

4.3.7. Conservación de actos y trámites

El órgano que declare la nulidad o anule las actuaciones dispondrá siempre la conservación de aquellos actos y trámites cuyo contenido se hubiera mantenido igual de no haberse cometido la infracción (art. 51 LPACAP).

4.3.8. Convalidación

A tenor del art. 52:

1. La Administración podrá convalidar los actos anulables, subsanando los vicios de que adolezcan.
2. El acto de convalidación producirá efecto desde su fecha, salvo lo dispuesto en el artículo 39.3 para la retroactividad de los actos administrativos.
3. Si el vicio consistiera en incompetencia no determinante de nulidad, la convalidación podrá realizarse por el órgano competente cuando sea superior jerárquico del que dictó el acto viciado.
4. Si el vicio consistiese en la falta de alguna autorización, podrá ser convalidado el acto mediante el otorgamiento de la misma por el órgano competente.

Actividad 6

Los actos administrativos dictados prescindiendo total y absolutamente del procedimiento legalmente establecido, serán:

- ☐ a) Nulos de pleno derecho.
- ☐ b) Anulables.
- ☐ c) Irregulares.

Solución a las actividades

Actividad 1.

- ☐ a) Con el que tenga mayor edad de entre los interesados.
- ☐ b) Con el que la Administración establezca.
- ☐ c) Con el que tenga más formación de entre los interesados.
- ☑ d) Con el que figure en primer término.

Actividad 2.

- ☑ a) La Ley 19/2013, de 9 de diciembre.
- ☐ b) La Ley 24/2014, de 5 de enero.
- ☐ c) La Ley 2/2015, de 7 de mayo.
- ☐ d) La Ley 17/2012, de 5 de octubre.

Actividad 3.

El acceso a la información se realizará preferentemente por vía electrónica, salvo cuando no sea posible o el solicitante haya señalado expresamente otro medio. Cuando no pueda darse el acceso en el momento de la notificación de la resolución deberá otorgarse, en cualquier caso, en un plazo no superior a **diez** días.

Actividad 4.

Verdadera.

Actividad 5.

- ☑ a) Se interrumpirá el cómputo del plazo para resolver y notificar la resolución.
- ☐ b) Se producirá la caducidad del procedimiento de forma inmediata.
- ☐ c) No se interrumpirá el cómputo del plazo para resolver.
- ☐ d) Se producirá el archivo de las actuaciones.

Actividad 6.

- ☑ a) Nulos de pleno derecho.
- ☐ b) Anulables.
- ☐ c) Irregulares.

TEMA 4

Ley 1/2016, de 18 de enero, de Transparencia y Buen Gobierno: Título Preliminar, Título I: Capítulos I, II, IV, V y Título II: Secciones 1, 2 y 3 del Capítulo I

¿Conoces tu **curva del recuerdo**? Con Técnicas de Memoria 360 te explicamos cómo organizar los repasos.

Índice

1. Introducción

Los mecanismos de transparencia y de buen gobierno funcionan como contrapesos que garantizan la protección de la ciudadanía frente a hipotéticas arbitrariedades del poder público y el uso indebido del dinero o patrimonio público. Las incompatibilidades de las personas que ejerzan altos cargos, la publicidad de las actividades del Gobierno y el examen ciudadano de toda esta información suponen mecanismos de control y de limitación del poder estatal ante las libertades civiles.

En el ordenamiento jurídico estatal, ya la propia Constitución prevé como una obligación la regulación del acceso ciudadano a determinada información administrativa. Al mismo tiempo, el derecho fundamental a la participación en los asuntos públicos, enunciado en el artículo 23, no ha de entenderse limitado, como decíamos, al derecho de sufragio sino a la capacidad de la ciudadanía de ser un actor fundamental en el seguimiento, control y vigilancia de la actividad de los poderes públicos.

Con esa vocación, las Cortes Generales aprobaron la Ley 19/2013, de 9 de diciembre, de transparencia, acceso a la información pública y buen gobierno. Una norma que es, en su mayor parte, de contenido básico y, en consecuencia, resulta de aplicación a las instituciones autonómicas en el plazo de dos años desde su entrada en vigor, tal y como está indicado en la disposición final novena de dicha norma.

Esa ley establece las obligaciones de difusión de determinada información pública a través de internet, concretando un catálogo mínimo de datos que ofrecer. Por otra parte, regula el derecho de la ciudadanía a solicitar del Gobierno cualquier otra información pública que juzgue oportuna, concretando los límites de ese derecho y estableciendo la posibilidad, en todo caso, de recurso contra las resoluciones denegatorias emitidas por las administraciones.

Finalmente, dicha ley establece unos principios básicos de buen gobierno para los altos cargos de las administraciones públicas estatales, dejando al cargo de cada una de ellas la legislación concreta sobre sus normas de conducta y control de las incompatibilidades.

En el ámbito gallego, la rendición de cuentas había sido ya abordada por dos leyes específicas: por una parte, la Ley 9/1996, de 18 de octubre, de incompatibilidades de los miembros de la Xunta de Galicia y altos cargos de la Administración autonómica y, por otra, la Ley 4/2006, de 30 de junio, de transparencia y de buenas prácticas en la Administración pública gallega (ambas actualmente derogadas por la Ley 1/2016, de 18 de enero, de Transparencia y Buen gobierno).

Ambas normas tienen su núcleo en el deber fundamental, encomendado por el Estatuto de autonomía a los poderes públicos gallegos, de facilitar la participación de todos los gallegos en la vida política, y tienen su sustento legal en el artículo 28.1 del mismo estatuto, que reconoce la competencia de la Comunidad Autónoma gallega para regular el régimen jurídico de la Administración pública de Galicia.

Las dos leyes supusieron importantes avances en el control de la actividad pública en Galicia. La Ley 9/1996 fijó el primer régimen de incompatibilidades de los responsables públicos de Galicia, instaurando las precauciones necesarias para garantizar su objetividad e imparcialidad. La Ley 4/2006, por su parte, introdujo la transparencia como principio rector de la actividad de la Administración autonómica y supuso la concreción legal de prácticas hoy habituales como la publicación de la información sobre los convenios y contratos públicos, las convocatorias de subvenciones y la resolución de estas o la información retributiva de los cargos públicos.

A las obligaciones de transparencia y buen gobierno exigidas por estas leyes se les han ido uniendo, a lo largo de los años, otras obligaciones en leyes sectoriales reguladoras de materias como las subvenciones, la ordenación urbanística, las prestaciones sanitarias, el sistema de archivos, la calidad de los servicios públicos, e incluso en la propia Ley 16/2010, de 17 de diciembre, de organización y funcionamiento de la Administración general y del sector público autonómico de Galicia.

En cualquier caso, la creciente exigencia ciudadana de control público de la actividad de las instituciones, así como la necesidad de adaptar las leyes existentes en Galicia al nuevo marco legal derivado de la aprobación de nueva legislación básica, aconsejan la aprobación de un nuevo texto. Una nueva norma que, además de avanzar en los pasos dados por la legislación previa y superarlos, integre en un mismo texto toda la regulación referida a la rendición de cuentas de los poderes públicos gallegos, tanto en lo que respecta a los datos derivados de su actividad administrativa y gubernamental como en lo referente a los mecanismos de control de las buenas prácticas por parte de las personas que tienen responsabilidades públicas.

Sabías que...

La importancia del control ciudadano sobre la actividad gubernamental en una democracia queda acreditada desde los debates que precedieron a la promulgación de la primera constitución democrática de la historia. En los llamados «papeles federalistas», pensadores como James Madison o Alexander Hamilton introducían los conceptos de «rendición de cuentas» o «controles y contrapesos» como elementos esenciales que se encuentran en la raíz de la democracia.

2. Título Preliminar de la Ley 1/2016, de 18 de enero, de Transparencia y Buen Gobierno

2.1. Objeto

La Ley 1/2016, de 18 de enero, de transparencia y buen gobierno tiene por objeto regular la transparencia y publicidad en la actividad pública, entendiendo esta como la desarrollada con una financiación pública, así como el derecho de la ciudadanía a acceder a la información pública, entendiendo esta otra tal como los contenidos o documentos, cualquiera que sea su formato o soporte, que obren en poder de alguno de los sujetos incluidos en el ámbito de aplicación de la ley 1/2016, de 18 de enero y que hayan sido elaborados o adquiridos en ejercicio de sus funciones así como la producida por las entidades que presten servicios públicos o ejerzan potestades administrativas.

Asimismo, es objeto de la Ley de transparencia y buen gobierno establecer el régimen jurídico de las obligaciones de buen gobierno que han de cumplir el sector público autonómico así como las personas que ocupen altos cargos en el mismo, incluyendo su régimen de incompatibilidades, de conflicto de intereses y de control de sus bienes patrimoniales.

2.2. Principios rectores de la Ley

La interpretación y aplicación de la presente ley se regirán por los siguientes principios:

a) **Principio de transparencia**, por el cual toda la información pública es accesible y relevante, y toda persona tiene acceso libre y gratuito a la misma, exceptuando las únicas salvedades previstas en la ley.

b) **Principio de accesibilidad universal de la información pública**, de modo que tanto la información como los instrumentos y herramientas empleados en su difusión sean comprensibles, utilizables y localizables por todas las personas en condiciones de seguridad y comodidad, así como de la forma más autónoma y natural posible.

c) **Principio de participación ciudadana**, considerando como objetivo final de los mecanismos descritos en la ley la provisión a la ciudadanía de la información necesaria para ejercer su derecho fundamental a la participación en los asuntos públicos.

d) **Principio de veracidad**, en virtud del cual la información pública será cierta y exacta, garantizando que procede de documentos con respecto a los cuales se ha verificado su autenticidad, fiabilidad, integridad, disponibilidad y cadena de custodia.

e) **Principio de responsabilidad**, que supone que las entidades sujetas a lo dispuesto en la presente ley son responsables del cumplimiento de sus prescripciones.

f) **Principio de no discriminación tecnológica ni lingüística**, que supone que las entidades sujetas al ámbito de aplicación de la presente ley arbitrarán los medios necesarios para poner a disposición de la ciudadanía la información pública en la lengua y a través del medio de acceso que la ciudadanía elija.

g) **Principio de reutilización de la información**, facilitando la difusión de la misma en formatos abiertos para que la ciudadanía pueda aprovechar, para sus actividades, los documentos y datos publicados.

h) **Principios de integridad**, honestidad, imparcialidad, objetividad y respeto al marco jurídico y a la ciudadanía en lo relativo a la actuación de las personas que ocupen altos cargos.

Actividad 1

¿Qué principio rector de la Ley 1/2016, de 18 de enero, de transparencia y buen gobierno, dispone que las entidades sujetas al ámbito de aplicación de la misma, arbitrarán los medios necesarios para poner a disposición de la ciudadanía la información pública en la lengua y a través del medio de acceso que la ciudadanía elija?

- ☐ a) El principio de integridad.
- ☐ b) El principio de reutilización de la información.
- ☐ c) El principio de no discriminación tecnológica ni lingüística.
- ☐ d) El principio de responsabilidad.

3. Transparencia de la actividad pública (Título I)

3.1. Ámbito subjetivo de aplicación (Capítulo I)

3.1.1. Ámbito subjetivo

Las disposiciones de este título serán de aplicación:

a) Al sector público autonómico, integrado, de acuerdo con la Ley 16/2010, de 17 de diciembre, de organización y funcionamiento de la Administración general y del sector público autonómico de Galicia, por la Administración general de la Comunidad Autónoma de Galicia y las entidades instrumentales de su sector público.

b) A las universidades del Sistema universitario de Galicia y a las entidades vinculadas o dependientes de las mismas.

c) A las corporaciones de derecho público que desarrollen su actividad exclusivamente en el ámbito territorial de la Comunidad Autónoma de Galicia, en lo relativo a sus actividades sujetas a derecho administrativo.

d) Al Parlamento de Galicia, Consejo Consultivo, Valedor del Pueblo, Consejo de Cuentas, Consejo Económico y Social, Consejo Gallego de Relaciones Laborales y Consejo de la Cultura Gallega en relación con sus actividades sujetas a derecho administrativo y, en todo caso, respecto de sus actos en materia de personal y contratación.

e) A todos los demás entes, organismos o entidades con personalidad jurídica propia distinta de los expresados en los apartados anteriores, que hayan sido creados específicamente para satisfacer necesidades de interés general que no tengan carácter industrial o mercantil, siempre que uno o varios sujetos de los indicados en los apartados anteriores financien mayoritariamente su actividad, controlen su gestión o nombren a más de la mitad de los miembros de su órgano de administración, dirección o vigilancia.

f) A las asociaciones constituidas por los entes, organismos o entidades anteriores.

Los partidos políticos, organizaciones sindicales, organizaciones empresariales y entidades privadas perceptoras de fondos públicos a que se refiere el artículo 3 de la Ley 19/2013, de 9 de diciembre, de transparencia, acceso a la información pública y buen gobierno, cuando recibieran fondos del sector público autonómico, darán cumplimiento a sus obligaciones de publicidad en el Portal de transparencia y Gobierno abierto.

En lo concerniente a las obligaciones de suministro de información, la Ley 1/2016, de 18 de enero, será de aplicación a cualquier entidad privada que reciba o gestione fondos públicos o cuya actividad tenga interés público o repercusión social en los términos previstos en el apartado siguiente.

Sabías que...

Los países con mayores niveles en materia de transparencia y normas de buen gobierno cuentan con instituciones más fuertes, que favorecen el crecimiento económico y el desarrollo social. En estos países, los ciudadanos pueden juzgar mejor y con más criterio la capacidad de sus responsables públicos y decidir en consecuencia.

3.1.2. Obligación de suministro de información

Todas las personas físicas o jurídicas distintas de las indicadas en el apartado anterior, que presten servicios públicos o ejerzan potestades administrativas, estarán obligadas a suministrar a la Administración, al organismo o a la entidad de las previstas en el párrafo primero del apartado anterior a que se hallen vinculadas, previo requerimiento, toda la información necesaria para el cumplimiento por aquella de las obligaciones previstas en el título I de la ley objeto de estudio.

Esta obligación de suministrar información se extenderá a:

a) Todas las personas físicas o jurídicas adjudicatarias de contratos.

b) Todas las personas físicas o jurídicas beneficiarias de subvenciones.

Para garantizar el cumplimiento de lo previsto en este y en el apartado anterior, las bases reguladoras de las subvenciones, así como la documentación contractual o los negocios jurídicos que instrumenten la prestación de los servicios públicos o el ejercicio de potestades públicas, recogerán expresamente esta obligación de suministro de información y las consecuencias de su incumplimiento.

Reglamentariamente se determinará el procedimiento que es necesario seguir para el cumplimiento de esta obligación, así como las multas coercitivas aplicables en los supuestos en que el requerimiento de información no sea atendido en plazo. La multa de 100 a 1.000 euros será reiterada por periodos mensuales hasta el cumplimiento. El total de la multa no podrá exceder del 5 % del importe del contrato, subvención o instrumento administrativo que habilite para el ejercicio de las funciones públicas o la prestación de los servicios. En el supuesto de que en dicho instrumento no figurase una cuantía concreta, la multa no excederá de 3.000 euros. Para la determinación del importe se atenderá a la gravedad del incumplimiento y al principio de proporcionalidad.

3.1.3. Fomento de la cultura de la transparencia

La Xunta de Galicia promoverá la cultura de la transparencia entre la ciudadanía con cursos, conferencias y cuantos otros medios estime oportunos para fomentar y divulgar los medios disponibles y animar al ejercicio del derecho de acceso a la información por parte de los ciudadanos.

Con ese mismo fin, la Xunta de Galicia hará público anualmente en el Portal de transparencia y Gobierno abierto un informe aprobado por la Comisión Interdepartamental de Información y Evaluación, en el cual se analizarán y expondrán, como mínimo, los aspectos siguientes:

a) Las estadísticas relativas al derecho de acceso a la información pública, con la inclusión del número de solicitudes presentadas y de los porcentajes de los distintos tipos de resolución a que dieron lugar.

b) Los datos sobre la información más consultada en el Portal de transparencia y Gobierno abierto, y sobre la más solicitada a través del ejercicio del derecho de acceso.

3.2. Publicidad activa (Capítulo II)

3.2.1. Principios generales

Se entiende por publicidad activa el compromiso de los sujetos comprendidos en el apartado 3.1.1 de publicar a iniciativa propia y de forma periódica, actualizada, clara, veraz, objetiva y fácilmente accesible toda aquella información relevante relativa a su

funcionamiento, como medio para fomentar el ejercicio por parte de la ciudadanía de su derecho fundamental a la participación y al control sobre los asuntos públicos.

Las obligaciones de publicidad activa contenidas en este capítulo se entienden complementarias de las contempladas en la normativa básica y sin perjuicio de la aplicación de otras disposiciones específicas que prevean un régimen más amplio en materia de publicidad.

Serán de aplicación, en todo caso, los límites al derecho de acceso a la información pública previstos en la normativa básica, así como los derivados de la normativa en materia de protección de datos personales. De este modo, cuando la información objeto de este capítulo contenga datos especialmente protegidos, su publicidad solo se llevará a cabo previa disociación de los mismos.

La información sujeta a las obligaciones de publicidad activa será publicada en las correspondientes sedes electrónicas o páginas web de un modo claro, estructurado, conciso y entendible para las personas interesadas y, preferiblemente, en formatos reutilizables. Se establecerán los mecanismos adecuados para facilitar la accesibilidad, interoperabilidad, calidad y reutilización de la información publicada, así como su identificación y localización.

Toda la información será comprensible, de acceso fácil y gratuito y estará a disposición de las personas con discapacidad en una modalidad suministrada por medios o en formatos adecuados de manera que resulten accesibles y comprensibles, conforme al principio de accesibilidad universal y diseño para todos y todas.

3.2.2. Obligaciones específicas de información institucional, organizativa y de planificación

Además de la información que debe hacerse pública según la normativa básica en materia de transparencia, los sujetos citados en el apartado 3.1.1 también publicarán:

a) La relación de órganos colegiados adscritos, su composición y las normas por las que se rigen.

b) Las competencias de los distintos órganos y entidades, así como los traspasos de funciones y servicios asumidos.

c) Las delegaciones de competencias vigentes.

d) La localización de las unidades administrativas, medios de contacto y horario de atención al público.

e) Los códigos éticos o de buen gobierno aprobados, así como los estándares de buenas prácticas y responsabilidad social que aplica.

f) El contenido del Registro de Entidades del Sector Público de la Comunidad Autónoma de Galicia.

g) Los planes de actuación y contratos de gestión de las entidades del sector público de la Comunidad Autónoma de Galicia.

h) El plan estratégico o de gobierno.

i) Las agendas de la actividad institucional pública de los miembros de la Xunta de Galicia y de las personas que ocupen altos cargos, que se mantendrán públicas, como mínimo, durante un año.

3.2.3. Obligaciones específicas de información sobre las relaciones con la ciudadanía

Los sujetos citados en el apartado 3.1.1 facilitarán información sobre:

a) La relación de procedimientos y servicios a disposición de la ciudadanía.

b) El régimen jurídico de los distintos servicios públicos.

c) Los requisitos y condiciones de acceso a los servicios públicos.

d) Las cartas de servicios aprobadas.

e) Los resultados de las evaluaciones de calidad efectuadas.

3.2.4. Obligaciones específicas de información de relevancia jurídica

Además de la información que debe hacerse pública según la normativa básica en materia de transparencia, los sujetos citados en el apartado 3.1.1.a), en el ámbito de sus competencias, también publicarán:

a) La relación de la normativa vigente en su versión consolidada.

b) Los textos de las resoluciones judiciales firmes que afecten a la vigencia o interpretación de las normas dictadas por la Administración pública competente.

c) La relación circunstanciada y motivada de los procedimientos de elaboración de anteproyectos de ley y de disposiciones administrativas de carácter general que estén en tramitación, a partir del momento en el que se produzca la aprobación del anteproyecto, indicando su objeto y estado de tramitación, así como la posibilidad que tienen las personas de remitir sugerencias y la forma de hacerlo.

3.2.5. Obligaciones específicas de información en materia de personal

Además de la información que debe hacerse pública según la normativa básica en materia de transparencia, los sujetos citados en el apartado 3.1.1, en el ámbito de sus competencias, también publicarán:

a) Las relaciones de puestos de trabajo, plantillas y demás instrumentos de ordenación de personal de los ámbitos de función pública, sanitario y docente.

b) Los efectivos de personal funcionario, laboral, sanitario y docente, así como la información sobre los efectivos de personal eventual en los términos previstos en el artículo 32 de la Ley 2/2015, de 29 de abril, del empleo público de Galicia.

c) Los permisos para la realización de funciones sindicales, liberados y liberadas sindicales tanto de carácter institucional como las dispensas sindicales, distribuidos según relación nominal de personas y organizaciones sindicales a las que están vinculados, así como todos los costes que estas originan.

   Crédito horario total que tiene cada organización sindical y su distribución según relación nominal de personas, así como todos los costes que estas originan.

d) Los importes de las retribuciones máximas autorizadas al personal regulado en el artículo 53 bis de la Ley 16/2010, de 17 de diciembre, de organización y funcionamiento de la Administración general y del sector público autonómico de Galicia, y las retribuciones que efectivamente perciben por todos los conceptos.

e) El perfil biográfico y la trayectoria profesional de los altos cargos.

f) Las cuantías de las retribuciones que resulten de aplicación al personal funcionario, estatutario y laboral, y las condiciones para su devengo.

g) Las cuantías globales de las indemnizaciones por razón del servicio que resulten de aplicación al personal empleado público.

h) Las ofertas públicas de empleo o instrumento similar de gestión de la provisión de las necesidades de personal.

   Las convocatorias de procesos selectivos para el ingreso en cuerpos, escalas o categorías de personal empleado público y los miembros de los órganos designados para calificarlos.

   Las convocatorias de procesos de provisión definitiva de puestos de trabajo.

   Las convocatorias de procesos de provisión transitoria de puestos de trabajo y, en su caso, la relación actualizada de personas que integran las listas de selección de personal interino o temporal, por orden de prelación.

i) La relación de contratos de alta dirección, con indicación de las retribuciones anuales y las indemnizaciones previstas al final del contrato.

j) Las declaraciones de actividades y de bienes patrimoniales de los altos cargos en los términos previstos en el título II de la ley objeto de estudio en este tema.

k) Los acuerdos o pactos reguladores de las condiciones de trabajo o de las retribuciones e incentivos, así como los convenios colectivos vigentes.

l) Las retribuciones de los altos cargos previstos en el artículo 37 de esta misma ley.

m) La información sobre los viajes de los altos cargos, indicando los objetivos, suministrada periódicamente al Parlamento de Galicia.

n) Las resoluciones de autorización del ejercicio de actividad privada previo cese de los altos cargos.

3.2.6. Obligaciones específicas de información económica, presupuestaria y estadística

Además de la información que debe hacerse pública según la normativa básica en materia de transparencia, los sujetos citados en el apartado 3.1.1, en relación con su actividad económico-financiera, también publicarán:

a) La información básica sobre la financiación, con indicación de los diferentes instrumentos.

b) El techo de gasto no financiero aprobado para cada ejercicio.

c) Los planes económico-financieros aprobados para el cumplimiento de los objetivos de estabilidad presupuestaria y sostenibilidad financiera, así como información sobre el cumplimiento de los objetivos de estabilidad presupuestaria y estabilidad financiera.

d) La situación déficit/superávit público sobre producto interior bruto y por habitante.

e) La deuda pública de la Administración, con indicación de su evolución, el endeudamiento por habitante, el endeudamiento relativo y el porcentaje del endeudamiento sobre el producto interior bruto.

f) El periodo medio de pago a proveedores.

g) El gasto por habitante y la inversión por habitante y territorializado.

h) Las estadísticas en materia tributaria, conforme a parámetros geográficos, poblacionales o económicos.

i) Cualesquiera otras informaciones económicas y estadísticas de elaboración propia cuya difusión sea más relevante para el conocimiento general, facilitando las fuentes, notas metodológicas y modelos utilizados.

En particular, la Xunta de Galicia hará pública toda la información complementaria sobre sus presupuestos que sea remitida al Parlamento a lo largo del ejercicio, incluyendo una actualización trimestral en función de la ejecución presupuestaria, así como la liquidación anual.

3.2.7. Obligaciones específicas de información patrimonial

Además de la información que debe hacerse pública según la normativa básica en materia de transparencia, los sujetos citados en el apartado 3.1.1.a) también harán público:

a) La relación de bienes de interés cultural.

b) El número de vehículos de los que es titular o arrendatario.

3.2.8. Obligaciones específicas en materia de contratación pública

Los sujetos citados en el apartado 3.1.1.a), b) y d), sin perjuicio de la información que debe publicarse según la normativa básica en materia de transparencia respecto a las licitaciones que hayan de adjudicarse por los procedimientos abierto, restringido, negociado con publicidad y diálogo competitivo, así como en los concursos de proyectos, publicarán la siguiente información:

a) El objeto, duración y valor estimado del contrato.

b) El procedimiento de adjudicación.

c) Los pliegos, documentos descriptivos y toda la documentación de interés para la licitación, incluyendo las respuestas a las aclaraciones.

d) En el caso de contratación de medios y prestaciones incluidos en los catálogos de autoprovisión regulados en el artículo 8 de la Ley 14/2013, de 26 de diciembre, de racionalización del sector público autonómico, el informe que, de acuerdo con lo dispuesto en dicha ley, justifique la imposibilidad de hacer uso de la autoprovisión.

e) En su caso, la composición de las mesas de contratación, del comité de personas expertas y/o de los organismos técnicos especializados que deban intervenir en el proceso de adjudicación.

f) Los anuncios publicados en los diarios oficiales y en la web del perfil de contratante (texto y fecha de publicación).

g) El lugar de presentación de ofertas y la fecha y la hora límite de presentación.

h) En su caso, el lugar, fecha y hora del acto público de apertura de ofertas.

i) El número de los licitadores, con identificación de los admitidos, excluidos y, en su caso, de los seleccionados.

j) La valoración de las ofertas de acuerdo con los criterios de valoración, con las limitaciones impuestas por la excepción de confidencialidad prevista en el artículo 153 del Texto refundido de la Ley de contratos del sector público.

k) La adjudicación del contrato.

l) La formalización del contrato.

m) Las modificaciones del contrato aprobadas.

n) Las decisiones de desistimiento y renuncia a los contratos.

ñ) La cesión de contratos o subcontrataciones.

La información relativa a todos los contratos menores, con indicación del objeto, duración, importe de licitación y adjudicación, número de licitadores participantes e identidad del adjudicatario se publicarán, al menos trimestralmente, en el portal web de transparencia.

También serán objeto de publicación los acuerdos y criterios interpretativos de los órganos consultivos en materia de contratación.

3.2.9. Obligaciones de información sobre concesión de servicios públicos

Sin perjuicio de lo dispuesto en el apartado anterior, en relación con las concesiones de servicios públicos los sujetos citados en el apartado 3.1.1.a), b) y d) deberán publicar:

a) El servicio público objeto de la concesión administrativa.

b) La identificación del concesionario.

c) Los pliegos de cláusulas administrativas y de prescripciones técnicas que rijan dicha concesión.

d) Los estándares mínimos de calidad del servicio público.

e) La identificación de la persona responsable del contrato.

f) Las direcciones electrónicas a las que pueden dirigirse las reclamaciones de responsabilidad patrimonial y las quejas en los términos en los que se determine reglamentariamente.

g) El personal adscrito a la prestación del servicio, expresando la categoría y titulación.

3.2.10. Obligaciones específicas de información sobre convenios

La Xunta de Galicia, a través de la consejería competente en materia de administraciones públicas, mantendrá un registro de convenios público y accesible en el que los sujetos citados en el apartado 3.1.1.a) harán pública la información prevista en la normativa básica en materia de transparencia.

Además de la información que debe hacerse pública según la normativa básica en materia de transparencia, cada consejería o entidad habrá de remitir para su publicación en el Diario Oficial de Galicia, dentro de los primeros veinte días de los meses de enero, mayo y septiembre de cada año, una relación de los convenios suscritos referida al cuatrimestre anterior. Además del texto del convenio, deberá hacerse pública la correspondiente memoria en la que se justifique la utilización de esta figura.

Cuando dichos convenios impliquen obligaciones económicas para la Hacienda autonómica o para las entidades públicas instrumentales integrantes del sector público autonómico de Galicia, se señalará con claridad el importe de las mismas, el objeto del convenio y la persona o entidad destinataria.

Recuerda que...

Cada consejería o entidad habrá de remitir para su publicación en el Diario Oficial de Galicia, dentro de los primeros veinte días de los meses de enero, mayo y septiembre de cada año, una relación de los convenios suscritos referida al cuatrimestre anterior.

3.2.11. Obligaciones de información sobre encomiendas de gestión y encargos a medios propios

Los sujetos citados en el apartado 3.1.1.a), además de la información que debe hacerse pública según la normativa básica en materia de transparencia, también indicarán anualmente, en el caso de las encomiendas de gestión y encargos a medios propios, el porcentaje de actividad realizada por el medio propio a favor de los entes de control.

3.2.12. Información específica sobre subvenciones

Además de la información que debe hacerse pública según la normativa básica en materia de transparencia, los sujetos citados en el apartado 3.1.1.a), b) y d) publicarán:

a) El texto íntegro de la convocatoria de las ayudas o subvenciones.

b) Las concesiones de dichas ayudas o subvenciones.

Se entienden incluidas a efectos de lo establecido en el párrafo anterior:

a) Cualquier otro acuerdo o resolución del que resulte un efecto equivalente a la obtención de ayudas directas por parte del beneficiario o beneficiaria.

b) Las aportaciones monetarias realizadas por la Comunidad Autónoma a favor de las entidades locales, siempre que no estén destinadas a financiar globalmente la actividad de cada ente.

Pueden ser excluidos de la publicación:

a) Aquellos supuestos en los que la publicación de los datos de la persona beneficiaria, en razón al objeto de la ayuda, sea contraria al respeto y a la salvaguarda del honor y de la intimidad personal y familiar de las personas físicas, en virtud de lo establecido en la Ley orgánica 1/1982, de 5 de mayo, de protección civil del derecho al honor, a la intimidad personal y familiar y a la propia imagen.

b) Aquellos datos que estén protegidos por el secreto comercial o industrial, previo informe debidamente motivado.

c) Con carácter general, aquellos supuestos o aquellos datos en los que así lo exijan o aconsejen razones prevalentes por la existencia de un interés público más digno de protección, el cual, en todo caso, deberá ser motivado expresamente.

3.2.13. Información sobre ordenación del territorio y medio ambiente

Los instrumentos de ordenación del territorio y los planes urbanísticos, así como sus correspondientes modificaciones y revisiones, deberán ser objeto de publicidad, difundiendo, como mínimo, la siguiente información:

a) La estructura general de cada municipio.

b) La clasificación y calificación del suelo.

c) La ordenación prevista para el suelo, con el grado de detalle adecuado.

d) La normativa urbanística.

e) Todas las resoluciones e informes que en el ejercicio de sus potestades y competencias emitan la Xunta de Galicia y los órganos que, en su caso, ejercen competencias sobre urbanismo.

Igualmente, serán objeto de publicación:

a) La información geográfica de elaboración propia cuya difusión sea más relevante para el conocimiento general, facilitando las fuentes, notas metodológicas y modelos utilizados.

b) La información medioambiental que debe hacerse pública de conformidad con la normativa vigente, incluyendo, en todo caso, la relativa a la calidad de las aguas continentales y marinas, y la de emisiones de gases de efecto invernadero.

c) La información relativa a los convenios urbanísticos que se suscriban, con mención de los terrenos afectados, de las personas titulares de dichos terrenos, del objeto del convenio y de las contraprestaciones que se establezcan en el mismo.

3.2.14. Información específica sobre las relaciones de la Xunta con el Parlamento de Galicia

La Xunta de Galicia publicará en el Portal de transparencia y Gobierno abierto la relación de los acuerdos aprobados en el Parlamento de Galicia que afecten a sus competencias, detallando la fecha de aprobación y el organismo competente para su cumplimiento. A su vez, publicará aquellos acuerdos que la insten a dirigirse a otras entidades.

A finales de cada año, la Xunta de Galicia elaborará y publicará en el Portal de transparencia y Gobierno abierto un informe respecto al grado de cumplimiento de los acuerdos aprobados por el Parlamento en ese año.

Actividad 2

Indica si la siguiente cuestión es verdadera o falsa:

Al final de cada legislatura, la Xunta de Galicia elaborará y publicará en el Portal de Transparencia y Gobierno abierto un informe respecto al grado de cumplimiento de los acuerdos aprobados por el Parlamento en los últimos cuatro años.

Verdadera ☐ Falsa ☐

3.2.15. Ampliación de las obligaciones de publicidad activa

Los sujetos incluidos en el ámbito de aplicación de la ley objeto de estudio fomentarán la difusión de cualquier otra información pública que se considere de interés para la ciudadanía.

Recuerda que...

La Xunta de Galicia, a finales de cada año, elaborará y publicará en el Portal de Transparencia y Gobierno abierto un informe respecto al grado de cumplimiento de los acuerdos aprobados por el Parlamento en ese año.

3.3. Derecho de acceso a la información pública (Capítulo IV)

3.3.1. Normas generales (Sección 1ª)

3.3.1.1. El derecho de acceso a la información pública

Todas las personas tienen derecho a acceder a la información pública en los términos previstos en la normativa básica en materia de transparencia.

Se entiende por información pública los contenidos o documentos, cualquiera que sea su formato o soporte, que obren en poder de alguno de los sujetos incluidos en el ámbito de aplicación de la ley de transparencia y buen gobierno y que hayan sido elaborados o adquiridos en ejercicio de sus funciones.

Asimismo, se considera información pública la producida por las entidades que presten servicios públicos o ejerzan potestades administrativas, en los términos contemplados en el apartado 3.1.2.

En el ejercicio de su derecho al acceso a la información pública se garantizará a la ciudadanía:

a) La posibilidad de utilización de la información obtenida sin necesidad de autorización previa y sin más limitaciones que las derivadas de la Ley 1/2016 de 18 de enero u otras leyes.

b) La recepción de la información pública en formato electrónico o en papel, según haya indicado la persona solicitante.

c) La recepción de la información pública en la lengua oficial de Galicia en la que la solicite.

d) El conocimiento de las tasas y precios que, en su caso, sean exigibles para la obtención de copias o para la transposición de la información a formatos diferentes del original.

e) La realización de propuestas y sugerencias tanto sobre la información demandada como sobre los formatos, programas o lenguajes informáticos empleados.

Cuando el derecho de acceso a la información pública sea ejercido por un diputado o diputada del Parlamento de Galicia en su condición de tal, y sin perjuicio de lo establecido en el párrafo anterior, se regirá por su normativa específica.

3.3.1.2. Limitaciones del derecho de acceso a la información pública

El derecho de acceso a la información pública solo podrá ser limitado o denegado en los supuestos previstos en la normativa básica.

En aquellos casos en que la aplicación de alguna limitación no afecte a la totalidad de la información, y siempre que sea posible, se concederá el acceso parcial, omitiendo la información afectada por la limitación, excepto que la información resultante sea equívoca o carente de sentido.

Las limitaciones deberán ser proporcionadas atendiendo a su objeto y finalidad de protección. En todo caso, habrán de interpretarse de manera restrictiva y justificada, y se aplicarán a menos que un interés público o privado superior justifique la divulgación de la información.

Las limitaciones al derecho de acceso solo serán de aplicación durante el periodo de tiempo determinado por las leyes o mientras se mantenga la razón que las justifique.

3.3.2. Ejercicio del derecho de acceso a la información pública (Sección 2ª)

3.3.2.1. Solicitud de acceso a la información

El procedimiento para el ejercicio del derecho de acceso se iniciará con la presentación de la correspondiente solicitud, que deberá dirigirse a la persona titular del órgano administrativo o entidad que posea la información. Cuando se trate de información en

posesión de personas físicas o jurídicas que presten servicios públicos o ejerzan potestades administrativas, la solicitud se dirigirá a la Administración, organismo o entidad de las previstas en el apartado 3.1.1 a los que se hallen vinculadas.

La persona solicitante tiene derecho a recibir orientación y asesoramiento para el ejercicio de este derecho a través del Sistema integrado de atención a la ciudadanía regulado en la Ley de garantía de la calidad de los servicios públicos y de la buena administración.

Para fomentar la presentación de las solicitudes por vía electrónica, la Administración ofrecerá a la ciudadanía, a través del Portal de transparencia y Gobierno abierto de Galicia, modelos normalizados de solicitud y la posibilidad de envío a la Administración pública requerida, sin perjuicio de las posibilidades que cada una de ellas pueda ofrecer en su página web propia.

La persona solicitante no está obligada a motivar su solicitud de acceso a la información. Sin embargo, podrá exponer los motivos por los que solicita la información y que podrán ser tenidos en cuenta cuando se dicte la resolución. No obstante, la ausencia de motivación no será por sí sola causa de rechazo de la solicitud.

3.3.2.2. Tramitación y resolución de las solicitudes de acceso

La tramitación de las solicitudes de acceso se efectuará conforme a lo previsto en la normativa básica en materia de transparencia.

Cuando las solicitudes se refieran a información que afecte a derechos e intereses de terceros, el órgano encargado de resolver les concederá un plazo de quince días para que puedan formular alegaciones.

El traslado de la solicitud a la persona afectada producirá la suspensión del plazo para resolver hasta que se reciban las alegaciones o transcurra el plazo concedido para su presentación.

En el ámbito del sector público autonómico, la competencia para la resolución de las solicitudes de acceso corresponderá a la persona titular de la secretaría general, la secretaría general técnica, la dirección general o la delegación territorial en el caso de la Administración general de la Comunidad Autónoma, y a la persona titular de los órganos de gobierno o ejecutivos de las entidades instrumentales del sector público que posean la información.

La resolución en la que se conceda o deniegue el acceso deberá notificarse, a la persona solicitante y a los terceros afectados que así lo hubiesen solicitado, lo antes posible y, como más tarde, en el plazo máximo de un mes desde la recepción de la solicitud por el órgano competente para resolver.

Transcurrido el plazo para resolver sin que se haya dictado y notificado resolución expresa, se entenderá que la solicitud ha sido desestimada.

3.3.2.3. Reclamaciones frente a las resoluciones en materia de acceso a la información pública

Contra toda resolución expresa o presunta en materia de acceso podrá interponerse una reclamación ante el Valedor del Pueblo, salvo en aquellas dictadas por los sujetos previstos en el apartado 3.1.1.d), contra las que, conforme a lo previsto en la normativa básica, solo cabrá la interposición de recurso contencioso-administrativo.

La reclamación ante el órgano independiente de control tendrá la consideración de sustitutiva de los recursos administrativos, así como un carácter potestativo y previo a la impugnación en vía contencioso-administrativa.

Su procedimiento se ajustará a lo previsto en los apartados 2, 3 y 4 del artículo 24 de la Ley 19/2013, de 9 de diciembre, de transparencia, acceso a la información pública y buen gobierno, para las reclamaciones ante el Consejo de Transparencia y Buen Gobierno.

Una vez notificadas las personas interesadas, y previa disociación de los datos de carácter personal que contuviesen, las resoluciones del Valedor del Pueblo por las que se resuelven las reclamaciones de acceso a la información pública se publicarán en el Portal de transparencia y Gobierno abierto y deberán ser tenidas en cuenta por parte de los sujetos que hayan dictado las resoluciones objeto de reclamación.

3.4. Mecanismos de coordinación y control (Capítulo V)

3.4.1. Portal de transparencia y Gobierno abierto

La Xunta de Galicia, a través de la consejería competente en materia de evaluación y reforma administrativa, en coordinación con el órgano o entidad con competencias horizontales en materia de Administración electrónica, desarrollará el Portal de transparencia y Gobierno abierto, configurado como punto de acceso electrónico para poner a disposición de la ciudadanía, a través de internet, la información que deba hacerse pública de acuerdo con la normativa básica de aplicación y con la ley 1/2016, de 18 de enero.

A los mencionados efectos, las consejerías y entidades del sector público autonómico, a través de las unidades responsables, deberán comunicar aquella información al órgano competente para el cumplimiento de sus obligaciones de publicidad, pudiéndose articular la interconexión directa de los datos.

El acceso de la ciudadanía a la información del Portal de transparencia y Gobierno abierto será gratuito y respetará los principios de accesibilidad, interoperabilidad y reutilización. La información estará disponible en gallego y castellano.

El Portal de transparencia y Gobierno abierto incorporará, en los términos que se establezcan reglamentariamente, otra información de la Administración general y del sector público autonómico de Galicia cuyo acceso se solicite con mayor frecuencia, así como permitirá la interconexión con otras direcciones electrónicas de la Red de portales de la Administración general y del sector público autonómico, integrada por los portales web y servicios web sociales y participativos cuya titularidad, gestión y administración corresponden a los órganos o unidades de la Administración general y del sector público autonómico de Galicia en el ejercicio de sus competencias.

Los instrumentos de ordenación de la información del Portal de transparencia y Gobierno abierto, las prescripciones técnicas y las unidades encargadas de su organización y gestión, que se determinarán reglamentariamente, garantizarán que la información disponible esté actualizada y que sea accesible y comprensible, y velarán por la accesibilidad universal en los términos previstos en la Ley 10/2014, de 3 de diciembre, de accesibilidad.

El Portal de transparencia y Gobierno abierto estará sometido a las normas generales que rijan la presencia de la Administración autonómica y de su sector público en internet.

Reglamentariamente se determinarán las medidas complementarias y los instrumentos de colaboración con las otras administraciones y entidades incluidas en el ámbito de aplicación de la presente ley, a fin de promover la interoperabilidad con las direcciones electrónicas que en ellas se establezcan para el cumplimiento de las obligaciones de transparencia y publicidad activa y para facilitar que las entidades sin ánimo de lucro y corporaciones de derecho público afectadas puedan cumplir con las obligaciones de publicidad activa a través del Portal de transparencia y Gobierno abierto.

El Portal de transparencia y Gobierno abierto deberá disponer de un sistema de suscripciones que permita a la ciudadanía recibir de forma automática por medios electrónicos un aviso de la incorporación al portal de nueva información relativa a aquellos ámbitos, sean temáticos o sean organizativos, de los cuales haya solicitado ser informada.

Actividad 3

Rellena los huecos con las palabras que faltan:

El acceso de la ciudadanía a la información del Portal de Transparencia y Gobierno abierto será gratuito y respetará los principios de __________, __________ y __________.

3.4.2. Órganos, servicios o unidades administrativas responsables de la transparencia

En los sujetos incluidos en el ámbito de aplicación de este título, los órganos, servicios o unidades administrativas responsables de la transparencia distintos de los establecidos en el siguiente párrafo serán designados por el órgano competente que establezca su normativa reguladora.

En el ámbito del sector público autonómico, los órganos, servicios o unidades administrativas responsables de la transparencia dependerán, en el caso de la Administración general de la Comunidad Autónoma, de la Secretaría General de la Presidencia y de la secretaría general técnica de cada consejería o de los órganos de gobierno o ejecutivos equivalentes de las entidades instrumentales del sector público autonómico.

Los órganos, servicios o unidades administrativas a los que se refiere el apartado anterior, en su respectivo ámbito de actuación, ejercerán las siguientes funciones:

a) Solicitar la información exigida por el capítulo II de este título en materia de su competencia y difundirla mediante su publicación en el Portal de transparencia y Gobierno abierto.

b) Recibir y tramitar las solicitudes de acceso a la información pública reguladas en el capítulo IV de este título.

c) Llevar un registro de las solicitudes de acceso a la información.

d) Realizar el seguimiento y control de la correcta tramitación de las solicitudes de acceso a la información pública y, en su caso, de las reclamaciones y recursos que se interpongan.

e) Las demás funciones necesarias para el cumplimiento adecuado de las obligaciones previstas en la ley objeto de estudio en este tema.

3.4.3. Coordinación y control interno en materia de transparencia

En el ámbito del sector público autonómico, la coordinación general y el control interno en materia de transparencia serán ejercidos por la Comisión Interdepartamental de Información y Evaluación prevista en la Ley 1/2015, de 1 de abril, de garantía de la calidad de los servicios públicos y de la buena administración.

Dicha comisión, que será asistida por la persona titular del centro directivo con competencias en materia de evaluación y reforma administrativa, establecerá la planificación directiva en materia de transparencia, podrá dictar instrucciones, establecer protocolos y fijar criterios tanto respecto a la implementación de la publicidad activa como en relación con el seguimiento del adecuado cumplimiento de las demás obligaciones en materia de transparencia.

Cuando dicha comisión ejerza funciones relativas a la reutilización de la información y al Portal de transparencia y Gobierno abierto, esta comisión será también asistida por la persona titular del ente público con competencias en materia de tecnologías de la información y comunicaciones.

La Comisión Interdepartamental de Información y Evaluación ejercerá las funciones necesarias para la coordinación adecuada en materia de transparencia dentro del sector público autonómico y el control en el cumplimiento de las obligaciones previstas en la presente ley, y acordará la incorporación en el Portal de transparencia y Gobierno abierto de aquella información que sea solicitada por la ciudadanía con más frecuencia.

3.4.4. El Comisionado de la Transparencia

Se crea el Comisionado de la Transparencia y se atribuyen las funciones del mismo al Valedor del Pueblo.

El Comisionado de la Transparencia es el órgano independiente de control del cumplimiento de las obligaciones comprendidas en este título por parte de los sujetos incluidos en su ámbito de aplicación.

El Comisionado de la Transparencia ejercerá las funciones siguientes:

a) Responder a las consultas que, con carácter facultativo, le sean formuladas por los sujetos incluidos en el ámbito de aplicación de la ley de transparencia y buen gobierno.

b) Adoptar recomendaciones para el mejor cumplimiento de las obligaciones legales en materia de transparencia y buen gobierno, oída la Comisión de la Transparencia.

c) Asesorar en materia de transparencia del derecho de acceso a la información pública y buen gobierno.

d) Emitir informe, con carácter previo a su aprobación, sobre proyectos de ley o de reglamentos en materia de transparencia y buen gobierno, oída la Comisión de la Transparencia.

e) Efectuar, a iniciativa propia o a causa de denuncia, requerimientos para la subsanación de los incumplimientos que pudieran producirse de las obligaciones establecidas en materia de publicidad activa previstas en ley objeto de estudio en este tema.

f) Aquellas otras funciones que le sean atribuidas por una norma legal.

Recuerda que...

Corresponde al Comisionado de la Transparencia adoptar recomendaciones para el mejor cumplimiento de las obligaciones legales en materia de transparencia y buen gobierno, oída la Comisión de la Transparencia.

3.4.5. La Comisión de la Transparencia

Se crea la Comisión de la Transparencia como órgano colegiado independiente adscrito al Valedor del Pueblo.

Se compondrá de los siguientes miembros:

a) **Presidente o presidenta**: el valedor o valedora del pueblo.

b) **Vicepresidente o vicepresidenta**: el adjunto o adjunta a la institución del Valedor del Pueblo.

c) **Vocales**: una persona representante de la Comisión Interdepartamental de Información y Evaluación de la Xunta de Galicia, una persona representante del Consejo Consultivo de Galicia, una persona representante del Consejo de Cuentas y una persona representante de la Federación Gallega de Municipios y Provincias.

La Comisión de la Transparencia es el órgano independiente al que corresponde la resolución de las reclamaciones frente a las resoluciones de acceso a la información pública que establece el apartado 3.4.2.3. En caso de empate, el presidente o presidenta tendrá voto dirimente.

Actividad 4

¿Quién ejercerá como presidente o presidenta de la Comisión de la Transparencia?

3.4.6. Separación de funciones y medios

El Comisionado de la Transparencia y la Comisión de la Transparencia actuarán con separación de sus funciones respecto a las otras que corresponden al Valedor del Pueblo, si bien contarán con los medios personales y materiales asignados a esta institución.

3.4.7. Colaboración con el Valedor del Pueblo

Los sujetos incluidos en el ámbito de aplicación de la Ley 1/2016 de 18 de enero, de transparencia y buen gobierno, prestarán la colaboración necesaria al Valedor del Pueblo para el correcto desarrollo de sus funciones, facilitando la información que les solicite en su respectivo ámbito competencial.

La Xunta de Galicia, a través de la Comisión Interdepartamental de Información y Evaluación prevista en el apartado 3.5.3., remitirá al Valedor del Pueblo el informe referido en el apartado 3.1.3.

3.4.8. Informe anual al Parlamento

El Valedor del Pueblo incluirá, en su informe presentado anualmente ante el Parlamento de Galicia, previsto en el artículo 36 de la Ley 6/1984, de 5 de junio, un apartado relativo al grado de aplicación y cumplimiento de la presente ley, en el que recogerá, en todo caso:

a) Los criterios interpretativos y las recomendaciones que haya formulado durante ese año.

b) La relación de reclamaciones presentadas contra denegaciones de solicitudes de acceso y el sentido de su resolución.

c) La actividad de asesoramiento realizada en materia de transparencia, del derecho de acceso a la información pública y buen gobierno.

d) Los requerimientos efectuados de subsanación de los incumplimientos que pudieran producirse.

e) La evaluación del grado de cumplimiento de las obligaciones de publicidad activa por parte de los distintos sujetos incluidos en su ámbito de aplicación, formulándose requerimientos expresos en el caso de cumplimiento insuficiente.

El informe anual que se presentará al Parlamento estará también a disposición de la ciudadanía dentro del Portal de transparencia y Gobierno abierto, así como en la página web del Valedor del Pueblo.

4. Buen gobierno (Título II)

4.1. Altos cargos (Capítulo I)

4.1.1. Ámbito de aplicación (Sección 1ª)

El contenido de las obligaciones de este título, cuando no se especifique lo contrario, será de aplicación a la totalidad de los altos cargos de la Administración general de la

Comunidad Autónoma de Galicia y de las entidades del sector público autonómico, consideración que tendrán los siguientes cargos públicos:

a) Los miembros del Consejo de la Xunta de Galicia.

b) Las delegadas y delegados territoriales, secretarias y secretarios generales, secretarias y secretarios generales técnicos, directoras y directores generales y cargos asimilados de la Administración general de la Comunidad Autónoma de Galicia.

c) Los presidentes y presidentas, directores y directoras generales y asimilados de los entes instrumentales del sector público autonómico previstos en el artículo 45 de la Ley 16/2010, de 17 de diciembre, de organización y funcionamiento de la Administración general y del sector público autonómico de Galicia, excepto de las fundaciones del sector público autonómico, siempre que tengan la condición de máximos responsables y cuyo nombramiento sea efectuado por decisión del Consejo de la Xunta de Galicia o por sus propios órganos de gobierno.

d) El personal eventual que, en virtud de nombramiento legal, ejerza funciones de jefatura de gabinete o jefatura de prensa de los gabinetes de la persona titular de la Presidencia de la Xunta y de los demás miembros del Consejo de la Xunta de Galicia.

e) Las personas titulares de cualquier otro puesto de trabajo de la Administración general de la Comunidad Autónoma de Galicia y entes instrumentales del sector público autonómico, cualquiera que sea su denominación, cuyo nombramiento se efectúe por decreto del Consejo de la Xunta de Galicia.

f) El presidente o presidenta del Consejo Económico y Social.

La aplicación a los sujetos mencionados en el apartado anterior de las disposiciones contenidas en este título no afectará en caso alguno a la condición de cargo electo que pudieran tener.

4.1.2. Ejercicio del alto cargo (Sección 2ª)

El nombramiento del alto cargo se hará entre personas idóneas y se realizará atendiendo a criterios de competencia profesional entre personas con cualificación, formación y experiencia en función del cargo a desempeñar. La idoneidad será apreciada tanto por quien propone como por quien nombra al alto cargo.

Las personas que ocupen los cargos comprendidos en el ámbito de aplicación de este capítulo estarán sujetas a los principios que figuran en el Código ético institucional de la Xunta de Galicia en los términos en el mismo establecidos.

La adhesión al Código ético institucional de la Xunta de Galicia deberá figurar expresamente en el acto de nombramiento del alto cargo.

El tratamiento oficial de los miembros del Gobierno y de los altos cargos será el de señor/señora, seguido de la denominación del cargo, empleo o rango correspondiente.

Sabías que...

El Código ético institucional de la Xunta de Galicia recoge las pautas, los criterios, las reglas y las orientaciones que se deben observar en la actuación de las autoridades y demás personal al servicio del sector público autonómico, así como la aplicación del régimen disciplinario y de responsabilidad que proceda.

4.1.3. Régimen de actividades e incompatibilidades de altos cargos (Sección 3ª)

4.1.3.1. Principios generales

Los altos cargos comprendidos en el ámbito de aplicación de este capítulo ejercerán sus funciones con dedicación exclusiva y no podrán compatibilizar su actividad pública con:

a) El desempeño, por sí mismo o mediante sustitución de persona interpuesta, de cualquier otro puesto, profesión o actividad, públicos o privados, por cuenta propia o ajena.

b) El ejercicio de cualquier otra función o actividad pública representativa, incluido el ejercicio de cargos electivos en colegios, cámaras o entidades que tengan atribuidas funciones públicas o coadyuven a estas, salvo las autorizadas por la ley de transparencia y buen gobierno.

c) El desempeño, por sí mismo o por personas interpuestas, de cargos de toda índole en empresas o sociedades que tengan contratos de cualquier naturaleza con el sector público estatal, autonómico o local, sea cual sea la configuración jurídica de aquellas.

d) El ejercicio de cargos, por sí mismo o por personas interpuestas, que lleven anexas funciones de dirección, representación o asesoramiento de toda clase de sociedades mercantiles y civiles y consorcios de fin lucrativo, aunque unos y otros no realicen fines de servicios públicos ni tengan relaciones contractuales con las administraciones, organismos o empresas públicas.

e) La gestión, defensa, dirección o asesoramiento de asuntos particulares ajenos cuando, por su índole, compita a las administraciones públicas resolverlos o quede implicada en ellos la realización de algún servicio o fin público.

f) La percepción de pensión de jubilación o retiro por derechos pasivos o por cualquier régimen de la Seguridad Social público y obligatorio, salvo las pensiones de viudedad, las prestaciones por hijo o hija o persona discapacitada a cargo o el cobro de una cantidad a cuenta por accidente de trabajo o enfermedad profesional.

En ningún caso se podrá percibir más de una remuneración, periódica o eventual, con cargo a los presupuestos de las administraciones públicas y de los organismos y empresas de ellas dependientes, sin perjuicio de las indemnizaciones por gastos de viajes, estancias, traslados o asistencias que en cada caso correspondan por las actividades declaradas compatibles.

Sabías que...

El desarrollo de las funciones de gobierno y administración de la Comunidad Autónoma de Galicia se ejerce bajo el principio de incompatibilidad de actividades y dedicación exclusiva.

4.1.3.2. Compatibilidades con actividades públicas

El ejercicio de las funciones de alto cargo será compatible con las siguientes actividades públicas:

a) El ejercicio de aquellos cargos que les correspondan con carácter institucional o para los que hayan sido designados por su propia condición.

b) La representación de la Administración autonómica en los órganos colegiados.

c) El desarrollo de misiones temporales de representación ante organizaciones o conferencias, nacionales e internacionales.

d) La representación de la Administración autonómica en los órganos colegiados o en los consejos de administración de organismos o empresas con capital público o de entidades de derecho público.

   En el supuesto de pertenencia a más de dos consejos de administración de organismos o empresas con capital público o de entidades de derecho público, solo se podrán percibir cantidades en concepto de asistencia por un máximo de dos consejos de administración.

   El Consejo de la Xunta de Galicia podrá limitar la pertenencia a más de dos de los referidos consejos de administración, así como determinar la no percepción de cantidad alguna por asistencia.

e) El cargo de diputado o diputada en el Parlamento de Galicia, solo en el caso de los miembros del Gobierno gallego.

En los supuestos previstos en los apartados anteriores, los cargos comprendidos en el ámbito de aplicación de la Ley 1/2016, de 18 de enero, solo podrán percibir, por los indicados cargos o actividades compatibles, las indemnizaciones por razón de servicio que les correspondan de acuerdo con la normativa vigente, así como las cantidades en concepto de asistencia en los supuestos b) y d) previstos en el párrafo anterior. Las restantes cantidades que, en su caso, se devenguen por el desarrollo de estas funciones y cargos, sea cual sea el concepto del devengo, serán ingresadas por la empresa, sociedad, organismo o ente pagador directamente en la Tesorería General de la Xunta de Galicia.

4.1.3.3. Compatibilidad con el ejercicio de la docencia

Se podrá compatibilizar, cumplidas las restantes exigencias de la presente ley, el ejercicio de funciones docentes, de carácter reglado, siempre que no supongan menoscabo de la dedicación en el ejercicio del cargo público y se realice en régimen de dedicación a tiempo parcial.

El desarrollo de esta actividad no podrá suponer en ningún caso incremento alguno sobre las cantidades que por cualquier concepto corresponda percibir por el ejercicio del cargo público, con excepción de las indemnizaciones por gastos de viajes, estancias y traslados que les correspondan de acuerdo con la normativa vigente en el área docente, y dándoles idéntico destino a los derechos económicos que, en su caso, pudiesen devengarse con arreglo a lo dispuesto en el apartado anterior.

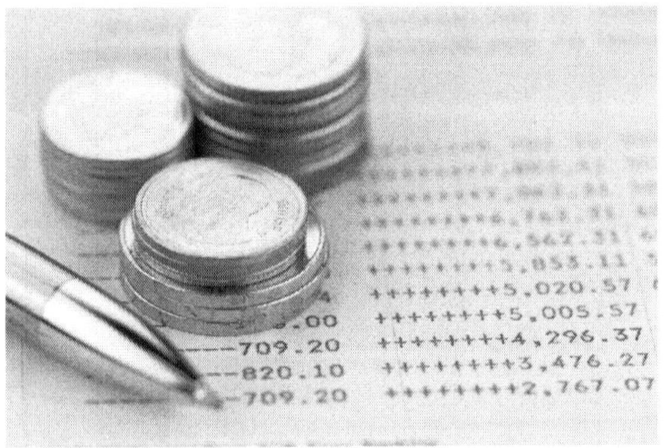

Para el ejercicio de las funciones docentes se requerirá la autorización expresa de la persona titular de la consejería competente en materia de función pública.

Los altos cargos comprendidos en el ámbito de aplicación de este capítulo podrán participar en las actividades a cargo de los centros oficiales de formación y perfeccionamiento del personal empleado público mediante la impartición de conferencias y cursos, siempre que dicha colaboración se produzca con carácter excepcional, así como en los congresos, seminarios y actividades análogas, teniendo derecho a la percepción de las indemnizaciones previstas reglamentariamente.

Los centros de formación dependientes de la Administración general de la Comunidad Autónoma y de los entes instrumentales del sector público autonómico comunicarán trimestralmente a las consejerías competentes en materia de presupuestos y de función pública el desglose de las cantidades satisfechas por los conceptos indicados.

Sabías que...

En Galicia, además de los sistemas de control interno a través de las Unidades Responsables de la Transparencia y la Comisión Interdepartamental de Información y Evaluación, existe un sistema de control externo ejercido por el Comisionado de la Transparencia como órgano externo e independiente al que le corresponde el control del cumplimiento de las obligaciones en esta materia de conformidad con lo establecido en el artículo 32 de la Ley 1/2016, de 18 de enero, de Transparencia y Buen Gobierno.

4.1.3.4. Compatibilidad con actividades privadas

El ejercicio de un cargo de los comprendidos en el ámbito de aplicación de la ley de transparencia y buen gobierno será compatible con las siguientes actividades privadas, siempre que con su desarrollo no comprometa la imparcialidad o independencia de sus funciones públicas:

a) Las que se deriven de la simple administración del patrimonio personal o familiar.

b) Las actividades de producción y creación literaria, artística, científica o técnica y las publicaciones derivadas de aquellas, así como la colaboración y la asistencia ocasional como ponente en congresos, seminarios, jornadas de trabajo, conferencias o cursos de carácter profesional, siempre que no sean consecuencia de una relación de empleo o de prestación de servicios o supongan un menoscabo del estricto cumplimiento de sus deberes.

c) La participación en entidades culturales o benéficas que no tengan ánimo de lucro y siempre que no perciban ningún tipo de retribución o percepción por dicha participación.

La persona interesada en la realización de estas actividades se lo comunicará a la Dirección General de la Función Pública con carácter previo, salvo en el supuesto establecido en el punto 1.a). de este apartado.

Los miembros del Consejo de la Xunta no podrán percibir retribución alguna por la colaboración y/o asistencia ocasional como ponente en congresos, seminarios, jornadas de trabajo o cursos de carácter profesional.

A los derechos económicos que, en su caso, pudieran devengarse derivados de las referidas actividades se les dará el destino dispuesto en el apartado 4.1.3.2. de este tema.

4.1.3.5. Conflicto de intereses

La persona que ocupe un alto cargo de los mencionados en el ámbito de aplicación de este título deberá evitar, en todo caso, la influencia de sus intereses personales en el ejercicio de sus funciones y responsabilidades por suponerles un beneficio o perjuicio.

A estos efectos, se considerarán intereses personales:

a) Los intereses propios.

b) Los intereses familiares, incluyendo los de su cónyuge o persona con quien conviva en análoga relación de afectividad, así como los de parientes dentro del cuarto grado de consanguinidad y del segundo grado de afinidad.

c) Los de las personas con quienes tenga una cuestión litigiosa pendiente.

d) Los de las personas con quienes tenga amistad íntima o enemistad manifiesta.

e) Los de personas jurídicas o entidades privadas en las cuales el alto cargo, su cónyuge o persona unida en análoga relación hubieran ejercido funciones de dirección, asesoramiento o administración en los dos años anteriores al nombramiento.

f) Los de personas jurídicas o entidades privadas a las que los familiares previstos en el punto b) estén vinculados por una relación laboral o profesional de cualquier tipo, siempre que la misma implique el ejercicio de funciones de dirección, asesoramiento o administración.

Los altos cargos no podrán tener, por sí mismos o por persona interpuesta, participaciones directas o indirectas superiores a un diez por ciento en empresas en tanto tengan conciertos o contratos de cualquier naturaleza con el sector público estatal, autonómico o local, o reciban subvenciones provenientes de cualquier Administración pública.

A los efectos previstos en este artículo, se considera persona interpuesta a la persona física o jurídica que actúa por cuenta del alto cargo.

En el caso en que, de forma sobrevenida, se produzca la causa descrita en este apartado, el alto cargo habrá de notificarlo a la Oficina de Incompatibilidades y Buenas Prácticas, que deberá informar sobre las medidas a adoptar para garantizar la objetividad en la actuación pública.

En el supuesto de que la persona que sea nombrada para ocupar un alto cargo posea la participación a que se refiere el apartado anterior, tendrá que enajenar o ceder las participaciones y los derechos inherentes a ellas durante el tiempo en que ejerza su cargo, en el plazo de tres meses a contar desde el día siguiente al de su nombramiento. Si la participación hubiese sido adquirida por sucesión hereditaria u otro título gratuito durante el ejercicio del cargo, tendrá que desprenderse de ella en el plazo de tres meses desde su adquisición.

Dicha participación y posterior transmisión serán, asimismo, declaradas al Registro de Actividades de Altos Cargos y al Registro de Bienes Patrimoniales en la forma que reglamentariamente se determine.

Actividad 5

Señala la respuesta correcta respecto a los miembros del Consejo de la Xunta:

- ☐ a) Los miembros del Consejo de la Xunta no podrán percibir retribución alguna por la colaboración y/o asistencia ocasional como ponente en congresos, seminarios, jornadas de trabajo o cursos de carácter profesional.
- ☐ b) Para el ejercicio de las funciones docentes no será preciso la autorización expresa de la persona titular de la consejería competente en materia de función pública.
- ☐ c) Los altos cargos no podrán tener, por sí mismos o por persona interpuesta, participaciones directas o indirectas en empresas en tanto tengan conciertos o contratos de cualquier naturaleza con el sector público estatal, autonómico o local, o reciban subvenciones provenientes de cualquier Administración pública.

4.1.3.6. Deber de abstención

Las personas que ocupen los altos cargos comprendidos en el ámbito de aplicación de este título deberán abstenerse de intervenir en los procedimientos administrativos que afecten a sus intereses personales, tal y como están definidos en el apartado anterior.

A estos efectos, utilizarán la figura de la abstención regulada en la normativa básica en materia de procedimiento administrativo. Asimismo, podrán ser recusados en los términos previstos en dicha normativa.

La abstención se realizará por escrito para su adecuada expresión y constancia, y se la notificará a la persona superior inmediata o, en su defecto, al órgano que lo o la nombró, que resolverá lo procedente. En caso de que se produzca en el seno de un órgano colegiado, la abstención constará y se incorporará al acta elaborada por su secretaría. En cualquiera de los casos, la abstención será comunicada en un plazo máximo de un mes al Registro de Actividades de Altos Cargos para su constancia.

La persona que ocupe el alto cargo podrá formular a la Oficina de Incompatibilidades y Buenas Prácticas cuantas cuestiones considere precisas sobre la procedencia de su abstención en asuntos concretos.

4.1.3.7. Limitaciones al ejercicio de actividades posteriores al cese

Durante los dos años siguientes a la fecha de su cese, los altos cargos no podrán realizar actividades ni prestar servicios en entidades privadas relacionadas con expedientes sobre los cuales hubiesen dictado resolución en el ejercicio del cargo.

Quedarán exceptuadas de lo dispuesto en el apartado anterior aquellas personas que se reincorporen a entidades privadas en las que ya hubiesen ejercido con anterioridad a ocupar el puesto de alto cargo, siempre y cuando la actividad que vayan a desempeñar en ellas sea en puestos de trabajo que no estén directamente relacionados con las competencias del cargo público ocupado ni puedan adoptar decisiones que afecten a las competencias del cargo público desempeñado.

Durante los dos años siguientes a la fecha de su cese, los altos cargos tampoco podrán firmar, ni por sí mismos ni a través de entidades participadas por ellos directa o indirectamente en más del diez por ciento, contratos de asistencia técnica, de servicios o similares con la Administración pública en la que hubieran prestado servicios, siempre que guarden relación directa con las funciones que el alto cargo ejercía.

Durante el mencionado periodo de dos años, al que se refiere el primer párrafo de este apartado, estas personas deberán efectuar, ante la Oficina de Incompatibilidades y Buenas Prácticas, declaración sobre las actividades que vayan a realizar, con carácter previo a su inicio.

En un mes desde la recepción en el Registro de Actividades de dicha comunicación, el centro directivo competente en materia de función pública deberá pronunciarse sobre la compatibilidad de la actividad privada que se va a realizar y deberá comunicárselo tanto a la persona afectada como a la entidad en la que pretenda prestar sus servicios. Las resoluciones que reconozcan la compatibilidad con actividad privada serán publicadas en el Portal de transparencia y Gobierno abierto.

Cuando la Oficina de Incompatibilidades y Buenas Prácticas considere que la actividad privada que pretende desarrollar la persona que ocupó el alto cargo vulnera lo establecido en los párrafos 1 y 3 de este apartado, se lo comunicará a la persona interesada, así como a la entidad en la que pretende prestar servicios, concediéndoles un plazo máximo de diez días para que realicen las alegaciones que estimen oportunas al respecto. Analizadas las alegaciones, la Oficina propondrá a la persona titular del centro directivo competente en materia de función pública la resolución que proceda.

Durante los dos años posteriores a la fecha de su cese como alto cargo, aquellos y aquellas que reingresen en la función pública y tengan concedida la compatibilidad para prestar servicios retribuidos de cualquier naturaleza a personas físicas o jurídicas de carácter privado se abstendrán en todas aquellas actuaciones privadas que guarden relación con las competencias del cargo ejercido, aplicándoseles lo previsto en el párrafo 3 de este apartado.

Recuerda que...

Los altos cargos no podrán realizar actividades ni prestar servicios en entidades privadas relacionadas con expedientes sobre los cuales hubiesen dictado resolución en el ejercicio del cargo durante los dos años siguientes a la fecha de su cese.

4.1.3.8. Prohibición de la tenencia de fondos en paraísos fiscales

Durante el ejercicio de su cargo, así como en los dos años siguientes a su cese, los altos cargos no podrán tener, por sí mismos o por personas o entidades o empresas interpuestas, fondos, activos financieros o valores negociables en países o territorios con calificación de paraíso fiscal según la regulación estatal de aplicación.

En caso de disponer de dichos fondos, activos financieros o valores negociables deberán ponerlo en conocimiento del órgano competente en materia de incompatibilidades y comprometerse a transferirlos a entidades o intermediarios financieros con residencia fiscal en países o territorios que no tengan dicha calificación.

Recuerda que...

Los altos cargos no podrán tener, por sí mismos o por personas o entidades o empresas interpuestas, fondos, activos financieros o valores negociables en países o territorios con calificación de paraíso fiscal según la regulación estatal de aplicación, durante el ejercicio de su cargo, así como en los dos años siguientes a su cese.

Solución a las actividades

Actividad 1.

- ☐ a) El principio de integridad.
- ☐ b) El principio de reutilización de la información.
- ☑ c) El principio de no discriminación tecnológica ni lingüística.
- ☐ d) El principio de responsabilidad.

Actividad 2.

Falsa.

Actividad 3.

El acceso de la ciudadanía a la información del Portal de transparencia y Gobierno abierto será gratuito y respetará los principios de **accesibilidad**, **interoperabilidad** y **reutilización**.

Actividad 4.

El valedor o valedora del pueblo.

Actividad 5.

- ☑ a) Los miembros del Consejo de la Xunta no podrán percibir retribución alguna por la colaboración y/o asistencia ocasional como ponente en congresos, seminarios, jornadas de trabajo o cursos de carácter profesional.
- ☐ b) Para el ejercicio de las funciones docentes no será preciso la autorización expresa de la persona titular de la consejería competente en materia de función pública.
- ☐ c) Los altos cargos no podrán tener, por sí mismos o por persona interpuesta, participaciones directas o indirectas en empresas en tanto tengan conciertos o contratos de cualquier naturaleza con el sector público estatal, autonómico o local, o reciban subvenciones provenientes de cualquier Administración pública.

TEMA 5

Ley 2/2015, de 29 de abril, del Empleo Público de Galicia: Títulos I, III, IV, V

MAD360

¿Sabes cómo retener más información en tu **memoria**? Con las Técnicas de Memoria 360 te explicamos todos los detalles.

Índice

1. Introducción: aspectos generales y estructura

1.1. Aspectos generales

La Comunidad Autónoma de Galicia tiene atribuidas en el artículo 28 del Estatuto de Autonomía de Galicia (EAG) competencias de desarrollo legislativo y ejecución en materia de régimen jurídico de la Administración Pública de Galicia y régimen estatutario de sus funcionarios. Las competencias relativas al régimen estatutario de los funcionarios públicos tienen que desarrollarse en la actualidad dentro del marco establecido por el Estatuto Básico del Empleado Público (EBEP). Este texto legal, dictado al amparo de las competencias atribuidas al Estado por el artículo 149.1.18ª) de la Constitución Española de 1978 (CE), da cumplimiento al artículo 103.3 de la norma suprema, que prevé que por ley se regule el estatuto de los funcionarios públicos.

El Estatuto Básico del Empleado Público establece un marco básico común, disposiciones de carácter básico, para todos los empleados públicos, por lo que su desarrollo tiene que ser llevado a cabo por el legislador autonómico y por el legislador estatal para su propio ámbito.

La Comunidad Autónoma de Galicia ejerció por primera vez con carácter general sus competencias legislativas en materia de régimen estatutario de sus funcionarios a través de la Ley 4/1988, de 26 de mayo, de la función pública de Galicia. Esta ley fue objeto de sucesivas modificaciones que desembocaron en la aprobación por Decreto legislativo 1/2008, de 13 de marzo, del texto refundido de la Ley de función pública gallega, y que ha sido reformado en diversas ocasiones, incluso las últimas para adaptarlo de forma provisional al EBEP hasta que una ley lo desarrollara globalmente. Esta ley es la **Ley 2/2015, de 29 de abril, del Empleo Público de Galicia**[1]**.**

1.2. Estructura

La Ley 2/2015, de 29 de abril, del empleo público de Galicia contiene 212 artículos estructurados en 10 títulos, que se dividen en capítulos y secciones. La ley se completa con 17 disposiciones adicionales, 16 transitorias, 2 derogatorias y 5 finales. Por tanto, su estructura es la siguiente:

- Exposición de motivos
- Título I. Objeto, principios y ámbito de aplicación (artículos 1 a 12).
- Título II. Órganos administrativos competentes en materia de personal
    * Capítulo I. Administración general de la Comunidad Autónoma de Galicia (artículos 13 a 18).
    * Capítulo II. Entidades locales y universidades públicas gallegas. Artículo 19.

[1] Ley 2/2015, de 29 de abril, del Empleo Público de Galicia. DOG n.º 82 de 4 de mayo de 2015 y BOE n.º 123 de 23 de mayo de 2015. Revisión vigente desde el 01 de enero de 2023.

- Título III. Clases de personal.
  * Capítulo I. Empleados públicos.
    • Sección 1. Disposiciones generales. Artículo 20.
    • Sección 2. Personal funcionario de carrera. Artículos 21 y 22.
    • Sección 3. Personal funcionario interino. Artículos 23 a 25.
    • Sección 4. Personal laboral. Artículos 26 a 28.
    • Sección 5. Personal eventual. Artículos 29 a 32.
  * Capítulo II. Personal directivo. Artículos 33 a 36.
- Título IV. Organización del empleo público.
  * Capítulo I. Estructura del empleo público.
    • Sección 1. Ordenación de los puestos de trabajo. Artículos 37 a 39.
    • Sección 2. Ordenación de los empleados públicos. Artículos 40 a 44.
  * Capítulo II. Planificación del empleo público. Artículos 45 a 48.
- Título V. Adquisición y pérdida de la relación de servicio.
  * Capítulo I. Selección de los empleados públicos. Artículos 49 a 59.
  * Capítulo II. Adquisición de la relación de servicio. Artículos 60 a 63.
  * Capítulo III. Pérdida de la relación de servicio. Artículos 64 a 70.
- Título VI. Derechos y deberes individuales de los empleados públicos.
  * Capítulo I. Disposiciones generales. Artículos 71 a 74.
  * Capítulo II. Promoción profesional y evaluación del desempeño.
    • Sección 1. Carrera profesional y promoción interna. Artículos 75 a 82.
    • Sección 2. Evaluación del desempeño. Artículos 83 a 85.
  * Capítulo III. Movilidad del personal funcionario.
    • Sección 1. Disposiciones generales. Artículos 86 y 87.
    • Sección 2. Procedimientos ordinarios de provisión de puestos de trabajo por el personal funcionario de carrera. Artículos 88 a 95.
    • Sección 3. Procedimientos extraordinarios de provisión de puestos de trabajo por el personal funcionario de carrera. Artículos 96 a 100.
    • Sección 4. Movilidad forzosa. Artículos 101 a 103.
    • Sección 5. Movilidad interadministrativa. Artículo 104.
  * Capítulo IV. Jornada de trabajo, permisos, licencias y vacaciones
    • Sección 1. Jornada de trabajo del personal funcionario. Artículos 105 a 107.
    • Sección 2. Permisos retribuidos del personal funcionario. Artículos 108 a 120.

    - Sección 3. Permisos del personal funcionario por motivos de conciliación de la vida personal, familiar y laboral. Artículos 121 a 125.
    - Sección 4. Licencias del personal funcionario. Artículos 126 a 131.
    - Sección 5. Vacaciones del personal funcionario. Artículo 132.
    - Sección 6. Jornada de trabajo, permisos, licencias y vacaciones del personal laboral. Artículo 133.
  * Capítulo V. Derechos económicos y protección social.
    - Sección 1. Retribuciones. Artículos 134 a 145.
    - Sección 2. Seguridad social y derechos pasivos. Artículo 146.
- Título VII. Derechos de ejercicio colectivo de los empleados públicos.
  * Capítulo I. Disposiciones generales. Artículos 147 y 148.
  * Capítulo II. Negociación colectiva. Artículos 149 a 154.
  * Capítulo III. Representación y participación institucional del personal funcionario. Artículos 155 a 161.
  * Capítulo IV. Solución extrajudicial de conflictos colectivos. Artículo 162.
  * Capítulo V. Derecho de reunión de los empleados públicos. Artículo 163.
- Título VIII. Situaciones administrativas.
  * Capítulo I. Disposiciones generales. Artículos 164 y 165.
  * Capítulo II. Situación de servicio activo. Artículo 166.
  * Capítulo III. Situación de servicios especiales. Artículos 167 a 169.
  * Capítulo IV. Situación de servicio en otras administraciones públicas. Artículos 170 y 171.
  * Capítulo V. Situaciones de excedencia voluntaria. Artículos 172 a 178.
  * Capítulo VI. Situación de excedencia forzosa. Artículo 179.
  * Capítulo VII. Situaciones de suspensión de funciones. Artículos 180 a 182.
- Título IX. Régimen disciplinario
  * Capítulo I. Disposiciones generales. Artículos 183 y 184.
  * Capítulo II. Faltas disciplinarias. Artículos 185 a 187.
  * Capítulo III. Sanciones disciplinarias. Artículos 188 a 191.
  * Capítulo IV. Procedimiento disciplinario. Artículos 192 a 196.
  * Capítulo V. Extinción de la responsabilidad disciplinaria. Artículos 197 a 199.
- Título X. Especialidades del personal al servicio de las entidades locales. Artículos 200 a 212.

- 17 Disposiciones adicionales.
- 16 Disposiciones transitorias.
- 2 Disposiciones derogatorias.
- 5 Disposiciones finales.

En este tema solo se hará referencia a los **Títulos I, III, IV y V**, por lo que cabe destacar como **novedades** las que analizamos a continuación.

Título I. Objeto, principios y ámbito de aplicación (artículos 1 a 12).

El Título I establece un marco común, no uniforme, para el empleo público de todas las administraciones públicas a las que se extienden las competencias legislativas de la Comunidad Autónoma de Galicia: la propia Administración general de la Comunidad Autónoma, las entidades locales gallegas, las entidades públicas instrumentales del sector público autonómico de Galicia, las entidades públicas instrumentales vinculadas o dependientes de las entidades locales gallegas y las universidades públicas gallegas.

Título III. Clases de personal.

- Capítulo I. Empleados públicos.
  * Sección 1. Disposiciones generales. Artículo 20.
  * Sección 2. Personal funcionario de carrera. Artículos 21 y 22.
  * Sección 3. Personal funcionario interino. Artículos 23 a 25.
  * Sección 4. Personal laboral. Artículos 26 a 28.
  * Sección 5. Personal eventual. Artículos 29 a 32.
- Capítulo II. Personal directivo. Artículos 33 a 36.

El Título III regula el establecimiento del régimen jurídico esencial del personal directivo profesional, que tendrá que ser completado mediante el pertinente desarrollo reglamentario. Su finalidad es profesionalizar las tareas directivas y gerenciales.

Título IV. Organización del empleo público.

- Capítulo I. Estructura del empleo público.
  * Sección 1. Ordenación de los puestos de trabajo. Artículos 37 a 39.
  * Sección 2. Ordenación de los empleados públicos. Artículos 40 a 44.
- Capítulo II. Planificación del empleo público. Artículos 45 a 48.

El Título IV, en relación con los cuerpos y agrupaciones profesionales del personal funcionario de carrera de la Administración general de la Comunidad Autónoma de Galicia moderniza la definición de sus funciones y se crean tanto el cuerpo de técnicos de carácter facultativo, del nuevo grupo B, como la agrupación profesional del personal funcionario subalterno de la Administración general de la Comunidad Autónoma de Galicia, a la cual es posible acceder sin titulación académica alguna. Y los nuevos planes de or-

denación de recursos humanos persiguen un objetivo más ambicioso: proporcionar un instrumento eficaz para la racionalización de la gestión de los recursos humanos en el ámbito del empleo público.

Título V. Adquisición y pérdida de la relación de servicio.

- Capítulo I. Selección de los empleados públicos. Artículos 49 a 59.
- Capítulo II. Adquisición de la relación de servicio. Artículos 60 a 63.
- Capítulo III. Pérdida de la relación de servicio. Artículos 64 a 70.

El Título V trata precisamente de la adquisición y pérdida de la relación de servicio, comenzando por la cuestión central de la selección de los empleados públicos, la cual está sometida por imperativo constitucional a unos principios y requisitos sustancialmente comunes al personal funcionario y al personal laboral. En este punto esta ley desarrolla las previsiones del Estatuto básico del empleado público que modulan los requisitos de acceso al empleo público y los principios de los procesos selectivos, a la vez que mantiene la estructura tradicional de los sistemas selectivos aplicables al personal funcionario de carrera y al personal laboral fijo.

El título se completa con la regulación de los pasos que, tras la superación, en su caso, del correspondiente proceso selectivo, conducen a la adquisición de la condición de personal funcionario o de personal laboral, así como de las causas de pérdida de la relación de servicio. Dentro de estas últimas, se pone especial cuidado en configurar el régimen de jubilación del personal funcionario de manera abierta a las modificaciones que la normativa en la materia está experimentando, así como en el desarrollo de la rehabilitación en la condición de personal funcionario que prevé el Estatuto básico del empleado público para determinados supuestos.

2. Objeto, principios y ámbito de aplicación

El Título I define el objeto, los principios informadores y el ámbito de aplicación de la ley a través de los artículos 1 a 12.

2.1. Objeto

La Ley 2/2015 tiene por **objeto** la regulación del régimen jurídico de la función pública gallega y la determinación de las normas aplicables a todo el personal al servicio de las administraciones públicas incluidas en su ámbito de aplicación, en ejercicio de las competencias atribuidas a la Comunidad Autónoma de Galicia en su Estatuto de autonomía y en desarrollo del Estatuto básico del empleado público.

Con la finalidad de satisfacer los intereses generales, la Comunidad Autónoma de Galicia tiene atribuida **la potestad de autoorganización**, que la faculta, de acuerdo con el ordenamiento jurídico, para estructurar, establecer el régimen jurídico y dirigir y fijar los objetivos de la función pública gallega.

2.2. Principios informadores

El régimen jurídico del personal incluido en el ámbito de aplicación de esta Ley 2/2015 se basa en los siguientes principios, los cuales informarán la actuación de las administraciones públicas en las que presta sus servicios:

a) Servicio a la ciudadanía y a los intereses generales.

b) Igualdad, mérito y capacidad en el acceso y en la promoción profesional.

c) Sometimiento pleno a la ley y al derecho.

d) Igualdad de trato entre mujeres y hombres.

e) Objetividad, profesionalidad e imparcialidad en el servicio, garantizadas con la inamovilidad en la condición de funcionario de carrera.

f) Eficacia en la planificación y gestión de los recursos humanos.

g) Desarrollo y cualificación profesional permanente de los empleados públicos.

h) Transparencia.

i) Evaluación y responsabilidad en la gestión.

j) Jerarquía en la atribución, ordenación y desempeño de las funciones y tareas.

k) Negociación colectiva y participación, a través de los órganos de representación del personal, en la determinación de las condiciones de empleo.

l) Cooperación y coordinación entre las administraciones públicas en la regulación y gestión del empleo público.

Las Administraciones Públicas incluidas en el ámbito de aplicación de esta Ley 2/2015 generalizarán la gestión por medios electrónicos de todos los procesos y procedimientos administrativos derivados de la misma y se relacionarán con su personal preferentemente a través de esos medios.

Recuerda que...

La Comunidad Autónoma de Galicia tiene atribuida la potestad de autoorganización.

2.3. Ámbito de aplicación

Esta Ley 2/2015 se aplica al personal funcionario y, en lo que proceda, al personal laboral al servicio de las siguientes administraciones públicas:

a) La Administración general de la Comunidad Autónoma de Galicia.

b) Las entidades locales gallegas.

c) Las entidades públicas instrumentales del sector público autonómico de Galicia enunciadas en la letra a) del artículo 45 de la Ley 16/2010, de 17 de diciembre, de organización y funcionamiento de la Administración general y del sector público autonómico de Galicia.

d) Las entidades públicas instrumentales vinculadas o dependientes de las entidades locales gallegas.

e) Las universidades públicas gallegas.

Este ámbito de aplicación se entiende sin perjuicio de las siguientes **especialidade**s:

- En la aplicación de esta ley al **personal investigador** pueden dictarse normas singulares para adecuarla a sus peculiaridades.

- Esta ley es de aplicación al **personal docente dependiente de la Administración general de la Comunidad Autónoma de Galicia y al personal estatutario del Servicio Gallego de Salud**, excepto en lo relativo a las materias siguientes:
  a) Carrera profesional y promoción interna.
  b) Retribuciones complementarias.
  c) Movilidad voluntaria entre administraciones públicas.

En estas materias, el personal docente dependiente de la Administración general de la Comunidad Autónoma de Galicia y el personal estatutario del Servicio Gallego de Salud se rigen por su normativa específica, la cual regulará también las demás especialidades de su régimen jurídico.

Cada vez que la Ley 2/2015 haga mención al **personal funcionario de carrera**, se entenderá comprendido el personal estatutario fijo del Servicio Gallego de Salud.

- El **personal funcionario al servicio de las entidades locales gallegas** se rige por la legislación básica estatal que le resulte de aplicación y por esta ley, con las especialidades reguladas en su Título X. El **personal de los cuerpos de policía local** se rige, además de por esta normativa, por la legislación general de fuerzas y cuerpos de seguridad y por su legislación específica, la cual regulará las demás especialidades de su régimen jurídico.
- El **personal funcionario de administración y servicios de las universidades públicas gallegas** se rige por esta ley en todo lo que no esté expresamente regulado por la legislación orgánica de universidades y sus disposiciones de desarrollo.
- El **personal laboral al servicio de las administraciones públicas** incluidas en el ámbito de aplicación de esta ley se rige, además de por la legislación laboral y las normas convencionalmente aplicables, por los preceptos de esta ley que así lo dispongan.

  No obstante, en materia de permisos de nacimiento, adopción, del progenitor diferente de la madre biológica y lactancia, el personal laboral al servicio de las administraciones públicas se regirá por lo previsto en esta ley, no siendo de aplicación a este personal, por lo tanto, las previsiones de la legislación laboral sobre las suspensiones de los contratos de trabajo que, en su caso, corresponderían por los mismos supuestos de hecho.
- Las disposiciones de esta ley solo se aplican directamente al **personal de los órganos estatutarios de la Comunidad Autónoma de Galicia** en las materias en las cuales su legislación específica se remite a la legislación de la función pública gallega. En el resto de los casos, esta ley tiene carácter supletorio para el personal de dichos órganos.
- El **personal que presta servicios en el Consejo Consultivo de Galicia** se rige por la normativa reguladora de este órgano y, supletoriamente, por esta ley. Corresponde al Consejo Consultivo de Galicia el ejercicio de las funciones que con relación al personal a su servicio se contemplan en su normativa reguladora.
- **Queda excluido del ámbito de aplicación de esta ley el personal funcionario al servicio de la Administración de Justicia en Galicia**, salvo lo previsto en la letra g) del apartado primero del artículo 155.

3. Clases de personal

El Título III se ocupa de las clases de personal, distinguiendo entre los empleados públicos y el personal directivo. Este título se divide en 2 capítulos. El Capítulo I, se divide en secciones, y comprende los artículos 20 a 32, que se dedican a los empleados públicos, mientras que el Capítulo II está dedicado al personal directivo, dedicando los artículos 33 a 36.

3.1. Empleados públicos

3.1.1. Concepto y clases de empleados públicos

Son **empleados públicos** las personas que desempeñan funciones retribuidas al servicio de los intereses generales en las administraciones públicas incluidas en el ámbito de aplicación de esta Ley 2/2015. Se clasifican en:

a) Personal funcionario de carrera.
b) Personal funcionario interino.
c) Personal laboral.
d) Personal eventual.

3.1.2. Personal funcionario de carrera

3.1.2.1. Concepto

Tienen la condición de **personal funcionario de carrera** las personas que, en virtud de nombramiento legal, están vinculadas a la Administración Pública por una relación estatutaria regulada por el derecho administrativo para el desempeño de servicios profesionales retribuidos de carácter permanente.

3.1.2.2. Funciones y puestos de trabajo reservados al personal funcionario

Corresponde exclusivamente al personal funcionario el ejercicio de las funciones que impliquen participación directa o indirecta en el ejercicio de potestades públicas o en la salvaguarda de los intereses generales de las administraciones públicas. Las relaciones de puestos de trabajo reservarán necesariamente al personal funcionario:

a) Los puestos que tengan atribuidas funciones que impliquen el ejercicio de autoridad, fe pública o asesoramiento legal. En particular, se entiende que implican ejercicio de autoridad las funciones de policía administrativa, salvo las excepciones que puedan establecerse por norma con rango de ley.

b) Los puestos que tengan atribuidas funciones que impliquen la realización de tareas de inspección, fiscalización o control. En particular, quedan reservados al personal funcionario aquellos puestos con funciones que impliquen la realización de tareas de fiscalización interna y control de la gestión económico-financiera y presupuestaria.

c) Los puestos que tengan atribuidas funciones que impliquen la realización de tareas de contabilidad y tesorería.

d) Los puestos que tengan atribuidas funciones que impliquen la realización de tareas en materia de exacción de tributos.

e) Los puestos que tengan atribuidas competencias para dictar actos de incoación, instrucción o resolución de los procedimientos administrativos.

f) Los puestos que tengan atribuidas funciones de inscripción, anotación y cancelación de datos en los registros administrativos.

Los demás puestos de trabajo en las administraciones públicas incluidas en el ámbito de aplicación de esta Ley 2/2015 serán desempeñados con carácter general por personal funcionario, sin perjuicio de lo dispuesto por el apartado tercero del artículo 26 de esta ley.

3.1.3. Personal funcionario interino

3.1.3.1. Concepto y requisitos

Tienen la condición de personal funcionario interino las personas que, por razones expresamente justificadas de necesidad y urgencia, son nombradas en tal condición para el desempeño de funciones propias del personal funcionario de carrera.

Para que pueda procederse al nombramiento de personal funcionario interino tiene que concurrir alguna de las siguientes circunstancias:

a) La existencia de puestos vacantes, con dotación presupuestaria, cuan-do no sea posible su cobertura por personal funcionario de carrera, por un plazo máximo de 3 años, en los términos previstos en el artículo 23.3 de la Ley 2/2015.

b) La sustitución transitoria de las personas titulares de los pues-tos, durante el tiempo estrictamente necesario. En los casos de reducción de jornada o permisos a tiempo parcial podrá nombrarse personal funcionario interino para cubrir la parte de la jornada que no realice la persona titular del puesto.

c) La ejecución de programas de carácter temporal y de duración determinada que no respondan a necesidades permanentes de la Administración. El plazo máximo de duración de la interinidad se hará constar expresamente en el nombramiento y no podrá ser superior a 3 años, ampliables hasta 12 meses más de justificarlo la duración del correspondiente programa.

d) El exceso o acumulación de tareas, de carácter excepcional y circunstancial, por un plazo máximo de 9 meses dentro de un período de 18 meses.

En el supuesto previsto en el número 2.a) del artículo 23 de la Ley 2/2015, los puestos vacantes desempeñados por personal funcionario interino deberán ser objeto de cobertura mediante cualquiera de los mecanismos de provisión o movilidad previstos en la Ley 2/2015.

No obstante, transcurridos 3 años desde el nombramiento del personal funcionario interino se producirá el final de la relación de interinidad, y el puesto vacante solo podrá ser ocupado por personal funcionario de carrera, salvo que el correspondiente proceso selectivo quede desierto, en cuyo caso se podrá efectuar otro nombramiento de personal funcionario interino.

Excepcionalmente, el personal funcionario interino podrá permanecer en el puesto que ocupe temporalmente, siempre que se hubiese publicado la correspondiente convocatoria dentro del plazo de los 3 años, contado desde la fecha del nombramiento del

personal funcionario interino, y sea resuelta conforme a los plazos establecidos en el artículo 48 de la Ley 2/2015. En este supuesto podrá permanecer hasta la resolución de la convocatoria, sin que su cese dé lugar a compensación económica.

El personal funcionario interino docente que imparta las enseñanzas reguladas en la Ley orgánica 2/2006, de 3 de mayo, de educación, o en la norma que la sustituya, se nombrará siempre con una duración determinada y la fecha de finalización del nombramiento no excederá el inicio del curso académico inmediatamente siguiente.

Recuerda que...

Tienen la condición de personal funcionario interino las personas que, por razones expresamente justificadas de necesidad y urgencia, son nombradas en tal condición para el desempeño de funciones propias del personal funcionario de carrera.

Actividad 1

Rellena los huecos con las palabras que faltan:

La ejecución de programas de carácter temporal y de duración determinada que no respondan a necesidades permanentes de la Administración.

El plazo máximo de duración de la interinidad se hará constar expresamente en el nombramiento y no podrá ser superior a ______ años, ampliables hasta ______ meses más de justificarlo la duración del correspondiente programa.

3.1.3.2. Adquisición y pérdida de la condición de personal funcionario interino

Los procedimientos de selección del personal funcionario interino serán ágiles , rigiéndose en todo caso por los principios de igualdad, mérito, capacidad, publicidad y celeridad, y tendrán por finalidad la cobertura inmediata del puesto. El nombramiento derivado de estos procedimientos de selección en ningún caso dará lugar al reconocimiento de la condición de funcionario de carrera.

Para la selección del personal funcionario interino docente que imparta las enseñanzas reguladas en la Ley orgánica 2/2006, de 3 de mayo, de educación, o norma que la sustituya, podrán dictarse normas adaptadas a su especificidad.

El primer nombramiento como personal funcionario interino en un determinado cuerpo, escala o especialidad estará sujeto a un período de prueba. Este período tendrá una duración de 3 meses para los cuerpos, escalas o especialidades del grupo A; 2 meses para el grupo B y un mes para los cuerpos, escalas o especialidades del grupo C y de la agrupación profesional de personal funcionario. La no superación del período de prueba implicará el cese de la persona nombrada como personal funcionario interino. Lo regulado en el artículo 24 de la Ley 2/2015 con respecto al período de prueba no será aplicable para las personas nombradas funcionarias interinas que acrediten discapacidad intelectual.

El cese del personal funcionario interino se producirá, además de por las causas que determinan la pérdida de la condición de personal funcionario de carrera, cuando concurra alguna de las siguientes circunstancias:

a) Por la cobertura reglada del puesto por personal funcionario de carrera a través de cualquiera de los procedimientos legalmente establecidos.

b) Por razones organizativas que den lugar a la supresión o a la amortización del puesto asignado.

c) Por la finalización del plazo autorizado expresamente recogido en su nombramiento.

d) Por la finalización de la causa que dio lugar a su nombramiento.

e) Por el incumplimiento sobrevenido de los requisitos exigidos para el desempeño del puesto.

f) Por la no superación del período de prueba al que se refiere el artículo 24.2 de la Ley 2/2015.

El incumplimiento del plazo previsto en el artículo 23.2.a) de la Ley 2/2015 dará lugar a una compensación económica para el personal funcionario interino afectado, que será equivalente a 20 días de sus retribuciones fijas por año de servicio, prorrateándose por meses los períodos de tiempo inferiores a un año, hasta un máximo de 12 mensualidades. El derecho a esta compensación nacerá a partir de la fecha del cese efectivo y la cuantía estará referida exclusivamente al nombramiento del que traiga causa el incumplimiento. No habrá derecho a compensación en caso de que la finalización de la relación de servicio sea por causas disciplinarias, por la no superación del período de prueba previsto en el artículo 24.2 de la Ley 2/2015 o por renuncia voluntaria.

El personal funcionario interino tendrá derecho a la indemnización en caso de que por causa de su cese no pueda hacer efectivo su derecho a vacaciones en los términos previstos en el artículo 132 de la Ley 2/2015.

3.1.3.3. Régimen jurídico

Al personal funcionario interino le es aplicable, en cuanto sea adecuado a la naturaleza de su condición temporal y al carácter extraordinario y urgente de su nombramiento, el régimen general del personal funcionario de carrera, salvo aquellos derechos inherentes a la condición de funcionario de carrera.

En todo caso, el personal funcionario interino tiene derecho a las excedencias por cuidado de familiares, por razón de violencia de género o de violencia sexual y por razón de violencia terrorista, en los términos y en las condiciones establecidos en los artículos 176, 177 y 177 bis de la Ley 2/2015. En estos supuestos, la Administración puede nombrar un sustituto del personal funcionario interino, el cual cesará por la concurrencia de cualquiera de las circunstancias previstas en el apartado 3 del artículo 24 de esta ley.

El personal funcionario interino al que hacen referencia las letras c) y d) del apartado segundo del artículo 23 de la Ley 2/2015 podrá prestar los servicios que se le encomienden en la unidad administrativa en la que se produzca su nombramiento o en otras unidades administrativas en las que desempeñe funciones análogas, siempre que, respectivamente, dichas unidades participen en el ámbito de aplicación del correspondiente programa de carácter temporal, con el límite de duración señalado, o estén afectadas por el exceso o acumulación de tareas.

La prestación de servicios en régimen interino no constituye mérito preferente para la adquisición de la condición de personal funcionario de carrera. Pero el tiempo de servicios prestados se computará en los supuestos de concurso-oposición, en los términos que se establezcan en la correspondiente convocatoria.

3.1.4. Personal laboral

3.1.4.1. Concepto y requisitos

Tienen la condición de **personal laboral** las personas que, en virtud de contrato de trabajo formalizado por escrito, en cualquiera de las modalidades de contratación de personal previstas en la legislación laboral, prestan servicios retribuidos en las administraciones públicas incluidas en el ámbito de aplicación de la Ley 2/2015. En función del régimen de duración del contrato, este puede ser **fijo, temporal o indefinido**. En ningún caso pueden ser desempeñados por personal laboral los puestos de trabajo que estén reservados a personal funcionario. Pueden ser desempeñados por personal laboral:

a) Los puestos de naturaleza no permanente y aquellos cuyas actividades se dirijan a satisfacer necesidades de carácter periódico y discontinuo.

b) Los puestos cuyas actividades sean propias de oficios.

c) Los puestos correspondientes a áreas de actividad que requieran conocimientos técnicos especializados cuando no existan cuerpos o escalas de personal funcionario en los cuales las personas integrantes tengan la preparación específica necesaria para su desempeño.

d) Los puestos de carácter instrumental correspondientes a las áreas de mantenimiento y conservación de edificios, equipamientos e instalaciones, y artes gráficas, así como los puestos de las áreas de expresión artística.

Recuerda que...

El personal laboral en función del régimen de duración del contrato, puede ser fijo, temporal o indefinido.

Actividad 2

Indica si la siguiente cuestión es verdadera o falsa:

En ningún caso podrán ser desempeñados por personal laboral los puestos de trabajo que estén reservados a personal funcionario.

Verdadera ☐ Falsa ☐

3.1.4.2. Personal laboral temporal

Los puestos de trabajo vacantes que puedan ser desempeñados por personal laboral y se consideren de provisión urgente e inaplazable pueden ser cubiertos mediante la contratación de **personal laboral temporal** de conformidad con los procedimientos contemplados en el convenio colectivo que resulte de aplicación. En todo caso, para la contratación de este personal laboral no se podrá acudir a las empresas de trabajo temporal.

Los puestos vacantes cubiertos mediante la contratación de personal laboral temporal se incluirán en la primera oferta de empleo público que se apruebe después de esa contratación y en los consiguientes concursos de traslados, salvo que se disponga su amortización.

Las administraciones públicas incluidas en el ámbito de aplicación de la Ley 2/2015. no pueden convertir en fija una relación laboral de carácter temporal. Incurrirán en responsabilidad, las personas que con su actuación irregular den lugar a la conversión en fija de una relación laboral de carácter temporal.

La prestación de servicios en régimen de personal laboral temporal no constituye mérito preferente para el acceso a la condición de personal laboral fijo. Pero el tiempo de servicios prestados se computará en los supuestos de concurso-oposición o de concurso, en los términos que se establezcan en la correspondiente convocatoria.

En el caso del personal laboral temporal, el incumplimiento de los plazos máximos de permanencia dará derecho a percibir la compensación económica prevista el artículo 27.5 de la Ley 2/2015, sin perjuicio de la indemnización que pudiese corresponder por vulneración de la normativa laboral específica.

Dicha compensación consistirá, en su caso, en la diferencia entre el máximo de 20 días de su salario fijo por año de servicio, con un máximo de 12 mensualidades, y la indemnización que le correspondería percibir por la extinción de su contrato, prorrrateándose por meses los períodos de tiempo inferiores a un año. El derecho a esta compensación nacerá a partir de la fecha del cese efectivo, y la cuantía estará referida exclusiva-mente al contrato del que traiga causa el incumplimiento. En caso de que la citada indemnización fuere reconocida en vía judicial, se procederá a la compensación de cantidades.

No habrá derecho a la compensación descrita en caso de que la finalización de la relación de servicio sea por despido disciplinario declarado procedente o por renuncia voluntaria.

Los períodos de prueba del personal laboral son los establecidos en el Convenio colectivo único para el personal laboral de la Xunta de Galicia. No obstante, el periodo de prueba no será aplicable para las personas nombradas como personal laboral temporal que acrediten discapacidad intelectual.

3.1.4.3. Personal laboral indefinido

Las relaciones de puestos de trabajo serán objeto de las modificaciones necesarias para ajustarlas a la creación de puestos derivados de sentencias judiciales firmes que reconozcan **situaciones laborales de carácter indefinido**, cuando la persona afectada no

pudiera ser adscrita a un puesto de trabajo vacante. La propuesta de modificación de la relación de puestos de trabajo deberá efectuarse en el plazo máximo de 3 meses, a contar a partir de la fecha de la firmeza de la sentencia judicial. Estos puestos de trabajo creados se incluirán en las correspondientes relaciones de puestos de trabajo como puestos de personal funcionario o, excepcionalmente, de personal laboral cuando la naturaleza de sus funciones así lo requiera, y se incorporarán a la oferta de empleo público, salvo que se disponga su amortización. Una vez modificada la relación de puestos de trabajo, la persona afectada será adscrita al puesto de nueva creación.

Incurrirán en responsabilidad, las personas que con su actuación irregular den lugar a la conversión en indefinida de una relación laboral de carácter temporal o a la adquisición de la condición de empleado público por una persona que no la ostentara.

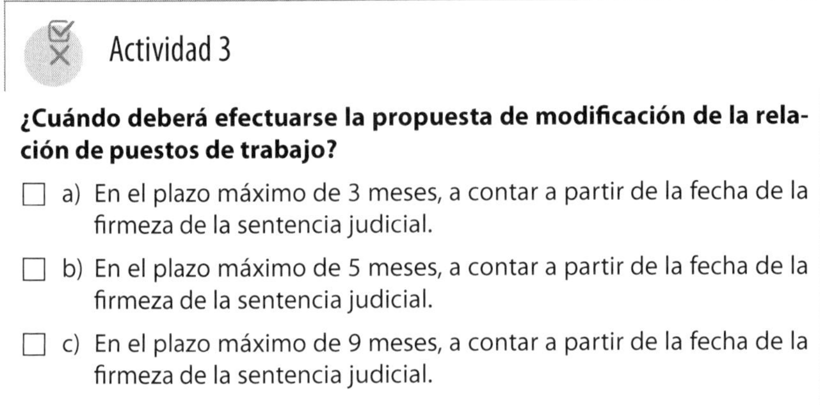

Actividad 3

¿Cuándo deberá efectuarse la propuesta de modificación de la relación de puestos de trabajo?

- ☐ a) En el plazo máximo de 3 meses, a contar a partir de la fecha de la firmeza de la sentencia judicial.
- ☐ b) En el plazo máximo de 5 meses, a contar a partir de la fecha de la firmeza de la sentencia judicial.
- ☐ c) En el plazo máximo de 9 meses, a contar a partir de la fecha de la firmeza de la sentencia judicial.

3.1.5. Personal eventual

3.1.5.1. Concepto y funciones

Tienen la condición de **personal eventual** las personas que, en virtud de nombramiento y con carácter no permanente, solo realizan funciones expresamente calificadas como de confianza o asesoramiento especial, retribuidas con cargo a los créditos presupuestarios consignados para este fin. Se entiende por funciones de confianza o asesoramiento especial aquellas en las que concurran las siguientes circunstancias:

a) Asesoramiento vinculado al desempeño y planteamiento de estrategias y propuestas de actuación o difusión en el ámbito de las competencias de la autoridad que efectuó el nombramiento, o apoyo que suponga una colaboración de carácter reservado.

b) No estar reservadas a personal funcionario.

c) Especial dedicación y disponibilidad horaria.

El personal eventual en ningún caso puede realizar actividades ordinarias de gestión o de carácter técnico ni ninguna de las funciones que corresponden al personal funcionario de carrera.

3.1.5.2. Nombramiento y cese del personal eventual

El nombramiento del personal eventual es libre y su cese corresponde a los mismos órganos competentes para su nombramiento y se produce por la concurrencia de alguna de las siguientes causas:

a) Libre decisión de la autoridad que efectuó el nombramiento.

b) Cese de la autoridad que efectuó el nombramiento. En este caso, el cese del personal eventual se produce de forma automática con el cese de dicha autoridad.

c) Renuncia.

3.1.5.3. Régimen jurídico

Al personal eventual le es de aplicación, en cuanto sea adecuado a la naturaleza de su condición, el régimen general del personal funcionario de carrera.

Cuando el personal funcionario de carrera acceda a puestos de trabajo de carácter eventual, podrá optar entre permanecer en la situación de servicio activo o pasar a la situación de servicios especiales.

La determinación de las condiciones de empleo del personal eventual no tiene la consideración de materia objeto de negociación colectiva. La prestación de servicios como personal eventual no constituirá mérito alguno para el acceso al empleo público ni para la promoción dentro de este.

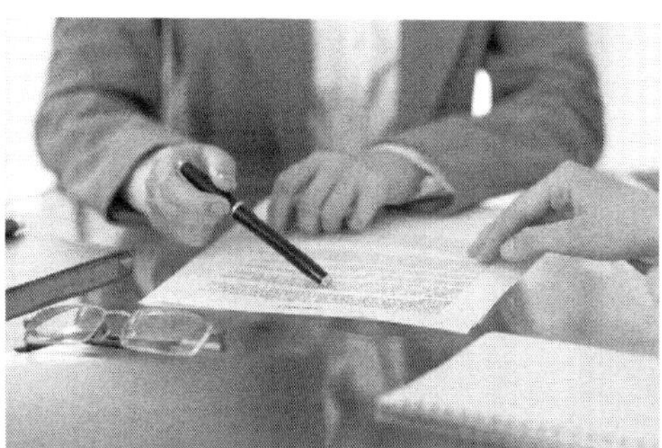

3.1.5.4. Personal eventual de la Administración general de la Comunidad Autónoma de Galicia

En el ámbito de la Administración general de la Comunidad Autónoma de Galicia el personal eventual solo puede ser nombrado por las personas integrantes del Consello de la Xunta para realizar cometidos de asesoramiento especial o apoyo a las mismas en desarrollo de su labor política, en cumplimiento de sus cometidos de carácter parlamentario y en sus relaciones con las instituciones públicas, los medios de comunicación y las organizaciones administrativas, así como actividades protocolarias.

El número máximo de puestos del personal eventual, así como sus características y retribuciones, serán establecidos anualmente por el Consello de la Xunta dentro de los correspondientes créditos presupuestarios consignados al efecto, siendo el número y las condiciones retributivas de los mismos públicos.

Las entidades públicas instrumentales del sector público autonómico no pueden nombrar personal eventual.

Sabías que...

Las entidades públicas instrumentales del sector público autonómico no pueden nombrar personal eventual.

3.2. Personal directivo

3.2.1. Concepto

Tienen la condición de **personal directivo** las personas que desarrollan funciones directivas profesionales en las administraciones públicas incluidas en el ámbito de aplicación de la Ley 2/2015. Se entiende por funciones directivas las tareas gerenciales o de dirección o coordinación de unidades administrativas integradas por el número mínimo de efectivos de personal que se determine reglamentariamente. Los puestos que serán cubiertos por esta clase de personal se contemplarán en una relación de puestos directivos de contenido análogo al de la relación de puestos de trabajo.

El carácter profesional de las funciones ejercidas por esta clase de personal viene determinado por la configuración de una carrera directiva, en la que se ingresa en atención a principios de mérito y capacidad y a criterios de idoneidad, y en la cual la permanencia, progresión y, en su caso, parte de las retribuciones dependen de una evaluación periódica de conformidad con criterios de eficacia y eficiencia, responsabilidad por la gestión realizada y control de resultados en relación a los objetivos fijados.

El régimen jurídico específico del personal directivo será establecido por decreto del Consello de la Xunta. La determinación de las condiciones de empleo del personal directivo no tendrá la consideración de materia objeto de negociación colectiva.

Las administraciones públicas dispondrán de registros del personal directivo a su servicio y del personal directivo al servicio de las entidades públicas instrumentales vinculadas o dependientes de las mismas. Mediante orden de la consejería competente en materia de función pública se regularán las características y funcionamiento del Registro de personal directivo de la Administración general de la Comunidad Autónoma de Galicia y del Registro de personal directivo de la Administración instrumental.

Los contratos de alta dirección ajustados a las condiciones retributivas derivadas de la aplicación del Decreto 119/2012, de 3 de mayo, por el que se regulan las retribuciones y percepciones económicas aplicables a los órganos de gobierno o dirección y al personal directivo de las entidades del sector público autonómico, o norma que lo sustituya, se depositarán en el Registro de personal directivo de la Administración instrumental.

Recuerda que...

El régimen jurídico específico del personal directivo será establecido por decreto del Consello de la Xunta.

3.2.2. Adquisición de la condición de personal directivo y carrera directiva

La adquisición de la condición de personal directivo se basará en los principios de mérito y capacidad y en criterios de idoneidad, y se llevará a cabo mediante procedimientos que garanticen la publicidad y concurrencia entre el personal funcionario de carrera y el personal laboral fijo al servicio de las administraciones públicas.

Para el personal directivo se configurará una carrera directiva profesional basada en la progresión en los grados de especialización que se establezcan, los cuales determinarán los concretos puestos directivos a los que podrá acceder esta clase de personal según lo dispuesto en la correspondiente relación de puestos directivos.

La provisión de los puestos directivos se llevará a cabo por procedimientos objetivos que garanticen la publicidad y concurrencia entre las personas que tengan la condición de personal directivo y reúnan los demás requisitos previstos en la correspondiente relación de puestos directivos.

En las entidades públicas instrumentales a las que se refieren la letra c), excluidos los organismos autónomos, y la letra d) artículo 4.1 de la Ley 2/2015 estos puestos también se podrán proveer excepcionalmente con personas que no tengan la condición de personal directivo, respetando los principios enunciados en el artículo 34.1 de esta ley.

En todo caso, la prestación de servicios como personal directivo no constituirá mérito alguno para el acceso al empleo público.

El personal funcionario de carrera que tenga reconocida la condición de personal directivo y sea nombrado para desempeñar un puesto calificado como directivo en la correspondiente relación de puestos directivos mantendrá la situación de servicio activo en el cuerpo o escala al que pertenezca. El personal laboral fijo será declarado en la situación que corresponda según la legislación laboral y el convenio colectivo de aplicación.

Los contratos laborales de alta dirección del personal directivo incluirán un pacto de permanencia y no competencia poscontractual por los 2 años siguientes a la extinción del contrato.

El cese en los puestos directivos se producirá por causas objetivas vinculadas a una evaluación negativa del desempeño, a la pérdida de la confianza o a graves y continuadas dificultades de integración en el equipo directivo, apreciadas por el órgano superior jerárquico de aquel del cual la persona directiva dependa directamente. Al personal removido se le reconocerán análogas garantías a las previstas en esta ley para el personal funcionario que cesa en puestos de trabajo provistos por el procedimiento de libre designación.

En el caso del personal directivo con contrato laboral de alta dirección, serán de aplicación las reglas específicas de la extinción de este tipo de contrato.

3.2.3. Retribuciones y evaluación

Las retribuciones del personal directivo constarán de una **parte fija**, que vendrá determinada por la titulación académica, la progresión alcanzada en la carrera directiva y las características del puesto directivo desempeñado, y, en su caso, de una **parte variable**, que estará vinculada a la consecución de los objetivos fijados.

El personal directivo estará sujeto a evaluación periódica conforme a los criterios de eficacia y eficiencia, responsabilidad por su gestión y control de resultados con relación a los objetivos que le hayan sido fijados. El resultado de esta evaluación determinará:

a) La continuidad en el puesto que se desempeñe y, en su caso, en la condición de personal directivo.

b) La progresión en la carrera directiva profesional.

c) En su caso, la cuantía de la parte variable de la retribución del personal directivo.

3.2.4. Régimen disciplinario y de incompatibilidades

El personal directivo estará sometido al régimen disciplinario previsto en la Ley 2/2015 para el personal funcionario, excepto en los casos en los que accedió a su puesto en virtud de contrato laboral de alta dirección, en los cuales le será de aplicación el régimen disciplinario previsto para el personal laboral. Además, el personal directivo estará sometido a la normativa de incompatibilidades.

4. Organización del empleo público

El Título IV aborda la organización del empleo público desde el punto de vista de su estructura, que incluye la ordenación de los puestos de trabajo y de los empleados públicos, y desde el de su planificación. Este título se divide en 2 capítulos. El Capítulo I dedicado a la estructura del empleo, consta de varias secciones, configuradas por los artículos 37 a 44. El Capítulo II regula la planificación del empleo, y abarca los artículos 45 a 48.

4.1. Estructura del empleo público

4.1.1. Ordenación de los puestos de trabajo

4.1.1.1. Puesto de trabajo

El **puesto de trabajo** es un conjunto de funciones, actividades, tareas y otras responsabilidades identificadas bajo una concreta denominación y para el desempeño de las cuales son exigibles determinados requisitos, méritos, capacidades y, en su caso, experiencia o categoría profesional.

Los órganos de los que dependan funcionalmente los empleados públicos pueden asignar a los mismos con carácter temporal, por el tiempo imprescindible y, en todo caso, por un periodo máximo de 6 meses, funciones, tareas o responsabilidades distintas a las correspondientes al puesto de trabajo que desempeñen, siempre que resulten adecuadas a su clasificación, categoría y grado, y siempre y cuando las necesidades del servicio lo justifiquen. La asignación temporal de funciones no puede suponer merma de las retribuciones del personal afectado y dará lugar, en su caso, a las indemnizaciones que reglamentariamente se establezcan. Asimismo, será comunicada al respectivo órgano de representación del personal.

4.1.1.2. Relación de puestos de trabajo

La relación de puestos de trabajo es un instrumento técnico de carácter público que incluye todos los puestos de trabajo de naturaleza funcionarial y laboral existentes en cada una de las administraciones públicas incluidas en el ámbito de aplicación de la Ley 2/2015.

A través de la respectiva relación de puestos de trabajo, las administraciones públicas incluidas en el ámbito de aplicación de esta ley estructuran su organización, clasifican los puestos de trabajo existentes en su ámbito y determinan su contenido para la selección y provisión de los mismos, procurando organizar, racionalizar y ordenar el personal en orden a facilitar una eficaz prestación de los servicios públicos.

Los presupuestos reflejarán los créditos correspondientes a las relaciones de puestos de trabajo, sin que pueda existir ningún puesto que no esté dotado presupuestariamente.

Las relaciones de puestos de trabajo incluirán, como mínimo, por cada puesto:

a) El código alfanumérico, denominación y naturaleza jurídica.

b) La clasificación profesional.

c) El sistema de provisión.

d) La adscripción orgánica.

e) El complemento retributivo del puesto.

f) Los requisitos y, en los casos en que proceda, las áreas funcionales, méritos, capacidades, experiencia o categoría profesional para su provisión.

g) Cualesquiera otras circunstancias relevantes para su provisión en los términos previstos reglamentariamente.

Las relaciones de puestos de trabajo señalarán expresamente los puestos abiertos a la provisión por personal funcionario o laboral procedente de otras administraciones públicas, los cuales no superarán el 7 % del número total de puestos de trabajo que puedan ser cubiertos por personal funcionario o laboral, respectivamente, salvo que por convenio entre las administraciones públicas interesadas se establezca un porcentaje superior atendiendo a criterios de reciprocidad.

Las relaciones de puestos de trabajo de la Administración General de la Comunidad Autónoma de Galicia y los instrumentos de ordenación del personal de las entidades públicas instrumentales del sector público autonómico podrán prever la clasificación de los puestos con el rango de subdirección general o jefatura de servicio que guarden relación directa con las competencias en materia de sanidad, educación y justicia para su provisión por personal sanitario, docente o de la Administración de Justicia, respectivamente, atendiendo a la especificidad de las funciones que se deban desempeñar.

Los puestos clasificados como jefatura territorial podrán ser provistos por personal sanitario, docente o de la Administración de Justicia en caso de que así se determine en la correspondiente relación de puestos de trabajo.

Sabías que...

Según dispone la Ley 2/2015, de 29 de abril, del empleo público de Galicia la relación de puestos de trabajo es un instrumento técnico de carácter público que incluye todos los puestos de trabajo de naturaleza funcionarial y laboral existentes en cada una de las administraciones públicas incluidas en el ámbito de aplicación de esta ley.

4.1.1.3. Otros instrumentos de ordenación

Reglamentariamente se determinará el instrumento de ordenación aplicable al personal eventual, con el contenido mínimo que habrá de incluir.

La estructura organizativa de los centros docentes públicos y de los centros sanitarios públicos comprenderá la plantilla del personal docente y del personal estatutario o, en su caso, el catálogo de puestos de trabajo. Estos instrumentos serán públicos y se aprobarán por la consejería competente en materia de educación o de sanidad, según el caso.

La estructura organizativa de las entidades públicas instrumentales a las que se refieren las letras c) y d) del artículo 4.1 de la Ley 2/2015 comprenderá la plantilla de personal, que es la relación de plazas dotadas presupuestariamente que corresponden a cada una de las categorías profesionales del personal laboral y al personal directivo profesional. Sin perjuicio de otras posibles subdivisiones, las plantillas de personal deben relacionar los correspondientes puestos de trabajo estructurados por entidades públicas instrumentales de cada Administración Pública.

4.1.2. Ordenación de los empleados públicos

4.1.2.1. Cuerpos y escalas

El personal funcionario se agrupa en **cuerpos y escalas**. Los cuerpos y escalas del personal funcionario **se crean, refunden, modifican y suprimen por ley**. Las leyes de creación de cuerpos y escalas del personal funcionario **contendrán** los siguientes elementos:

a) La denominación del cuerpo o escala y, en su caso, escalas de las que se componga el cuerpo.

b) El subgrupo o grupo, en el supuesto de que este no tenga subgrupo, en el que se clasifica el cuerpo o escala.

c) Las funciones que deba desempeñar el personal que lo integra, las cuales no podrán corresponderse con las atribuidas a los órganos de la Administración.

d) El nivel de titulación o titulaciones concretas exigidas para el ingreso. Cuando se aprueben nuevas titulaciones o se produzcan modificaciones en la normativa educativa vigente, el Consello de la Xunta de Galicia, mediante decreto, podrá establecer las titulaciones equivalentes o que sustituyan a estos efectos a las legalmente exigidas.

No pueden crearse nuevos cuerpos y escalas cuando su titulación y funciones sean idénticas a las de otros que ya existan.

 Recuerda que...

Los cuerpos y escalas del personal funcionario se crean, refunden, modifican y suprimen por ley.

4.1.2.2. Cuerpos y escalas del personal funcionario de la Administración general de la Comunidad Autónoma de Galicia

El personal funcionario de la Administración general de la Comunidad Autónoma de Galicia se agrupa en **cuerpos de Administración general y cuerpos de Administración especial,** en los que podrán crearse diferentes escalas.

Cuando el contenido técnico y particularizado de determinados puestos de trabajo exija como requisito para su desempeño una mayor especialización de conocimientos para el ejercicio de las funciones de los cuerpos y escalas, podrán crearse mediante decreto especialidades dentro de los mismos.

La asignación de especialidades se realizará a través de las relaciones de puestos de trabajo, atendiendo a las características de los puestos.

Son cuerpos de Administración general los siguientes:

a) **El cuerpo superior.** Se integra en este cuerpo el personal funcionario seleccionado para ocupar puestos que tengan atribuidas funciones de planificación, administración y gestión superior de los recursos, servicios, proyectos y programas, tales como proponer normas, diseñar procedimientos administrativos, diseñar e implantar sistemas de gestión, evaluación y mejora continua, preparar o diseñar modelos de resoluciones administrativas y elaborar informes y estudios para la toma de decisiones.

b) **El cuerpo de gestión.** Se integra en este cuerpo el personal funcionario seleccionado para ocupar puestos que tengan atribuidas funciones de colaboración técnica con las de nivel superior, así como de aplicación de las normas, gestión de los procedimientos administrativos, propuestas de resolución de expedientes normalizados y estudios e informes que no correspondan a tareas de nivel superior.

c) El **cuerpo administrativo**. Se integra en este cuerpo el personal funcionario seleccionado para ocupar puestos que tengan atribuidas las funciones de colaboración, preparatorias o derivadas de las propias del cuerpo superior y del cuerpo de gestión, la propuesta de resolución de procedimientos normalizados que no correspondan al cuerpo superior o al cuerpo de gestión, la comprobación, gestión, actualización y tramitación de documentación y la preparación de aquella que, en función de su complejidad, no sea propia del cuerpo superior o del cuerpo de gestión, la elaboración y administración de datos, el inventariado de bienes y materiales, y tareas ofimáticas, manuales, de información y despacho y atención al público.

d) El **cuerpo auxiliar**. Se integra en este cuerpo el personal funcionario seleccionado para ocupar puestos que tengan atribuidas las funciones de carácter complementario o instrumental en las áreas de actividad administrativa, así como tareas ofimáticas y de despacho de correspondencia, transcripción y tramitación de documentos, archivo, clasificación y registro, ficheros, atención al público, manejo de máquinas reproductoras y traslado de documentos o similares.

Son cuerpos de Administración especial los siguientes:

a) El **cuerpo facultativo superior**. Se integra en este cuerpo el personal funcionario seleccionado para ocupar puestos que tengan atribuida la realización de actividades profesionales para cuyo desempeño se precise una titulación del mismo nivel académico que el requerido para el acceso al cuerpo superior de Administración general.

b) El **cuerpo facultativo de grado medio**. Se integra en este cuerpo el personal funcionario seleccionado para ocupar puestos que tengan atribuidas funciones profesionales para cuyo desempeño se requiera una titulación del mismo nivel académico que el requerido para el acceso al cuerpo de gestión de Administración general.

c) El **cuerpo de técnicos de carácter facultativo**. Se integra en este cuerpo el personal funcionario seleccionado para ocupar puestos que tengan atribuidas funciones técnicas para cuyo desempeño se requiera una titulación de técnico superior.

d) El **cuerpo de ayudantes de carácter facultativo**. Se integra en este cuerpo el personal funcionario seleccionado para ocupar puestos que tengan atribuidas funciones de ejecución, colaboración y apoyo a los cuerpos facultativos de grado superior y medio, en el ejercicio de su titulación académica o profesión.

e) El **cuerpo de auxiliares de carácter técnico**. Se integra en este cuerpo el personal funcionario seleccionado para ocupar puestos que tengan atribuidas funciones correspondientes a su nivel de titulación que no tengan carácter general o común.

Los cuerpos y escalas del personal funcionario de la Administración General de la Comunidad Autónoma de Galicia dependen orgánicamente de la consejería competente en materia de función pública, sin perjuicio de la dependencia que funcionalmente les corresponda.

4.1.2.3. Grupos de clasificación de los cuerpos y escalas del personal funcionario de la Administración general de la Comunidad Autónoma de Galicia

Los cuerpos y escalas del personal funcionario de la Administración general de la Comunidad Autónoma de Galicia se clasifican en los siguientes **grupos y subgrupos**, de conformidad con la titulación exigida para el acceso a los mismos:

a) **Grupo A.** Para el acceso a este grupo es necesario estar en posesión del título universitario oficial de grado, salvo en los supuestos en los que una norma con rango de ley exija otro título universitario oficial.

   - *Subgrupo A1*. Pertenecen a este subgrupo el cuerpo superior de Administración general y el cuerpo facultativo superior de Administración especial.

   - *Subgrupo A2*. Pertenecen a este subgrupo el cuerpo de gestión de Administración general y el cuerpo facultativo de grado medio de Administración especial.

b) **Grupo B**. Para el acceso a este grupo es necesario estar en posesión del título de técnico superior. Pertenece a este grupo el cuerpo de técnicos de carácter facultativo de Administración especial.

c) **Grupo C.**

   - *Subgrupo C1*. Para el acceso a este subgrupo es necesario estar en posesión del título de bachiller o técnico. Pertenecen a este subgrupo el cuerpo administrativo de Administración general y el cuerpo de ayudantes de carácter facultativo de Administración especial.

   - *Subgrupo C2*. Para el acceso a este subgrupo es necesario estar en posesión del título de graduado en educación secundaria obligatoria. Pertenecen a este subgrupo el cuerpo auxiliar de Administración general y el cuerpo de auxiliares de carácter técnico de Administración especial.

4.1.2.4. Agrupaciones profesionales del personal funcionario de la Administración general de la Comunidad Autónoma de Galicia

Se crea la agrupación profesional del personal funcionario de la Administración General de la Comunidad Autónoma de Galicia, que se estructura en escalas y especialidades. Se integrará en esta agrupación profesional el personal funcionario seleccionado sin la exigencia de estar en posesión de ninguna de las titulaciones previstas en el sistema educativo.

Cada vez que en la Ley 2/2015 se haga referencia a cuerpos y escalas de personal funcionario, se entenderán comprendidas también las agrupaciones profesionales funcionariales.

4.1.2.5. Clasificación del personal laboral

El personal laboral se clasificará de conformidad con la legislación laboral y el respectivo convenio colectivo. Las administraciones públicas incluidas en el ámbito de aplicación de la Ley 2/2015 orientarán la negociación de los convenios colectivos de su personal laboral hacia el objetivo de conseguir que se apruebe para el mismo una clasificación profesional equiparable a la prevista en esta ley para el personal funcionario, a fin de garantizar la igualdad de todos los empleados públicos.

4.2. Planificación del empleo público

4.2.1. Objetivos de la planificación

La planificación de los recursos humanos en el ámbito del empleo público tiene como objetivo contribuir a la consecución de la eficacia en la prestación de los servicios públicos y de la eficiencia en la utilización de los recursos económicos disponibles, mediante la determinación de los efectivos precisos y la mejora de su distribución, formación, promoción profesional y movilidad.

Son **instrumentos de planificación del empleo público** los registros de personal y de puestos de trabajo, los planes de ordenación de recursos humanos y la oferta de empleo público.

4.2.2. Registros de personal y de puestos de trabajo

En cada una de las administraciones públicas existirá un **Registro de personal y de puestos de trabajo**, que se **estructurará** en las siguientes **secciones**:

a) **Sección de personal funcionario y laboral**. En ella figurará inscrito todo el personal funcionario y laboral al servicio de la correspondiente Administración pública, así como todos los actos que afecten a su carrera profesional, con los contenidos mínimos comunes y los criterios para el intercambio homogéneo de información entre administraciones públicas que se establezcan reglamentariamente de conformidad con las previsiones contenidas en la legislación básica estatal.

b) **Sección de puestos de trabajo**. En ella figurará inscrita la totalidad de los puestos existentes en el ámbito de la respectiva Administración pública, con los datos que se determinen reglamentariamente.

c) **Sección de personal eventual**. En ella figurará inscrito el personal eventual al servicio de la correspondiente Administración pública, con los datos que se determinen reglamentariamente y que incluirán, como mínimo, las titulaciones académicas y las remuneraciones de esta clase de personal.

En la inscripción de los datos en las secciones de personal funcionario y laboral y de personal eventual se respetará lo dispuesto en el artículo 16.2 de la Constitución, y la utilización de los datos que consten en estas secciones estará sometida a las limitaciones previstas en el artículo 18.4 de la Constitución, así como en la legislación de protección de datos de carácter personal.

Mediante los instrumentos informáticos adecuados, el Registro de personal y de puestos de trabajo servirá de núcleo para la configuración de una base de datos personal en la que la Administración y, en su caso, cada empleado público inscribirán, de la manera que reglamentariamente se determine, los méritos que este vaya reuniendo a lo largo de su vida profesional. Esta base de datos será empleada para automatizar los procedimientos relacionados con la gestión del empleo público.

Mediante orden de la consejería competente en materia de función pública se regularán las características y funcionamiento del Registro único de personal y de puestos de trabajo de la Administración general de la Comunidad Autónoma de Galicia y de las entidades públicas instrumentales del sector público autonómico.

4.2.3. Planes de ordenación de recursos humanos

Las administraciones públicas pueden elaborar planes de ordenación de recursos humanos, referidos tanto al personal funcionario como al laboral, que contendrán, de forma conjunta, las actuaciones que han de desarrollarse para la óptima utilización de los recursos humanos en el ámbito al que afecten, dentro de los límites presupuestarios y de acuerdo con las directrices de política de personal.

Las actuaciones previstas para el personal laboral en los planes de ordenación de recursos humanos se desarrollarán de conformidad con lo establecido en la legislación laboral y en los convenios colectivos aplicables.

La elaboración de los planes de ordenación de recursos humanos vendrá precedida de un análisis de las disponibilidades y necesidades de personal, desde el punto de vista tanto del número de efectivos como de sus perfiles profesionales o niveles de calificación, en el conjunto del personal de la respectiva Administración pública, o en un determinado sector orgánico o funcional de la misma.

Los planes de ordenación de recursos humanos contendrán necesariamente las siguientes previsiones:

a) El ámbito de aplicación y vigencia.

b) Los objetivos.

c) Las medidas de ordenación de recursos humanos previstas.

d) El cronograma detallado de su implantación y aplicación.

e) El informe económico-financiero.

Los planes de ordenación de recursos humanos podrán contener, entre otras, las siguientes medidas de ordenación de recursos humanos:

a) Previsiones sobre modificación de estructuras organizativas y de puestos de trabajo.

b) Suspensión de incorporaciones de personal externo al ámbito afectado por el plan, tanto las derivadas de oferta de empleo público como de procesos de movilidad.

c) Medidas de movilidad voluntaria, entre las cuales podrá figurar la convocatoria de concursos de provisión de puestos limitados al personal del ámbito que se determine.

d) Medidas de movilidad forzosa de las previstas en la sección 4ª del Capítulo III del Título VI de la Ley 2/2015.

e) Necesidades adicionales de recursos humanos, que deberán integrarse, en su caso, en la oferta de empleo público, así como la exclusión por causas objetivas sobrevenidas de plazas inicialmente incluidas en la misma.

En la elaboración y aplicación de los planes de ordenación de recursos humanos se atenderá, con absoluta prioridad, al principio de igualdad y no discriminación por razón de sexo.

4.2.4. Oferta de empleo público

Las necesidades de recursos humanos con asignación presupuestaria que no puedan ser cubiertas con los efectivos de personal existentes, incluidas las vacantes desempeñadas por personal funcionario interino o laboral temporal, serán objeto de **oferta de empleo público**, lo que comportará la obligación de convocar los correspondientes procesos selectivos para las plazas comprometidas y hasta un 10 % adicional, salvo que se decida su amortización, estén incursas en un procedimiento de provisión de puestos de trabajo por concurso o, en el caso del personal docente, la planificación educativa lo impida.

En las ofertas de empleo público se reservará un porcentaje no inferior al 7 % de las plazas convocadas para ser cubiertas entre personas con discapacidad, siempre que superen las pruebas selectivas y acrediten su discapacidad y la compatibilidad de esta con el desempeño de las tareas y funciones, de forma que progresivamente se alcance el 2 % de los efectivos totales de cada Administración Pública. La reserva del mínimo del 7 % se realizará de manera que, al menos el 2 % de las plazas ofertadas lo sea para ser cubiertas por personas que acrediten discapacidad intelectual, y el resto de las plazas ofertadas lo sea para personas que acrediten cualquier otro tipo de discapacidad.

La reserva se hará sobre el número total de las plazas incluidas en la respectiva oferta de empleo público, pudiendo concentrarse las plazas reservadas para personas con discapacidad en aquellas convocatorias que se refieran a cuerpos, escalas o categorías que se adapten mejor a las peculiaridades de las personas con discapacidad. Cuando de la aplicación de los porcentajes resulten fracciones decimales, se redondearán por exceso para su cómputo.

Si las plazas reservadas y que fueron cubiertas por las personas con discapacidad no alcanzasen el porcentaje del 3 % de las plazas convocadas en la correspondiente oferta de empleo público, las plazas no cubiertas del número total de las reservadas se acumularán al porcentaje del 7 % de la oferta siguiente, con un límite máximo del 12 %.

Las ofertas de empleo público pueden contemplar que las plazas reservadas para personas con discapacidad se convoquen conjuntamente con las plazas ordinarias o mediante convocatorias independientes, garantizándose, en todo caso, el carácter individual de los procesos selectivos. Las pruebas de los procesos objeto de convocatoria independiente serán de características similares a las que se realicen en las convocatorias ordinarias, habiendo de acreditar las personas que participen en las mismas el grado de discapacidad indicado. Las plazas incluidas en estas convocatorias se computarán en el porcentaje reservado en la oferta de empleo público para su cobertura entre personas con discapacidad.

Una vez aprobada y publicada la oferta de empleo público, los respectivos procesos selectivos se convocarán en el plazo máximo fijado en la misma. En todo caso, la ejecución de la oferta de empleo público debe desarrollarse dentro del plazo improrrogable de 3 años, a contar a partir del día siguiente al de la publicación de aquella en el correspondiente diario oficial.

La oferta de empleo público podrá contener medidas derivadas de la planificación de recursos humanos.

Recuerda que...

Son instrumentos de planificación del empleo público los registros de personal y de puestos de trabajo, los planes de ordenación de recursos humanos y la oferta de empleo público.

5. Adquisición y pérdida de la relación de servicio

El Título V está dedicado a la adquisición y pérdida de la relación de servicio. Este título se divide en 3 capítulos. El Capítulo I está dedicado a la selección de los empleados públicos, que abarcan los artículos 49 a 59. El Capítulo II regula la adquisición de la relación de servicio, a través de los artículos 60 a 63, y el Capítulo III se dedica a regular la pérdida de la relación de servicio en los artículos 64 a 70.

5.1. Selección de los empleados públicos

5.1.1. Principios generales

Las administraciones públicas incluidas en el ámbito de aplicación de la Ley 2/2015 seleccionarán al personal a su servicio de conformidad con los principios siguientes:

a) Igualdad, con especial atención a la igualdad de oportunidades entre mujeres y hombres y de las personas con discapacidad.

b) Mérito y capacidad.

c) Publicidad de las convocatorias y de sus bases.

d) Transparencia y objetividad en el desarrollo de los procesos selectivos y en el funcionamiento de los órganos de selección.

e) Imparcialidad y profesionalidad de los miembros de los órganos de selección.

f) Independencia, confidencialidad y discrecionalidad técnica en la actuación de los órganos de selección.

g) Adecuación entre el contenido de los procesos selectivos y las funciones o tareas a desarrollar.

h) Eficacia, eficiencia y agilidad, sin perjuicio de la objetividad, en el desarrollo de los procesos selectivos.

5.1.2. Requisitos para el acceso al empleo público

Son requisitos generales para la participación en los procesos selectivos los siguientes:

a) Tener nacionalidad española o alguna otra que, con arreglo a lo dispuesto en el artículo 52 de la Ley 2/2015, permita el acceso al empleo público.

b) Estar en posesión de la titulación exigida o estar en condiciones de obtenerla.

c) No haber sido separado mediante expediente disciplinario del servicio de ninguna Administración Pública o de los órganos constitucionales o estatutarios de las comunidades autónomas, ni hallarse en la situación de inhabilitación absoluta o especial para el desempeño de empleos o cargos públicos por resolución judicial, cuando se tratará de acceder al cuerpo o escala de personal funcionario del que la persona hubiera sido separada o inhabilitada.

   En el caso del personal laboral, no haber sido despedido mediante expediente disciplinario de ninguna Administración pública o de los órganos constitucionales o estatutarios de las comunidades autónomas, ni hallarse en la situación de inhabilitación absoluta o especial para el desempeño de empleos o cargos públicos por resolución judicial, cuando se tratara de acceder a la misma categoría profesional a la que se pertenecía.

En el caso de nacionales de otros estados, no estar inhabilitado o en situación equivalente, ni haber sido sometido a sanción disciplinaria o equivalente que impida en el Estado de procedencia el acceso al empleo público en los términos anteriores.

d) Tener cumplidos los 16 años y no exceder, en su caso, de la edad máxima de jubilación forzosa.

e) Poseer las capacidades y aptitudes físicas y psíquicas que sean necesarias para el desempeño de las correspondientes funciones o tareas.

Las convocatorias de los procesos selectivos pueden establecer con carácter abstracto y general requisitos específicos de acceso que guarden relación objetiva y proporcionada con las funciones y tareas a desempeñar.

No pueden participar en los procesos selectivos las personas que ya pertenecen al respectivo cuerpo, escala o categoría profesional.

5.1.3. Requisitos lingüísticos

Las administraciones públicas incluidas en el ámbito de aplicación de la Ley 2/2015 garantizarán los derechos constitucionales y lingüísticos de las personas tanto respecto al gallego, como lengua propia y oficial de Galicia, como al castellano, lengua oficial en Galicia. Y para dar cumplimiento a la normalización del idioma gallego en las administraciones públicas de Galicia y para garantizar el derecho al uso del gallego en las relaciones con las administraciones públicas en el ámbito de la Comunidad Autónoma, así como la promoción del uso normal del gallego por parte de los poderes públicos de Galicia, en las pruebas selectivas que se realicen para el acceso a los puestos de las administraciones públicas incluidas en el ámbito de aplicación de la Ley 2/2015 se incluirá un examen de gallego, excepto para aquellas personas que acrediten el conocimiento de la lengua gallega de conformidad con la normativa vigente. Las bases de las convocatorias de los procesos selectivos establecerán el carácter y, en su caso, la valoración del conocimiento de la lengua gallega.

En los demás ejercicios de dichas pruebas selectivas, las personas aspirantes tienen derecho a elegir libremente la lengua oficial de la Comunidad Autónoma en la que los desean realizar, lo que conlleva a su vez el derecho a recibir en la misma lengua los enunciados de los ejercicios, excepto en el caso de las pruebas que tengan que realizarse en gallego para aquellos puestos que requieran un especial conocimiento de esa lengua.

5.1.4. Acceso al empleo público de personas nacionales de otros estados

Pueden acceder al empleo público como personal funcionario en igualdad de condiciones con las personas de nacionalidad española:

a) Las personas que posean la nacionalidad de otros estados miembros de la Unión Europea.

b) Las personas, cualquiera que sea su nacionalidad, que sean cónyuges de personas que posean la nacionalidad española o de otros estados miembros de la Unión Europea, siempre que no estén separadas de derecho.

c) Las personas, cualquiera que sea su nacionalidad, descendientes de personas que posean la nacionalidad española o de otros estados miembros de la Unión Europea, siempre que sean menores de 21 años o mayores de dicha edad dependientes.

d) Las personas, cualquiera que sea su nacionalidad, descendientes del cónyuge no separado de derecho de personas que posean la nacionalidad española o de otros estados miembros de la Unión Europea, siempre que sean menores de 21 años o mayores de dicha edad dependientes.

e) Las personas incluidas en el ámbito de aplicación de los tratados internacionales celebrados por la Unión Europea y ratificados por España en los que sea de aplicación la libre circulación de trabajadores.

Se exceptúa de lo previsto anteriormente el acceso a los empleos públicos que directa o indirectamente impliquen participación en el ejercicio del poder público o en las funciones que tienen por objeto la salvaguarda de los intereses de las administraciones públicas.

Pueden acceder al empleo público como personal laboral en igualdad de condiciones con los españoles las personas con nacionalidad extranjera a las que se refiere el artículo 52.1 de la Ley 2/2015, así como los demás extranjeros con residencia legal en España.

Recuerda que...

El mérito y la capacidad es uno de los principios generales de la selección de los empleados públicos.

5.1.5. Acceso al empleo público del personal funcionario de organismos internacionales

Reglamentariamente se establecerán los requisitos y condiciones para el acceso al empleo público en las administraciones públicas incluidas en el ámbito de aplicación de la Ley 2/2015 del personal funcionario de nacionalidad española al servicio de organismos internacionales, siempre que posea la titulación requerida y supere los correspondientes procesos selectivos. Estas personas podrán quedar exentas de la realización de aquellas pruebas que tengan por objeto acreditar conocimientos ya exigidos para el desempeño de su puesto en el organismo internacional correspondiente, de acuerdo con lo que dispongan las bases del proceso selectivo.

5.1.6. Acceso al empleo público de las personas con discapacidad

En las pruebas selectivas, incluidos los cursos de formación y los periodos de prácticas, se establecerán las adaptaciones y los ajustes razonables de tiempo y medios que sean necesarios para su realización por las personas con discapacidad, siempre que así lo

solicitasen, a fin de garantizar que participan en condiciones de igualdad con los demás aspirantes. Estas personas concurrirán en turno separado de los demás aspirantes siempre que así se justificase para el mejor desarrollo de sus pruebas selectivas.

Superado el proceso selectivo, las personas que ingresen en cuerpos o escalas de personal funcionario o categorías de personal laboral de las administraciones públicas incluidas en el ámbito de aplicación de la Ley 2/2015, y que hayan sido admitidas en la convocatoria ordinaria con plazas reservadas para personas con discapacidad, pueden solicitar al órgano convocante la alteración del orden de prelación para la elección de las plazas dentro del ámbito territorial que se determine en la convocatoria, por motivos de dependencia personal, dificultades de desplazamiento u otras análogas, que deberán ser acreditados debidamente. El órgano convocante acordará dicha alteración cuando estuviera debidamente justificada, limitándose a realizar en el orden de prelación la mínima modificación necesaria para posibilitar el acceso al puesto de la persona con discapacidad.

5.1.7. Principios de los procesos selectivos

Los procesos selectivos de los empleados públicos tendrán carácter abierto y garantizarán la libre concurrencia, sin perjuicio de lo establecido para la promoción interna y de las medidas de discriminación positiva previstas en la Ley 2/2015.

Los órganos de selección velarán por el cumplimiento del principio de igualdad de oportunidades entre sexos.

Para asegurar la objetividad y la racionalidad de los procesos selectivos, estos podrán completarse, cualquiera que sea el sistema selectivo aplicable, con la superación de cursos y/o periodos de prácticas, con una exposición curricular por los candidatos, con pruebas psicotécnicas o con la realización de entrevistas. Igualmente, podrán exigirse reconocimientos médicos.

Los órganos de selección no podrán proponer el acceso al empleo público de un número superior de personas aprobadas al de plazas convoca-das, salvo cuando así lo prevea la propia convocatoria.

A pesar de lo expuesto en el párrafo anterior, siempre que los órganos de selección propongan el nombramiento de igual número de personas aprobadas que el de plazas convocadas, y con el fin de asegurar su cobertura, cuando se produzcan renuncias de las personas seleccionadas antes de su nombramiento, toma de posesión o formalización del contrato, no acrediten los requisitos establecidos en la convocatoria o no tomen posesión, el órgano convocante podrá requerir del órgano de selección una relación complementaria de las personas aprobadas que sigan a las propuestas, para su posible nombramiento como personal funcionario de carrera o contratación como personal laboral fijo, según el caso.

Para asegurar la protección de las víctimas de violencia de género o de violencia sexual durante el desarrollo de los procesos selectivos y en las listas de contratación temporal, serán adoptadas todas las medidas necesarias para la salvaguarda de sus derechos e intereses, y en especial la protección de sus datos personales en los términos establecidos en el artículo 72.3 a) de la Ley 2/2015.

5.1.8. Clases de sistemas selectivos

Las administraciones públicas incluidas en el ámbito de aplicación de la Ley 2/2015 pueden utilizar para la selección de su personal los sistemas de oposición, concurso-oposición y, excepcionalmente, concurso, en los términos previstos por el artículo 57 de esta Ley 2/2015.

La oposición consiste en la superación de las pruebas teóricas y/o prácticas que se establezcan en la convocatoria, las cuales deberán permitir determinar la capacidad de las personas aspirantes y establecer el orden de prelación entre ellas. Las pruebas podrán consistir en la comprobación de los conocimientos y la capacidad analítica de los aspirantes, expresados de forma oral o escrita, en la realización de ejercicios que demuestren la posesión de habilidades y destrezas, en la comprobación del dominio de lenguas extranjeras y, en su caso, en la superación de pruebas físicas. En los procesos selectivos se cuidará especialmente la conexión entre el tipo de pruebas a superar y la adecuación al desempeño de las tareas de las plazas convocadas.

Foto Xunta de Galicia: Consellería de Facenda e Administración Pública.

El concurso-oposición consiste en la superación de las pruebas correspondientes, a las que será de aplicación lo previsto en el apartado anterior, así como en la posesión previa, debidamente valorada, de determinadas condiciones de formación, méritos o niveles de experiencia.

La valoración de dichas condiciones de formación, méritos o niveles de experiencia no supondrá más de un 40 % de la puntuación máxima alcanzable en el proceso selectivo. A fin de asegurar la debida idoneidad de las personas aspirantes, estas deberán superar en la fase de oposición la puntuación mínima establecida para las respectivas pruebas selectivas.

El concurso consiste en la valoración exclusiva de los méritos que se señalen en la convocatoria.

5.1.9. Sistemas aplicables a la selección del personal funcionario de carrera y del personal laboral fijo

El personal funcionario de carrera se seleccionará ordinariamente por el sistema de oposición o por el sistema de concurso-oposición. Solo en virtud de norma con rango de ley puede aplicarse, con carácter excepcional, el sistema de concurso.

El personal laboral fijo puede ser seleccionado por los sistemas de oposición o concurso-oposición, con las características establecidas en el artículo 56 de la Ley 2/2015, o, excepcionalmente, por el sistema de concurso de valoración de méritos.

Las administraciones públicas incluidas en el ámbito de aplicación de la Ley 2/2015 pueden negociar las formas de colaboración que en el marco de los convenios colectivos fijen la actuación de las organizaciones sindicales en el desarrollo de los procesos selectivos del personal laboral.

5.1.10. Convocatorias de los procesos selectivos

Los procesos selectivos de los empleados públicos se iniciarán mediante convocatoria pública.

Las bases de la convocatoria, como mínimo, deben contener:

a) El número de plazas, subgrupo o grupo de clasificación profesional, en el supuesto de que este no tenga subgrupo, cuerpo y, en su caso, escala, o categoría laboral.

b) Las condiciones y requisitos que deben reunir las personas aspirantes.

c) El sistema selectivo aplicable, el cual indicará el tipo de pruebas concretas y los sistemas de calificación de los ejercicios o, en su caso, los baremos de puntuación de los méritos.

d) El programa de las pruebas selectivas o la referencia de la publicación oficial del mismo.

e) El orden de actuación de las personas aspirantes.

f) El régimen aplicable al órgano de selección.

g) Las características, efectos y duración de los cursos y/o periodo de prácticas que deban realizar, en su caso, las personas seleccionadas.

h) El porcentaje de plazas reservadas para la promoción interna y para personas con discapacidad, si procede.

En las convocatorias se tendrán en cuenta las condiciones especiales aplicables a las personas con discapacidad, con arreglo a lo previsto en el artículo 54 de la Ley 2/2015.

Las convocatorias y sus bases se publicarán en el diario oficial correspondiente y vinculan a la Administración pública convocante, a los órganos de selección y a las personas que participan en el proceso selectivo.

Pueden convocarse procesos selectivos conjuntos para el ingreso en diversos cuerpos o escalas del personal funcionario o categorías profesionales del personal laboral.

5.1.11. Órganos de selección

Los órganos de selección serán colegiados y su composición deberá ajustarse a los principios de imparcialidad y profesionalidad de sus miembros y de paridad entre mujeres y hombres en el conjunto de las convocatorias de la oferta de empleo público respectiva.

En ningún caso pueden formar parte de los órganos de selección:

a) El personal de elección o de designación política.

b) El personal funcionario interino o laboral temporal.

c) El personal eventual.

d) Las personas que en los 5 años anteriores a la publicación de la convocatoria hubieran realizado tareas de preparación de aspirantes a pruebas selectivas o hubieran colaborado durante ese periodo con centros de preparación de opositores.

La pertenencia a los órganos de selección será siempre a título individual, no pudiendo ostentarse esta en representación o por cuenta de nadie.

Los miembros de los órganos de selección deben pertenecer a un cuerpo, escala o categoría profesional para el ingreso en el cual se requiera una titulación de nivel igual o superior al exigido para participar en el proceso selectivo.

Los órganos de selección actúan con plena autonomía en el ejercicio de su discrecionalidad técnica y sus miembros son personalmente responsables de la transparencia y objetividad del procedimiento, de la confidencialidad de las pruebas y del estricto cumplimiento de las bases de la convocatoria y de los plazos establecidos para el desarrollo del proceso selectivo.

La composición y régimen de funcionamiento de los órganos de selección se establecerá reglamentariamente.

Las administraciones públicas incluidas en el ámbito de aplicación de la Ley 2/2015 pueden crear órganos especializados y permanentes para la organización de los procesos selectivos.

5.2. Adquisición de la relación de servicio

5.2.1. Adquisición de la condición de personal funcionario de carrera

La condición de funcionario de carrera se adquiere por el cumplimiento sucesivo de los siguientes requisitos:

a) Superación del proceso selectivo.

b) Acreditación, en su caso, de que se reúnen los requisitos y condiciones exigidos en la convocatoria del proceso selectivo.

c) Nombramiento por el órgano o autoridad competente, que será publicado en el diario oficial correspondiente.

d) Acto de acatamiento de la Constitución, del Estatuto de autonomía de Galicia y del resto del ordenamiento jurídico, así como de compromiso de ejercer con imparcialidad sus funciones.

e) Toma de posesión dentro del plazo de un mes a partir de la publicación del nombramiento o dentro del plazo previsto en la correspondiente convocatoria del proceso selectivo. Las personas propuestas para su nombramiento como personal funcionario de carrera en el correspondiente proceso selectivo podrán tomar posesión con destino provisional, antes de la toma de posesión con destino definitivo, en otros puestos vacantes del mismo cuerpo o escala atendiendo a la orden de prelación resultante en dicho proceso, sin perjuicio del acto de elección de destino definitivo en el momento en que se oferten plazas a todos los nombrados.

Sabías que...

Los órganos de selección serán colegiados y su composición deberá ajustarse a los principios de imparcialidad y profesionalidad de sus miembros y de paridad entre mujeres y hombres en el conjunto de las convocatorias de la oferta de empleo público respectiva.

5.2.2. Adquisición de la condición de personal funcionario interino

La adquisición de la condición de personal funcionario interino exige, una vez seleccionado en los términos previstos en el artículo 24.1 de la Ley 2/2015, además del correspondiente nombramiento, el cumplimiento sucesivo del requisito establecido en la letra d) del artículo 60 de esta Ley 2/2015 y la correspondiente toma de posesión.

5.2.3. Adquisición de la condición de personal eventual

La adquisición de la condición de personal eventual exige, en todo caso, además del correspondiente nombramiento, el cumplimiento sucesivo del requisito establecido en la letra d) del artículo 60 de la Ley 2/2015 y la correspondiente toma de posesión.

Sabías que...

Una de las condiciones para adquirir la condición de personal funcionario de carrera es superar el proceso selectivo.

5.2.4. Adquisición de la condición de personal laboral

La condición de personal laboral se adquiere por la firma del contrato de trabajo, previa acreditación de que se reúnen los requisitos y condiciones exigidos y, en su caso, de la superación del correspondiente proceso selectivo.

5.3. Pérdida de la relación de servicio

5.3.1. Causas de pérdida de la condición de personal funcionario de carrera

Son causas de pérdida de la condición de personal funcionario de carrera:

a) La renuncia a la condición de funcionario.

b) La pérdida de la nacionalidad, en los términos previstos por el artículo 66 de la Ley 2/2015.

c) La jubilación total.

d) La sanción disciplinaria de separación del servicio que tenga carácter firme.

e) La pena principal o accesoria de inhabilitación absoluta o especial para cargo público que tenga carácter firme.

f) El fallecimiento.

5.3.2. Renuncia

La renuncia voluntaria a la condición de personal funcionario habrá de ser manifestada por escrito y será aceptada expresamente por la Administración, y no puede ser aceptada la renuncia cuando el personal funcionario esté sujeto a expediente disciplinario o haya sido dictado en su contra auto de procesamiento o de apertura de juicio oral por la comisión de algún delito.

La renuncia a la condición de personal funcionario no inhabilita para ingresar de nuevo en la Administración pública a través del procedimiento de selección correspondiente.

5.3.3. Pérdida de la nacionalidad

La pérdida de la nacionalidad española o la de cualquier otro Estado miembro de la Unión Europea o la de aquellos estados a los que, en virtud de tratados internacionales celebrados por la Unión Europea y ratificados por España, les sea de aplicación la libre circulación de trabajadores, que haya sido tenida en cuenta para el nombramiento, determina la pérdida de la condición de personal funcionario, salvo que de forma simultánea se adquiera la nacionalidad de alguno de dichos estados.

Actividad 4

Señala la respuesta correcta. Son causas de pérdida de la condición de personal funcionario de carrera:

- ☐ a) La renuncia de oficio.
- ☐ b) La jubilación social.
- ☐ c) El fallecimiento.

5.3.4. Pena principal o accesoria de inhabilitación absoluta o especial para cargo público

La pena principal o accesoria de inhabilitación absoluta, cuando haya adquirido firmeza la sentencia que la imponga, produce la pérdida de la condición de personal funcionario respecto a todos los empleos o cargos que se hayan desempeñado.

La pena principal o accesoria de inhabilitación especial, cuando haya adquirido firmeza la sentencia que la imponga, produce la pérdida de la condición de personal funcionario respecto de aquellos empleos o cargos especificados en la sentencia.

5.3.5. Jubilación

La jubilación del personal funcionario puede ser:

a) Voluntaria.

b) Forzosa, por el cumplimiento de la edad legalmente establecida.

c) Por la declaración de incapacidad permanente para el ejercicio de las funciones propias de su cuerpo o escala, o por el reconocimiento de una pensión de incapacidad permanente absoluta o de incapacidad permanente total en relación con el ejercicio de las funciones de su cuerpo o escala.

La jubilación voluntaria se concederá a solicitud de la persona interesada, siempre que reúna los requisitos y condiciones establecidos en el régimen de la Seguridad Social que le sea aplicable.

La jubilación forzosa del personal funcionario se declarará de oficio al cumplir la persona la edad legalmente establecida.

El personal funcionario puede solicitar, con una antelación mínima de 3 meses y máxima de 4 meses a la fecha en la que cumpla la edad de jubilación forzosa, la prolongación de la permanencia en la situación de servicio activo. Esta prolongación se concederá, en su caso, por periodos de un año, renovables anualmente a solicitud de la persona interesada presentada con un plazo de antelación mínimo de 3 meses y máximo de 4 meses a la fecha de finalización de la prolongación concedida, hasta el cumplimiento de la edad máxima legalmente establecida.

Las solicitudes de prolongación de la permanencia en la situación de servicio activo y de sus prórrogas se resolverán de forma motivada, previo informe del órgano competente en materia de personal de la Administración pública en la que el solicitante preste servicios, con base en los siguientes criterios:

a) Razones organizativas o funcionales.

b) Resultados de la evaluación del desempeño de la persona solicitante o, en su defecto, rendimiento o resultados obtenidos por la misma. En particular, se tendrá en cuenta el absentismo observado durante el año inmediatamente anterior a la fecha de la solicitud.

c) Capacidad psicofísica de la persona solicitante en relación con el puesto de trabajo, apreciada mediante certificado de aptitud médico-laboral para el puesto de trabajo, emitido por el correspondiente servicio de prevención de riesgos laborales, previo reconocimiento médico del solicitante y evaluación del puesto de trabajo.

El informe del órgano competente en materia de personal de la Administración pública en la que el solicitante preste servicios se emitirá en un plazo máximo de 10 días. Transcurrido dicho plazo sin que se haya emitido el informe, proseguirá el procedimiento. En todo caso, se tendrá en cuenta el plan de ordenación de recursos humanos respecto de aquel personal para el cual su normativa específica así lo establezca.

La persona titular de la consejería competente en materia de función pública así como las personas titulares de los órganos competentes de las demás administraciones públicas incluidas en el ámbito de aplicación de la Ley 2/2015 pueden dictar normas complementarias de procedimiento para la tramitación de las solicitudes de prolongación de la permanencia en la situación de servicio activo y de sus prórrogas.

El artículo 68.4 de la Ley 2/2015 no es de aplicación al personal funcionario de aquellos cuerpos y escalas que tengan normas específicas de jubilación de acuerdo con lo dispuesto en la legislación básica estatal.

El personal funcionario docente que imparta las enseñanzas reguladas en la Ley Orgánica 2/2006, de 3 de mayo, de educación, o norma que la sustituya, puede optar por jubilarse a la finalización del curso académico en el que cumpla la edad legalmente establecida. La misma regla se aplicará en los supuestos de prolongación de la permanencia en la situación de servicio activo.

5.3.6. Rehabilitación de la condición de personal funcionario

En los casos de extinción de la relación de servicio como consecuencia de pérdida de la nacionalidad o de jubilación por incapacidad permanente para el servicio, la persona interesada, una vez desaparecida la causa objetiva que la motivó, puede solicitar la rehabilitación de su condición de personal funcionario, que le será concedida previa acreditación documental de la desaparición de dicha causa.

Si la solicitud de rehabilitación se presenta antes de que transcurran 2 años desde la extinción de la relación de servicio como consecuencia de jubilación por incapacidad permanente para el servicio, el personal funcionario se reincorporará al último puesto de trabajo que haya ocupado con carácter definitivo, el cual le quedará reservado durante ese periodo de tiempo.

Los órganos de gobierno de las administraciones públicas incluidas en el ámbito de aplicación de la Ley 2/2015, previo informe favorable del órgano al que le correspondan las funciones de asesoría jurídica y oído el órgano de representación del personal funcionario, podrán conceder de forma motivada, con carácter excepcional y a solicitud de la persona interesada, la rehabilitación de quien haya perdido la condición de personal funcionario por condena a la pena principal o accesoria de inhabilitación, atendiendo a las circunstancias y entidad del delito cometido. Si la resolución no se le notificase a la persona interesada en el plazo de 3 meses, la solicitud de rehabilitación podrá entenderse desestimada.

5.3.7. Pérdida de la condición de personal laboral

La condición de personal laboral se pierde en los casos y en los términos previstos por la legislación laboral y por el convenio colectivo aplicable, sin perjuicio de las especificidades establecidas en la Ley 2/2015.

Actividad 5

Indica si la siguiente cuestión es verdadera o falsa:

La jubilación voluntaria se concederá de oficio.

Verdadera ☐ Falsa ☐

Sabías que...

La jubilación forzosa del personal funcionario se declarará de oficio al cumplir la persona la edad legalmente establecida.

Solución a las actividades

Actividad 1.

La ejecución de programas de carácter temporal y de duración determinada que no respondan a necesidades permanentes de la Administración.

El plazo máximo de duración de la interinidad se hará constar expresamente en el nombramiento y no podrá ser superior a **tres** años, ampliables hasta **doce** meses más si lo justificara la duración del correspondiente programa.

Actividad 2.

Verdadera.

Actividad 3.

☑ a) En el plazo máximo de 3 meses, a contar a partir de la fecha de la firmeza de la sentencia judicial.

☐ b) En el plazo máximo de 5 meses, a contar a partir de la fecha de la firmeza de la sentencia judicial.

☐ c) En el plazo máximo de 9 meses, a contar a partir de la fecha de la firmeza de la sentencia judicial.

Actividad 4.

☐ a) La renuncia de oficio.

☐ b) La jubilación social.

☑ c) El fallecimiento.

Actividad 5.

Falsa.

TEMA 6

Decreto Legislativo 2/2015, de 12 de febrero, por el que se aprueba el Texto Refundido de las Disposiciones Legales de la Comunidad Autónoma de Galicia en materia de Igualdad: Título Preliminar, Título I: Capítulos I y II

Convierte tu **memoria** en súper memoria con nuestros consejos, recursos y Técnicas de Memoria 360.

Índice

1. El Decreto Legislativo 2/2015, de 12 de febrero, por el que se aprueba el Texto Refundido de las Disposiciones Legales de la Comunidad Autónoma de Galicia en materia de Igualdad

El Decreto Legislativo 2/2015, de 12 de febrero, por el que se aprueba el texto refundido de las disposiciones legales de la Comunidad Autónoma de Galicia en materia de igualdad (D.L.2/2015), se aprobó por razón de la disposición final decimotercera de la Ley 14/2013, de 26 de diciembre, de racionalización del sector público autonómico, que autorizó a la Xunta de Galicia a elaborar y aprobar un texto refundido de las disposiciones legales vigentes en materia de igualdad.

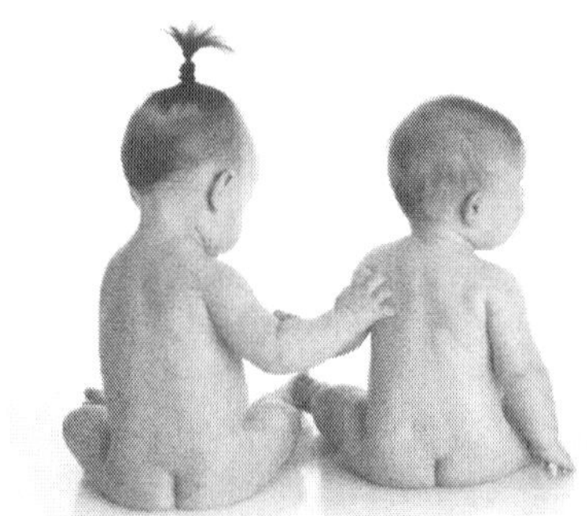

De este modo son derogadas expresamente:

- La Ley 7/2004, de 16 de julio, gallega para la igualdad de mujeres y hombres.
- La Ley 2/2007, de 28 de marzo, del trabajo en igualdad de las mujeres de Galicia.
- La Ley 7/2010, de 15 de octubre, por la que se suprime el organismo autónomo Servicio Gallego de Promoción de la Igualdad del Hombre y de la Mujer y se modifican determinados artículos de la Ley 2/2007, de 28 de marzo, del trabajo en igualdad de las mujeres de Galicia.

También se derogan expresamente las disposiciones adicionales quinta y séptima de la Ley 11/2007, de 27 de julio, gallega para la prevención y el tratamiento integral de la violencia de género, relativas al Consejo Gallego de las Mujeres y a la Comisión Interdepartamental de la Igualdad, que se integran en el nuevo texto. No obstante, sí permanece vigente dicha ley, ya que la problemática de la violencia de género presenta una entidad propia que requiere un tratamiento legislativo especializado e independiente, aun habida cuenta de la importante relación con la regulación sobre igualdad y considerándose incluso la violencia de género como forma extrema de desigualdad en el propio articulado de esta ley.

La Comunidad Autónoma de Galicia refuerza, a través de este texto refundido, su compromiso en la eliminación de la discriminación entre mujeres y de hombres y en la promoción de la igualdad, atribuyéndole la mayor efectividad posible, en su campo de competencias, al principio constitucional de igualdad de oportunidades entre las personas de ambos sexos, de conformidad con las obligaciones impuestas a los poderes públicos de Galicia en el artículo 4 de la Ley orgánica 1/1981, de 6 de abril, del Estatuto de autonomía para Galicia.

1.1. Principios de actuación

Los principios de actuación de la Comunidad Autónoma en materia de igualdad son:

a) La búsqueda y la eliminación absoluta de las discriminaciones por razones de sexo, sean directas o indirectas.

b) La modificación de los patrones socioculturales de conducta de mujeres y hombres, con vistas a alcanzar la eliminación de los perjuicios y de las prácticas consuetudinarias basadas en la idea de inferioridad o superioridad de cualquiera de los sexos o en funciones estereotipadas de mujeres y de hombres.

c) La integración de la dimensión de la igualdad de oportunidades entre mujeres y hombres en la elaboración, ejecución y seguimiento de todas las acciones desarrolladas por el sector público autonómico en el ejercicio de sus competencias.

d) El fomento de la comprensión de la maternidad como una función social, evitando los efectos negativos sobre los derechos de la mujer, y además instrumentando otros efectos positivos. La protección de la maternidad es una necesidad social que los poderes públicos gallegos asumen y reconocen políticamente. Siendo la maternidad un bien insustituible, todas las cargas y cuidados que supone, la gravidez, el parto, la crianza, la socialización de los hijos, deben recibir ayuda directa de las instituciones públicas gallegas, a fin de no constituir discriminación gravosa para las mujeres. En este sentido, la Xunta de Galicia aplicará todas sus competencias para conseguir que se materialice, en la práctica, el principio mencionado y la maternidad deje de ser carga exclusiva de las madres y motivo de discriminación para las mujeres.

e) La adopción de idénticas actuaciones de fomento de su comprensión como función social con respecto al cuidado de familiares que, por sus dependencias, necesiten la asistencia de otras personas, mujeres y hombres.

Las medidas que se adopten para la erradicación de los prejuicios de género irán acompañadas de los oportunos programas y consignaciones presupuestarias para que todas las cargas doméstico-familiares sean objeto de corresponsabilidad familiar y reciban la protección económica y social correspondiente.

1.2. Definiciones

A los efectos del principio de igualdad de trato entre mujeres y hombres en el ámbito de aplicación del D.L. 2/2015, se tendrán en cuenta las definiciones de discriminación directa e indirecta y de acoso y acoso sexual contenidas en el artículo 2 de la Directiva 2006/54/CE, del Parlamento Europeo y del Consejo, de 5 de julio de 2006, relativa a la aplicación del principio de igualdad de oportunidades e igualdad de trato entre hombres y mujeres en asuntos de empleo y ocupación.

En consecuencia, se entenderá por **discriminación directa** la situación en que una persona sea, haya sido o pudiera ser tratada por razón de sexo de manera menos favorable que otra en situación comparable; y se entenderá por discriminación indirecta la situación

en que una disposición, criterio o práctica aparentemente neutros sitúan a personas de un sexo determinado en desventaja particular con respecto a personas del otro sexo, salvo que dicha disposición, criterio o práctica puedan justificarse objetivamente con una finalidad legítima y que los medios para alcanzar dicha finalidad sean adecuados y necesarios.

A los efectos del D.L. 2/2015, el concepto de discriminación incluirá:

a) El acoso o acoso moral por razón de género y el acoso sexual, así como cualquier trato menos favorable basado en el rechazo de tal comportamiento por parte de una persona o su sometimiento al mismo.

b) La orden de discriminar a personas por razón de su sexo.

c) El trato menos favorable a una mujer en relación con el embarazo o el permiso por maternidad.

Se entenderá por **acoso o acoso moral por razón de género**, la situación en la que se produce un comportamiento no deseado relacionado con el sexo de una persona, con el propósito o efecto de atentar contra la dignidad de la persona y de crear un entorno intimidatorio, hostil, degradante, humillante u ofensivo.

Se entenderá por **acoso sexual** la situación en que se produce cualquier comportamiento verbal, no verbal o físico no deseado de índole sexual, con el propósito o efecto de atentar contra la dignidad de una persona, en particular cuando se crea un entorno intimidatorio, hostil, degradante, humillante u ofensivo.

Actividad 1

¿Cómo se denomina la situación en que se produce cualquier comportamiento verbal, no verbal o físico no deseado de índole sexual, con el propósito o efecto de atentar contra la dignidad de una persona, en particular cuando se crea un entorno intimidatorio, hostil, degradante, humillante u ofensivo?

1.3. La excepción de buena fe ocupacional

De conformidad con el artículo 14.2 de la Directiva 2006/54/CE del Parlamento Europeo y del Consejo, de 5 de julio, relativa a la aplicación del principio de igualdad de oportunidades e igualdad de trato entre hombres y mujeres en asuntos de empleo y ocupación, se dispone, por lo que respecta al acceso al empleo, incluida la formación pertinente, que una diferencia de trato basada en una característica relacionada con el sexo no constituirá discriminación cuando, debido a la naturaleza de las actividades profesionales concretas o al contexto en el que se lleven a cabo, dicha característica constituya un requisito profesional esencial y determinante, siempre y cuando su objetivo sea legítimo y el requisito proporcionado.

La protección de las víctimas de violencia de género es un objetivo legítimo que determina la validez de la pertenencia al sexo femenino con relación a actividades profesionales de atención directa a las referidas víctimas.

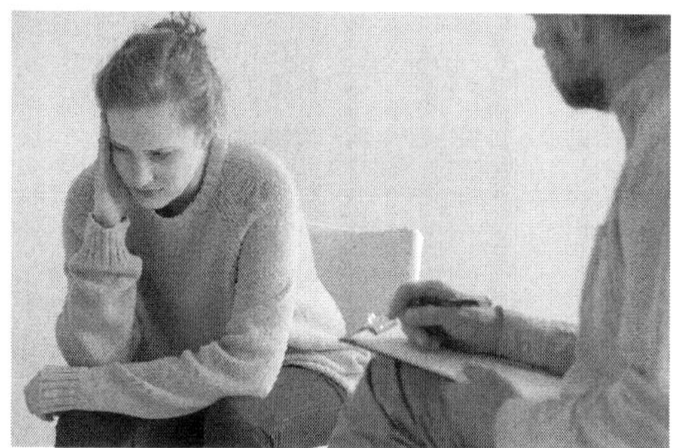

1.4. Acciones positivas

Al efecto de promocionar la igualdad entre mujeres y hombres, no se considerarán discriminatorias las medidas especiales encaminadas a acelerar la igualdad de oportunidades entre mujeres y hombres, sin que, en ningún caso, estas medidas puedan suponer, como consecuencia práctica, el mantenimiento de regulaciones separadas.

Las medidas de acción positiva se mantendrán mientras no estén plenamente logrados los objetivos de igualdad de oportunidades.

Sabías que...

El término **corresponsabilidad** hace referencia a la responsabilidad compartida de una situación o actuación determinada entre dos o más personas. Las personas corresponsables poseen los mismos deberes y derechos en su capacidad de responder por sus actuaciones en las situaciones a su cargo.

2. La transversalidad

Con la doble finalidad de **promover la igualdad** y **eliminar las discriminaciones entre mujeres y hombres**, la Xunta de Galicia integrará la dimensión de la igualdad de oportunidades en la elaboración, ejecución y seguimiento de todas las políticas y de todas las acciones desarrolladas en el ejercicio de las competencias asumidas de conformidad con la Ley Orgánica 1/1981, de 6 de abril, del Estatuto de autonomía para Galicia.

En la aplicación de ese principio de integración de la dimensión de la igualdad de oportunidades en la elaboración, ejecución y seguimiento de todas las políticas y de todas las acciones de su competencia, o principio de transversalidad, la Xunta de Galicia establece como **criterios generales de su actuación**:

a) El fomento de la colaboración entre los diversos sujetos implicados en la igualdad de oportunidades, trátese de sujetos públicos de ámbito internacional, comunitario, estatal, autonómico, provincial o local, o trátese de sujetos privados, como los partidos políticos, los sindicatos de trabajadores o trabajadoras, las asociaciones de empresariado o los colegios profesionales, y, especialmente, la colaboración se fomentará con relación a las asociaciones y grupos de mujeres.

   La colaboración también se fomentará en el campo de las relaciones entre los diversos órganos integrados en la Administración general de la Comunidad Autónoma.

b) La consecución de la igualdad de oportunidades en la política económica, laboral y social, buscando, en especial, la supresión de las diferencias salariales por razón de sexo y el fomento del empleo femenino por cuenta propia o ajena.

c) La conciliación del empleo y de la vida familiar de las mujeres y hombres y el fomento de la individualización de los derechos tendentes a esa conciliación.

d) El fomento de una participación equilibrada de las mujeres y hombres en la toma de decisiones y la elaboración de estrategias para el empoderamiento de las mujeres.

e) La garantía de la dignidad de las mujeres y hombres, con especial incidencia en la adopción de acciones tendentes a la erradicación de todas las formas de violencia de género –violencia doméstica, delitos sexuales, acoso sexual, explotación sexual–.

f) La garantía del ejercicio de los derechos de las mujeres, a través, entre otras medidas, de la difusión de información sobre la igualdad de oportunidades y de la colaboración con los órganos judiciales cuando proceda según la legislación.

Sabías que...

El empresario está obligado a pagar por la prestación de un trabajo de igual valor la misma retribución, satisfecha directa o indirectamente, y cualquiera que sea la naturaleza de la misma, salarial o extrasalarial, sin que pueda producirse discriminación alguna por razón de sexo en ninguno de los elementos o condiciones de aquella.

3. Órganos consultivos y de participación de la Administración autonómica en materia de igualdad

3.1. La Comisión Interdepartamental de Igualdad

La Comisión Interdepartamental de Igualdad es el órgano colegiado e institucional de Galicia, al que corresponden, entre otras, las funciones de seguimiento de la aplicación de la Ley 11/2007, de 27 de julio, gallega para la prevención y el tratamiento integral de la violencia de género y de los correspondientes planes para la igualdad de oportunidades y de lucha contra la violencia de género.

Igualmente, será objeto de esta comisión adaptar el plan de etapas de aplicación de la Ley 11/2007, de 27 de julio, gallega para la prevención y el tratamiento integral de la violencia de género, a las cuantías presupuestarias anuales consignadas para su desarrollo en las leyes de presupuestos de cada ejercicio.

Las restantes funciones, régimen de funcionamiento, composición y adscripción se establecerán reglamentariamente.

Recuerda que...

La Comisión interdepartamental de Igualdad se encargará del seguimiento de la aplicación de la Ley gallega para la prevención y el tratamiento de la violencia de género.

3.2. El Consejo Gallego de las Mujeres

El Consejo Gallego de las Mujeres es el órgano colegiado e institucional de Galicia, de carácter consultivo, de participación y asesoramiento en materia de políticas de igualdad, que tendrá, entre otras, la función de colaborar con el Gobierno de la Xunta de Galicia en el desarrollo y aplicación de la Ley 11/2007, de 27 de julio, gallega para la prevención y el tratamiento integral de la violencia de género, dado que es necesario reconocer la importante labor desempeñada por muchas asociaciones de mujeres en la lucha contra la violencia de género, así como establecer vías estables de interlocución entre la Administración gallega y el entramado asociativo de mujeres que busquen el mayor consenso posible en el diseño de políticas contra la violencia machista.

Sabías que...

Las empresas están obligadas a implantar planes de igualdad si tienen más de 50 trabajadores/as.

Actividad 2

¿Cómo se denomina el órgano colegiado e institucional de Galicia, al que corresponden, entre otras, las funciones de seguimiento de la aplicación de la Ley 11/2007, de 27 de julio, gallega para la prevención y el tratamiento integral de la violencia de género?

- [ ] a) Junta Gallega de Medidas para la Igualdad.
- [ ] b) Comisión Interdepartamental de Igualdad.
- [ ] c) Consejo Gallego de Igualdad.

Asimismo, al Consejo Gallego de las Mujeres le corresponden la funciones que tenía atribuidas el extinto Consejo Gallego de Participación de las Mujeres en el Ámbito del Empleo y de las Relaciones Laborales, en concreto las siguientes:

a) La interlocución con la Xunta de Galicia a través de la consellería competente en materia de trabajo y del órgano superior de la Administración general de la Comunidad Autónoma competente en materia de igualdad, proponiendo, en su caso, la adopción de medidas relacionadas con la igualdad de oportunidades en el ámbito del empleo y de las relaciones laborales.

b) La elaboración de estudios, informes o consultas en el ámbito de empleo de las relaciones laborales que le sean solicitados por la Xunta de Galicia, a través de la consellería competente en materia de trabajo o del órgano superior de la Administración general de la Comunidad Autónoma competente en materia de igualdad o que, por su propia iniciativa, acuerde elaborar.

c) La difusión de los valores de la igualdad de oportunidades y la defensa de los derechos e intereses de las mujeres para erradicar la discriminación en el ámbito del empleo y de las relaciones laborales.

d) La colaboración con la Comisión Consultiva Autonómica para la Igualdad entre Mujeres y Hombres en la Negociación Colectiva, en desarrollo de todas sus competencias.

Su naturaleza, fines, composición y adscripción se establecerán reglamentariamente.

Recuerda que...

El Consejo Gallego de las Mujeres se configura como la vía de participación de las mujeres –a través de las asociaciones y entidades representativas de sus intereses– en el diseño de políticas de fomento de la igualdad y de lucha contra la discriminación y la erradicación de la violencia de género principalmente.

4. Informe sobre el impacto de género en la elaboración de las leyes

La elaboración de los Informes de Impacto de Género es una importante herramienta en la incorporación de la perspectiva de género en las políticas públicas, lo que denominamos 'transversalidad'. Mediante la elaboración de Informes de Impacto de Género se pretende conocer los efectos que, sobre la igualdad entre mujeres y hombres, pueden tener todas las medidas incorporadas en la normativa, programas o planes de la Xunta de Galicia.

Conforme al artículo 7 del D.L. 2/2015, a los proyectos de ley presentados en el Parlamento gallego por la Xunta de Galicia se debe adjuntar un informe sobre su impacto de género elaborado por el órgano competente en materia de igualdad.

Recuerda que...

Los proyectos de ley presentados en el Parlamento gallego por la Xunta de Galicia deben adjuntar un informe sobre su impacto de género elaborado por el órgano competente en materia de igualdad.

Si no se adjuntara o si se tratara de una proposición de ley presentada en el Parlamento gallego, éste requerirá, antes de la discusión parlamentaria, su remisión a la Xunta de Galicia, quien dictaminará en el plazo de un mes; transcurrido este plazo la proposición seguirá su curso.

Actividad 3

Indica si la siguiente cuestión es verdadera o falsa:

A través de la elaboración de Informes de Impacto de Género se pretende conocer los efectos que, sobre la igualdad entre mujeres y hombres, pueden tener todas las medidas incorporadas en la normativa, programas o planes de la Xunta de Galicia.

Verdadera ☐ Falsa ☐

5. Informe sobre el impacto de género en la elaboración de los reglamentos

Tal como dispone el artículo 8 del D.L. 2/2015, los reglamentos con repercusión en cuestiones de género elaborados por la Xunta de Galicia también exigirán, antes de su aprobación, la emisión de un informe sobre su impacto de género elaborado por el órgano competente en materia de igualdad.

Dicho informe no será vinculante.

6. Integración de la perspectiva de género en la actividad estadística del sector público gallego

La totalidad de las estadísticas e investigaciones con eventual repercusión en cuestiones de género realizadas por la Comunidad Autónoma de Galicia desglosará los datos en atención al sexo y en atención a las circunstancias vinculadas al género, como la asunción de cargas parentales y familiares.

De la totalidad de estas estadísticas e investigaciones se le enviará copia al órgano competente en materia de igualdad.

7. Apoyo directo a las mujeres para la consecución de la igualdad

La Xunta de Galicia en su ámbito de competencias promoverá y llevará a cabo acciones dirigidas a conseguir los siguientes objetivos, en relación con la información, asesoramiento y orientación para las mujeres:

a) Garantizar el funcionamiento de centros y servicios de información y asesoramiento a las mujeres en número y dotaciones suficientes.

b) Apoyar a las entidades que presten servicios de información y asesoramiento a las mujeres.

Sabías que...

La expresión **"Conciliación de la vida laboral y familiar"** hace referencia a la necesidad de compatibilizar el trabajo remunerado con el trabajo doméstico y las responsabilidades familiares; no obstante, también tiene que estar relacionada con la disponibilidad de tiempo para el desarrollo personal de cada individuo. Es entonces cuando hablamos de conciliación de la vida personal, familiar y laboral.

8. Erradicación del uso sexista del lenguaje

El uso no sexista del lenguaje consiste en la utilización de expresiones lingüísticamente correctas substitutivas de otras, correctas o no, que invisibilizan el femenino o lo sitúan en un plano secundario respecto al masculino.

La Xunta de Galicia erradicará, en todas las formas de expresión oral o escrita, el uso sexista del lenguaje en el campo institucional, tanto frente a la ciudadanía como en las comunicaciones internas. A estos efectos, se informará y se formará al personal al servicio de las administraciones públicas gallegas.

También procurará la erradicación del uso sexista del lenguaje en la vida social y, a estos efectos, se realizarán campañas de sensibilización y divulgación pública.

Actividad 4

Señala la respuesta incorrecta:

☐ a) Al efecto de promocionar la igualdad entre mujeres y hombres, no se considerarán discriminatorias las medidas especiales encaminadas a acelerar la igualdad de oportunidades entre mujeres y hombres, sin que, en ningún caso, estas medidas puedan suponer, como consecuencia práctica, el mantenimiento de regulaciones separadas.

☐ b) El uso no sexista del lenguaje consiste en la utilización de expresiones lingüísticamente correctas substitutivas de otras, correctas o no, que invisibilizan el femenino o lo sitúan en un plano secundario respecto al masculino.

☐ c) Los reglamentos con repercusión en cuestiones de género elaborados por la Xunta de Galicia exigirán, antes de su aprobación, la emisión de un informe vinculante sobre su impacto de género elaborado por el órgano competente en materia de igualdad.

Solución a las actividades

Actividad 1.

Acoso sexual.

Actividad 2.

- ☐ a) Junta Gallega de Medidas para la Igualdad.
- ☑ b) Comisión Interdepartamental de Igualdad.
- ☐ c) Consejo Gallego de Igualdad.

Actividad 3.

Verdadera.

Actividad 4.

- ☐ a) Al efecto de promocionar la igualdad entre mujeres y hombres, no se considerarán discriminatorias las medidas especiales encaminadas a acelerar la igualdad de oportunidades entre mujeres y hombres, sin que, en ningún caso, estas medidas puedan suponer, como consecuencia práctica, el mantenimiento de regulaciones separadas.
- ☐ b) El uso no sexista del lenguaje consiste en la utilización de expresiones lingüísticamente correctas substitutivas de otras, correctas o no, que invisibilizan el femenino o lo sitúan en un plano secundario respecto al masculino.
- ☑ c) Los reglamentos con repercusión en cuestiones de género elaborados por la Xunta de Galicia exigirán, antes de su aprobación, la emisión de un informe vinculante sobre su impacto de género elaborado por el órgano competente en materia de igualdad.

TEMA 7

Real Decreto Legislativo 1/2013, de 29 de noviembre, por el que se aprueba el Texto Refundido de la Ley General de Derechos de las Personas con Discapacidad y de su Inclusión Social: Título Preliminar; Capítulo V, Sección 1ª, y Capítulo VIII del Título I y Título II

Rentabiliza tu **esfuerzo** con los recursos del Curso Online MAD360.

Índice

1. El Real Decreto Legislativo 1/2013, de 29 de noviembre, por el que se aprueba el Texto Refundido de la Ley General de Derechos de las Personas con Discapacidad y de su Inclusión Social

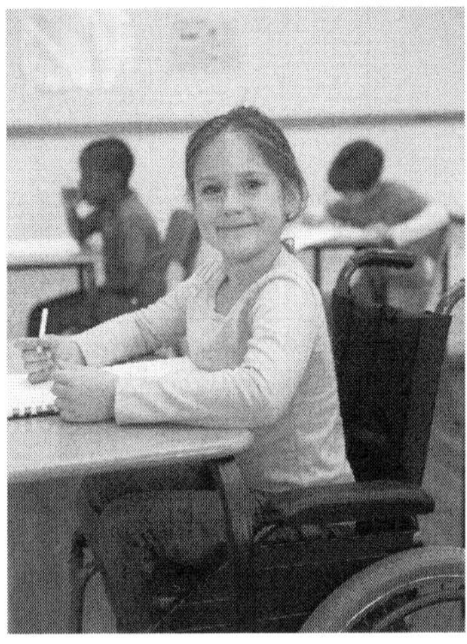

La discapacidad forma parte de la condición humana: casi todas las personas sufrirán algún tipo de discapacidad transitoria o permanente en algún momento de su vida, y las que lleguen a la senilidad experimentarán dificultades crecientes de funcionamiento. La discapacidad es compleja, y las intervenciones para superar las desventajas asociadas a ella son múltiples, sistémicas y varían según el contexto.

La Clasificación Internacional del Funcionamiento, de la Discapacidad y de la Salud (CIF), adoptada como marco conceptual para el Informe Mundial sobre la Discapacidad elaborado por la Organización Mundial de la Salud, define la discapacidad como un término genérico que engloba deficiencias, limitaciones de actividad y restricciones para la participación.

Con esta definición se pasa de una concepción estática, en la que solo se tenía en cuenta la condición de salud de la persona, a una concepción dinámica, en la que también los factores ambientales y personales jugarán un rol esencial.

La discapacidad denota los aspectos negativos de la interacción entre personas con un problema de salud (como parálisis cerebral, síndrome de Down o depresión) y factores personales y ambientales (como actitudes negativas, transporte y edificios públicos inaccesibles, y falta de apoyo social).

Las deficiencias son problemas que afectan a una estructura o función corporal; las limitaciones de la actividad son dificultades para ejecutar acciones o tareas, y las restricciones de la participación son problemas para participar en situaciones vitales.

Por consiguiente, la discapacidad es un fenómeno complejo que refleja una interacción entre las características del organismo humano y las características de la sociedad en la que vive.

Un variado y profuso conjunto de impedimentos priva a las personas con discapacidad del pleno ejercicio de sus derechos y los efectos de estos obstáculos se materializan en una situación de exclusión social, que debe ser inexcusablemente abordada por los poderes públicos.

El impulso de las medidas que promuevan la igualdad de oportunidades suprimiendo los inconvenientes que se oponen a la presencia integral de las personas con discapacidad concierne a todos los ciudadanos, organizaciones y entidades.

Es necesario que el marco normativo y las acciones públicas en materia de discapacidad intervengan en la organización social y en sus expresiones materiales o relacionales que con sus estructuras y actuaciones segregadoras postergan o apartan a las personas con discapacidad de la vida social ordinaria, todo ello con el objetivo último de que estas puedan ser partícipes, como sujetos activos titulares de derechos, de una vida en iguales condiciones que el resto de los ciudadanos.

En este sentido, la Ley 13/1982, de 7 de abril, de integración social de las personas con discapacidad, fue la primera ley aprobada en España dirigida a regular la atención y los apoyos a las personas con discapacidad y sus familias, en el marco de los artículos 9, 10, 14 y 49 de la Constitución, y supuso un avance relevante para la época.

La Ley 13/1982, de 7 de abril, participaba ya de la idea de que el amparo especial y las medidas de equiparación para garantizar los derechos de las personas con discapacidad debía basarse en apoyos complementarios, ayudas técnicas y servicios especializados que les permitieran llevar una vida normal en su entorno. Estableció un sistema de prestaciones económicas y servicios, medidas de integración laboral, de accesibilidad y subsidios económicos, y una serie de principios que posteriormente se incorporaron a las leyes de sanidad, educación y empleo.

Posteriormente, la Ley 51/2003, de 2 de diciembre, de igualdad de oportunidades, no discriminación y accesibilidad universal de las personas con discapacidad, supuso un renovado impulso a las políticas de equiparación de las personas con discapacidad, centrándose especialmente en dos estrategias de intervención: la lucha contra la discriminación y la accesibilidad universal.

Es imprescindible, también, hacer referencia a la Convención Internacional sobre los derechos de las personas con discapacidad, aprobada el 13 de diciembre de 2006 por la Asamblea General de las Naciones Unidas (ONU), ratificada por España el 3 de diciembre de 2007 y que entró en vigor el 3 de mayo de 2008. La Convención supone la consagración del enfoque de derechos de las personas con discapacidad, de modo que considera a las personas con discapacidad como sujetos titulares de derechos y los poderes públicos están obligados a garantizar que el ejercicio de esos derechos sea pleno y efectivo.

Por Real Decreto Legislativo 1/2013, de 29 de noviembre, por el que se aprueba el Texto Refundido de la Ley General de Derechos de las Personas con Discapacidad y de su Inclusión Social, se llevó a cabo la labor de refundición, regularizando, aclarando y armonizando las tres leyes citadas.

Sabías que...

El 3 de diciembre se celebra el Día Internacional de las Personas con Discapacidad, una fecha declarada por la Asamblea General de Naciones Unidas (ONU) en 1992, con el objetivo de promover los derechos y el bienestar de las personas con discapacidades en todos los ámbitos de la sociedad y el desarrollo, así como concienciar sobre su situación en todos los aspectos de la vida política, social, económica y cultural.

2. Objeto

El Real Decreto Legislativo 1/2013 tiene por objeto:

a) Garantizar el derecho a la igualdad de oportunidades y de trato, así como el ejercicio real y efectivo de derechos por parte de las personas con discapacidad en igualdad de condiciones respecto del resto de ciudadanos y ciudadanas, a través de la promoción de la autonomía personal, de la accesibilidad universal, del acceso al empleo, de la inclusión en la comunidad y la vida independiente y de la erradicación de toda forma de discriminación, conforme a los artículos 9.2, 10, 14 y 49 de la Constitución Española y a la Convención Internacional sobre los Derechos de las Personas con Discapacidad y los tratados y acuerdos internacionales ratificados por España.

b) Establecer el régimen de infracciones y sanciones que garantizan las condiciones básicas en materia de igualdad de oportunidades, no discriminación y accesibilidad universal de las personas con discapacidad.

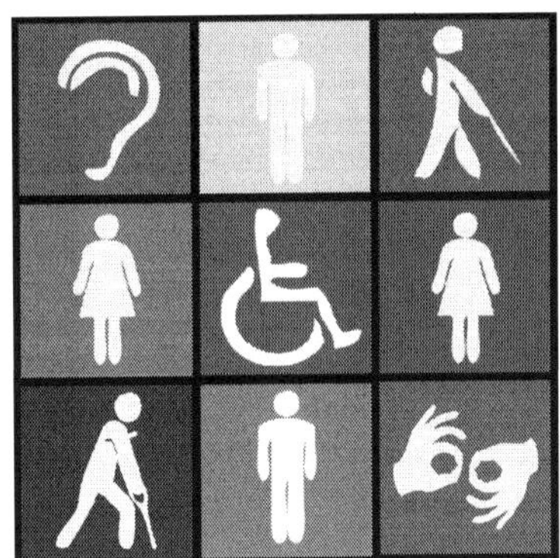

3. Definiciones

A efectos de esta ley se entiende por:

a) **Discapacidad**: es una situación que resulta de la interacción entre las personas con deficiencias previsiblemente permanentes y cualquier tipo de barreras que limiten o impidan su participación plena y efectiva en la sociedad, en igualdad de condiciones con las demás.

b) **Igualdad de oportunidades**: es la ausencia de toda discriminación, directa o indirecta, por motivo de o por razón de discapacidad, incluida cualquier distinción, exclusión o restricción que tenga el propósito o el efecto de obstaculizar o dejar sin efecto el reconocimiento, goce o ejercicio en igualdad de condiciones por las personas con discapacidad, de todos los derechos humanos y libertades fundamentales en los ámbitos político, económico, social, laboral, cultural, civil o de otro tipo. Asimismo, se entiende por igualdad de oportunidades la adopción de medidas de acción positiva.

c) **Discriminación directa**: es la situación en que se encuentra una persona con discapacidad cuando es tratada de manera menos favorable que otra en situación análoga por motivo de o por razón de su discapacidad.

d) **Discriminación indirecta**: existe cuando una disposición legal o reglamentaria, una cláusula convencional o contractual, un pacto individual, una decisión unilateral o un criterio o práctica, o bien un entorno, producto o servicio, aparentemente neutros, puedan ocasionar una desventaja particular a una persona respecto de otras por motivo de o por razón de discapacidad, siempre que objetivamente no respondan a una finalidad legítima y que los medios para la consecución de esta finalidad no sean adecuados y necesarios.

e) **Discriminación por asociación**: existe cuando una persona o grupo en que se integra es objeto de un trato discriminatorio debido a su relación con otra por motivo o por razón de discapacidad.

f) **Acoso**: es toda conducta no deseada relacionada con la discapacidad de una persona, que tenga como objetivo o consecuencia atentar contra su dignidad o crear un entorno intimidatorio, hostil, degradante, humillante u ofensivo.

g) **Medidas de acción positiva**: son aquellas de carácter específico consistentes en evitar o compensar las desventajas derivadas de la discapacidad y destinadas a acelerar o lograr la igualdad de hecho de las personas con discapacidad y su participación plena en los ámbitos de la vida política, económica, social, educativa, laboral y cultural, atendiendo a los diferentes tipos y grados de discapacidad.

h) **Vida independiente**: es la situación en la que la persona con discapacidad ejerce el poder de decisión sobre su propia existencia y participa activamente en la vida de su comunidad, conforme al derecho al libre desarrollo de la personalidad.

i) **Normalización**: es el principio en virtud del cual las personas con discapacidad deben poder llevar una vida en igualdad de condiciones, accediendo a los mismos lugares, ámbitos, bienes y servicios que están a disposición de cualquier otra persona.

j) **Inclusión social**: es el principio en virtud del cual la sociedad promueve valores compartidos orientados al bien común y a la cohesión social, permitiendo que todas las personas con discapacidad tengan las oportunidades y recursos necesarios para participar plenamente en la vida política, económica, social, educativa, laboral y cultural, y para disfrutar de unas condiciones de vida en igualdad con los demás.

k) **Accesibilidad universal**: es la condición que deben cumplir los entornos, procesos, bienes, productos y servicios, así como los objetos, instrumentos, herramientas y dispositivos, para ser comprensibles, utilizables y practicables por todas las personas en condiciones de seguridad y comodidad y de la forma más autónoma y natural posible. En la accesibilidad universal está incluida la **accesibilidad cognitiva** para permitir la fácil comprensión, la comunicación e interacción a todas las personas. La accesibilidad cognitiva se despliega y hace efectiva a través de la lectura fácil, sistemas alternativos y aumentativos de comunicación, pictogramas y otros medios humanos y tecnológicos disponibles para tal fin. Presupone la estrategia de «diseño universal o diseño para todas las personas», y se entiende sin perjuicio de los ajustes razonables que deban adoptarse.

l) **Diseño universal o diseño para todas las personas**: es la actividad por la que se conciben o proyectan desde el origen, y siempre que ello sea posible, entornos, procesos, bienes, productos, servicios, objetos, instrumentos, programas, dispositivos o herramientas, de tal forma que puedan ser utilizados por todas las personas, en la mayor extensión posible, sin necesidad de adaptación ni diseño especializado. El *«diseño universal o diseño para todas las personas»* no excluirá los productos de apoyo para grupos particulares de personas con discapacidad, cuando lo necesiten.

m) **Ajustes razonables**: son las modificaciones y adaptaciones necesarias y adecuadas del ambiente físico, social y actitudinal a las necesidades específicas de las personas con discapacidad que no impongan una carga desproporcionada o indebida, cuando se requieran en un caso particular de manera eficaz y práctica, para facilitar la accesibilidad y la participación y para garantizar a las personas con discapacidad el goce o ejercicio, en igualdad de condiciones con las demás, de todos los derechos.

n) **Diálogo civil**: es el principio en virtud del cual las organizaciones representativas de personas con discapacidad y de sus familias participan, en los términos que establecen las leyes y demás disposiciones normativas, en la elaboración, ejecución, seguimiento y evaluación de las políticas oficiales que se desarrollan en la esfera de las personas con discapacidad, las cuales garantizarán, en todo caso, el derecho de los niños y las niñas con discapacidad a expresar su opinión libremente sobre todas las cuestiones que les afecten y a recibir asistencia apropiada con arreglo a su discapacidad y edad para poder ejercer ese derecho.

o) **Transversalidad de las políticas en materia de discapacidad**: es el principio en virtud del cual las actuaciones que desarrollan las Administraciones Públicas no se limitan únicamente a planes, programas y acciones específicos, pensados exclusivamente para estas personas, sino que comprenden las políticas y líneas de acción de carácter general en cualquiera de los ámbitos de actuación pública, en donde se tendrán en cuenta las necesidades y demandas de las personas con discapacidad.

Sabías que...

Según la Base Estatal de Datos de Personas con valoración del Grado de Discapacidad (BEDPD), a 31 de diciembre de 2014, un 6 % de la población española tenía reconocido un grado de discapacidad igual o mayor al 33 %.

4. Principios

Los principios de esta ley serán:

a) El respeto de la dignidad inherente, la autonomía individual, incluida la libertad de tomar las propias decisiones, y la independencia de las personas.

b) La vida independiente.

c) La no discriminación.

d) El respeto por la diferencia y la aceptación de las personas con discapacidad como parte de la diversidad y la condición humanas.

e) La igualdad de oportunidades.

f) La igualdad entre mujeres y hombres.

g) La normalización.

h) La accesibilidad universal.

i) Diseño universal o diseño para todas las personas.

j) La participación e inclusión plenas y efectivas en la sociedad.

k) El diálogo civil.

l) El respeto al desarrollo de la personalidad de las personas con discapacidad, y, en especial, de las niñas y los niños con discapacidad y de su derecho a preservar su identidad.

m) La transversalidad de las políticas en materia de discapacidad.

Actividad 1

¿Cómo se denomina la discriminación que existe cuando una persona o grupo en que se integra es objeto de un trato discriminatorio debido a su relación con otra por motivo o por razón de discapacidad?

5. Ámbito de aplicación

Son personas con discapacidad aquellas que presentan deficiencias físicas, mentales, intelectuales o sensoriales, previsiblemente permanentes que, al interactuar con diversas barreras, puedan impedir su participación plena y efectiva en la sociedad, en igualdad de condiciones con los demás.

Las disposiciones normativas de los poderes y las Administraciones públicas, las resoluciones, actos, comunicaciones y manifestaciones de estas y de sus autoridades y agentes, cuando actúen en calidad de tales, utilizarán los términos "persona con discapacidad" o "personas con discapacidad" para denominarlas.

Además de lo establecido en el apartado anterior, a los efectos de esta ley, tendrán la consideración de personas con discapacidad aquellas a quienes se les haya reconocido un grado de discapacidad igual o superior al 33 por ciento.

Sin perjuicio de lo anterior, a los efectos de la sección 1.ª del capítulo V y del capítulo VIII del título I, así como del título II, se considerará que presentan una discapacidad en grado igual o superior al 33 por ciento las personas pensionistas de la Seguridad Social que tengan reconocida una pensión de incapacidad permanente en el grado de total, absoluta o gran invalidez y las personas pensionistas de clases pasivas que tengan reconocida una pensión de jubilación o de retiro por incapacidad permanente para el servicio o inutilidad.

El reconocimiento del grado de discapacidad deberá ser efectuado por el órgano competente en los términos desarrollados reglamentariamente.

La acreditación del grado de discapacidad se realizará en los términos establecidos reglamentariamente y tendrá validez en todo el territorio nacional.

(A nivel estatal, el procedimiento para el reconocimiento, declaración y calificación del grado de discapacidad está regulado por el Real Decreto 1971/1999, de 23 de diciembre:

Las situaciones de discapacidad se califican en grados según el alcance de las mismas:

- ***Grado 1**: discapacidad nula. Los síntomas, signos o secuelas, de existir, son mínimos y no justifican una disminución de la capacidad de la persona para realizar las actividades de la vida diaria (A.V.D.).*
- ***Grado 2**: discapacidad leve. Los síntomas, signos o secuelas existen y justifican alguna dificultad para llevar a cabo las actividades de la vida diaria, pero son compatibles con la práctica totalidad de las mismas.*
- ***Grado 3**: discapacidad moderada. Los síntomas, signos o secuelas causan una disminución importante o imposibilidad de la capacidad de la persona para realizar algunas de las actividades de la vida diaria, siendo independiente en las actividades de autocuidado.*
- ***Grado 4**: discapacidad grave. Los síntomas, signos o secuelas causan una disminución importante o imposibilidad de la capacidad de la persona para realizar la mayoría de las actividades de la vida diaria, pudiendo estar afectada alguna de las actividades de autocuidado.*
- ***Grado 5**: discapacidad muy grave. Los síntomas, signos o secuelas imposibilitan la realización de las actividades de la vida diaria.*

El grado de discapacidad se expresará en porcentaje).

A efectos del reconocimiento del derecho a los servicios de prevención de deficiencias y de intensificación de discapacidades se asimilan a dicha situación los **estados previos**, entendidos como procesos en evolución que puedan llegar a ocasionar una limitación en la actividad.

Los servicios, prestaciones y demás beneficios previstos en el RDL 1/2013 se otorgarán a los extranjeros de conformidad con lo previsto en la Ley Orgánica 4/2000, de 11 de enero, sobre derechos y libertades de los extranjeros en España y su integración social, en los tratados internacionales y en los convenios que se establezcan con el país de origen. Para los menores extranjeros se estará además a lo dispuesto en las leyes de protección de los derechos de los menores vigentes, tanto en el ámbito estatal como en el autonómico, así como en los tratados internacionales.

El Gobierno extenderá la aplicación de las prestaciones económicas previstas en el RDL 1/2013 a los españoles residentes en el extranjero, siempre que carezcan de protección equiparable en el país de residencia, en la forma y con los requisitos que reglamentariamente se determinen.

El artículo 5 del R.D.L. 1/2013 (en redacción dada por la Ley 6/2022, de 31 de marzo, de modificación del Texto Refundido de la Ley General de derechos de las personas con discapacidad y de su inclusión social, aprobado por el Real Decreto Legislativo 1/2013, de 29 de noviembre, para establecer y regular la accesibilidad cognitiva y sus condiciones de exigencia y aplicación) establece que las medidas específicas para garantizar la igualdad de oportunidades, la no discriminación y la accesibilidad universal se aplicarán, además de a los derechos regulados en el Título I (que luego citaremos), en los ámbitos siguientes:

a) Telecomunicaciones y sociedad de la información.

b) Espacios públicos urbanizados, infraestructuras y edificación.

c) Transportes.

d) Bienes y servicios a disposición del público.

e) Relaciones con las administraciones públicas, incluido el acceso a las prestaciones públicas y a las resoluciones administrativas de aquellas.

f) Administración de justicia.

g) Participación en la vida pública y en los procesos electorales.

h) Patrimonio cultural, de conformidad con lo previsto en la legislación de patrimonio histórico, siempre con el propósito de conciliar los valores de protección patrimonial y de acceso, goce y disfrute por parte de las personas con discapacidad.

i) Empleo.

Actividad 2

Cuando los síntomas, signos o secuelas causan una disminución importante o imposibilidad de la capacidad de la persona para realizar la mayoría de las actividades de la vida diaria, pudiendo estar afectada alguna de las actividades de autocuidado, hablamos de discapacidad grave de grado:

- ☐ a) 2.
- ☐ b) 3.
- ☐ c) 4.

6. Autonomía de las personas

Conforme al artículo 6 del RDL 1/2013, el ejercicio de los derechos de las personas con discapacidad se realizará de acuerdo con el **principio de libertad en la toma de decisiones.**

Las personas con discapacidad tienen derecho a la libre toma de decisiones, para lo cual la **información** y el **consentimiento** deberán efectuarse en formatos adecuados y de acuerdo con las circunstancias personales, siguiendo las reglas marcadas por el principio de diseño universal o diseño para todas las personas, de manera que les resulten accesibles y comprensibles.

En todo caso, se deberá tener en cuenta las circunstancias personales del individuo, su capacidad para tomar el tipo de decisión en concreto y asegurar la prestación de apoyo para la toma de decisiones.

Recuerda que...

Son personas con discapacidad aquellas que presentan deficiencias físicas, mentales, intelectuales o sensoriales, previsiblemente permanentes que, al interactuar con diversas barreras, puedan impedir su participación plena y efectiva en la sociedad, en igualdad de condiciones con los demás.

7. Derecho a la vida independiente

El Título I del Real Decreto Legislativo 1/2013 trata de los Derechos y Obligaciones.

Los derechos recogidos en este título son:

- Derecho a la igualdad.
- Derecho a la protección de la salud.

- Derecho a la educación.
- Derecho a la vida independiente.
- Derecho al trabajo.
- Derecho a la protección social.
- Derecho de participación en los asuntos públicos.

Por su parte, el Título II trata sobre el derecho a la igualdad de oportunidades.

Por exigencias del programa centraremos los próximos apartados en el estudio de los derechos a la vida independiente, de participación en los asuntos públicos y a la igualdad de oportunidades.

El **derecho a la vida independiente** es objeto de tratamiento del capítulo V del Título I del Real Decreto Legislativo 1/2013.

Las personas con discapacidad tienen derecho a vivir de forma independiente y a participar plenamente en todos los aspectos de la vida. Para ello, los poderes públicos adoptarán las medidas pertinentes para asegurar la **accesibilidad universal**, en igualdad de condiciones con las demás personas, en los entornos, procesos, bienes, productos y servicios, el transporte, la información y las comunicaciones, incluidos los sistemas y las tecnologías de la información y las comunicaciones, así como los medios de comunicación social y en otros servicios e instalaciones abiertos al público o de uso público, tanto en zonas urbanas como rurales.

En el ámbito del empleo, las condiciones básicas de accesibilidad y no discriminación a las que se refiere este capítulo serán de aplicación con carácter supletorio respecto a lo previsto en la legislación laboral.

A) Condiciones básicas de accesibilidad y no discriminación

El Gobierno, sin perjuicio de las competencias atribuidas a las comunidades autónomas y a las entidades locales, regulará las **condiciones básicas de accesibilidad y no discriminación** que garanticen los mismos niveles de igualdad de oportunidades a todas las personas con discapacidad. (Toda referencia a accesibilidad y accesibilidad universal en el RDL 1/2013, se entiende que incluye la accesibilidad cognitiva).

Dicha regulación será gradual en el tiempo y en el alcance y contenido de las obligaciones impuestas, y abarcará a todos los ámbitos y áreas siguientes (antes citadas):

a) Telecomunicaciones y sociedad de la información.

b) Espacios públicos urbanizados, infraestructuras y edificación.

c) Transportes.

d) Bienes y servicios a disposición del público.

e) Relaciones con las administraciones públicas, incluido el acceso a las prestaciones públicas y a las resoluciones administrativas de aquellas.

f) Administración de justicia.

g) Participación en la vida pública y en los procesos electorales.

h) Patrimonio cultural, de conformidad con lo previsto en la legislación de patrimonio histórico.

i) Empleo.

Las condiciones básicas de accesibilidad y no discriminación establecerán, para cada ámbito o área, medidas concretas para prevenir o suprimir discriminaciones, y para compensar desventajas o dificultades. Se incluirán disposiciones sobre, al menos, los siguientes aspectos:

a) Exigencias de accesibilidad de los edificios y entornos, de los instrumentos, equipos y tecnologías, y de los bienes y productos utilizados en el sector o área. En particular, la supresión de barreras a las instalaciones y la adaptación de equipos e instrumentos, así como la apropiada señalización en los mismos.

b) Condiciones más favorables en el acceso, participación y utilización de los recursos de cada ámbito o área y condiciones de no discriminación en normas, criterios y prácticas.

c) Apoyos complementarios, tales como ayudas económicas, productos y tecnologías de apoyo, servicios o tratamientos especializados, otros servicios personales, así como otras formas de apoyo personal o animal. En particular, ayudas y servicios auxiliares para la comunicación, como sistemas aumentativos y alternativos, braille, lectura fácil, pictogramas, dispositivos multimedia de fácil acceso, sistemas de apoyos a la comunicación oral y lengua de signos, sistemas de comunicación táctil y otros dispositivos que permitan la comunicación.

d) La adopción de normas internas en las empresas o centros que promuevan y estimulen la eliminación de desventajas o situaciones generales de discriminación a las personas con discapacidad, incluidos los ajustes razonables.

e) Planes y calendario para la implantación de las exigencias de accesibilidad y para el establecimiento de las condiciones más favorables y de no discriminación.

f) Recursos humanos y materiales para la promoción de la accesibilidad y la no discriminación en el ámbito de que se trate.

Las condiciones básicas de accesibilidad y no discriminación se establecerán teniendo en cuenta los diferentes tipos y grados de discapacidad que deberán orientar tanto el diseño inicial como los ajustes razonables de los entornos, productos y servicios de cada ámbito de aplicación de la ley.

A1. Condiciones básicas de accesibilidad y no discriminación en el ámbito de los productos y servicios relacionados con la sociedad de la información y medios de comunicación social.

Las condiciones básicas de accesibilidad y no discriminación para el acceso y utilización de las tecnologías, productos y servicios relacionados con la sociedad de la información y de cualquier medio de comunicación social serán exigibles en los plazos y términos establecidos reglamentariamente.

No obstante, las condiciones previstas en el párrafo anterior serán exigibles para todas estas tecnologías, productos y servicios, de acuerdo con las condiciones y plazos máximos siguientes:

- Productos y servicios nuevos, incluidas las campañas institucionales que se difundan en soporte audiovisual: 4 de diciembre de 2009.
- Productos y servicios existentes el 4 de diciembre de 2009, que sean susceptibles de ajustes razonables: 4 de diciembre de 2013.

En el plazo de dos años desde la entrada en vigor de esta ley, el Gobierno deberá realizar los estudios integrales sobre la accesibilidad a dichos bienes o servicios que se consideren más relevantes desde el punto de vista de la no discriminación y accesibilidad universal.

A2. Condiciones básicas de accesibilidad y no discriminación en el ámbito de los espacios públicos urbanizados y edificación.

Las condiciones básicas de accesibilidad y no discriminación de las personas con discapacidad para el acceso y utilización de los espacios públicos urbanizados y edificaciones serán exigibles en los plazos y términos establecidos reglamentariamente.

No obstante, las condiciones previstas en el párrafo anterior serán exigibles para todos los espacios públicos urbanizados y edificaciones, de acuerdo con las condiciones y plazos máximos siguientes:

- Espacios y edificaciones nuevos: 4 de diciembre de 2010.
- Espacios y edificaciones existentes el 4 de diciembre de 2010, que sean susceptibles de ajustes razonables: 4 de diciembre de 2017.

En el plazo de dos años desde la entrada en vigor de esta ley, el Gobierno deberá realizar los estudios integrales sobre la accesibilidad a los espacios públicos urbanizados y edificaciones, en lo que se considere más relevante desde el punto de vista de la no discriminación y de la accesibilidad universal.

Las normas técnicas sobre edificación incluirán previsiones relativas a las condiciones mínimas que deberán reunir los edificios de cualquier tipo para permitir la accesibilidad de las personas con discapacidad.

Todas estas normas deberán ser recogidas en la fase de redacción de los proyectos básicos, de ejecución y parciales, denegándose los visados oficiales correspondientes, bien de colegios profesionales o de oficinas de supervisión de las administraciones públicas competentes, a aquellos que no las cumplan.

A3. Condiciones básicas de accesibilidad y no discriminación en el ámbito de los medios de transporte.

Las condiciones básicas de accesibilidad y no discriminación de las personas con discapacidad para el acceso y utilización de los medios de transporte serán exigibles en los plazos y términos establecidos reglamentariamente.

No obstante, las condiciones previstas en el párrafo anterior serán exigibles para todas las infraestructuras y material de transporte, de acuerdo con las condiciones y plazos máximos siguientes:

- Infraestructuras y material de transporte nuevos: 4 de diciembre de 2010.
- Infraestructuras y material de transporte existentes el 4 de diciembre de 2010, que sean susceptibles de ajustes razonables: 4 de diciembre de 2017.

En el plazo de dos años desde la entrada en vigor de esta ley, el Gobierno deberá realizar los estudios integrales sobre la accesibilidad a los diferentes medios de transporte, en lo que se considere más relevante desde el punto de vista de la no discriminación y de la accesibilidad universal.

A4. Condiciones básicas de accesibilidad y no discriminación en el ámbito de las relaciones con las administraciones públicas.

Las condiciones básicas de accesibilidad y no discriminación que deberán reunir las oficinas públicas, dispositivos y servicios de atención al ciudadano y aquellos de participación en los asuntos públicos, incluidos los relativos a la Administración de Justicia y a la participación en la vida política y los procesos electorales serán exigibles en los plazos y términos establecidos reglamentariamente.

No obstante, las condiciones previstas en el párrafo anterior serán exigibles para todos los entornos, productos, servicios, disposiciones, criterios o prácticas administrativas, de acuerdo con las condiciones y plazos máximos siguientes:

- Entornos, productos y servicios nuevos: 4 de diciembre de 2008.
- Corrección de toda disposición, criterio o práctica administrativa discriminatoria: 4 de diciembre de 2008.

- Entornos, productos y servicios existentes el 4 de diciembre de 2008, y toda disposición, criterio o práctica: 4 de diciembre de 2017.

En el plazo de dos años desde la entrada en vigor de esta ley, el Gobierno deberá realizar los estudios integrales sobre la accesibilidad de aquellos entornos o sistemas que se consideren más relevantes desde el punto de vista de la no discriminación y la accesibilidad universal.

A5. Condiciones básicas de accesibilidad y no discriminación para el acceso y utilización de los bienes y servicios a disposición del público.

Todas las personas físicas o jurídicas que, en el sector público o en el privado, suministren bienes o servicios disponibles para el público, ofrecidos fuera del ámbito de la vida privada y familiar, estarán obligadas, en sus actividades y en las transacciones consiguientes, al cumplimiento del principio de igualdad de oportunidades de las personas con discapacidad, evitando discriminaciones, directas o indirectas, por motivo de o por razón de discapacidad.

Lo previsto en el párrafo anterior no afecta a la libertad de contratación, incluida la libertad de la persona de elegir a la otra parte contratante, siempre y cuando dicha elección no venga determinada por su discapacidad.

Las condiciones básicas de accesibilidad y no discriminación para el acceso y utilización de los bienes y servicios a disposición del público por las personas con discapacidad serán exigibles en los plazos y términos establecidos reglamentariamente.

Los supuestos y plazos máximos de exigibilidad de las condiciones básicas de accesibilidad y no discriminación para el acceso y utilización de los bienes y servicios a disposición del público por las personas con discapacidad, en todo caso, son los siguientes:

- Bienes y servicios nuevos que sean de titularidad pública: Desde la entrada en vigor del real decreto que regule las condiciones básicas de accesibilidad y no discriminación para el acceso y utilización de los bienes y servicios a disposición del público.
- Bienes y servicios nuevos que sean de titularidad privada que concierten o suministren las administraciones públicas: Desde la entrada en vigor del real decreto que regule las condiciones básicas de accesibilidad y no discriminación para el acceso y utilización de los bienes y servicios a disposición del público.
- Bienes y servicios nuevos que sean de titularidad privada y que no concierten o suministren las administraciones públicas: 4 de diciembre de 2015.
- Bienes y servicios existentes el 4 de diciembre de 2010, que sean susceptibles de ajustes razonables, cuando sean bienes y servicios de titularidad pública: 4 de diciembre de 2015.
- Bienes y servicios existentes el 4 de diciembre de 2012, que sean susceptibles de ajustes razonables, cuando sean bienes y servicios de titularidad privada que concierten o suministren las administraciones públicas: 4 de diciembre de 2015.
- Bienes y servicios existentes el 4 de diciembre de 2015, que sean susceptibles de ajustes razonables, cuando sean bienes y servicios de titularidad privada que no concierten o suministren las administraciones públicas: 4 de diciembre de 2017.

En el plazo de dos años desde la entrada en vigor de esta ley, el Gobierno deberá realizar los estudios integrales sobre la accesibilidad a bienes o servicios que se consideren más relevantes desde el punto de vista de la no discriminación y accesibilidad universal.

Recuerda que...

Por «diseño universal» se entiende el diseño de productos, entornos, programas y servicios que puedan utilizar todas las personas, en la mayor medida posible, sin necesidad de adaptación ni diseño especializado.

A6. Condiciones básicas de accesibilidad cognitiva.

Conforme al artículo 29 bis del RDL 1/2013 (añadido por la Ley 6/2022, de 31 de marzo), las condiciones básicas de accesibilidad cognitiva son el conjunto sistemático, integral y coherente de exigencias, requisitos, normas, parámetros y pautas que se consideran precisos para asegurar la comprensión, la comunicación y la interacción de todas las personas con todos los entornos, productos, bienes y servicios, así como de los procesos y procedimientos.

Estas condiciones básicas, que serán objeto de desarrollo normativo específico, se extenderán a todos los ámbitos a los que se refiere el artículo 5 de esta ley, por resultar precisas para promover el desarrollo humano y la máxima autonomía individual de todas las personas.

Estas condiciones básicas serán exigibles en los plazos y términos que se establezcan reglamentariamente.

Estas condiciones básicas de accesibilidad cognitiva, quedan encuadradas en el marco de la accesibilidad universal, conforme a lo estipulado en la letra k) del artículo 2 de esta ley.

Por la disposición adicional cuarta de la citada Ley 6/2022, se crea en el seno del organismo autónomo Real Patronato sobre Discapacidad, el Centro Español de Accesibilidad Cognitiva, como estructura de él dependiente, concebido como instrumento de la Administración General del Estado para el estudio, la investigación, la generación y transferencia de conocimiento, la formación y cualificación, el registro y la extensión de buenas prácticas, la promoción de normativa técnica, la observación de la realidad y las tendencias, las acciones de prospectiva, el seguimiento y la evaluación, y en general la promoción y fomento de todo lo relativo con la accesibilidad cognitiva en España.

Reglamentariamente se establecerá su régimen de organización y funcionamiento. En todo caso, dicho régimen preverá la participación de la sociedad civil, a través de las organizaciones más representativas de personas con discapacidad y sus familias, con interés directo en la accesibilidad cognitiva

B) Medidas de acción positiva

a) Medidas para facilitar el estacionamiento de vehículos

Los ayuntamientos adoptarán las medidas adecuadas para facilitar el estacionamiento de los vehículos automóviles pertenecientes a personas con problemas graves de movilidad, por razón de su discapacidad.

b) Subsidio de movilidad y compensación por gastos de transporte

Las personas con discapacidad con dificultades para utilizar transportes colectivos, que reúnan los requisitos establecidos reglamentariamente, tendrán derecho a la percepción de un subsidio de movilidad y compensación por gastos de transporte, cuya cuantía se fijará anualmente en la Ley de Presupuestos Generales del Estado.

c) Reserva de viviendas para personas con discapacidad y condiciones de accesibilidad

En los proyectos de viviendas protegidas, se programará un mínimo de un cuatro por ciento con las características constructivas y de diseño adecuadas que garanticen el acceso y desenvolvimiento cómodo y seguro de las personas con discapacidad.

Las viviendas objeto de la reserva destinadas al alquiler, podrán adjudicarse a personas con discapacidad individualmente consideradas, unidades familiares con alguna persona con discapacidad o a entidades sin ánimo de lucro del sector de la discapacidad, siempre que en este último supuesto se destinen por esas entidades a la promoción de la inclusión social de las personas con discapacidad y de la vida autónoma, como viviendas asistidas, viviendas compartidas, viviendas de apoyo o a proyectos de vida independiente de personas con discapacidad.

La obligación establecida en los párrafos anteriores alcanzará, igualmente, a los proyectos de viviendas de cualquier otro carácter que se construyan, promuevan o subvencionen por las administraciones públicas y demás entidades dependientes o vinculadas al sector público. Las administraciones públicas competentes dictarán las disposiciones reglamentarias para garantizar la instalación de ascensores con capacidad para transportar simultáneamente una silla de ruedas de tipo normalizado y una persona sin discapacidad.

Las Administraciones Públicas, dictarán las normas técnicas básicas necesarias para dar cumplimiento a lo dispuesto en los párrafos anteriores.

Cuando el proyecto se refiera a un conjunto de edificios e instalaciones que constituyan un complejo arquitectónico, este se proyectará y construirá en condiciones que permitan, en todo caso, la accesibilidad de las personas con discapacidad a los diferentes inmuebles e instalaciones complementarias.

d) Concepto de rehabilitación de la vivienda

Se considerará rehabilitación de la vivienda, a efectos de la obtención de subvenciones y préstamos con subvención de intereses, las reformas que las personas con discapacidad o las unidades familiares o de convivencia con algún miembro con discapacidad tengan que realizar en su vivienda habitual y permanente para que esta resulte accesible.

e) Otras medidas públicas de accesibilidad

Las administraciones públicas habilitarán en sus presupuestos las consignaciones necesarias para la financiación de las adaptaciones en los inmuebles que de ellos dependan.

Al mismo tiempo, fomentarán la adaptación de los inmuebles de titularidad privada, mediante el establecimiento de ayudas, exenciones y subvenciones.

Además, las administraciones competentes en materia de urbanismo deberán considerar, y en su caso incluir, la necesidad de esas adaptaciones anticipadas, en los planes municipales de ordenación urbana que formulen o aprueben.

Los ayuntamientos deberán prever planes municipales de actuación, al objeto de adaptar las vías públicas, parques y jardines, a las normas aprobadas con carácter general, viniendo obligados a destinar un porcentaje de su presupuesto a dichos fines.

Sabías que...

En España existen, según el CERMI (Comité Español de Representantes de Personas con Discapacidad), 3,8 millones de personas con alguna discapacidad física o psíquica.

8. Derecho de participación en los asuntos públicos

El RDL 1/2013 contempla dos derechos de participación en los asuntos públicos:

- El derecho de participación en la vida política.
- El derecho de participación en la vida pública.

8.1. Derecho de participación en la vida política

Las personas con discapacidad podrán ejercer el derecho de participación en la vida política y en los procesos electorales en igualdad de condiciones que el resto de los ciudadanos conforme a la normativa en vigor. Para ello, las administraciones públicas pondrán a su disposición los medios y recursos que precisen.

Es importante reseñar que a partir de la entrada en vigor de la Ley Orgánica 2/2018, de 5 de diciembre, para la modificación de la Ley Orgánica 5/1985, de 19 de junio, del Régimen Electoral General para garantizar el derecho de sufragio de todas las personas con discapacidad para adaptarla a la Convención Internacional sobre los Derechos de las Personas con Discapacidad, quedan sin efecto las limitaciones en el ejercicio del derecho de sufragio establecidas por resolución judicial fundamentadas jurídicamente en el artículo 3.1. b) y c) de la Ley Orgánica 5/1985, de 19 de junio, ahora suprimidas. Las personas a las que se les hubiere limitado o anulado su derecho de sufragio por razón de discapacidad quedan reintegradas plenamente en el mismo por ministerio de la ley.

De este modo se garantiza el derecho al voto de todas las personas con discapacidad intelectual, enfermedad mental o deterioro cognitivo.

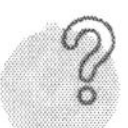 Sabías que...

La Convención sobre los derechos de las personas con discapacidad entró en vigor de forma general y para España el 3 de mayo de 2008 de conformidad con lo establecido en el artículo 45.1 de la misma.

8.2. Derecho de participación en la vida pública

Las personas con discapacidad podrán participar plena y efectivamente en la toma de decisiones públicas que les afecten, en igualdad de condiciones con los demás ciudadanos. Para ello, las administraciones públicas pondrán a su disposición los medios y recursos que precisen.

Las personas con discapacidad, incluidos los niños y las niñas, y sus familias, a través de sus organizaciones representativas, participarán en la preparación, elaboración y adopción de las decisiones y, en su caso, de las normas y estrategias que les conciernen, siendo obligación de las administraciones públicas en la esfera de sus respectivas competencias promover las condiciones para asegurar que esta participación sea real y efectiva.

De igual modo, se promoverá su presencia permanente en los órganos de las administraciones públicas, de carácter participativo y consultivo, cuyas funciones estén directamente relacionadas con materias que tengan incidencia en esferas de interés preferente para personas con discapacidad y sus familias.

Las administraciones públicas promoverán y facilitarán el desarrollo de las asociaciones y demás entidades en que se agrupan las personas con discapacidad y sus familias. Asimismo, ofrecerán apoyo financiero y técnico para el desarrollo de sus actividades y podrán establecer convenios para el desarrollo de programas de interés social.

8.3. El Consejo Nacional de la Discapacidad

El Consejo Nacional de la Discapacidad es el órgano colegiado interministerial, de carácter consultivo, en el que se institucionaliza la colaboración del movimiento asociativo de las personas con discapacidad y sus familias y la Administración General del Estado, para la definición y coordinación de las políticas públicas que garanticen los derechos de las personas con discapacidad.

Su composición y funciones se establecerán reglamentariamente *(actualmente el Real Decreto 1855/2009, de 4 de diciembre, por el que se regula el Consejo Nacional de la Discapacidad).*

En particular, corresponderá al Consejo Nacional de la Discapacidad la promoción de la igualdad de oportunidades y no discriminación de las personas con discapacidad.

Para el cumplimiento de sus fines, el Consejo Nacional de la Discapacidad desarrollará las siguientes funciones:

a) Promover los principios y líneas básicas de política integral para las personas con discapacidad en el ámbito de la Administración General del Estado, incorporando el principio de transversalidad.

b) Presentar iniciativas y formular recomendaciones en relación con planes o programas de actuación.

c) Conocer y, en su caso, presentar iniciativas en relación a los fondos para programas de personas con discapacidad y los criterios de distribución.

d) Emitir dictámenes e informes, de carácter preceptivo y no vinculante, sobre aquellos proyectos normativos y otras iniciativas relacionadas con el objeto del Consejo que se sometan a su consideración y, en especial, en el desarrollo de la normativa de igualdad de oportunidades, no discriminación y accesibilidad universal.

e) Promover el desarrollo de acciones de recopilación, análisis, elaboración y difusión de información.

f) Impulsar actividades de investigación, formación, innovación, ética y calidad en el ámbito de la discapacidad.

g) Conocer las políticas, fondos y programas de la Unión Europea y de otras instancias internacionales y recibir información, en su caso, sobre las posiciones y propuestas españolas en los foros internacionales.

h) Constituir el órgano de referencia de la Administración General del Estado para la promoción, protección y seguimiento en España de los instrumentos jurídicos internacionales en materia de derechos humanos de las personas con discapacidad incorporados a nuestro ordenamiento jurídico y, en especial, de la Convención Internacional sobre los Derechos de las Personas con Discapacidad de la Organización de Naciones Unidas, ratificada por España, que entró en vigor el 3 de mayo de 2008.

i) Cualquier otra función que, en el marco de sus competencias, se le atribuya por alguna disposición legal o reglamentaria.

El Consejo Nacional de la Discapacidad está constituido por la presidencia, tres vicepresidencias, cuarenta y cuatro vocalías, cuatro personas asesoras expertas y la secretaría.

La Oficina de Atención a la Discapacidad es el órgano del Consejo Nacional de la Discapacidad, de carácter permanente y especializado, encargado de promover la igualdad de oportunidades, no discriminación y accesibilidad universal de las personas con discapacidad.

Con la Oficina de Atención a la Discapacidad colaborarán las organizaciones, entidades y asociaciones de utilidad pública más representativas de las personas con discapacidad y sus familias.

Recuerda que...

Por atención integral se entiende los procesos o cualquier otra medida de intervención dirigidos a que las personas con discapacidad adquieran su máximo nivel de desarrollo y autonomía personal, y a lograr y mantener su máxima independencia, capacidad física, mental y social, y su inclusión y participación plena en todos los aspectos de la vida, así como la obtención de un empleo adecuado.

9. Derecho a la igualdad de oportunidades

El artículo 4.1. del Real Decreto Legislativo 1/2013, determina que son personas con discapacidad aquellas que presentan deficiencias físicas, mentales, intelectuales o sensoriales, previsiblemente permanentes que, al interactuar con diversas barreras, puedan impedir su participación plena y efectiva en la sociedad, en igualdad de condiciones con los demás.

Se entenderá que se vulnera el derecho a la igualdad de oportunidades de las personas con discapacidad, definidas en el artículo 4.1, cuando, por motivo de o por razón de discapacidad, se produzca:

- Discriminaciones directas o indirectas.
- Discriminación por asociación, acosos, incumplimientos de las exigencias de accesibilidad y de realizar ajustes razonables.
- El incumplimiento de las medidas de acción positiva legalmente establecidas.

Actividad 3

¿Cómo se denomina el órgano del Consejo Nacional de la Discapacidad encargado de promover la igualdad de oportunidades, no discriminación y accesibilidad universal de las personas con discapacidad?

9.1. Garantías del derecho a la igualdad de oportunidades

Con el fin de garantizar el derecho a la igualdad de oportunidades a las personas con discapacidad, los poderes públicos establecerán medidas contra la discriminación y medidas de acción positiva.

Las medidas de defensa, de arbitraje y de carácter judicial, contempladas en esta ley serán de aplicación a las situaciones de vulneración citadas anteriormente, con independencia de la existencia de reconocimiento oficial de la situación de discapacidad o de su transitoriedad. En todo caso, las administraciones públicas velarán por evitar cualquier forma de discriminación que les afecte o pueda afectar.

Las garantías del derecho a la igualdad de oportunidades de las personas con discapacidad previstas en este título, tendrán carácter supletorio respecto a lo previsto en la legislación laboral.

Dentro de la igualdad de oportunidades podemos citar también el derecho al acceso a la nacionalidad española en condiciones de igualdad. Así, la Disposición Adicional 12ª del Real Decreto Legislativo 1/2013 establece que las personas con discapacidad accederán en condiciones de igualdad a la nacionalidad española. Será nula cualquier norma que provoque la discriminación, directa o indirecta, en el acceso de las personas a la nacionalidad por residencia por razón de su discapacidad. En los procedimientos de adquisición de la nacionalidad española, las personas con discapacidad que lo precisen dispondrán de los apoyos y de los ajustes razonables que permitan el ejercicio efectivo de esta garantía de igualdad.

Recuerda que...

El Consejo Nacional de la Discapacidad es el órgano colegiado interministerial, de carácter consultivo, en el que se institucionaliza la colaboración del movimiento asociativo de las personas con discapacidad y sus familias y la Administración General del Estado, para la definición y coordinación de las políticas públicas que garanticen los derechos de las personas con discapacidad.

9.2. Medidas contra la discriminación

Se consideran medidas contra la discriminación aquellas que tengan como finalidad prevenir o corregir que una persona sea tratada de una manera directa o indirecta menos favorable que otra que no lo sea, en una situación análoga o comparable, por motivo de o por razón de discapacidad.

Las medidas contra la discriminación podrán consistir en:

- Prohibición de conductas discriminatorias y de acoso.
- Exigencias de accesibilidad.
- Exigencias de eliminación de obstáculos y de realizar ajustes razonables.

A estos efectos, se entiende por exigencias de accesibilidad los requisitos que deben cumplir los entornos, productos y servicios, así como las condiciones de no discriminación en normas, criterios y prácticas, con arreglo a los principios de accesibilidad universal y de diseño para todas las personas.

A efectos de determinar si un ajuste es razonable se tendrán en cuenta los costes de la medida, los efectos discriminatorios que supongan para las personas con discapacidad su no adopción, la estructura y características de la persona, entidad u organización que ha de ponerla en práctica y la posibilidad que tenga de obtener financiación oficial o cualquier otra ayuda.

A este fin, las administraciones públicas competentes podrán establecer un régimen de ayudas públicas para contribuir a sufragar los costes derivados de la obligación de realizar ajustes razonables.

Las discrepancias entre el solicitante del ajuste razonable y el sujeto obligado podrán ser resueltas a través del sistema de arbitraje previsto en el artículo 74 del propio Real Decreto Legislativo 1/2013, sin perjuicio de la protección administrativa o judicial que en cada caso proceda.

Actividad 4

Rellena los huecos con las palabras que faltan:

El Consejo Nacional de la Discapacidad está constituido por la presidencia, ______ vicepresidencias, ______ vocalías, ______ personas asesoras expertas y la secretaría.

9.3. Medidas de acción positiva

Los poderes públicos adoptarán medidas de acción positiva en beneficio de aquellas personas con discapacidad susceptibles de ser objeto de un mayor grado de discriminación, incluida la discriminación múltiple, o de un menor grado de igualdad de oportunidades, como son las mujeres, los niños y niñas, quienes precisan de mayor apoyo para el ejercicio de su autonomía o para la toma libre de decisiones y las que padecen una más acusada exclusión social, así como las personas con discapacidad que viven habitualmente en el medio rural.

Asimismo, en el marco de la política oficial de protección a la familia, los poderes públicos adoptarán medidas de acción positiva respecto de las familias cuando alguno de sus miembros sea una persona con discapacidad.

Las medidas de acción positiva podrán consistir en apoyos complementarios y normas, criterios y prácticas más favorables. Las medidas de igualdad de oportunidades podrán ser:

- Ayudas económicas.
- Ayudas técnicas.
- Asistencia personal.
- Servicios especializados.
- Ayudas y servicios auxiliares para la comunicación.

Dichas medidas tendrán naturaleza de mínimos, sin perjuicio de las medidas que puedan establecer las comunidades autónomas en el ámbito de sus competencias.

En particular, las administraciones públicas garantizarán que las ayudas y subvenciones públicas promuevan la efectividad del derecho a la igualdad de oportunidades de las personas con discapacidad así como las personas con discapacidad que viven habitualmente en el ámbito rural.

9.4. Medidas de fomento y defensa

Las administraciones públicas, en el ámbito de sus competencias, promoverán y facilitarán el desarrollo de medidas de fomento y de instrumentos y mecanismos de protección jurídica para llevar a cabo una política de igualdad de oportunidades, mediante la adopción de las medidas necesarias para que se supriman las disposiciones normativas y las prácticas contrarias a la igualdad de oportunidades y el establecimiento de medidas para evitar cualquier forma de discriminación por motivo o por razón de discapacidad.

A) Medidas de fomento

a) Medidas para fomentar la calidad

Las administraciones públicas adecuarán sus planes de calidad para asegurar la igualdad de oportunidades a los ciudadanos con discapacidad. Para ello, incluirán en ellos normas mínimas de no discriminación y de accesibilidad, y desarrollarán indicadores de calidad y guías de buenas prácticas.

b) Medidas de innovación y desarrollo de normas técnicas

Las administraciones públicas fomentarán la innovación e investigación aplicada al desarrollo de entornos, productos, servicios y prestaciones que garanticen los principios de inclusión, accesibilidad universal, diseño para todas las personas y vida independiente en favor de las personas con discapacidad. Para ello, promoverán la investigación en las áreas relacionadas con la discapacidad en los planes de investigación, desarrollo e innovación (I+D+i).

Asimismo, facilitarán y apoyarán el desarrollo de normativa técnica, así como la revisión de la existente, de forma que asegure la no discriminación en procesos, diseños y desarrollos de tecnologías, productos, servicios y bienes, en colaboración con las entidades y organizaciones de normalización y certificación y todos los agentes implicados.

c) Iniciativa privada

La administración del Estado, las comunidades autónomas y las entidades locales ampararán la iniciativa privada sin ánimo de lucro, colaborando en el desarrollo de estas actividades mediante asesoramiento técnico, coordinación, planificación y apoyo económico. Especial atención recibirán las entidades sin ánimo de lucro, promovidas por las propias personas con discapacidad, sus familiares o sus representantes legales.

Será requisito indispensable para percibir dicha colaboración y ayuda que las actuaciones privadas se adecuen a las líneas y exigencias de la planificación sectorial que se establezca por parte de las administraciones públicas.

En los centros financiados, en todo o en parte, con cargo a fondos públicos, se llevará a cabo el control del origen y aplicación de los recursos financieros, con la participación de los interesados o subsidiariamente sus representantes legales, de la dirección y del personal al servicio de los centros sin perjuicio de las facultades que correspondan a los poderes públicos.

d) Observatorio Estatal de la Discapacidad

Se considera al Observatorio Estatal de la Discapacidad como un instrumento técnico de la Administración General del Estado que, a través de la Dirección General de Derechos de las Personas con Discapacidad del Ministerio de Derechos Sociales y Agenda 2030, se encarga de la recopilación, sistematización, actualización, generación de información y difusión relacionada con el ámbito de la discapacidad.

Con carácter anual, el Observatorio Estatal de la Discapacidad confeccionará un informe amplio e integral sobre la situación y evolución de la discapacidad en España elaborado de acuerdo con datos estadísticos recopilados, con especial atención al género, que se elevará al Consejo Nacional de la Discapacidad, para conocimiento y debate.

El Observatorio Estatal de la Discapacidad se configura asimismo como instrumento de promoción y orientación de las políticas públicas de conformidad con la Convención Internacional sobre los derechos de las personas con discapacidad.

El cumplimiento de las funciones dirigidas al desarrollo de los objetivos generales del Observatorio Estatal de la Discapacidad no supondrá incremento del gasto público.

B) Medidas de defensa

a) Arbitraje

Previa audiencia de los sectores interesados y de las organizaciones representativas de las personas con discapacidad y sus familias, el Gobierno establecerá un sistema arbitral que, sin formalidades especiales, atienda y resuelva con carácter vinculante y ejecutivo para ambas partes, las quejas o reclamaciones de las personas con discapacidad en materia de igualdad de oportunidades y no discriminación, siempre que no existan indicios racionales de delito, todo ello sin perjuicio de la protección administrativa y judicial que en cada caso proceda.

El sometimiento de las partes al sistema arbitral será voluntario y deberá constar expresamente por escrito.

Los órganos de arbitraje estarán integrados por representantes de los sectores interesados, de las organizaciones representativas de las personas con discapacidad y sus familias y de las administraciones públicas dentro del ámbito de sus competencias.

Recuerda que...

Cada año, el Observatorio Estatal de la Discapacidad confeccionará un informe amplio e integral sobre la situación y evolución de la discapacidad en España elaborado de acuerdo con datos estadísticos recopilados, con especial atención al género, que se elevará al Consejo Nacional de la Discapacidad, para conocimiento y debate.

b) Tutela judicial y protección contra las represalias

La tutela judicial del derecho a la igualdad de oportunidades de las personas con discapacidad comprenderá la adopción de todas las medidas que sean necesarias para poner fin a la violación del derecho y prevenir violaciones ulteriores, así como para restablecer al perjudicado en el ejercicio pleno de su derecho.

La indemnización o reparación a que pueda dar lugar la reclamación correspondiente no estará limitada por un tope máximo fijado «a priori». La indemnización por daño moral procederá aun cuando no existan perjuicios de carácter económico y se valorará atendiendo a las circunstancias de la infracción y a la gravedad de la lesión.

Se adoptarán las medidas que sean necesarias para proteger a las personas físicas o jurídicas contra cualquier trato adverso o consecuencia negativa que pueda producirse como reacción ante una reclamación o ante un procedimiento destinado a exigir el cumplimiento del principio de igualdad de oportunidades.

c) Legitimación

Sin perjuicio de la legitimación individual de las personas afectadas, las personas jurídicas legalmente habilitadas para la defensa de los derechos e intereses legítimos colectivos podrán actuar en un proceso en nombre e interés de las personas que así lo autoricen, con la finalidad de hacer efectivo el derecho de igualdad de oportunidades, defendiendo sus derechos individuales y recayendo en dichas personas los efectos de aquella actuación.

d) Criterios especiales sobre la prueba de hechos relevantes

En aquellos procesos jurisdiccionales en que de las alegaciones de la parte actora se deduzca la existencia de indicios fundados de discriminación por motivo de o por razón de discapacidad, corresponderá a la parte demandada la aportación de una justificación

objetiva y razonable, suficientemente probada, de la conducta y de las medidas adoptadas y de su proporcionalidad.

Cuando en el proceso jurisdiccional se haya suscitado una cuestión de discriminación por motivo de o por razón de discapacidad, el Juez o Tribunal, a instancia de parte, podrá recabar informe o dictamen de los organismos públicos competentes.

Lo establecido en los dos párrafos anteriores no es de aplicación a los procesos penales ni a los contencioso-administrativos interpuestos contra resoluciones sancionadoras.

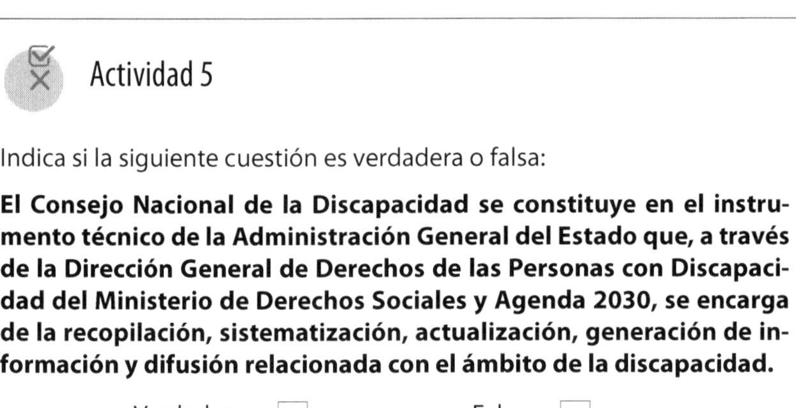

Actividad 5

Indica si la siguiente cuestión es verdadera o falsa:

El Consejo Nacional de la Discapacidad se constituye en el instrumento técnico de la Administración General del Estado que, a través de la Dirección General de Derechos de las Personas con Discapacidad del Ministerio de Derechos Sociales y Agenda 2030, se encarga de la recopilación, sistematización, actualización, generación de información y difusión relacionada con el ámbito de la discapacidad.

Verdadera ☐ Falsa ☐

Solución a las actividades

Actividad 1.

Discriminación por asociación.

Actividad 2.

- ☐ a) 2.
- ☐ b) 3.
- ☑ c) 4.

Actividad 3.

Oficina de Atención a la Discapacidad.

Actividad 4.

El Consejo Nacional de la Discapacidad está constituido por la presidencia, **tres** vicepresidencias, **cuarenta y cuatro** vocalías, **cuatro** personas asesoras expertas y la secretaría.

Actividad 5.

Falsa.

PARTE ESPECÍFICA

TEMA 1

Proceso que se seguirá en la lavandería de un centro residencial desde la recepción de la ropa sucia hasta su entrega totalmente limpia y planchada. La costura de la ropa

Este **manual** desarrolla tu programa de materias y en el Curso MAD360 encontrarás las **actualizaciones** y todo lo necesario para conseguir tu plaza.

Índice

1. Servicio de lavandería

1.1. Áreas organizativas del servicio de lavandería y planchado

1.1.1. Introducción

El uso de la ropa genera irremediablemente la necesidad de mantenerla en condiciones adecuadas de higiene y comodidad. Una lavandería es el establecimiento donde se presta este servicio. Si el volumen de trabajo generado por la cantidad de ropa es elevado, se trata de una lavandería industrial. Este tipo de planta de producción deberá contar con el espacio y los recursos necesarios y suficientes para atender la demanda de manera eficaz y rentable.

Los centros públicos, dentro de los servicios que ofrecen a los usuarios, suelen incluir el lavado y reposición de ropa. Dependiendo del número de usuarios, de la cantidad y tipo de ropa generada, del tamaño y la capacidad del centro, y de la clase de servicio que da al usuario, puede haber dos posibilidades: la institución cuenta con un servicio de lavandería y se ocupa de su gestión, o contrata a una empresa externa que pueda atender a la demanda generada por el centro.

Los centros sanitarios deben contar, además, con un servicio de lavandería que ofrezca total limpieza y desinfección de la ropa, dado que el uso asistencial conlleva inevitablemente la contaminación de las prendas. Es necesaria su desinfección para evitar que actúen como vehículos de transmisión de infecciones.

Entre las funciones del trabajador en la lavandería se encuentran las siguientes:

1. Efectuarán los trabajos relacionados con el lavado de las ropas y prendas de la institución, previa clasificación y recuento de las mismas, así como su secado, bien sea a mano o utilizando los medios mecánicos oportunos.
2. Se ocuparán de la limpieza de los locales de los servicios de lavaderos.

La finalidad de la lavandería es procesar la ropa sucia y contaminada convirtiéndola en ropa limpia que ayuda a la comodidad y cuidado del cliente.

La ropa sucia puede ser una fuente de contaminación microbiana. Para eliminar la posibilidad de infección son esenciales procedimientos adecuados para la recogida, transporte, procesamiento y almacenamiento de la ropa del centro.

La ropa limpia debe de ser tratada con medidas higiénicas, ya que el resultado favorable del lavado-descontaminación puede perderse por completo si no se toman las precauciones necesarias.

Para dar este servicio de manera eficaz se aplicarán modelos de gestión adecuados según necesidades y se cumplirán unos requisitos organizativos, tanto a nivel espacial como funcional, que se describen a continuación.

Recuerda que...

La ropa sucia puede ser una fuente de contaminación.

1.1.2. Organización espacial

Las instalaciones de la lavandería pueden estar ubicadas en el recinto del centro. En todo caso debe contar con espacio exterior suficiente para el acceso, carga y descarga de vehículos de transporte de ropa.

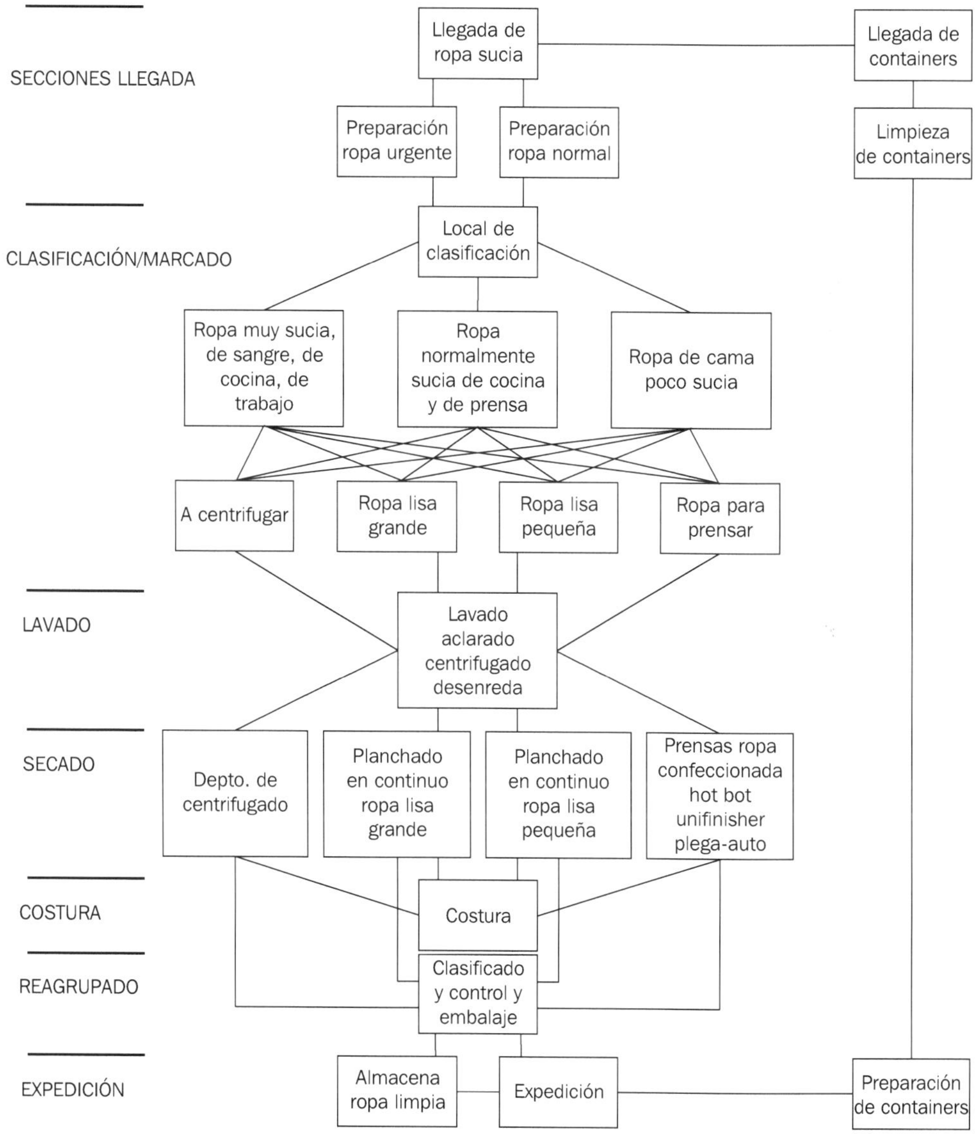

SECCIONES LLEGADA
Llegada de ropa sucia
Llegada de containers
Preparación ropa urgente
Preparación ropa normal
Limpieza de containers

CLASIFICACIÓN/MARCADO
Local de clasificación
Ropa muy sucia, de sangre, de cocina, de trabajo
Ropa normalmente sucia de cocina y de prensa
Ropa de cama poco sucia
A centrifugar
Ropa lisa grande
Ropa lisa pequeña
Ropa para prensar

LAVADO
Lavado aclarado centrifugado desenreda

SECADO
Depto. de centrifugado
Planchado en continuo ropa lisa grande
Planchado en continuo ropa lisa pequeña
Prensas ropa confeccionada hot bot unifinisher plega-auto

COSTURA
Costura

REAGRUPADO
Clasificado y control y embalaje

EXPEDICIÓN
Almacena ropa limpia
Expedición
Preparación de containers

El espacio físico de una lavandería industrial: consideración de los factores que influyen; organización espacial y funcional

Se ubicarán siempre en un lugar cercano a las instalaciones de suministro eléctrico, agua, calefacción, etc.

Aunque la distribución de la planta puede variar entre una lavandería y otra, la entrada y salida de ropa estarán siempre separadas para evitar la contaminación de la ropa limpia.

En el interior del edificio se encontrará la lavandería y diversos locales anexos, como vestuarios, aseos para personal, almacenes, oficinas, y locales técnicos y de control.

Las principales **características estructurales del local** son las siguientes:

- Altura de techos suficiente para permitir la instalación de raíles aéreos, tolvas y otros elementos elevados.
- Superficies resistentes y de materiales que se limpien y desinfecten con facilidad. No tendrán aberturas ni huecos donde puedan acumular suciedad.
- Suelos antideslizantes, continuos y no porosos.
- Puertas de acceso para carros de materiales resistentes al uso, como el PVC. La comunicación entre el área sucia y el área limpia mediante cabina de desinfección necesita la instalación de puertas coordinadas, es decir, la apertura de una está condicionada al cierre de la otra, de manera que nunca abrirán ambas a la vez para evitar la contaminación.
- Sistema de renovación de aire con circulación desde la zona limpia a la zona sucia, evitando la diseminación de suciedad y microorganismos hacia la zona limpia.
- Sistema de circulación de agua para su reutilización en el túnel de lavado.
- Sistema de aprovechamiento de energía por utilización del vapor de agua como fuente de calor. En su defecto, habrá sistemas eficientes de extracción.

Actividad 1

Son características estructurales de un local de lavandería:

☐ a) Las ventanas deberán tener una altura superior a 1,5 metros.

☐ b) El sistema de circulación de agua para su reutilización.

☐ c) La identificación de espacios por colores.

Las secciones que componen el servicio de lavandería y planchado se distribuyen en él físicamente atendiendo a varios principios:

a) **Separación e interrelación de fases**:

Para que las fases del proceso sean independientes se localizarán en zonas separadas, contando cada una de ella con los recursos materiales y personales necesarios en cada caso.

Las diferentes áreas estarán comunicadas entre sí, permitiendo y facilitando la circulación de la ropa para completar el proceso.

Toda la planta de procesado de ropa se divide en dos circuitos: limpio y sucio. Están separados por una barrera sanitaria y en ningún momento se deben cruzar.

b) **Marcha adelante**:

Las áreas de trabajo se situarán siguiendo el orden lógico del proceso. De esta manera la ropa avanzará por las diferentes áreas para ser sometida a las operaciones correspondientes de manera sucesiva, sin que se produzcan retrocesos a fases previas, ni cruces entre la ropa sucia y la limpia.

Actividad 2

¿Se pueden producir cruces entre la ropa sucia y la ropa limpia?

- ☐ a) Sí, siempre.
- ☐ b) No, nunca.
- ☐ c) Solo cuando la ropa limpia está empaquetada y se traslada para para el reparto.

c) **Racionalización de espacios**:

El diseño de las instalaciones se hará con el máximo aprovechamiento de los espacios, dejando siempre sitio suficiente para las máquinas, la circulación de equipos móviles y el trabajo cómodo del personal.

A cada una de las secciones se destinará el espacio adecuado y suficiente en función de la tarea, equipos y volumen de ropa.

Recuerda que...

La distribución espacial de una lavandería tiene como objetivos facilitar el proceso de lavado e higienización, evitando siempre la contaminación de la ropa limpia.

1.1.3. Organización funcional

El servicio de lavandería y planchado constituye un departamento perteneciente al centro, que gestiona el mantenimiento de la ropa, tanto cualitativa (la ropa estará siempre en condiciones adecuadas para su uso), como cuantitativamente (el centro contará siempre con la cantidad de ropa suficiente para prestar sus servicios de manera adecuada).

Actividad 3

¿Qué principios hay que tener en cuenta a la hora de distribuir físicamente una lavandería?

☐ a) Separación e interrelación de fases, marcha adelante y racionalización de espacios.

☐ b) Unificación de fases, marcha adelante y racionalización de espacios.

☐ c) Separación e interrelación de fases, marcha atrás y racionalización de espacios.

Funciones del servicio de lavandería y planchado:

- Garantizará que la ropa está perfectamente limpia e higienizada, sin restos de suciedad ni olor, de manera que pueda ser usada nuevamente, sin riesgo de constituir un foco de infección.
- Controlará que el tratamiento al que se somete la ropa es eficaz, y el deterioro de los tejidos durante el proceso, mínimo. El uso continuado de la ropa hace que deba someterse al proceso de lavado, secado y planchado una y otra vez, lo que va dañando los tejidos, y haciendo que la prenda vaya perdiendo poco a poco sus características iniciales. Este proceso debe ser lento, para que la ropa no pierda su aspecto y comodidad.
- Vigilará el aspecto de la ropa y los tejidos, asegurando la reparación de las prendas descosidas, y la reposición de los tejidos deteriorados. Puesto que el tratamiento afecta inevitablemente a las prendas, es necesario que aquellas que no sean adecuadas para su nuevo uso sean retiradas, y no lleguen otra vez al usuario.
- Gestionará la compra de nuevas prendas para facilitar la reposición, manteniendo un equilibrio adecuado entre calidad y costes.
- Controlará los costes de explotación, gestión y suministro.
- Se ocupará del control de calidad del procesado de la ropa.

Para el desarrollo de todas y cada una de esas tareas se definirá un organigrama y las funciones de cada departamento dentro de la gestión y tratamiento de ropa.

La participación de diferentes secciones o departamentos del centro en el proceso que afecta a la ropa, exige la comunicación y coordinación entre ellos, haciendo del servicio de lavandería y planchado un **servicio integral**.

Actividad 4

Indica si la siguiente cuestión es verdadera o falsa:

La ropa sucia puede ser una fuente de contaminación microbiana. Para eliminar la posibilidad de infección son esenciales procedimientos adecuados para la recogida, transporte, procesamiento y almacenamiento de la ropa adecuadamente.

Verdadera ☐ Falsa ☐

1.1.4. Modelos de gestión

La lavandería puede ser un servicio más dentro del centro, o tener gestión propia:

1. **Lavandería gestionada por el centro**: las instalaciones se localizan dentro del centro, y constituyen en un servicio o departamento más de la institución que la gestiona. El personal, suministros, presupuestos, etc., provienen del centro.

   Este modelo de lavandería, dependiendo de su capacidad, puede ser de dos tipos:

   - *Lavandería Institucional*: está dotada para satisfacer las necesidades del propio centro, al que está adscrita. Cuenta con instalaciones más reducidas, y su capacidad productiva no es muy elevada.
   - *Lavandería semicentralizada*: si tiene capacidad productiva suficiente, puede dar servicio a su propio centro, y a otros centros cercanos de similares características.

2. **Lavandería con gestión propia**: constituye una entidad como centro de gasto, lo que implica que dispone de presupuesto propio. El personal es propio de la lavandería, y la propia Institución gestiona su funcionamiento, los pedidos de suministros, la organización, etc.

   Este tipo de instalaciones dará servicio a varios centros de similares características, que se localicen en una ruta establecida, y que no disten más de 30 km de la lavandería. Podrá atender la demanda de cuantos centros quiera, sin exceder su capacidad productiva.

   Este tipo de Institución se denomina **Lavandería centralizada.**

1.1.4.1. Lavandería institucional

Es un departamento dentro de un centro, que tiene capacidad productiva baja, pero suficiente para atender las necesidades de dicho centro.

No cuenta con presupuesto propio, por lo que es frecuente que la maquinaria y equipos no se renueven, ya que supone una fuerte inversión, que en la mayoría de los casos no compensa. Por el mismo motivo, muchas de las operaciones se realizan manualmente, como

puede ser el planchado y doblado de las prendas. El deterioro de la maquinaria debido al uso, y las técnicas utilizadas supone la aplicación de tratamientos agresivos a la ropa, con lo que se reduce la vida media de las prendas, y se hace necesaria su reposición frecuente.

Este modelo se encuentra normalmente en residencias o centros sanitarios no demasiado grandes, que no cuentan con una dotación inicial de ropa muy grande. Esto no supone ningún problema, porque la Lavandería va a contar con maquinaria de pequeña capacidad, lo que posibilita el tratamiento de pequeñas partidas de ropa de manera ágil.

1.1.4.2. Lavandería centralizada

Este modelo de lavandería tiene gestión propia como centro de gasto, lo que permite contar con presupuesto suficiente para la adquisición de materiales y renovación de equipos, así como contratación de personal especializado.

Su capacidad productiva va a ser grande, para poder atender la demanda de varios centros, con características similares.

Contará con sistemas mecanizados modernos, control automatizado e informatizado que asegure la calidad del proceso, barrera sanitaria y sistemas de transporte y distribución adecuados. Dispondrá de medios adecuados para procesar completamente la ropa, con posibilidad de someterla a tratamientos especiales contra manchas y desinfección total. Todo ello con el mayor respeto a la ropa, procurando el menor deterioro de la misma.

Los centros que utilicen el servicio de una lavandería centralizada deberán contar con una dotación inicial de ropa considerable, ya que el servicio es más lento puesto que requiere el transporte de la ropa. Además, este modelo no permite procesar pequeñas partidas de ropa de manera imprevista o urgente, ya que normalmente cuenta con maquinaria de gran capacidad, y esto retrasaría toda la producción considerablemente. Por otro lado, la atención a más de un centro aumenta la cantidad de prendas que se pierden, bien por deterioro, o bien porque se envían por error a otra de las Instituciones.

Recuerda que...

El sistema centralizado tiene mayor capacidad productiva, recursos adecuados y puede atender la demanda de más de un centro.

Este sistema está siendo implantado en Instituciones con necesidades higiénicas especiales, como es el caso de los centros sanitarios.

El proceso de la ropa en una lavandería industrial será continuo, siguiendo los principios de separación de fases del proceso y marcha adelante.

Las diferentes etapas se sucederán a lo largo de las instalaciones, pasando por todas las tareas y departamentos que describimos al referirnos a las áreas sucia y limpia y la barrera de contaminación.

La lavandería hospitalaria tiene como objetivo transformar toda la ropa sucia o contaminada utilizada en el hospital en ropa limpia, por medio de recogida, separación, procesamiento, confección, reparación, reforma, abastecimiento y distribución, en condiciones de uso. El procesamiento de las ropas debe ser realizado de forma que las mismas no representen un vehículo de contaminación a los usuarios y a los trabajadores.

Las lavanderías hospitalarias deben poseer barrera microbiológica, que separe la lavandería en dos áreas distintas: sucia y limpia. Además, Debe estar localizada preferentemente en una única superficie, próxima a las centrales de abastecimiento, en virtud de la economía, y con acceso y circulación limitados a los trabajadores de ese sector. La unidad debe también disponer de equipos de protección individual (EPI), tales como ropa privativa, botas/calzado antiderrapante, delantal impermeable, delantal de mangas largas, guantes de goma, tocas, máscaras y protección ocular.

A la hora de definir las condiciones de arquitectura e ingeniería de las lavanderías hospitalarias debemos tener en cuenta los siguientes elementos:

a) **Situación**: debe tener acceso directo desde el exterior para vehículos industriales y con muelle de carga; su situación dentro del hospital dependerá del tipo o modelo de gestión de la lavandería; estará cerca de centrales productoras o distribuidoras de energía y fluido.

b) **Distribución de áreas**: al menos contará con tres locales donde se diferencia la recepción y clasificación y, en su caso, esterilización de la ropa, el área de lavado y el área de almacén. Las dos últimas deben estar alejadas de cualquier dependencia que sea origen de suciedad. Habrá una separación entre el lado limpio y sucio con instalación de lavadoras en tabiques herméticos (carga y descarga por lados opuestos, desaguado por zona sucia,...), limpieza química o térmica periódica, existencia de duchas, W.C. y vestuarios especiales, separación de los circuitos de aire fresco y aire viciado y eventualmente de las instalaciones de climatización, creando diferencias de presión entre las dos zonas (menor en la zona sucia).

c) **Materiales de construcción**: preferentemente de hormigón armado y uso de materiales de construcción, reparación y mantenimiento idóneos que no puedan producir suciedad e infección.

d) **Altura de los techos**: En la **sección de lavado**, la altura local deberá tener como mínimo una altura de techo:

- 3,5 metros para lavanderías convencionales.
- 5 metros para lavanderías con túnel y secadora.
- 6 metros para lavanderías con transporte aéreo.

En las **zonas de planchado/secado** la altura del techo no deberá ser inferior a 3,5 m., a causa de la altura de dispositivos de carga y transporte. Por otra parte, la mejora de la zona de trabajo está muy relacionada con la altura, ya que el calor y

la zona de ambiente caliente se sitúa en la parte superior del local. **En la zona de almacenamiento**, la altura del techo no deberá ser inferior a 3,5 mts.

e) **Puertas**: deben de ser de material de PVC si por ellas ha de pasar carros de transporte de ropa o mercancías. Las puertas de acceso a la cabina de desinfección entre área limpia y sucia deben estar comunicadas de tal forma que no abra una sin que haya cerrado la otra completamente.

f) **Parámetros y suelos**: los parámetros serán de material fácil de limpiar, claros y resistentes, con esquineras que eviten roturas con golpes de carros. Los suelos serán continuos, antideslizantes, no porosos y de fácil limpieza, resistente a los ácidos o productos químicos y con una inclinación suficiente a los sumideros. Las cubiertas y techos se construirán de tal manera que no acumulen polvo ni vapores, de fácil limpieza y que no puedan aportar contaminación. Las uniones de parámetros siempre serán redondas.

g) **Aire acondicionado y extracción:** se garantizará un mínimo de 30 renovaciones/hora, una temperatura máxima de 36 grados centígrados y una humedad relativa máxima del 85 %. No podrá haber aprovechamiento del retorno de aire de la zona sucia, siendo el aire de impulsión de la zona limpia completamente del exterior.

h) **De los equipos y otros útiles de trabajo:** Deberán estar construidos e instalados para facilitar su limpieza y desinfección, con materiales inocuos, de superficie impermeable, atóxico y resistente a la corrosión. La superficie de mesas, bandejas y/o recipientes destinados a la manipulación serán de material liso, anticorrosivo y de fácil limpieza y desinfección

1.1.5. Producción

El cálculo de la producción de ropa en una lavandería se hace en función del peso de ropa o del número de prendas de forma. Es necesario llevar un control constante de la ropa que entra diariamente en la lavandería para ser tratada, y la que sale lista para un nuevo uso.

Estas cantidades no van a coincidir, por lo que se pueden distinguir tres variables:

- **Ropa tratada**: es la cantidad de ropa sucia que entra en la lavandería. Su peso es mayor porque lleva cierto grado de humedad. Además es muy frecuente que dentro de la bolsa de ropa sucia vayan múltiples y variados objetos, que se han introducido por error o descuido, y que incrementan el peso de la misma, ya que se pesan las bolsas cerradas que llegan a la lavandería.

- **Ropa lavada**: es la cantidad de ropa que se somete al proceso de lavado e higienización. Del peso de ropa tratada hay que descontar los objetos no textiles que pudieran ir en la bolsa. Sin embargo, hay que tener en cuenta que parte de la ropa es sometida más de una vez al proceso de lavado, esto es, ropa que no queda perfectamente limpia en el primer lavado, o que tiene que pasar por la sección de costura y posteriormente volver a ser lavada.

- **Ropa producida**: es la cantidad de ropa que ha sido sometida a todo el proceso: lavado, planchado y empaquetado. No toda la ropa lavada termina el proceso de producción, porque las prendas se van desgastando y deteriorando, y son desechadas. Además hay prendas deterioradas que pueden repararse. En este último caso, pasarán por la sección de costura y posteriormente volverán a ser sometidas al proceso de lavado.

Actividad 5

Asocia mediante flechas las características que corresponden a cada modelo de gestión:

Lavandería institucional	Aunque es gestionada por un hospital, podría dar servicio a otros centros si tiene capacidad suficiente.
Lavandería centralizada	Dotada para satisfacer las necesidades del propio centro.
Lavandería semicentralizada	Tiene gestión propia.

1.2. Áreas organizativas de la lavandería industrial

El proceso de la ropa en una lavandería industrial será continuo, siguiendo los principios de separación de fases del proceso y marcha adelante.

Las diferentes etapas se sucederán a lo largo de las instalaciones, pasando por todas las áreas que se describen a continuación.

1.2.1. Área de clasificación y lavado

La clasificación de la ropa sucia se hará en el lugar de origen. La recogida será selectiva, separando en función del tipo de prenda, tejido, color y suciedad.

A la lavandería llegará la ropa en bolsas identificadas según el servicio al que pertenezcan y la ropa que contengan.

En la lavandería industrial, debido al volumen recibido, se hará una nueva clasificación de la ropa antes de su lavado, en el área de clasificación.

Este área está separada de las demás zonas, para evitar que la contaminación de la ropa sucia pase a la ropa limpia. El personal que trabaje en esta área no pasará a tener contacto con la ropa limpia sin un aseo previo y cambio de uniformidad. Los carros, as-

censores y montacargas utilizados para el traslado de ropa sucia serán de uso exclusivo, no pudiendo pasar a la zona limpia ni ser utilizados con la ropa limpia.

Las tareas generales que se llevan a cabo en esta área son las siguientes:

- Recepción de ropa sucia.
- Pesado de la ropa que se recepciona.
- Clasificación de la ropa en función de su origen, suciedad, tejido y tratamiento a aplicar y de si se trata de ropa urgente o ropa normal
- Preparación de los lotes que se cargarán en las diferentes lavadoras y túneles de lavado.
- Carga de las máquinas de lavado.
- Selección de programas de lavado.
- Preparación de detergentes y otros productos.
- Vigilancia y control de todo el proceso llevado a cabo.

Tolvas

1.2.2. Área de secado y planchado

La ropa pasa directamente desde los equipos de lavado a la zona de secado y planchado.

El objetivo es eliminar total o parcialmente el agua que queda retenida en las prendas. Este proceso puede constar de varias fases:

1. **Centrifugación**:

   Normalmente forma parte del proceso de lavado, pero puede ser necesaria una centrifugación mayor para algunas prendas. Consiste en la eliminación de parte del agua retenida por el tejido gracias a la fuerza centrífuga que se origina al girar velozmente la ropa dentro del bombo.

   Las lavadoras convencionales y los túneles de lavado realizan la centrifugación final de la prenda. También hay máquinas centrifugadoras que se utilizan exclusivamente para esta función, sobre todo en prendas que se han lavado en lavadoras.

2. **Secado**:

   Eliminación completa de la humedad de una prenda mediante la aplicación de calor y aire.

   El secado se puede realizar en secadoras, principalmente cuando se trata de prendas pequeñas, o en túneles de secado para prendas de forma.

   La ropa de línea normalmente no requiere secado y pasa directamente del proceso de lavado con centrifugación al de planchado en calandra.

3. **Planchado**:

   Consiste en quitar las arrugas y la humedad que pueda quedar en algunas prendas, mediante la aplicación de calor y presión.

   - La **ropa de línea** se planchará en calandra. Son prendas de forma regular, constituidas por una sola pieza, y sin costuras (sábanas, almohadas, manteles, etc.). Este proceso ayuda al secado total de las prendas.
   - La **ropa de forma**, está constituidas por varias piezas unidas por costuras y normalmente tiene forma irregular (camisas, pantalones, pijamas, etc.). Se planchará mediante otros métodos, como la prensa o plancha manual.
   - Las **toallas y otras prendas de tejido con rizo no se planchan**. Se someten a un proceso de secado y después se pliegan.

   Durante el proceso de planchado las prendas son revisadas y si están deterioradas, serán desechadas, o enviadas al área de costura para su reparación. Las prendas que tienen restos de suciedad son devueltas nuevamente a la zona de lavado para iniciar el proceso.

Las prendas que están en condiciones óptimas serán plegadas y empaquetadas para su distribución.

Las funciones de esta sección son las siguientes:

- Descarga de las lavadoras.
- Carga de las secadoras.
- Clasificación de la ropa limpia según sea de línea y de forma, para ser sometida a diferentes sistemas de planchado.
- Planchado en calandra de la ropa de línea.
- Planchado de la ropa de forma con sistemas de prensa o manuales.
- Control visual de las prendas.
- Plegado de toallas secas.
- Plegado de las prendas que han sido planchadas.

Actividad 6

¿Los manteles son ropa de línea o ropa de forma?

1.2.3. Área de costura

Sección en la que se efectúa la reparación y marcaje de prendas.

Desde aquí las prendas siempre volverán al área de lavado para comenzar un nuevo ciclo de higienización, ya que la manipulación que se realiza en esta zona supone la contaminación de la ropa.

Las tareas que aquí se hacen son: coser, remendar, zurcir, poner botones, marcar prendas, etc.

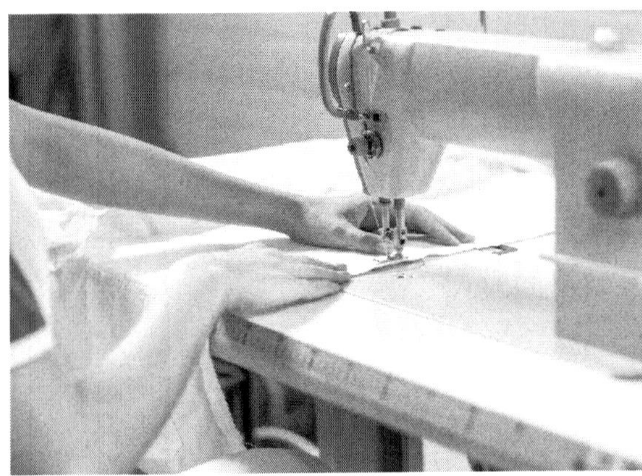

1.2.4. Área de empaquetamiento y distribución

Una vez que la ropa está lista para su uso, lavada, planchada y plegada, debe ser empaquetada en bolsas de plástico transparentes, que permitan ver el contenido, y que la protejan de posibles contaminaciones.

Puede ser almacenada en la Lencería, o ser distribuida a los distintos Servicios del Centro.

El transporte se realizará en carros perfectamente limpios, y preferiblemente cerrados.

El almacenamiento se realizará disponiendo las prendas en estantes bien limpios, colocando las prendas apiladas y con los lomos hacia el exterior.

Las funciones de esta sección son:

- Recepción de ropa planchada.
- Empaquetado y embalado de las prendas.
- Control del buen estado de las prendas.
- Colocación en carros para su traslado.
- Pesado de la ropa empaquetada.

1.3. Etiqueta energética europea

La etiqueta energética europea es una herramienta para comparar la eficiencia energética de los electrodomésticos como lavadoras, secadoras, frigoríficos, lavavajillas, televisores, etc. Se viene usando desde 1992, pero recientemente se ha revisado y desde marzo de 2021 se aplica el nuevo etiquetado energético en la Unión Europea, que pretende ser más claro y comprensible para el consumidor.

En el etiquetado antiguo se clasificaban los electrodomésticos de la A a la G, pero a medida que mejoraba la eficiencia de las máquinas se incorporaron las clases A+, A++ y A+++, quedando en la clasificación la D como la menor eficiencia, y la A+++ como la mayor eficiencia, y desapareciendo prácticamente las clases E, F y G.

Desde marzo de 2021, el sistema de clasificación de etiquetas energéticas utiliza únicamente la escala de A a G, en lugar de la escala A+++ a D anterior.

Este nuevo sistema de clasificación se aplica a los siguientes grupos de productos:

- Frigoríficos.
- Lavavajillas.
- Lavadoras.
- Televisores.
- Bombillas y lámparas.

Se clasifican los aparatos en una escala de A a G en función de la cantidad de energía que consumen. Los aparatos de clase A (color verde) son los que menos energía consumen (los más eficientes desde un punto de vista energético). Los aparatos de clase G (color rojo) son los que más energía consumen.

Las normas de la UE sobre etiquetado energético también se aplican a algunos «productos relacionados con la energía»: bienes o sistemas que repercuten en el consumo de energía durante el uso. Las normas no se aplican a los productos de segunda mano ni a los medios de transporte de personas o mercancías.

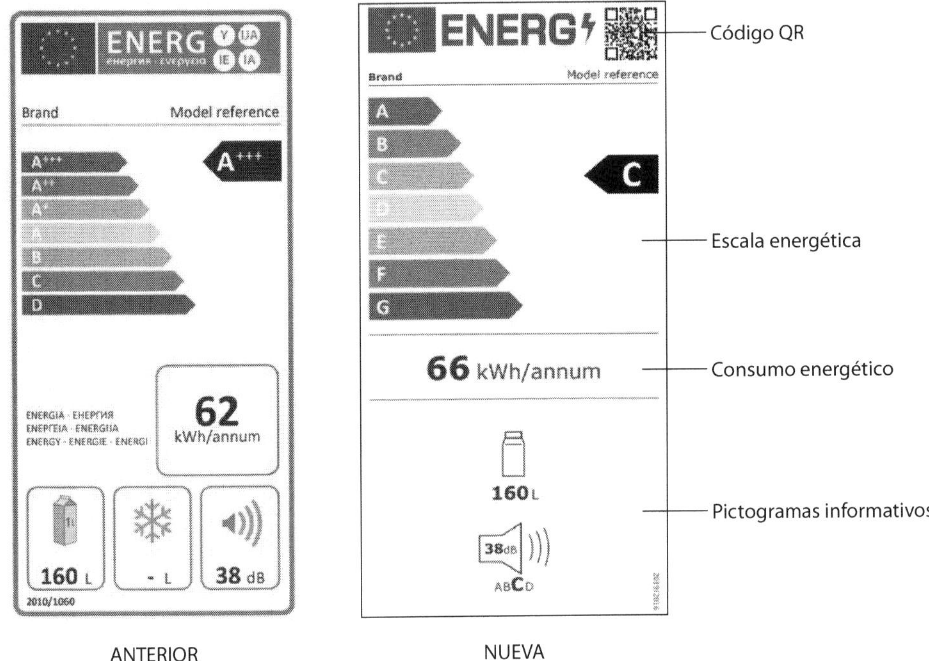

Nuevo etiquetado energético de electrodomésticos

Recuerda que...

En el nuevo etiquetado se determinan siete clases, de la A a la G, siendo la clase A la más eficiente (se eliminan las clases "+"), y las clases F y G las menos eficientes, es decir, las de mayor consumo energético.

1.4. Equipamiento e instalaciones. Manejo de maquinaria

1.4.1. Introducción

El tratamiento de ropa que se realiza en una lavandería es un proceso continuo, que se lleva a cabo en fases separadas y siguiendo el principio de no retroceso.

Es necesaria la separación de dos zonas (zona sucia y zona limpia) por una barrera sanitaria. Cada fase se lleva a cabo en áreas separadas, que contarán con el equipamiento, los suministros y el personal necesario para las operaciones que allí se realicen.

Zona limpia

A lo largo del tema se irán desarrollando las distintas áreas, equipamiento e instalaciones de las diferentes partes de una lavandería industrial.

1.4.2. Mantenimiento de los equipos

El uso continuado de los equipos y maquinaria de la lavandería conlleva un desgaste de las piezas, que puede provocar diferentes tipos de averías. Es necesario llevar a cabo un mantenimiento de todos los equipos para que funcionen siempre perfectamente, y el proceso siga su curso con las mínimas interrupciones posibles.

Se debe elaborar un **plan de mantenimiento** acorde con los objetivos generales de la lavandería, es decir, que se mantenga la producción de ropa tanto cuantitativa (kilos de ropa producida), como cualitativamente (ropa perfectamente limpia, con tejidos no deteriorados, y aspecto agradable y confortable). Para ello se fijará una periodicidad para las revisiones, se dispondrá de personal y recursos para reparar las averías, y se tendrán en cuenta los costes de todo ello.

1.4.2.1. Objetivos del mantenimiento

- Mantener la calidad del producto.
- Reducir al mínimo los riesgos para usuario, reparador y equipos.
- Mínimo coste.
- Obtener un buen rendimiento energético con el mínimo deterioro ambiental.
- Fijar la periodicidad de las revisiones: determinar el número teórico de horas de funcionamiento.

1.4.2.2. Mantenimiento operativo

Consiste en la reparación de las máquinas e instalaciones siempre que sea necesario. Se realizan las operaciones necesarias cuando surge un problema, esto es, no se puede planificar porque es inesperado.

1.4.2.3. Mantenimiento preventivo

Consiste en realizar revisiones periódicas de las instalaciones, con el fin de cambiar piezas, reparar pequeños fallos, o realizar limpieza y engrase de las máquinas, antes de que se produzca la avería. Este tipo de mantenimiento se planificará, fijando una periodicidad en función de los siguientes factores:

- **Vida media de las piezas**: los componentes de los equipos tienen un tiempo de duración que el fabricante fijará para unas condiciones concretas de uso. Es posible que para ellos sea necesario realizar labores de limpieza o engrase de las mismas cada cierto tiempo (esto también hay que planificarlo). Si los equipos se manipulan inadecuadamente, la vida media de las piezas se verá reducida. Antes de finalizar ese periodo de tiempo, las piezas se sustituirán por unas nuevas.
- **Cálculo de tiempos no productivos**: para realizar las tareas de mantenimiento puede ser necesario para la máquina que se va a revisar. El tiempo empleado será el mínimo, por lo que conviene tener todo preparado, y saber perfectamente qué es lo que se va a hacer. Es posible que una lavandería grande cuente con dos máquinas del mismo tipo. Es conveniente que la revisión de ambas máquinas se realice de manera independiente y en distinto momento, para no detener el proceso.
- **Coste**: no solo se debe tener en cuenta el coste del mantenimiento en sí, sino también el coste de los tiempos no productivos.

El mantenimiento preventivo debe llevarse a cabo en tres partes:

- **Revisiones**: tareas destinadas a prevenir el deterioro de los equipos. Pueden llevarlas a cabo un servicio propio o contratado. Engloba los trabajos de limpiar, ajustar y engrasar.

- **Inspección periódica**: las llevan a cabo técnicos especializados, que comprobarán y certificarán el buen estado de las máquinas. Tiene carácter diagnóstico, y si durante la inspección se detecta algún fallo, la empresa tiene la obligación de repararlo.
- **Tratamiento temprano**: consiste en reparar o reemplazar determinadas partes o piezas, antes de que se genere una avería.

Recuerda que...

El mantenimiento preventivo y el mantenimiento operativo no son operaciones excluyentes. Se complementan y por tanto deben combinar ambas.

Actividad 7

El mantenimiento operativo de las máquinas consiste en:

- ☐ a) Realizar revisiones periódicas de las instalaciones.
- ☐ b) Reemplazar determinadas piezas antes de que se genere una avería.
- ☐ c) La reparación de las máquinas cuando se produce una avería.

2. Selección de ropa sucia: clasificación de los diferentes tipos de ropa, previa al proceso de lavado

2.1. Zona sucia

Las áreas de la lavandería se distribuyen en dos zonas (zona limpia y zona sucia) que están separadas por una barrera sanitaria que impide la contaminación de la ropa limpia.

La manipulación de la ropa sucia será mínima y se hará en todo el proceso con sumo cuidado para evitar la difusión de microorganismos. Dentro de lo posible la clasificación de la ropa sucia se hará en el lugar donde se genera, introduciéndolas en bolsas que se cerrarán y se almacenarán hasta su recogida. Las bolsas irán identificadas, indicando su procedencia.

En el caso de que la ropa proceda de usuarios o pacientes afectados por una enfermedad infecciosa, es recomendable el uso de bolsas hidrosolubles que no se

abrirán en la lavandería, con el fin de evitar la dispersión de los agentes contaminantes. Estas bolsas están fabricadas en un material que se disuelve durante el proceso de lavado.

La ropa entra en la lavandería por la zona sucia, y pasa por las siguientes fases: recepción, clasificación, pesado y lavado.

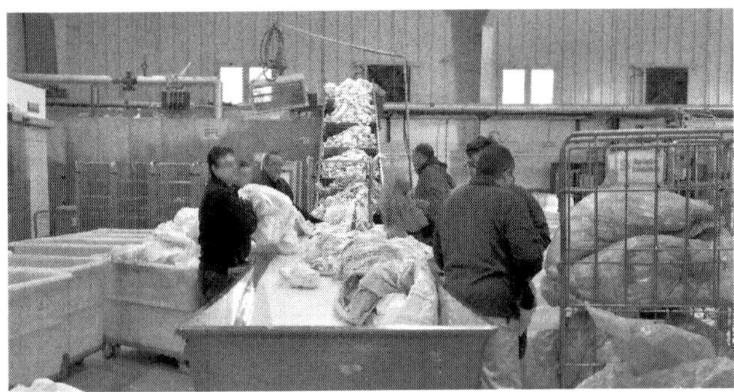

2.1.1. Recepción de ropa sucia

La llegada de la ropa sucia a las instalaciones de Lavandería se produce en contenedores y vagonetas. Las bolsas deben ir identificadas mediante un código.

Es importante pesar la ropa que entra en la lavandería para controlar la producción. Hay que tener en cuenta que el peso de la ropa sucia es mayor por la humedad que contienen las prendas y por la presencia de objetos introducidos por error en las bolsas.

Para mover esta ropa se utilizan cintas transportadoras.

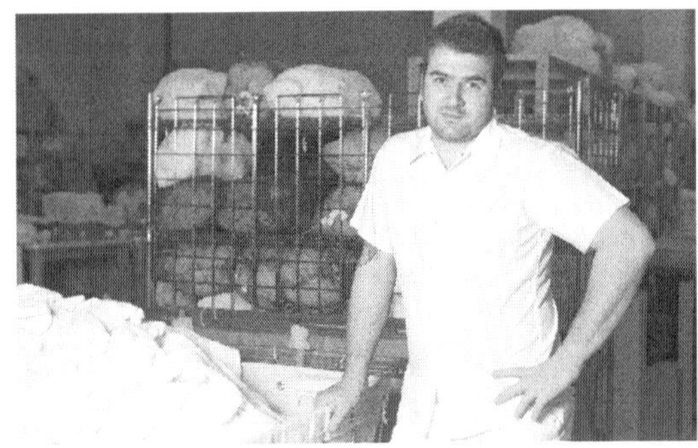

2.1.2. Clasificación de la ropa

Para optimizar el proceso la ropa se debe separar y clasificar en lotes que se irán cargando en las máquinas para someterse a un ciclo de lavado. Los lotes de ropa deben

contener prendas con características similares, que puedan ser sometidas al mismo programa de lavado.

Para ello la ropa depositada en cintas transportadoras se separa y clasifica manualmente, depositándola por tipos en alvéolos que la conducen a diferentes sacos.

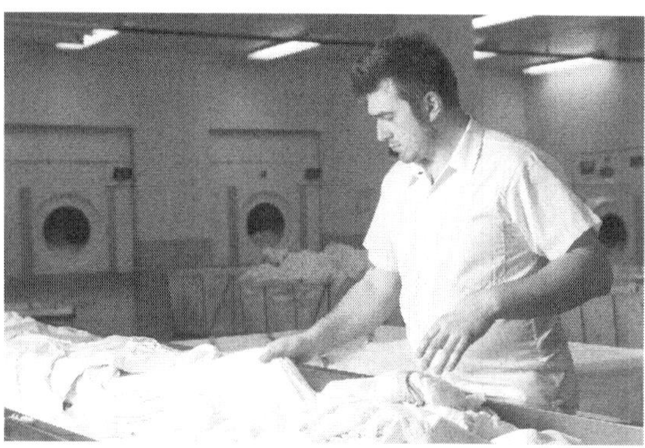

2.1.3. Pesado de la ropa

Los sacos de ropa ya clasificada son pesados para no superar la capacidad de las máquinas de lavado.

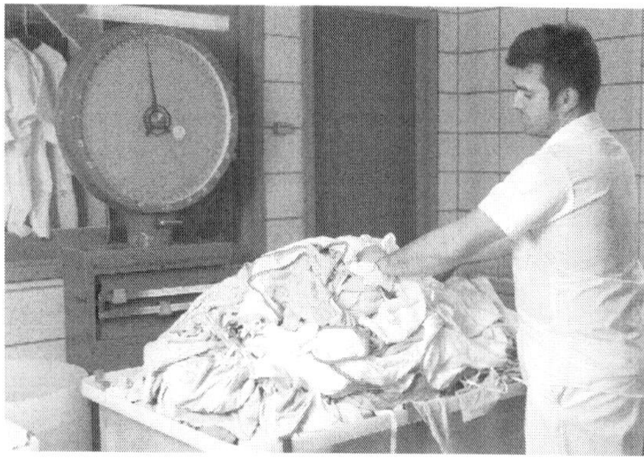

Normalmente el sistema está automatizado y, cuando se detecta el peso adecuado en el saco, este pasa directamente a un elevador que lo sitúa sobre la boca del túnel de lavado.

Toda máquina de lavado tiene una capacidad máxima, que es el peso máximo de ropa que puede lavar en cada ciclo. El peso de ropa recomendado será inferior a la capacidad máxima de la máquina, y la cantidad de ropa por lavado debe ajustarse a este peso recomendado. Si no es así, la eficacia del proceso disminuye.

Cuando el peso de ropa por lavado es mayor que el recomendado, surgen los siguientes problemas:

- La ropa queda más apretada, dificultando que los productos puedan penetrar en los tejidos. Este problema no se va a resolver aumentando la dosis de detergente.
- Las prendas no quedan limpias, y pueden permanecer restos de suciedad en algunas zonas.
- Las máquinas trabajan más forzadas, y el sistema se puede dañar causando una avería.

Cuando el peso de ropa por lavado es inferior al recomendado, las prendas van a quedar limpias, pero el proceso es menos eficaz por los siguientes motivos:

- Cada ciclo de lavado dura el mismo tiempo.
- El consumo de agua, productos y energía es el mismo que con la cantidad de ropa recomendada.

Sabías que...

El traslado de la ropa sucia desde la zona de clasificación hasta la boca del túnel de lavado suele hacerse por transporte automático de las sacas a través de raíles aéreos.

2.1.4. Carga de lavadoras

Las máquinas de lavado se pueden cargar manual o mecánicamente. Se cargarán manualmente las lavadoras de pequeña capacidad, usadas para prendas pequeñas o para poco volumen de ropa. Para mantener la separación entre la zona sucia y la zona limpia, estas lavadoras se instalarán en un tabique hermético que separa ambas zonas, de manera que se puedan cargar por el lado sucio, y descargar por el lado limpio.

El desagüe de estas lavadoras se hará por la zona contaminada.

Las máquinas de gran capacidad, o los túneles de lavado se cargan mecánicamente. Hay básicamente dos sistemas:

- Los lotes de ropa preparados en bolsas son desplazados por raíles, y descargados directamente a la boca de entrada del túnel. Este proceso está automatizado, y lleva controles para evitar que una carga caiga mientras no está disponible el bombo de entrada.
- La ropa es conducida mediante cintas transportadoras hasta la entrada de la máquina de lavado.

2.2. La barrera sanitaria

La barrera sanitaria es una separación física entre la zona sucia y la zona limpia, cuya finalidad es evitar la contaminación de la zona limpia con los microorganismos procedentes de la zona sucia.

Es necesario crear una presión de aire negativa en la zona sucia, de manera que la circulación de aire será desde la zona limpia a la zona sucia, y nunca al revés, ya que el aire actuaría como vehículo para la transmisión de los contaminantes.

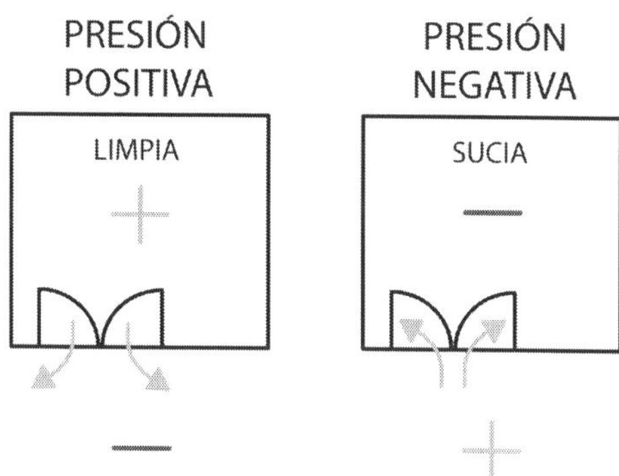

El paso de una zona a otra se realiza a través del sistema de lavado, es decir, la ropa sucia entra en el túnel por una boca situada en la zona sucia, y tras el proceso de lavado sale por otra abertura situada en la zona limpia.

El espacio que no corresponde al túnel de lavado también debe estar separado por un tabique desde el suelo hasta el techo, que solo permita el paso mediante un sistema de puertas que comunique ambas zonas. En este lugar debe existir una cámara de descontaminación de personas y carros, para poder cruzar desde la zona sucia a la zona limpia.

Actividad 8

Indica si la siguiente cuestión es verdadera o falsa:

La barrera sanitaria es una separación física entre las zonas limpia y sucia, quedando directamente comunicadas ambas zonas a través del túnel de lavado, quedando abierto y sin obstáculos el paso por los espacios anexos que no corresponden al túnel.

Verdadera ☐ Falsa ☐

Sabías que...

Las sacas utilizadas para llevar la ropa sucia hasta el túnel de lavado tienen dos aberturas: una para su llenado (parte superior) y otra para su vaciado (parte inferior).

2.3. Equipamiento de la zona de clasificación

2.3.1. Contenedores

Los contenedores de lavandería, también denominados pesebres, son recipientes utilizados para introducir y clasificar la ropa sucia. Cuentan con una estructura de tubo de acero inoxidable con saco desmontable de tejido plastificado, o bien es una estructura de plástico o resina. Tienen ruedas giratorias para poder desplazarlos.

La capacidad seá suficiente para contener la ropa y, aunque se fabrican en varios tamaños, los más habituales en una lavandería industrial son los de 300 o 400 litros de capacidad.

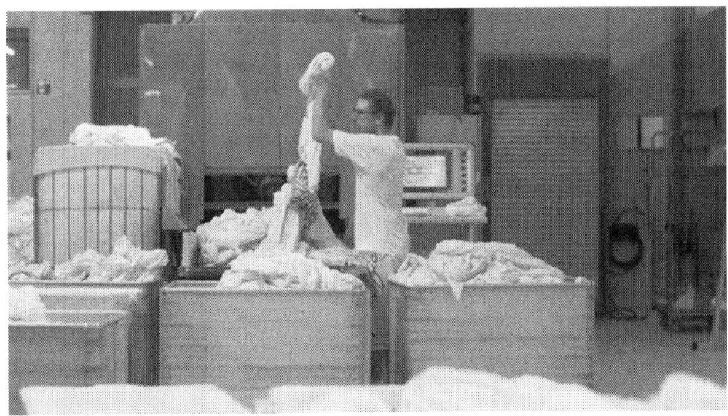

Contenedores de lavandería

2.3.2. Mesas de clasificación

Las mesas de clasificación son muebles o encimeras que disponen de diferentes alvéolos para depositar la ropa una vez clasificada.

La ropa llega a la mesa de clasificación con ayuda de una cinta transportadora y, allí, una o varias personas efectúan su separación según tipos. Cada tipo de prenda se deposita en un saco o bolsa a través de los alvéolos. Cuando uno de los sacos tiene el peso de ropa correspondiente a una carga de lavado, es retirado y sustituido por otro vacío. De esta manera se clasifica la ropa formando lotes para el lavado.

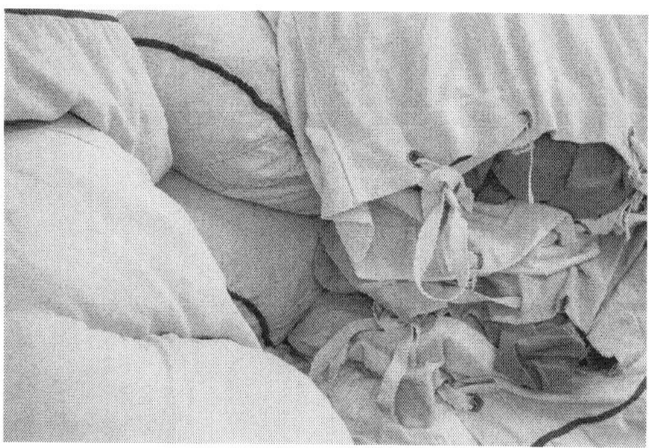

2.3.3. Cintas

Las cintas transportadoras son elementos que ayudan al desplazamiento mecánico de la ropa que se va a clasificar.

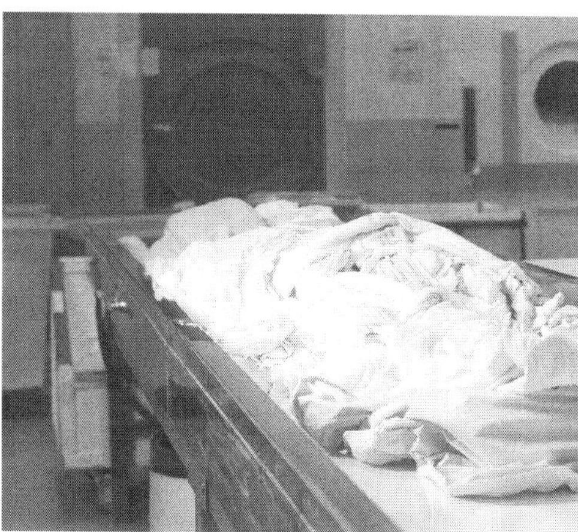

Existen diferentes tipos de cintas, dependiendo del sistema de transporte:

- **Cintas de banda**: el sistema de transporte está formado por una banda continua que se mueve mediante dos rodillos en los extremos. Este sistema es el más utilizado para la clasificación de ropa.
- **Cintas de rodillos**: la línea de transporte está formada por un conjunto de rodillos, uno a continuación del otro, que giran al mismo tiempo pero de manera independiente.
- **Cintas de tablillas**: el sistema de arrastre está formado por una sucesión de tablillas paralelas.

- **Cintas elevadoras**: el sistema ayuda al desplazamiento de la ropa hasta una zona más alta. Se puede utilizar para mover la ropa hasta la boca del túnel de lavado o de otros equipos, o para el traslado de ropa en una lavandería de estructura vertical.

Actividad 9

¿Qué son los pesebres?

- ☐ a) Contenedores para clasificación de ropa sucia.
- ☐ b) Contenedores para clasificación de ropa limpia.
- ☐ c) Tolvas.

2.3.4. Transportador aéreo para cargas pesadas

Consiste en un sistema de raíles a través del que se mueven unos colgadores que soportan las bolsas con los lotes de ropa.

Este sistema puede recorrer todas las instalaciones de la zona de sucio, y servir como transportador de los lotes de ropa desde la zona de clasificación hasta la boca del túnel.

En lavanderías grandes suele haber una zona de raíles aéreos donde se almacenan los lotes en espera de ser cargados en el túnel.

Para este sistema se utilizarán sacos de polipropileno con abertura superior para su carga, e inferior para su descarga.

2.3.5. Tolvas

Las tolvas son conductos para el transporte de las prendas, por los que caen utilizando la gravedad.

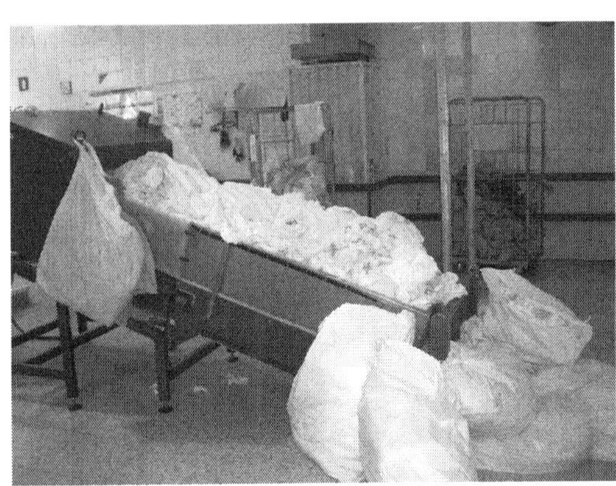

Se usan en lavanderías de estructura vertical para que las prendas pasen de una fase a otra que se realiza en otra planta a nivel más bajo, ya que utiliza la fuerza de la gravedad.

2.3.6. Básculas

Las básculas son los aparatos que se utilizan para pesar las bolsas de ropa sucia que llegan a la lavandería.

Hay diferentes sistemas, desde básculas que pesan las bolsas individualmente, hasta equipos de suelo que detectan el peso de los carros cuando pasan por encima.

2.3.7. Mesas o bastidores base

Son complementos utilizados en cualquier fase de la lavandería. Se utilizan para colocar la maquinaria o elementos de trabajo a una altura más cómoda para el trabajador.

Recuerda que...

Cintas, tolvas y transportadores aéreos son elementos para el traslado de la ropa. Los carros pueden utilizarse también para transportarla o solo para contener ropa.

2.4. La ropa sucia: manipulación, recogida, transporte y almacenamiento

La ropa sucia llega a la lavandería con una carga importante de contaminación. Su manipulación se hará con cuidado para no transmitir una infección.

2.4.1. Manipulación

La manipulación de la ropa sucia será mínima, y se hará con especial cuidado para no diseminar la contaminación.

Toda la ropa sucia debe manipularse de forma tal que se minimice la contaminación ambiental de todas las zonas del centro sanitario.

Siempre que sea posible se usarán medios mecánicos, como cintas transportadoras y carriles para el desplazamiento de los lotes de ropa.

Los trabajadores que deban clasificar la ropa en la zona sucia irán provistos de guantes y mascarilla para su protección.

La principal manipulación de la ropa que se lleva a cabo en la zona sucia, es la separación y clasificación. Pero también se realiza el desmanchado de prendas que presentan manchas o suciedades difíciles, así como de prendas que tras el lavado tienen restos de suciedad adherida.

2.4.2. Tipos de manchas y formas de eliminarlas

2.4.2.1. Introducción

Siempre es necesario conocer la sustancia que produjo la mancha a fin de emplear un producto adecuado a ella y al tipo de tejido de que se trate, pues un quitamanchas mal empleado puede hacer aumentar las proporciones de la mancha o perjudicar al tejido, sobre todo si éste es de color.

Para el desmanchado no se empleará ningún recipiente de metal, a no ser que este sea de acero inoxidable. Podrán emplearse recipientes de madera, porcelana y plástico.

El secreto más importante para eliminar las manchas en la ropa es actuar con rapidez. Nunca lavar ni planchar una prenda que esté manchada con manchas difíciles. Tratar primero de eliminarlas para evitar que el polvo se mezcle con la primitiva sustancia causante de la suciedad. En las prendas lavables, el agua caliente puede afirmar las manchas, usar agua fría para removerlas.

Si el tejido es lavable se puede intentar eliminar la mancha con agua tibia y jabón antes de recurrir a un producto especial.

Cuando utilicemos bencina (gasolina purificada y transparente) debemos recordar que es materia inflamable y evitaremos por lo tanto el acercarnos al fuego durante todo el tiempo que dure el proceso de limpieza de la mancha.

Antes de utilizar un producto sobre un tipo de tejido determinado se probará la solidez de éste aplicándolo en un trocito no visible de la prenda, como el interior de un bolsillo, un dobladillo o una costura interior del mismo.

Hay dos clases de manchas: simples y complejas.

- Son manchas simples las de café, vino, ácidos, etc.
- Manchas complejas son las de tinta, sebo, etc.

En las manchas simples se emplea un solo producto quitamanchas y se consigue con ello su total eliminación: en las manchas complejas es preciso ir quitando, sucesivamente, los distintos cercos que van dejando las sustancias con que se ha tratado la mancha primitiva.

Las telas que posean manchas complejas deben ponerse sobre un tejido de franela o algodón, plegado en varios dobleces, destinado a absorber la sustancia disolvente que hemos utilizado. Se coloca esta especie de almohadilla de forma que la mancha descanse sobre ella y a medida que se limpie se van cambiando de posición ambas piezas de forma que la mancha esté siempre sobre una base limpia con lo que se evita que la suciedad pueda ser reabsorbida.

En los tejidos de seda y lana conviene extender una capa de polvos de talco alrededor de la mancha antes de empezar a limpiarla. Con ello se evita la formación de cerco que suelen producir los quitamanchas o el agua y jabón.

Las diferentes sustancias a emplear pueden ejercer una cualquiera de las tres funciones siguientes: absorción, disolución o neutralización.

Las sustancias absorbentes, como su propio nombre indica obran por absorción de la mancha; son de acción relativamente lenta. Los disolventes son de gran rapidez de actuación. Las neutralizantes obran por reacción química y deben utilizarse con mucha cautela porque decoloran rápidamente los tejidos, sin posibilidad de corrección.

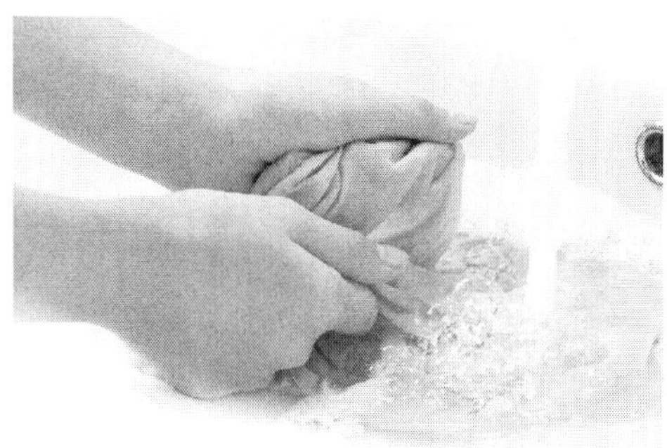

Las más comúnmente conocidas son:

- **Sustancias absorbentes**: magnesia, polvos de talco, nitrato potásico, yeso y sal de acederas.
- **Sustancias disolventes**: agua, éter sulfúrico, amoníaco, esencia de trementina, aguarrás, bicarbonato, gasolina, benzol, acetona, bencina y alcohol de vino.

- **Sustancias neutralizantes**: ácido acético (vinagre de vino blanco), ácido cítrico (zumo de limón), ácido oxálico, ácido tartárico y ácido clorhídrico.
  * Ácido acético (vinagre de vino blanco). Disuelve los colorantes de origen vegetal. No se emplea nunca en acetatos.
  * Ácido oxálico: se obtiene de la sal de acederas. Se emplea para quitar manchas de óxido.
  * Ácido cítrico (zumo de limón). Sistema rápido para manchas de óxido.
  * Ácido tartárico: procede de las uvas. Se utiliza para manchas de origen vegetal.

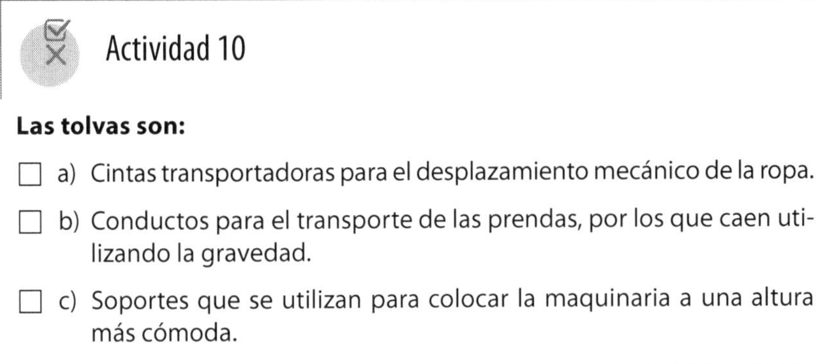

Actividad 10

Las tolvas son:

☐ a) Cintas transportadoras para el desplazamiento mecánico de la ropa.

☐ b) Conductos para el transporte de las prendas, por los que caen utilizando la gravedad.

☐ c) Soportes que se utilizan para colocar la maquinaria a una altura más cómoda.

2.4.2.2. Tipos de suciedades

1. Suciedad macroscópica / suciedad microscópica

- **Suciedad macroscópica**. Se define a la suciedad como macroscópica cuando su presencia puede ser percibida por el ojo humano (la podemos ver y percibir con nuestra visión normal), lo que a su vez facilita su valoración así como la planificación de su eliminación, facilitando además la comprobación de su desaparición y/o eliminación; puede estar constituida, entre otras muchas cosas, por restos de comida, papeles, colillas, piedras, cristales, etc. En realidad se puede afirmar que la suciedad macroscópica es toda materia que en un momento dado se encuentra fuera de lugar, en cualquier superficie, objeto o cosa, siendo esta una de las razones por las cuales un folio arrugado en el suelo es considerado una suciedad.
- **Suciedad microscópica**. Se define como microscópica una suciedad cuando pasa desapercibida a nuestra visión normal, pudiendo ser extremadamente fina como el caso del polvo o pequeñas partículas como pelos, fibras, etc., lo que a su vez evita que podamos definir un área, superficie u objeto con ese tipo de suciedad como limpio o sucio, o que podamos catalogar la limpieza realizada como buena o no sin haber comprobado que se han realizado todos los procesos y operaciones correctamente, o hacer un test de higiene del medio que ha sido limpiado o higienizado.

- **Suciedad grasa**. Constituida por sustrato graso o en la que están presentes en mayor o menor medida las grasas, aceites, etc., que podrán estar solos o en combinación con otras sustancias, polvo, partículas, u otros elementos que podrán ser colorantes y químicos, o no colorantes y químicos, o no químicos y colorantes. Ejemplo: tinta de bolígrafo.
- **Suciedad no grasa**. Suciedad en cuyo sustrato no hay presencia de materias grasas, aunque sí puede haber parte de colorantes y/o químicos. Ejemplo: tinta de pluma.
- **Suciedad colorante**. Suciedad constituida por colorantes que a su vez puede ser grasa, no grasa y/o química, definidas también como manchas especiales, producidas por sustancias químicas o sus combinaciones, que necesitarán procesos individualizados para su limpieza y en las que habitualmente se deben utilizar más de un producto con el fin de preservar la integridad del medio a higienizar.

2. Suciedad sólida

- **Objetos diversos**. Tales como migas de pan, colillas, arena, cristales, papeles, envases (latas), etc. Desechos de la actividad personal cotidiana y aquellos derivados de la actividad profesional.
- **Tipo de suciedad macroscópica** que permite su eliminación de forma manual o mecánica, con acción mecánica, con o sin acción química y sin temperatura.
- **Partículas diversas**. Puede estar formada por partículas provenientes de arena, tierra, barro, gravilla, cereales, etc. Suciedad de procedencia externa, generalmente transportada por el calzado, corrientes de aires, etc.

  En su eliminación es necesaria la utilización de mopa, aspiradora (sólo si están sueltas), y barrido húmedo, si están adheridas; en numerosas ocasiones, es necesaria la utilización de medios químicos, fundamentalmente cuando se han mezclado con agua y/o humedades formando una amalgama que casi siempre resulta más difícil de eliminar.
- **Partículas ligeras**. Polvo, ceniza, cabellos, farináceos, humo de cigarrillos, etc.

  Procedentes de erosiones, abrasiones, fumar, etc. que son trasladados por el aire y son apresadas y depositadas sobre las superficies por el efecto estático de la electricidad de los elementos.

  Su eliminación requiere la aplicación de barrido húmedo, arrastre con producto captador, la utilización de aspersión extracción u otro medio de aspersión adecuado; cuando este tipo de suciedad permanece por un tiempo sobre un medio determinado, su eliminación necesitará de la aplicación de los factores del círculo de "Sinner".
- **Eflorescencias**. Sales alcalinas de nitratos, nitritos, sulfatos, metales pesados contenidos en el agua (magnesio, etc.), salitres, pinturas, barnices, etc.

  Suelen tener su origen en la evaporación del agua (dureza precipitada o permanente del agua); esta suciedad suele estar muy adherida al quedar los minerales que contiene el agua incrustados en las superficies y/o elementos.

Recuerda que...

La suciedad macroscópica es aquella que es percibida por el ojo humano, mientras que la microscópica pasa desapercibida a nuestra visión normal, pudiendo ser extremadamente fina.

3. Tipos de manchas

Aunque como veremos mas adelante existen muchos tipos de manchas, en general, si las agrupamos por su composición química, se pueden resumir en cuatro tipos:

- **Manchas de proteínas**. Las más comunes son las producidas por los huevos o la sangre. Se deberá utilizar siempre agua fría, ya que la caliente tiende a fijarlas.
- **Manchas de vegetales**. Los vegetales, las frutas o sus zumos, el café y el chocolate, y las infusiones como el té, se limpian mejor con agua caliente, siempre que la prenda lo soporte.
- **Manchas de grasa**. Productos como el aceite, la mantequilla, o la barra de labios se lavan preferentemente en agua caliente. En caso de no poderse mojar, se pueden limpiar en seco con productos que contengan tetracloruro de carbono.
- **Manchas de productos químicos**. Las manchas de los diferentes tipos de pinturas, tintas o colorantes se deberán eliminar con su disolvente correspondiente (acetona, aguarrás, alcohol metílico...). El propio envase de estos productos suele aconsejar el más adecuado pero, en caso de duda, existen en el mercado disolventes universales.

4. Productos espaciales para limpieza de manchas

Además de los productos comerciales indicados en la limpieza de manchas específicas existen algunos productos químicos con propiedades limpiadoras.

- **Acetona**: producto muy volátil derivado del petróleo. Disuelve grasa animal, las manchas de productos químicos como la laca de uñas y algunas pinturas o pegamentos, resinas y barnices.
- **Ácido oxálico**: se vende en forma de cristales que se disuelven en agua. Se utiliza sobre todo para quitar las manchas de óxido, aunque también elimina el verdín del cobre y algunas tintas y manchas vegetales.
- **Agua oxigenada**: potente decolorante que se emplea para eliminar cercos o restos de manchas, en particular elimina manchas de sangre. Se aplica para blanquear lanas y sedas.

- **Aguarrás**: se trata de un disolvente muy potente para quitar determinados productos químicos y pinturas.
- **Alcohol metílico (o alcohol de quemar)**: es un buen limpiador general que disuelve, además, algunas manchas de bolígrafo o barniz.
- **Amoníaco**: quita las manchas de grasa. Además, al ser un producto alcalino, ayuda a eliminar los restos de productos ácidos, como las frutas. Se utiliza siempre disuelto en agua, y es recomendable usar guantes. No se debe mezclar con otros productos químicos, como la lejía, ya que puede producir reacciones tóxicas. Elimina las manchas de yema de huevo en el tejido de algodón blanco (decolorante).

- **Bencina**: producto muy volátil que disuelve las manchas de grasa y muchos productos químicos como el alquitrán y algunos tipos de pintura. La ideal es la gasolina purificada y transparente (bencina) o la gasolina de mechero.

Sabías que...

La bencina es una sustancia derivada del petróleo. Es un líquido incoloro, volátil e inflamable que se emplea como disolvente. Cuando utilicemos bencina hay que estar alejado de cualquier fuente de calor.

- **Benzol (benficeno)**: hidrocarburo incoloro que, por su gran acción disolvente, es un potente limpiador que se utiliza para eliminar las manchas de grasa.
- **Bicarbonato**: sal del ácido carbónico que se emplea para disolver o ablandar algunas manchas.
- **Gasolina**: los mismos usos que la bencina, pero deja aureola.
- **Lejía**: producto alcalino derivado del cloro; es un mal limpiador pero un eficaz desinfectante y blanqueante empleado como decolorante de prendas de algodón blanco, por ello, la lejía ordinaria no puede utilizarse sobre tejidos coloreados. Existen también lejías para tejidos de color.
- **Tetracloruro de carbono**: es el quitamanchas más común. En general, no se comercializa en estado puro, pero es la base de la mayoría de los quitamanchas comerciales.
- **Tricloretileno**: disolvente químico muy adecuado para eliminar manchas de grasa. Forma parte de la composición de muchos quitamanchas comerciales.

2.4.2.3. Normas generales para la eliminación de manchas

Para eliminar las manchas hay que tener en cuenta las siguientes reglas básicas y seguir algunas pautas de actuación:

- La actuación rápida frente a las manchas es fundamental, evitando que éstas se sequen; para ello hay que procurar quitar al máximo la mancha por absorción, apretando pero sin frotar.
- Si la prenda puede lavarse (en la etiqueta no está tachada la cubeta) normalmente la mancha suele quitarse localmente con un paño mojado con agua caliente (siempre apretando, sin frotar). Esto no es válido para aceite o grasa.
- En el caso de que la prenda no se pueda lavar, se debe tratar de absorber la mancha de la mejor manera posible y llevar posteriormente a la tintorería.
- Se debe evitar que las manchas producidas por sustancias acuosas (fruta, vino, tomate) se sequen. Limpiar previamente con agua caliente jabonosa y luego blanquear localmente con cuidado. Aclarar bien y lavar a alta temperatura antes de que se seque. Las prendas con manchas de sangre hay que aclararlas previamente con agua fría o tibia y lavarlas luego en agua entre 60 °C a 90 °C (no poner lejía).
- La formación del cerco es casi inevitable en las manchas de grasa que se eliminan con quitamanchas (mezclas de varios disolventes). Se pueden atenuar los efectos si se coloca un papel absorbente, cambiándolo a menudo para que absorba todo el excedente.
- Para evitar que ropa que se ha dejado en lejía se amarillee, se recomienda aclararla bien y lavarla enseguida a 60 °C o 95 °C, de acuerdo con las instrucciones de conservación.
- Tejidos a base de fibras químicas pueden ser dañados por ciertos quitamanchas, por lo que la aplicación debe hacerse con precaución, comprobando previa aplicación las características del producto y su interacción con el tejido en el que se va a utilizar.

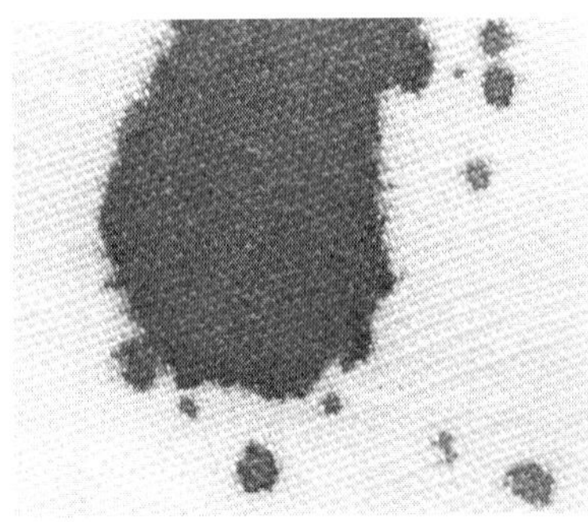

Mancha de café sobre tejido de algodón

2.4.2.4. Procedimientos para la eliminación de manchas

1. Según el tipo de mancha a tratar

Para limpiar	Método
Aceite	Mojar con benzol y recubrir con polvos de talco para que absorba la suciedad. Cepillar luego.
Aceites vegetales	Tratar la parte manchada con alcohol metílico y un poco de vinagre blanco. Si aún quedan restos, eliminar con solvente para limpieza a seco.
Alquitrán	Ablandar la mancha con glicerina. En los lavables, se quita con aguarrás para lavar después con agua y jabón. De los tejidos sintéticos desaparece dándole aguarrás antes de lavarlos. Sobre los tejidos lavables se aplica esencia de trementina o gasolina y se lava acto seguido.
Bebidas alcohólicas	En los tejidos no lavables, aislar en primer lugar la mancha con polvos de talco, frotar con alcohol (antes de utilizarlo, comprobar que no daña el tejido). En los lavables, las manchas recientes se quitan generalmente con agua fría.
Bolígrafo	Tratar la mancha con alcohol y lavar.
Cacao	Remojar la prenda en agua fría con detergente.
Café	Frotar con hielo picado y luego lavar con detergente. Si el tejido no es lavable aclare rápidamente con agua y alcohol metílico.
Caldo de carne	Enjuagar la prenda en agua fría y remojar después en detergente biológico.
Caramelo	Utilizar agua fría, si la mancha es reciente. Si no sale se puede probar con amoniaco.
Carmín	Frotar la mancha varias veces con alcohol 96º. Las manchas antiguas se ablandan primero con glicerina y luego se lavan con agua tibia.
Cera	Eliminar el exceso de cera raspando con la uña o con una cuchilla. Después se pone el tejido entre dos papeles de seda y se plancha, para que aquellos absorban la cera que quede. Si aún deja algún cerco, frotar con bencina u otro disolvente y luego lavar normalmente aclarando bien.
Cerveza	Lavar la prenda con un poco de detergente y agua, aclarando bien.
Chicle	Rascar con hielo para no estropear el tejido y frotar con benzol.
Chocolate	Frotar la mancha, todavía húmeda, con un poco de ácido bórico y, después, lavar normalmente.
Coca Cola	Poner de inmediato un poco de soda y, luego, lavarla inmediatamente.
Fruta	Limpiar rápidamente en agua fría. En caso de manchas de varios días, sumergir la pieza en agua hirviendo con sal y luego frotar con jabón.
Grasa	Utilizar papel seda y la plancha caliente. En manchas recientes cubrir con talco. Luego cepillar. En caso de mancha seca, con quitamanchas. Si son antiguas, se tratan con magnesio o éter.
Helados	En tejidos no lavables aplicar agua fría, absorbiendo el exceso de agua. Aplicar un poco de detergente. En tejidos lavables frotar con agua fría durante media hora. Utilizar detergente si la mancha persiste. Luego aclarar bien.
Herrumbre	Tratar con zumo de limón caliente.
Leche	Ablandar con glicerina y lavar normalmente o frotar tricloretileno.
Mantequilla	Frotar con benzol y luego aclarar con agua caliente y jabón. Tratar con bencina, y envolver en una toalla para su evaporación si queda cerco, difuminar con benzol.
Mercromina	Primero aclarar la prenda con agua fría, los restos rojos se eliminan con tricloretileno.

Para limpiar	Método
Moho	Cepillar con suavidad. Aclarar con disolvente. Aplicar un quitamanchas para limpieza en seco. Aclarar con disolvente y dejar secar. Lavar con una esponja humedecida en agua. Frotar con unas gotas de vinagre. Aclarar con agua y dejar secar. Aplicar y aclarar con alcohol, hasta que la mancha desaparezca.
Nicotina	Tratar la mancha con alcohol 90º.
Óxido	Frotar con limón y añadir un poco de sal. Los tejidos naturales de color claro se lavan acto seguido con lejía.
Pasta de dientes	Tras el lavado aclarar la prenda con vinagre, para unificar los colores.
Remolacha	Absorber con una esponja humedecida en agua fría y después dejar la prenda en remojo toda la noche en agua fría.
Restos de adhesivo	Usar éter o acetona. Evitar la acetona sobre tejidos de acetato o rayón porque los destruye.
Rotulador	Usar alcohol 90º o acetona, en el caso de lana o algodón. En caso de prendas sintéticas hay que hacer una prueba primero en alguna parte no visible de la misma.
Salsa de tomate	En manchas reciente, frotarla mancha debajo grifo de agua fría.
Sangre	Lavar rápidamente con agua fría o ligeramente tibia y un poco de detergente. En caso de manchas antiguas, lavar previamente en una solución de detergente bioactivo y dejar toda la noche si la mancha es muy fuerte. También se puede decolorar la mancha con un chorro de agua oxigenada y después frotarla con un paño humedecido en agua con vinagre.
Té	Poner en remojo, impregnar con un detergente concentrado y lavar. En manchas viejas, ablandar con glicerina y lavar.
Yodo	En caliente, frotar la mancha con un paño empapado en alcohol de 90º. Si la mancha es antigua, habrá que frotarla con hiposulfito de sosa.
Zumo	Frotar con un poco de hielo, antes de lavarla normalmente.

2. Según el tipo de tejido afectado y la mancha a tratar

Tipo de mancha	Sobre	Utilizar
Aceite	Algodón	Si la mancha es reciente espolvorear talco para absorber la grasa. Frotar la mancha con un paño impregnado en gasolina purificada (de mechero, por ejemplo) y lavar con agua jabonosa.
	Fibras sintéticas	Diluir la mancha con éter y posteriormente lavar con el detergente utilizado.
	Lino	Si la mancha es reciente espolvorear talco para absorber la grasa. Frotar la mancha con un paño impregnado en trementina y lavar con agua jabonosa.
	Seda	Si no requiere limpieza en seco, añadir al agua del lavado una cucharada de amoníaco.
Cera	Tejidos	Eliminar la cera planchando el tejido con un papel secante. Eliminar posteriormente los cercos grasos. Derretir la cera con agua hirviendo y desecar con papel secante.
Chicle	Tejidos	Para retirar los chicles primero congélelos. Luego limpiar el cerco con algún disolvente, tal como la acetona.

Tipo de mancha	Sobre	Utilizar
Esmalte de uñas	Tejidos	Eliminar la mancha aplicando un algodón impregnado en acetona.
	Lana	Eliminar la mancha aplicando un algodón impregnado en éter.
Fruta	Tejidos blancos	Remojar en agua con amoníaco y aclarar con agua con lejía.
	Tejidos de color	Impregnar en alcohol y aclarar. Probar antes el efecto sobre el color.
	Tejidos de color	Impregnar en agua oxigenada con unas gotas de amoníaco. Probar antes el efecto sobre el color.
Grasa	Ante	Frotar con un paño humedecido en éter.
	Cuero	Frotar con un paño humedecido en esencia de trementina.
	Lana	Pasar una esponja humedecida en esencia de trementina.
	Algodón	Disolver la mancha con un paño impregnado en gasolina de mechero, posteriormente lavar y aclarar.
	Tejidos sintéticos	Disolver la mancha con éter, posteriormente lavar y aclarar.
Hierba	Tejidos	En el lavado añada una cucharada de vinagre, aclare añadiendo tres cucharadas de agua oxigenada por litro de agua y vuelva a aclarar con agua con vinagre.
Huevo	Tejidos blancos	Lavar con agua fría con una cucharada de agua oxigenada por litro.
	Tejidos de color	Lavar con agua fría con una cucharada de amoníaco por litro.
Humedad	Tejidos	Aclarar con amoníaco disuelto en agua (una cucharada por litro).
	Tejidos delicados	Remojar en leche y frotar, posteriormente lavar.
	Tejidos resistentes	Tras remojar en agua caliente, aplicar una mezcla hervida de zumo de limón y talco.
Nicotina	Tejidos	Diluir la mancha en alcohol y aclarar (probar antes el efecto en el color).
Orín	Tejidos	Dejar en remojo en agua fría con vinagre.
Pintura	Tejidos	Disolver la mancha en esencia de trementina y posteriormente lavar.
Remolacha	Tejidos	Impregnar en zumo de limón hasta que desaparezca la mancha y posteriormente aclarar.
Resina	Tejidos	Disolver la mancha en alcohol y después lavar. Si es posible, aclarar con agua con lejía.
Sudor	Tejidos	Dejar en remojo en agua fría con vinagre.
Té	Tejidos blancos	Lavar con agua jabonosa con un chorro de limón y aclarar en agua con lejía.
	Tejidos de color	Dejar en remojo en agua oxigenada antes de lavar.
Tinta	Ropa blanca de algodón	Agua fría y luego aplicar una mezcla de agua tibia con lejía al 25%.
	Ropa sintética	Lavado en agua fría. Secar. Si quedan restos de manchas, echar jugo de limón.
	Lana	Aplicar leche muy caliente. Luego lavar con un producto adecuado para este tipo de tejido.
Yodo	Tejidos	Disuelva la mancha en alcohol y aclare en agua con amoníaco.

Actividad 11

¿Cuál de los siguientes NO es un tipo de recipiente a utilizar en el desmanchado de una prenda?

☐ a) Madera.

☐ b) Metal.

☐ c) Acero inoxidable.

2.4.3. Recogida

La recogida de la ropa se hará de forma selectiva, es decir, se clasificará y separará la ropa procedente de cada servicio, y se identificarán los envases, especialmente los que procedan de zonas de aislamiento o con mayor riesgo de infección. Es frecuente el uso de bolsas de colores que diferencien el tipo de ropa que contienen.

Un sistema ideal de recogida de la ropa sucia es el que conlleva una clasificación (en la recogida) in situ, en los diferentes Servicios o Unidades, por ser más económico y práctico. Por ello, es necesario que cada Servicio o Unidad, disponga de suficiente personal, así como de carros con bolsas o sacos de diferentes colores según el tipo de ropa a recoger. Por ejemplo:

- Saco o bolsa blanco/a -Piezas grandes (sábanas, etc.).
- Saco o bolsa verde -Piezas pequeñas (ropa de lavabo, etc.).
- Saco o bolsa rojo/a -Diversas piezas que no necesiten plancha (camisonés, etc.).
- Saco o bolsa azul -Ropa del personal.
- Saco o bolsa marrón -Ropa de quirófano.
- Saco o bolsa negro -Ropa de pacientes con. procesos infectocontagiosos.

Esta clasificación permite además la racionalización del trabajo a realizar en la lavandería, lo que llevaría a conseguir una mayor eficacia a menor costo, mejorando la calidad, así como una mayor seguridad e higiene para los trabajadores de la lavandería.

Es necesario, para un mejor funcionamiento, eficacia, higiene y seguridad en la lavandería, que los sacos o bolsas vayan correctamente identificadas (pegatinas, sellos, números, etc.) con el nombre del Servicio o Unidad de procedencia).

Un factor importante a tener en cuenta (por el personal sanitario), en el momento de la recogida de ropa sucia (en cualquier zona o servicio del centro sanitario) es la separación de todo aquel material que no sea textil recuperable mediante el proceso de lavado (algodón, gasas, muletones, etc.) así como también instrumental, cuñas, botellas, etc. que deberán depositarse en otros contenedores, lo que mejoraría la calidad y eficacia del proceso de lavado, al mismo tiempo que evitaremos el riesgo de accidente laboral por parte del personal de la lavandería, fundamentalmente con objetos cortantes y punzantes.

El uso y utilización del saco recuperable (tela) que es lavado y desinfectado al mismo tiempo que la ropa, cada vez está siendo más generalizado, especialmente en los hospitales de los países más desarrollados (Estados Unidos, Francia, Alemania, Bélgica, Holanda, etc.). Las ventajas que presenta sobre la bolsa de plástico hace que vaya sustituyéndola sin la menor reticencia, pudiendo destacar las siguientes:

- Facilidad de manejo.
- Mayor resistencia a la rotura.
- Menor riesgo de infección. Uso más higiénico.
- Recuperable. Duración entre 600 y 800 lavados.
- Identificación en el propio saco (hospital, servicio, tipo de ropa, etc.).
- No presenta el problema de destrucción.
- Mayor capacidad.
- Sistema más económico.
- Se consigue tener implantado el sistema ideal de recogida de ropa sucia.

Las bolsas, de material plástico resistente e impermeable, no se llenarán más de dos terceras partes de su capacidad. Se cerrarán y depositarán en carros específicos.

Recuerda que...

La manipulación de la ropa sucia, tanto en el punto de origen como a su recepción en la lavandería, se hará con sumo cuidado, evitando la diseminación de partículas y contaminantes.

2.4.4. Transporte

El transporte de ropa sucia desde el servicio productor hasta la Lavandería se hará en carros o jaulas de uso exclusivo. Es importante la limpieza y desinfección periódica de los medios que entren en contacto con la ropa sucia, aunque esta vaya en bolsas cerradas, ya que podrían estar contaminadas.

Los ascensores para el traslado de ropa sucia serán de uso exclusivo, y los recorridos se realizarán por recorridos que no se cruzarán en ningún punto con el circuito de ropa limpia.

2.4.5. Almacenamiento

La ropa sucia se almacenará por un tiempo lo más breve posible, en las mismas bolsas donde se recogió. Las bolsas permanecerán cerradas hasta que se clasifique en lotes para cargar las máquinas de lavado.

Los locales se limpiarán y desinfectarán diariamente, razón por la que tendrán suelos, paredes y techos de material de fácil limpieza. Contarán además con ventilación para evitar la concentración de olores.

3. Zona limpia

Una vez que el proceso de lavado ha terminado se pasa a la siguiente fase. Entramos así en lo que se denomina área limpia. La ropa pasa por las siguientes fases del "circuito limpio": secado, planchado, plegado y almacenamiento.

La manipulación de la ropa limpia debe hacerse con sumo cuidado para evitar que vuelva a contaminarse. Se hará con las manos limpias y usando guantes. Al finalizar el proceso se asegurará que la ropa está perfectamente seca, ya que la humedad podría favorecer la aparición de hongos. Las prendas se almacenarán protegidas en bolsas de plástico transparentes hasta su nuevo uso.

Las prendas de rechazo, aquellas que no están en perfectas condiciones higiénicas para un nuevo uso, se volverán a lavar. En caso de estar deterioradas pasarán por la sección de repaso y costura previamente.

Los locales utilizados para almacenamiento estarán perfectamente limpios y desinfectados, y serán de uso exclusivo para tal fin. La ropa se colocará apilada en estantes y con los lomos hacia fuera para facilitar el contaje de prendas, así como para evitar que al coger una prenda caigan otras al suelo.

El transporte de ropa limpia se realizará en carros que no habrán estado en contacto con la ropa sucia ni con las bolsas que la contienen. Tanto los carros como las vías usadas para la distribución de la ropa limpia se limpiarán y desinfectarán a diario.

No siempre es recomendable el secado en máquina, porque para el planchado hace falta que la ropa esté algo húmeda, es más, si estuviese totalmente seca habría necesidad de humedecerla ligeramente justo al plancharla, sea con rodillo o a mano.

En definitiva, podemos concretar las tareas en esta zona limpia en.

- Descarga de las lavadoras y clasificación.
- Carga de las secadoras.
- Clasificación de la ropa limpia según sea de línea y de forma, para ser sometida a diferentes sistemas de planchado.
- Planchado en calandra de la ropa de línea.
- Planchado de la ropa de forma con sistemas de prensa o manuales.
- Control visual de las prendas.
- Plegado de toallas secas.
- Plegado de las prendas que han sido planchadas.

Actividad 12

¿Qué se hace con las prendas de rechazo?

☐ a) Se depositan en el contenedor correspondiente para que las retire el servicio de limpieza.

☐ b) Se vuelven a lavar.

☐ c) Se planchan y se envían al costurero.

3.1. Clasificación

La ropa que sale del proceso de lavado debe separarse en lotes para secado, lotes de ropa de línea para planchado en calandra, y lotes de ropa de forma.

Se dispondrá en carros o cintas para ser trasladada a la zona correspondiente.

Sabías que...

Cuando la ropa limpia sale del túnel de lavado forma una "torta" que está tan prensada que necesita ser desliada, y hay máquinas que hacen este trabajo.

3.2. Secado

El proceso de secado de ropa se realiza a continuación del lavado. Tiene como objeto la eliminación del agua que ha quedado retenida en el tejido, de manera que las prendas no tengan humedad.

Los equipos de secado se situarán a continuación de los de lavado, para que la ropa pase directamente del proceso de lavado a las secadoras.

La ropa de forma se clasifica manualmente y se sitúa en perchas individuales que pasan por un túnel de secado.

A) Centrífuga o Centrifugadora

La centrifugación sirve para eliminar parcialmente el agua retenida por la ropa durante el lavado. Las prendas pasan de estar empapadas, a quedar húmedas.

Este proceso se puede realizar como parte del lavado, dentro del túnel o lavadoras, o con máquinas denominadas centrifugadoras que constan de una carcasa redonda y tiene en su interior un bombo o tambor similar al de una lavadora. Este tambor está sujeto en la base por un solo eje, y en la parte superior tiene el hueco de llenado. La ropa no centrifugada en la lavadora o escasamente centrifugada pasa a esta máquina donde se completará el proceso de exprimido. Se saca de la centrifugadora y acto seguido tenemos tres opciones:

1. Introducir en el túnel de secado.
2. Llevarla directamente al planchado.
3. Trasladarla a las máquinas secadoras.

B) Secadora

Son máquinas que consiguen la eliminación total del agua retenida en los tejidos.

Se utilizan para el secado de prendas pequeñas y aquellas que no se pueden planchar, como la ropa de bebé y las fundas de almohada.

La ropa de línea normalmente no requiere secado y pasa directamente del proceso de lavado con centrifugación al de planchado en calandra.

C) Túnel de secado

Sistema de perchas que introducen la ropa colgada a través de raíles aéreos por el túnel de secado.

Se utiliza para prendas de forma y se eliminan totalmente la humedad mediante aire caliente.

Con este sistema se eliminan además las arrugas y en muchos casos se evita el planchado.

Recuerda que...

Las prendas pequeñas se introducen en la secadora, la ropa de forma en el túnel de secado, y las prendas grandes de línea pasan directamente a la calandra.

3.3. Planchado

El planchado de la ropa consiste en la aplicación de calor con presión, para eliminar las arrugas que se forman en algunos tejidos durante el lavado y secado.

El calor que se aplica sobre los tejidos ayuda también a la eliminación total de la humedad que pudiera quedar en la prenda.

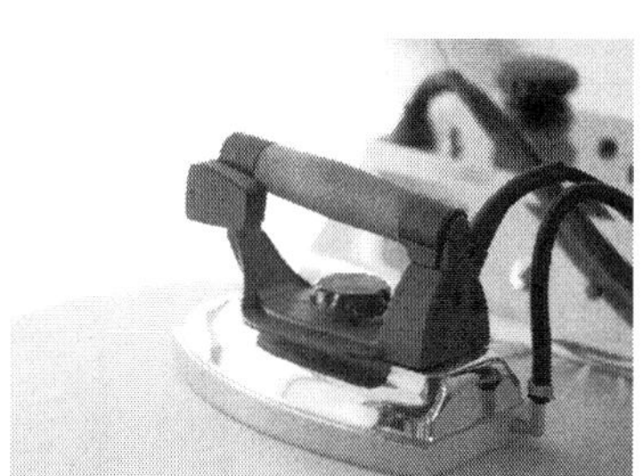

Una Lavandería Industrial debe disponer en su sección de planchado de varios sistemas, manuales y/o mecánicos, para diferentes tipos de prendas.

No toda la ropa necesita ser sometida al proceso de planchado, pero sí una parte importante.

Hay prendas pequeñas que pasan del lavado al secado para ser distribuidas. Otras pasan directamente al planchado desde la zona de lavado, como la ropa de forma, sin pasar por proceso de secado. Y por último, hay otras prendas que necesitan pasar por todas estas fases de lavado, secado y planchado antes de la distribución.

Estas áreas deben estar por tanto muy relacionadas físicamente dentro de la zona limpia.

Recuerda que...

Por norma general, podemos concretar:

- La **ropa de línea** se planchará en calandra. Son prendas de forma regular, constituidas por una sola pieza, y sin costuras (sábanas, almohadas, manteles, etc.). Este proceso ayuda al secado total de las prendas.
- La **ropa de forma**, está constituidas por varias piezas unidas por costuras y normalmente tiene forma irregular (camisas, pantalones, pijamas, etc.). Se planchará mediante otros métodos, como la prensa o plancha manual.
- Las **toallas y otras prendas de tejido con rizo no se planchan**. Se someten a un proceso de secado y después se pliegan.

3.4. Repaso y costura

En esta sección se reparan los desperfectos de la ropa, y se marcan las prendas.

Siempre llega ropa lavada, nunca se recibe ropa directamente desde la zona sucia.

Una vez repasada la prenda, vuelve a la zona sucia para comenzar un nuevo ciclo de lavado e higienización, ya que la manipulación que se realiza en esta zona supone la contaminación de la ropa.

Las tareas que aquí se hacen son: coser, remendar, zurcir, poner botones, marcar prendas, etc.

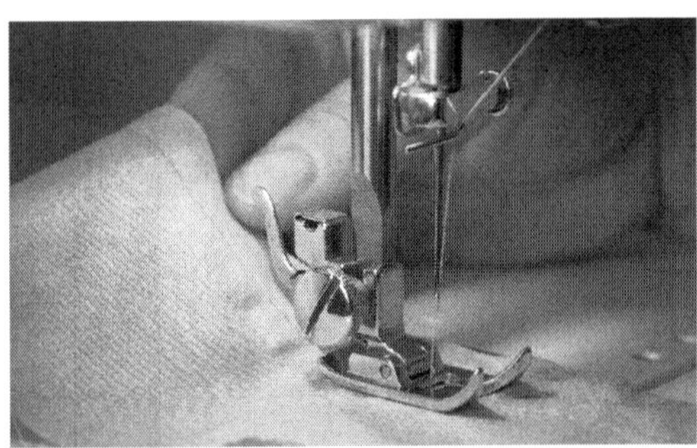

3.5. Empaquetado y distribución

La ropa, una vez planchada y plegada será empaquetada con film transparente, de manera manual o mecánica, que permitan ver el contenido, y que la protejan de posibles contaminaciones.

Después se depositará en jaulas o carros previamente desinfectados para su distribución.

Puede ser almacenada en la Lencería, o ser distribuida a los distintos Servicios del Centro.

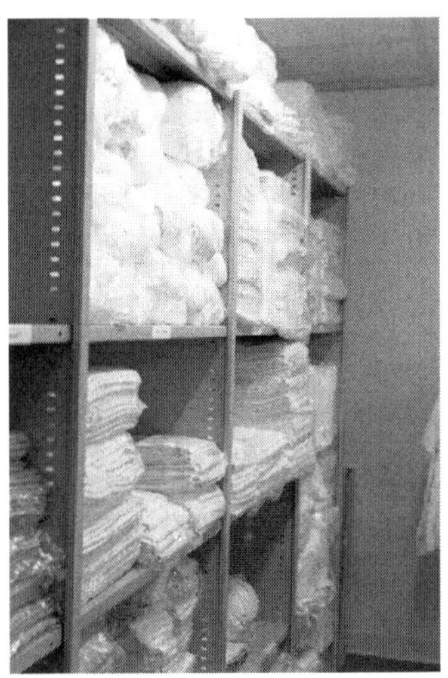

Para el transporte las prendas se depositarán en jaulas o carros previamente desinfectados para su distribución y preferiblemente cerrados.

El almacenamiento se realizará disponiendo las prendas en estantes bien limpios, colocando las prendas apiladas y con los lomos hacia el exterior.

Las funciones de esta sección son:

- Recepción de ropa planchada.
- Empaquetado y embalado de las prendas.
- Control del buen estado de las prendas.
- Colocación en carros para su traslado.
- Pesado de la ropa empaquetada.

4. Operaciones de secado de la ropa

4.1. Secadoras

Las máquinas de secado tienen una capacidad inferior a las máquinas de lavado. No toda la ropa pasa por esta fase, y la ropa que sí lo hace puede necesitar un tiempo mayor o menor dependiendo del grado de extracción de humedad que sea necesario.

El proceso de secado de la ropa se realiza por calor, y el sistema de calentamiento puede ser eléctrico, por vapor, o gas. Al final del ciclo habrá una fase de enfriamiento.

El grado de humedad final de la ropa tras el secado va a depender del tiempo programado en la secadora, que a su vez está relacionado con el tipo de ropa y la composición del tejido. Así, cuando las prendas no van a ser sometidas a plancha, como por ejemplo las toallas u otras prendas de felpa, deben salir de la máquina totalmente secas. Cuando las prendas se van a planchar, pueden tener cierto grado de humedad tras el secado, que será eliminado completamente durante el planchado. Se debe tener en cuenta que un secado excesivo puede arrugar o encoger la ropa.

Hay secadoras de gran capacidad (55 – 75 kg), y de baja capacidad (10 – 23 kg).

4.2. Sistema convencional o discontinuo

Las máquinas de secado con sistema discontinuo cuentan con un solo depósito para la carga de la ropa húmeda. El equipo se programará para un tiempo determinado de funcionamiento, tras el cual se extraerá toda la carga a la vez.

4.3. Sistema continuo

La alimentación de ropa, su avance y salida es continua y constante. Los equipos se sitúan tras el túnel de lavado y las centrifugadoras.

Hay sistemas para ropa de forma que llevan perchas, de manera que las prendas se cuelgan, y son introducidas mecánicamente en un túnel donde la acción del aire caliente

las secará. Tras este proceso no será necesaria la plancha, solo un repaso de las prendas, para eliminar algunas arrugas profundas, o marcar líneas.

4.4. Consejos para una buena conservación de las prendas durante el secado

- Se seguirán siempre las indicaciones dadas por el fabricante en la etiqueta de la prenda.
- El secado natural presenta múltiples ventajas, como protección de la ropa y ahorro energético. Pero se requiere espacio suficiente, y que las prendas no queden directamente expuestas al sol.
- El secado mecánico puede provocar encogimiento y apelmazado de algunos tejidos.
- Al tender la ropa se sacudirá y extenderá bien para evitar que se formen arrugas. Las prendas de colores vivos se tenderán del revés. Se plegará y sujetará con pinzas por las costuras, evitando que la prenda se deforme y queden marcas. Los pantalones y faldas se cuelgan por la cintura, las camisas se tenderán mejor colgadas en percha.

5. Selección de ropa limpia

5.1. La ropa limpia: manipulación, transporte y almacenamiento

La ropa limpia ha sido sometida al proceso de lavado y desinfección, y ha de mantenerse protegida y almacenada hasta que sea usada nuevamente.

Es importante que esta ropa no sufra ningún tipo de contaminación, ya que actuaría como vehículo de transmisión.

5.1.1. Manipulación

La ropa limpia será sometida a la mínima manipulación posible, mecanizando y automatizando todos los procesos posibles.

Se evitará el contacto con cualquier superficie que no esté perfectamente limpia y desinfectada, incluso una vez empaquetada. La ropa limpia permanecerá en las instalaciones de la lavandería el menor tiempo posible.

El personal que manipule ropa limpia no tendrá contacto con la ropa sucia, tendrá las manos perfectamente limpias y usará guantes.

5.1.1.1. Manipulación durante el secado/planchado

Las prendas de línea, cuando salen del túnel de lavado, se colocan al principio de la calandra cogiéndolas por los extremos con guantes para no contaminarlas, y a partir de ahí serán arrastradas por el sistema de rodillos.

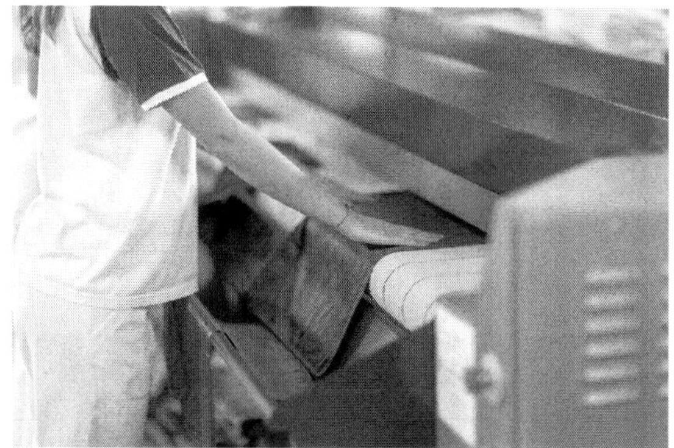

Sistema de rodillos

Las sábanas y otras prendas de línea necesitan tan solo un secado ligero antes de meter en calandra, ya que el calor aplicado durante el planchado terminará de secarlas.

Las toallas necesitan un secado total tras el lavado, ya que tras salir de la secadora se doblarán de manera manual o mediante una plegadora mecánica, y se empaquetarán directamente.

Las prendas de forma se colocarán colgadas en perchas individuales y se introducirán en un túnel de secado. Después es posible que deban ser repasadas mediante plancha.

Es importante aplicar una temperatura de planchado adecuada para cada tipo de tejido, ya que la aplicación de temperaturas más altas dañaría los tejidos. Las temperaturas máximas para los diferentes tejidos son:

- Temperatura máxima de 200 ºC para algodón y lino.
- Temperatura máxima de 150 ºC para lana, mezclas y poliéster.

- Temperatura máxima de 110 ºC para seda natural, rayón, acrílicos o acetatos.
- Algunos tejidos como los elásticos, las fajas, los pantis, etc., no se pueden planchar.

5.1.1.2. Manipulación durante el empaquetado/distribución

Es importante que la ropa esté bien seca antes de empaquetarla, ya que la humedad favorecería el crecimiento de hongos.

El empaquetado de la ropa se hará tocando lo menos posible las prendas, y siempre que sea posible se hará mecánicamente.

Sabías que...

La ropa húmeda empaquetada en material plástico se contaminaría por hongos, presentaría manchas e incluso mal olor.

5.1.1.3. Manipulación durante la reparación y el marcaje

Es necesario un control visual exhaustivo para comprobar el estado de la prenda, y decidir entre la reparación de la misma o el rechazo.

Para coser las prendas es necesario manipularlas, ya se cosa a mano o a máquina. Por ello es necesario que después vuelva a pasar por un ciclo de lavado.

Se debe seleccionar el material adecuado para la tarea a realizar, ya que existen diferentes grosores y tamaños de aguja, así como distintos grosores y resistencias de hilo.

Dependiendo del tipo de tarea a realizar se efectuarán diferentes tipos de punto, y los más frecuentes son:

- **Hilván**: unión provisional de dos piezas que van a ser cosidas, con un hilo de otro color que se retira tras coserlas.
- **Pespunte**: puntadas unidas a mano, de derecha a izquierda, para fijar piezas, rematar, etc.
- **Medio pespunte**: igual que el pespunte, pero con puntadas más espaciadas.
- **Festón**: puntadas enlazadas y anuladas, que van de izquierda a derecha, utilizadas para rematar bordes y evitar que se deshilache.
- **Sobrehilado**: puntadas sobre el borde de la tela, introduciendo la aguja por el revés y sacándola por el derecho, para evitar que las prendas se deshilachen.

- **Dobladillo**: el borde de la tela se dobla dos veces y se cose de derecha a izquierda sin que se vea la puntada, para rematar los bajos de las prendas.
- **Fruncido**: cosido de una tela que se ha recogido para obtener vuelo.
- **Punto de ojal**: se cosen los bordes del orificio para botones para rematarlo.

El marcaje consiste en realizar una señal identificativa para diferenciarla de otras.

5.1.2. Transporte

Se utilizarán medios de transporte limpios, desinfectados, y preferiblemente cerrados, que se usarán exclusivamente para esta función. En la limpieza y desinfección periódicas se prestará atención a las ruedas, ya que constituyen una zona en la que se acumula gran cantidad de suciedad.

El traslado se hará por vías y ascensores de uso exclusivo, siguiendo un circuito que no se cruzará ni tendrá contacto con el circuito seguido por la ropa sucia.

Se respetará siempre el principio de marcha adelante y no retorno para evitar la contaminación cruzada.

5.1.3. Almacenamiento

El centro contará con un almacén de ropa de lencería perteneciente al servicio de lavandería y planchado, en el que se mantendrán las prendas limpias y empaquetadas hasta su distribución por departamentos.

Cada servicio o departamento puede tener un pequeño almacén donde se dispondrá de la ropa necesaria para el abastecimiento diario.

Los almacenes deberán estar bien limpios, y los estantes donde se deposite la ropa estarán desinfectados. Para evitar la contaminación la ropa se mantendrá empaquetada hasta que se vaya a usar.

Recuerda que...

La ropa limpia se traslada por circuitos exclusivos, que nunca coincidirán con el de la ropa sucia, y se almacenará en estantes limpios hasta su entrega y uso.

5.2. Equipamiento de la Zona de distribución

5.2.1. Carros y contenedores

En la zona de distribución se utilizan carros para el traslado de ropa limpia. Normalmente tienen estructura de tubo en acero inoxidable, con entrepaños. Dispone de ruedas, dos de ellas giratorias para su desplazamiento. Si se va a transportar a las unidades de destino, debe ir cerrado para evitar contaminaciones. Puede contar con puertas de apertura lateral para facilitar el acceso al contenido.

5.2.2. Transportador automático para prendas colgadas

Sistema de raíles para el desplazamiento de ropa de forma colgada en perchas. Se usa por ejemplo para introducir prendas en el túnel de secado, o para mantener prendas almacenadas hasta su distribución.

Es una estructura que puede contener un número elevado de prendas en un espacio reducido.

Se puede adaptar a cualquier tipo de lavandería, independientemente de su estructura y configuración.

5.2.3. Almacén dinámico de ropa

Sistema de almacenamiento que consta de una estructura de rodillos que ayudan a la colocación de la ropa limpia y empaquetada, y facilitan el acceso al recogerla para su uso.

6. La costura y marcaje de la ropa

En esta sección se reparan los desperfectos de la ropa, y se marcan las prendas.

Siempre llega ropa lavada, nunca se recibe ropa directamente desde la zona sucia.

Una vez repasada la prenda, vuelve a la zona sucia para comenzar un nuevo ciclo de lavado e higienización, ya que la manipulación que se realiza en esta zona supone la contaminación de la ropa.

Las tareas que aquí se hacen son: coser, remendar, zurcir, poner botones, marcar prendas, etc.

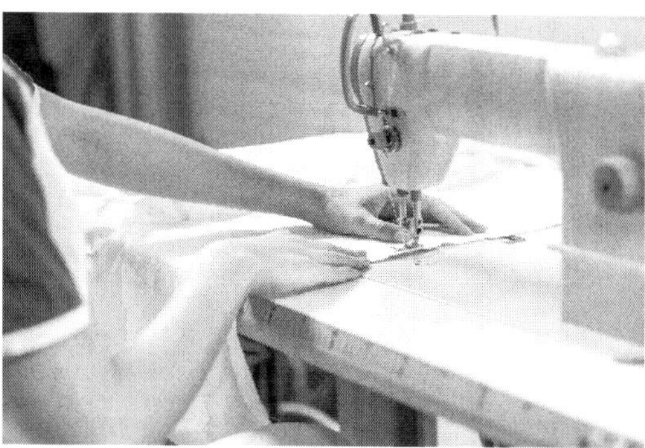

6.1. Instrumentos de costura

6.1.1. Equipo de costura

Deben incluirse los elementos indispensables para medir, cortar, unir, coser y algunos más que se aconsejan por su carácter práctico.

Son indispensables los siguientes materiales:

- Un lápiz (preferiblemente de punta fina).
- Una cinta métrica.
- Una regla (preferiblemente de metal, de 30 cm).
- Tijeras de costura de tamaño mediano.
- Alfileres con cabeza de colores.
- Agujas (un surtido de pequeñas y medianas).
- Hilo en colores básicos (negro, blanco, azul marino).

Otros materiales complementarios son:

- Un dedal de costura de metal: resulta de gran ayuda si se trabaja sobre telas gruesas y rígidas.
- Un cúter: este pequeño utensilio contiene una hoja que permite deshacer y cortar las costuras sin riesgo de accidentes.

Se pueden ir añadiendo elementos según lo que se proponga hacer:

- Una escuadra para realizar ciertos dibujos.
- Tijeras:
    * De varios tamaños (sobre todo pequeñas).
    * Específicas (dentadas).
- Agujas: de zurcir, de lana, especiales para el cuero...
- Un imán para recoger rápidamente las agujas sueltas.
- Un acerico para tener siempre a mano los alfileres.
- Hilos especiales:
    * Hilo de coser.
    * Hilo de algodón para hilvanar.
    * Hilo para tejidos delicados.
    * Hilo para tejidos gruesos.
    * Hilo para zurcir tejidos diferentes como lana y algodón, por ejemplo.
- Una caja de botones para encontrarlos fácilmente cuando se necesiten.
- Un surtido de broches de metal.
- Imperdibles (pequeños).
- Corchetes.
- Entretela adhesiva, disponible en varios grosores.
- Elástico para las cinturillas.
- Refuerzo (algodón, sintético).
- Para la máquina de coser hay que contar siempre con varias canillas y agujas.
- Si se quiere realizar una labor a partir de un patrón de costura, hay que equiparse con papel carbón y una ruleta de patrón para trasladarlo.
- También es útil comprar tiza de sastre par trazar las marcas de unión y ajustar el patrón a la tela.

6.1.2. Las agujas y los alfileres

Las agujas sirven para coser y se diferencian por:

- **Su longitud**: corta, semicorta o larga.
- **Su grosor**: de 1, las más gruesas, a 12, las más finas.
- **La forma de la punta**.

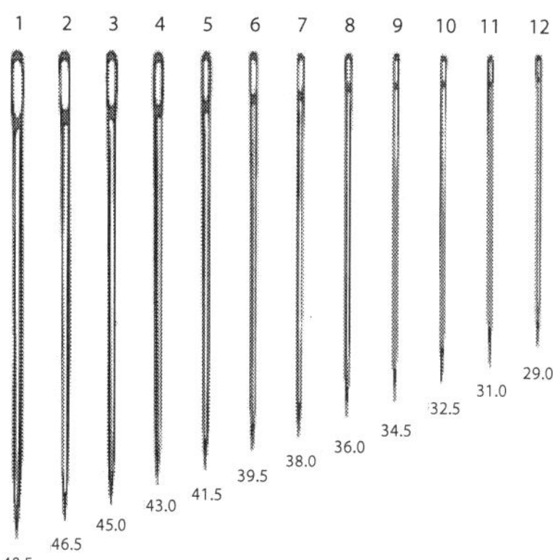

Lo importante es utilizar agujas de calidad, sin estrenar, y que la punta atraviese fácilmente la tela.

Las agujas largas son las más corrientes; las medianas permiten, en principio, puntadas más pequeñas y las cortas se utilizan para labores concretas, como el guateado.

En la práctica todo el material que se utilice dependerá del tamaño de la mano de cada uno, ya que quizá se cosa mejor con agujas más cortas si su mano es pequeña. Lo más sencillo es comprarlas en paquetes con anchos y largos variados, de forma que se pueda disponer de un surtido que se adapte a las diferentes necesidades.

Sin embargo, si se van a realizar labores de costura concretas, es importante saber que existen agujas específicas para cada labor:

- Para zurcir, se recomienda una aguja larga, fina, con el ojo alargado.
- Para la lana, es aconsejable una aguja bastante gruesa, con el ojo alargado y que acabe en punta.
- Para el cuero, se emplea la aguja de guarnicionero cuya punta es plana.
- Para bordar, según el soporte, se utilizan agujas específicas, finas, de final en punta.
- Para tapizar, escogeremos una aguja especial, gruesa, de punta redondeada.

6.1.3. Las tijeras

Se trata de una herramienta indispensable que puede durar mucho tiempo si se utiliza correctamente.

Las tijeras de costura tienen dos hojas asimétricas, una acabada en punta y la otra redondeada.

Se deben emplear solamente para cortar telas.

Si se tiene que cortar papel, debe utilizarse exclusivamente tijeras «para papel», de punta redondeada. Si se usa indiscriminadamente las tijeras de costura para telas y papel se estropearán de forma irreparable.

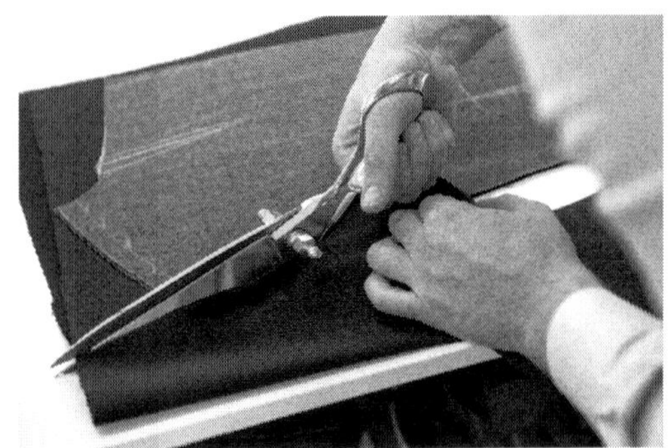

Si bien no son del todo indispensables al inicio, hay otros dos tipos de tijeras que pueden ser útiles en muchas ocasiones:

- Las tijeras «dentadas» que evitan sobrehilar en muchos casos.
- Las tijeras para bordado, pequeñas, de punta fina, con las hojas muy puntiagudas, que permiten realizar un trabajo de precisión.

Las tijeras de corte, más pesadas que las normales de costura, servirán sólo para trabajar con telas gruesas.

6.1.4. Los hilos

Hay dos grandes tipos de hilos:

- Los hilos para coser.
- Los hilos «decorativos» destinados a los bordados, principalmente.

Se debe escoger el color de los hilos un poco más oscuro que el de la tela en la que se van a emplear, y adaptar su textura tanto a la tela como al uso que se va a hacer de ella.

Entre los hilos de costura se pueden distinguir los siguientes tipos:

Los hilos para coser

Sintéticos y muy resistentes, son hilos de muy variados colores y se encuentran en diferentes medidas.

Resisten lavados de 95 ºC y el planchado, y se utilizan tanto en labores de costura hechas a mano como a máquina.

El hilo de algodón presenta las mismas cualidades de resistencia y se encuentra también en una amplia gama de colores; su método de fabricación asegura una gran flexibilidad, cualidad que lo hace muy adecuado para las labores delicadas en soportes ligeros.

Los hilos para usos específicos

El hilo para hilvanar se diferencia de un hilo clásico por su «fragilidad», que permite quitarlo fácilmente cuando la costura definitiva está hecha. Además, se presenta en unos colores que facilitan distinguirlo claramente.

El hilo superresistente es muy recomendable para tejidos gruesos o para otras telas (artículos de deporte, sobrepespunteados, botones y ojales, bricolaje y cuero).

El hilo de torzal permite coser tejidos gruesos como los de abrigos y chaquetas. Su gama de colores y resistencia lo convierten en un hilo especialmente útil para los trabajos de costura de decoración.

Los hilos para zurcir se encuentran en una amplia variedad dependiendo de su finalidad:

- El hilo para zurcir de algodón, para los tejidos de algodón puro o mezcla.
- El hilo de lana mezclada, adecuado para los artículos de punto y de franela.

Los hilos para zurcir se presentan en pequeños carretes, pues están pensados para trabajados de corta duración.

Los hilos de zurcir se pueden utilizar también como hilos de bordar para decorar los tejidos de lana.

Actividad 13

La fijación, cosiendo a mano, de una puntilla a una tela, se lleva a cabo con:

- ☐ a) Una costura inglesa.
- ☐ b) Un festón.
- ☐ c) Un repulgo.

6.2. Técnicas de costura

8.2.1. Cosido a mano

Aunque es mucho más rápido coser a máquina; no siempre resulta necesaria ésta dependiendo del tipo de labor que se vaya a realizar.

Los tejidos gruesos (sarga, gabardina, tafetán...) se cosen con aguja plana de punta gorda. El calibre de la aguja debe ser elegido dependiendo del tejido y de las capas que deban unirse. Los tejidos muy finos (seda) se cosen con aguja fina (80-90) y punta redonda, para evitar enganches.

El punto se cose con un tipo especial de aguja, de punta redonda, para que no tire de la trama y no produzca fruncidos o marras. Además, es preciso no estirar la tela en el momento del cosido, porque se «bolea», es decir, se deforma dilatándose.

Otro caso especial a la hora de coser es el terciopelo y tejidos análogos. A la hora de coser este tipo de tejidos, se interpone entre la máquina y la tela una hoja de papel de seda o muy fino, se cose, y luego se retira el papel. La finalidad que se persigue es que no se enganche la aguja, lo cual es muy frecuente por el tipo de entramado que llevan.

Es útil conocer algunos puntos y tipos de costura básicos, que son muy fáciles de realizar. A continuación expondremos unas pocas nociones rudimentarias sobre los puntos más usados:

- **Punto bastilla:** la bastilla es uno de los puntos básicos más sencillos y sirve principalmente para remendar un siete o fruncir la tela, pero también es útil para patchwork.
- **Punto atrás-pespunte:** el pespunte es tan sencillo como la bastilla pero mucho más resistente; se utiliza en todas las costuras de unión, también para asegurar o para zonas de difícil acceso o con costuras complicadas en las que la máquina de coser no nos sirve. El punto atrás se utiliza para asegurar piezas que tienen necesidad de ser cosidas con firmeza y no se muevan y se parece tanto a la costura de una máquina de coser que, a veces, puede confundirse con una hecha a máquina.

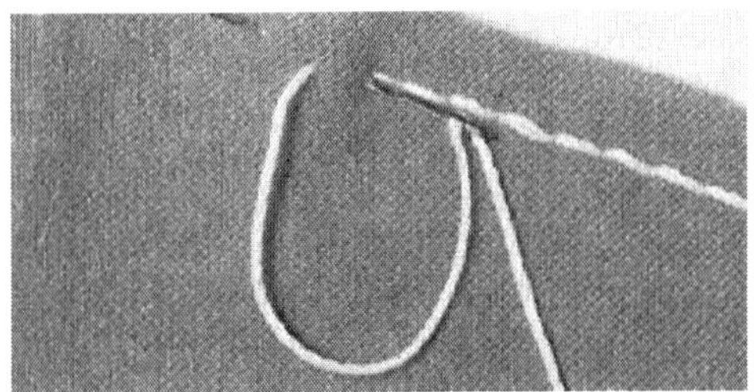

Punto atrás-pespunte

- **Medio pespunte**: igual que el pespunte, pero con puntadas más espaciadas
- **Punto de hilván:** el punto de hilván sirve para la unión provisional de dos telas y es parte indispensable de la fase de preparación.
- **Punto de escapulario**: sirve para unir dos costuras, pero también se utiliza por sus cualidades decorativas como punto de bordado. Es útil para:
  * Hacer un dobladillo en una tela gruesa o elástica (malla).
  * Fijar un forro o una entretela sin hacer bastillas ni sobrehilar.
- **Punto de lado**: sirve, sobre todo, para hacer el dobladillo de la parte inferior de la prenda.
- **Punto invisible o punto deslizado**: se utiliza para unir, sin que apenas se aprecie, dos capas de tela.
- **Punto de sobrehilado**: sirve para pulir cantos a mano y evitar que la tela se deshilache.

Punto de sobrehilado

- **Repulgo**: para unir bordes y puntillas a mano. Se trabaja de derecha a izquierda con puntadas diagonales limpias por el borde, uniformemente espaciadas e iguales. El repulgo se utiliza para unir dos bordes de puntillas, piezas de pactwork,o cinturas de faldas de baturra.
- **Punto por encima**: son las puntadas que atraviesan alternativamente por encima y por debajo la línea de unión de las orillas de dos telas.
- **Punto de festón**: se utiliza para realizar los ojales (en ese caso las puntadas están muy cerca unas de otras); el punto de festón se usa mucho por su función decorativa como remate en las colchas, por ejemplo.
- **Dobladillo**: el borde de la tela se dobla dos veces y se cose de derecha a izquierda sin que se vea la puntada, para rematar los bajos de las prendas.
- **Fruncido**: cosido de una tela que se ha recogido para obtener vuelo.
- **Punto de ojal**: se cosen los bordes del orificio para botones para rematarlo.
- **Costura inglesa**: costura que no que se ve ningún borde. Refiriéndonos también a esta técnica como un costura invisible.

- **Punto de cadeneta:** punto normal de la maquina utilizado en casi todas las costuras. Se siguen las instrucciones de la máquina para corregir longitud y tensión del punto.
- **Punto hueco:** para dobladillos en los que el canto esta pulido pero no necesariamente remetidos hacia adentro.

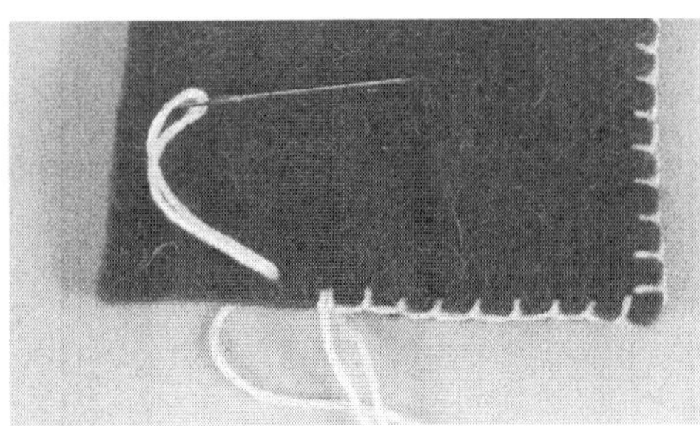

Punto de festón

8.2.2. Cosido a máquina

En primer lugar, hay que leer atentamente las instrucciones de uso de la máquina y familiarizarse con su funcionamiento y sus opciones. Las alternativas que ofrece pueden variar de una máquina a otra o estar explicadas de forma muy distinta. Existen aparatos cada vez más sofisticados, pero no todas sus funciones son indispensables. Tendremos que decidir si la máquina de coser nos será práctica para el tipo de labores que hacemos. Si nunca hemos cosido a máquina es aconsejable probar en un pedazo de tela o de papel.

A modo orientativo y como ejemplo de las partes básicas y más importantes de una máquina de coser ofrecemos el siguiente listado:

a) Ensamble de la tensión del hilo de la aguja.
b) Marco guía-hilo de la aguja.
c) Palanca tirahilo de la aguja.
d) Alambre para control de lazada.
e) Guía-hilo de la barra de la aguja.
f) Aguja.
g) Ensamble de la tensión del hilo de la aguja.
h) Ensamble de la tensión del hilo de looper.
i) Soporte y placa de desprendimiento.
j) Tirahilo de looper.
k) Looper.
l) Tensión adicional del hilo de aguja.

El enhebrado

Se debe enhebrar correctamente para evitar sorpresas desagradables (hilos enredados), prestando atención a las dos fuentes de alimentación:

- La bobina superior facilita el hilo que se enhebra en la aguja y atraviesa la tela.

- La canilla proporciona el hilo que se cruza con el primero para formar el punto.

La tensión

Es recomendable regular la tensión del hilo, jugando, en principio, sólo con el de arriba. Si se tensa demasiado se producen frunces y puntadas muy frágiles. Por el contrario, tensar muy poco provoca una costura floja y endeble, ya que los hilos se enganchan fácilmente. Para empezar y terminar una costura a máquina, lo más sencillo es volver a pasar las mismas puntadas y dar algunos puntos atrás. Para hacer una costura recta, es recomendable tomar una referencia (orillo, hilván, etc.) y colocar el prensatelas siempre a la misma distancia de dicha referencia. Por último, hay que prestar atención a que la tela se deslice fácilmente mientras se está cosiendo. Se debe ir guiando la costura pero sin tirar demasiado, pues se corre el riesgo de deformarla. Cuando se tengan que coser zonas más complicadas (esquinas o curvas, por ejemplo), habrá que disminuir la velocidad y levantar el prensatelas para cambiar el sentido.

Puntos a máquina

Los principales puntos a máquina son:

- *Punto derecho*: se utiliza sobre todo tipo de telas excepto en los tejidos elásticos.
- *Punto zigzag*: es muy corriente y se utiliza para costuras de unión, principalmente en el caso de telas que se deshilachan y para decorar. Si se juega con la longitud y la distancia de las puntadas, se pueden crear muchas variaciones.
- *Punto de bordado*: se utiliza para hacer ojales o para bordar. Puede reemplazar una costura hecha a mano porque es más uniforme, aunque no todas las máquinas de coser están preparadas para hacer este punto.
- *Surjete*: se utiliza para coser y sobrehilar al mismo tiempo todo tipo de telas.

7. Etiquetado de la ropa y su simbología

7.1. Composición. Confección

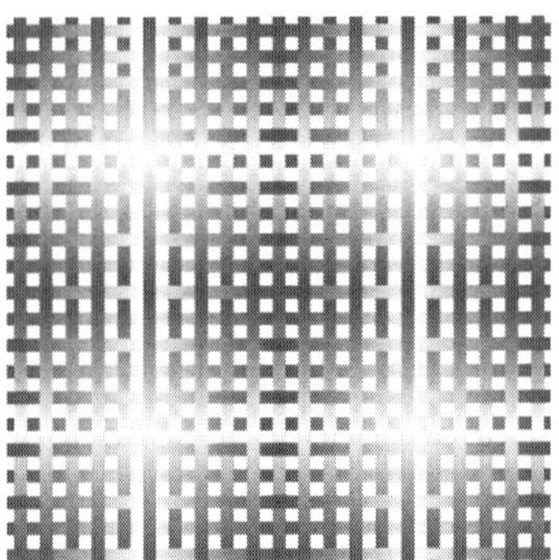

7.1.1. Tejido

El tejido es el proceso de entrelazar hilos de forma regular, para fabricar un producto plano, que también se va a denominar tejido.

El proceso se realiza básicamente cruzando dos conjuntos de hilos:

- **Urdimbre**: se sitúa a lo largo del telar.
- **Trama**: se cruza transversalmente con la urdimbre.

Sabías que...

El telar es el instrumento o máquina utilizada para tejer. Sus orígenes se remontan a la prehistoria, con telares manuales rudimentarios, que han ido evolucionando hasta los equipos mecánicos actuales.

Dependiendo del sistema de entrecruzado que se utilice, se podrán obtener diferentes tipos de tejidos o textiles:

- **Tafetán**: es el tejido liso resultante de cruzar un hilo de trama con cada hilo de urdimbre (ej.: lino, batista, muselina, organdí, etc.).
- **Cruzado**: es el tejido resultante del entrelazado de dos hilos de urdimbre con cada hilo de trama, de manera alterna en cada fila (ej.: mezclilla, espiguilla, cheviot, etc.).
- **Satén**: resulta del entrelazado suave de los hilos de la urdimbre sobre varios hilos de la trama (ej.: crepe satín, raso, damasco, etc.).

- **Lizo y jacquard**: el entrelazado de hilos da un textil basado en pequeños dibujos que se repiten (ej.: brocados, acolchados, u ojo de perdiz).
- **Tejido de hilos levantados**: sobre un tejido básico, y con ayuda de alambres, se levantan los hilos, de manera que la superficie quede cubierta de bucles, o de terminaciones de hilos si se cortan los bucles (ej.: pana, felpa, terciopelo, etc.).

7.1.2. Hilo

Un hilo es el resultado de la unión sólida de un conjunto de fibras dispuestas de forma paralela, y a las que se aplica una fuerza de torsión. Los hilos obtenidos a partir de fibras largas tienen mejor calidad. En el caso de fibras cortas, es necesario un proceso de cardado para unirlas, y posterior peinado para estirarlas, además de la torsión.

Cuando durante el hilado se aplica una torsión fuerte, se obtienen hilos resistentes, que darán telas más duras, resistentes al rozamiento, y que se ensucian y arrugan menos. Sin embargo, la torsión ligera proporciona telas de superficie suave.

Recuerda que...

Los hilos obtenidos de fibras largas son de mejor calidad.

7.1.3. Fibra

Una fibra textil es toda materia que puede ser transformada en hilo.

Las fibras deben tener las siguientes características:

- **Gran longitud**: deben ser largas para poder obtener hilos. Si las fibras son cortas, se pueden obtener hilos menos resistentes y menos suaves mediante carda.
- **Pequeño diámetro**: las fibras son estructuras finas.
- **Resistencia a la tracción**: la tracción es la aplicación de fuerzas aplicadas en los extremos de la fibra, en sentido longitudinal y opuesto. La fibra será más resistente cuanto mayor sea la fuerza de tracción que soporta sin romperse.
- **Resistencia a la flexión**: para poder tejerla, es necesario que la fibra resista la flexión o pliegue sobre sí misma sin romperse.
- **Suavidad**: puesto que el tejido va a estar en contacto con el cuerpo, la fibra que lo forma debe ser suave. Influye también la torsión del hilo, siendo más suaves los

tejidos de hilos poco torcidos. Con una torsión mayor se obtienen hilos que dan telas más duras y resistentes, que se ensucian y arrugan menos.

- **Cohesión**: propiedad de las fibras que permite unirse unas a otras para formar el hilo. La falta de cohesión hace que las fibras se repelan y la estructura del hilo no se mantenga.
- **Elasticidad o flexibilidad**: es la capacidad de la fibra de recuperar su forma inicial tras aplicar una tracción o alargamiento.
- **Porosidad**: las fibras no son estructuras compactas y rígidas, sino que tienen poros en su superficie, lo que influye en las otras propiedades.

Pueden ser de diferentes tipos: naturales, artificiales, y sintéticas.

- **Fibras naturales**: se obtienen directamente de la naturaleza, y pueden ser de origen animal o vegetal.

  a) *De origen animal*:

  * Lana:

    La lana se diferencia del pelo porque la lana tiene su superficie recubierta de pequeñas y abundantes escamas.

    Se caracteriza por ser ligera, elástica, aislante y absorbente de la humedad. Los inconvenientes de la lana como tejido son que encoge con las altas temperaturas de lavado y que con el tiempo tiende a apelmazarse y amarillear.

    La más utilizada proviene de las ovejas, y se obtiene mediante carda. Cuando las fibras son más largas y gruesas, se obtiene hilo peinado. Cuando las fibras son finas, cortas y rizadas, se obtiene hilo de carda.

  * Pelos:

    Los más utilizados son los de cabra o camello. Son estructuras largas y finas, pero más difíciles de tejer que la lana, porque tienen peor cohesión.

  * Sedas:

    Filamentos largos y finos, con bastante elasticidad, que se obtienen de diferentes especies animales. La seda auténtica procede de los gusanos, aunque hay otras sedas, con menor importancia textil, que provienen de arañas, o mariposas.

  b) *De origen vegetal*:

  * Semillas:

    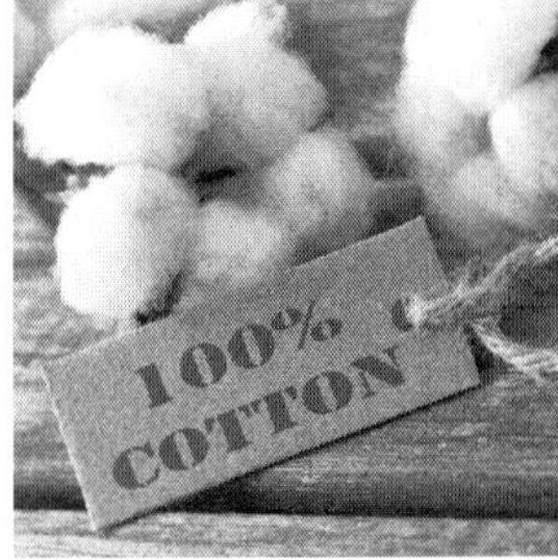

    Son fibras obtenidas de semillas vegetales el algodón, miraguano, espadaña y junco. De entre ellas, las más usadas en la industria textil son el algodón y el miraguano.

    El *algodón* es la fibra más común y utilizada en la confección de ropa para uniformes, porque se teje y tiñe fácilmente dando tejidos resistentes, absorbentes, y cómodos. No acumula la electricidad estática, y es fresco y flexible. Como inconvenientes cabe destacar que encoge con los lavados a altas temperaturas, y se arruga. Se obtiene a partir de una planta tropical, mediante recolección manual, y antes del hilado se debe limpiar de impurezas con una desmotadora. La calidad y cantidad de algodón obtenido dependerá de las condiciones climáticas.

El *miraguano* se obtiene de semillas de unas plantas tropicales. Es una fibra ligera e impermeable, y con poca resistencia. Se usa principalmente para rellenar colchones y almohadas.

* Tallos:

  Las fibras procedentes de tallos son: lino, cáñamo, yute y ramio. Entre ellas, la de mayor importancia textil es el lino.

  El *lino* es una fibra con múltiples utilidades, de gran resistencia, y con capacidad para absorber cierta cantidad de agua sin llegar a tener tacto húmedo y agradable. Es un tejido que no acumula la electricidad estática. Se utiliza principalmente para confeccionar prendas de verano, porque conduce bastante bien el calor, dando sensación de frescor. Para obtener las fibras es necesario ablandar el tallo mediante humedad y calor, en un proceso de enriado. El lino está formado por fibras largas y rectas. Las fibras que se rompen y enredan, constituyen la estopa.

* Hojas:

  De las hojas de algunas plantas se pueden obtener fibras como el sisal, la rafia, el esparto o el cáñamo.

* Frutos:

  La principal semilla procedente de frutos es la fibra de coco, aunque también se pueden obtener de otros frutos, como la piña o el mandrás.

- **Fibras artificiales**: se obtienen por transformación química de las fibras naturales.

  Pueden ser de celulosa regenerada (rayón), ésteres de celulosa (acetato), o proteína regenerada (fibrola).

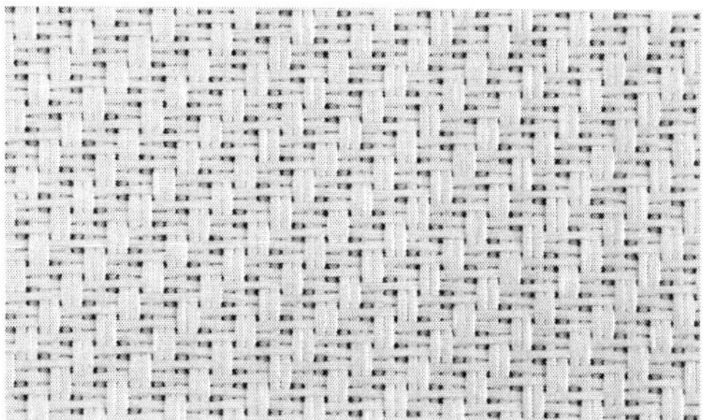

- **Fibras sintéticas**: se obtienen químicamente por polimerización de derivados del carbón o el petróleo. Se ha extendido mucho su uso porque son rentables económicamente. Además se está investigando mucho para mejorar las fibras sintéticas, confiriéndoles propiedades deseables para el textil, tales como resistencia, elasticidad, suavidad, propiedades antimanchas o antiarrugas, etc.

  Las más comunes son: poliamidas (nilón, perlón), divinílicas (rhovil), poliofelinas (polietileno), poliacrílicas (orlón), poliéster (tergal), elastómeros (licra).

Recuerda que...

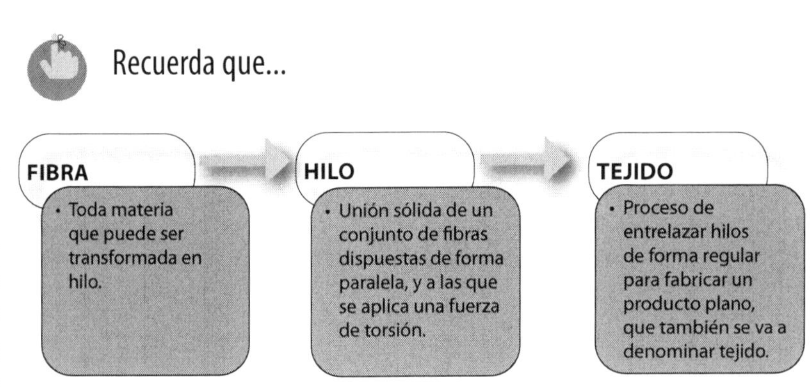

7.1.4. Propiedades de las fibras

7.1.4.1. Clasificación de las propiedades de las fibras

a) **Físicas:**

- Propiedades mecánicas: comportamiento a tracción, a torsión y a flexión.
- Propiedades superficiales: comportamiento a la fricción (pilling y abrasión).
- Propiedades eléctricas.
- Propiedades térmicas: acción al calor, tratamientos térmicos, comportamiento al fuego.
- Propiedades ópticas: brillo y color.

b) **Sorción:**

- Humedad y agua.
- Disolventes orgánicos: hinchamiento, disolución.
- Colorantes: propiedades tintóreas.

c) **Químicas:**

- Resistencia a tratamientos ácidos, álcalis...
- Acción de la intemperie: luz solar.
- Acción de insectos y microorganismos.

d) **Geométricas:**

- **Longitud**: valor medio y su variabilidad. Presenta dos modos bien diferenciados:
  * Fibra discontinua: segmentos de longitud definida.
  * Filamento continuo o cable de filamentos: segmentos continuos y largos de longitud indefinida.

  Todas las fibras naturales se encuentran de forma discontinua, exceptuando la seda. La longitud de las fibras se expresa en mm o en pulgadas ("); la longitud de la fibra es un parámetro muy importante ya que hay muchos factores que influyen en la longitud y estos varían de una fibra a otra, por ello lo común es referirse al *valor medio* (media estadística extraída de examinar una muestra representativa) y de *coeficiente de variabilidad* (parámetro estadístico de la distribución de las longitudes).

  Las fibras químicas se obtienen inicialmente en forma de filamento continuo, pero se puede convertir en fibras discontinuas cortando o desgarrando la longitud deseada. El corte puede ser recto o variable. Pero también para las fibras discontinuas la longitud es importante. La longitud de corte de estas determina el proceso de hilatura a aplicar.

- **Finura**: valor medio y su variabilidad. Es la medida de su grosor y está relacionado con el diámetro de la fibra aparentemente, ya que no es constante ni regular, se expresa en micras: 1 micra = 10^{-6} m = 0,001 mm. La finura determina la calidad y el precio de la fibra.

  En las fibras químicas, la finura se expresa en función de la masa lineal (esta masa se expresa en Tex, que indica el peso en gramos de 1000 m de filamento), ya que existe una relación bastante directa entre su peso por unidad de longitud y su grosor.

  Así un hilo multifilamento queda definida por su masa lineal y número de filamentos; si se representa en forma de floca (fibra cortada), queda definida por la longitud de corte y su masa lineal.

  La finura determina el comportamiento y la sensación al tacto de los textiles:

  1. Fibras gruesas.
     * Rígidas y ásperas.
     * Mayor firmeza.
     * Resistencia al arrugado.

2. Fibras finas.
   * Suavidad y flexibilidad.
   * Buen cayente.

La finura influye en aspectos tecnológicos durante el proceso textil tan importantes como:

1. Comportamiento en el proceso de hilatura.
2. Regularidad de los hilos.
3. Distribución de fibras en la mezcla.
4. Brillo de hilos y tejidos.
5. Absorción del colorante, dependiendo de la finura da intensidades diferentes.

- **Rizado**: frecuencia, forma y amplitud. Son las ondas o dobleces que se suceden a lo largo de la longitud de la fibra. Los parámetros que la determinan son:

1. La forma: bidimensional (diente de sierra) o tridimensional (muelle).
2. La frecuencia: número de ondulaciones por unidad de longitud.
3. La amplitud: distancia entre los picos de una onda completa.

El rizado influye en la voluminosidad y en el tacto del tejido, la lana y el algodón poseen el rizado por naturaleza. Además aumenta la cohesión, la elasticidad de volumen, la resistencia a la abrasión y la conservación del calor en los hilados; en cambio reduce el brillo.

- **Forma de la sección transversal**: es una propiedad geométrica que influye en otras propiedades como el brillo, volumen, tacto, rigidez de la torsión… Se distinguen tres zonas en la sección transversal de una fibra natural:

1. Piel o cutícula.
2. Cuerpo principal.
3. Núcleo (hueco o no).

En cambio en las propiedades químicas depende de:

1. La forma de la hilera por la que se extruye.
2. El método de hilatura empleado.
3. Condiciones de hilatura (presión, temperatura…).

Al examinar estas secciones, es importante la presencia de pequeñas cavidades y las características de la superficie lateral de la fibra (estriada, lisa…) en fibras con secciones bien diversas.

Recuerda que...

La longitud, finura, rizado y sección son propiedades geométricas de las fibras.

Formas de sección y superficie transversal y longitudinal

	Sección transversal 500X	Sección longitudinal 500X
Algodón sin mercerizar	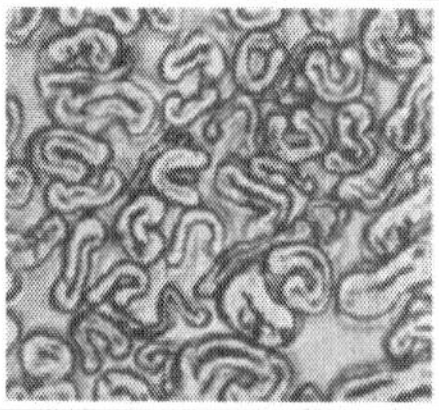	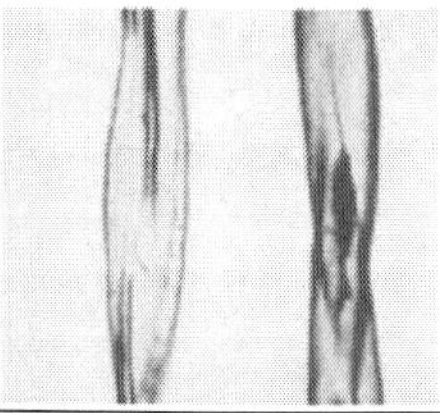
Algodón mercerizado	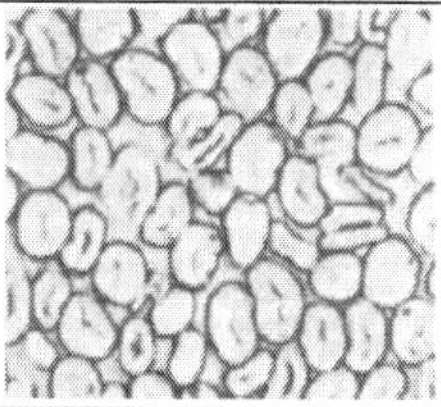	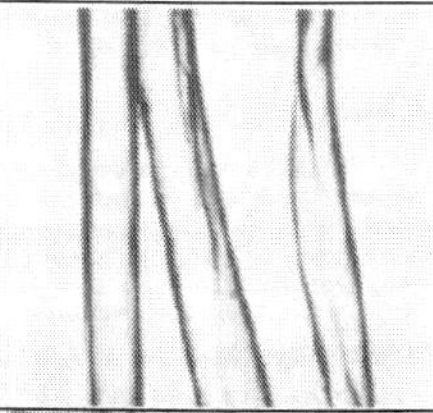
Lino	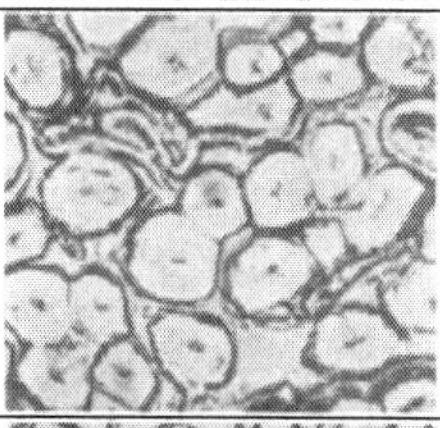	
Seda	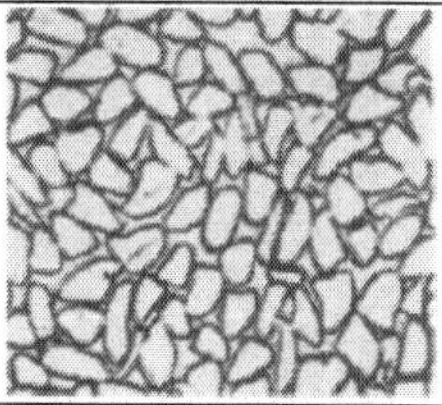	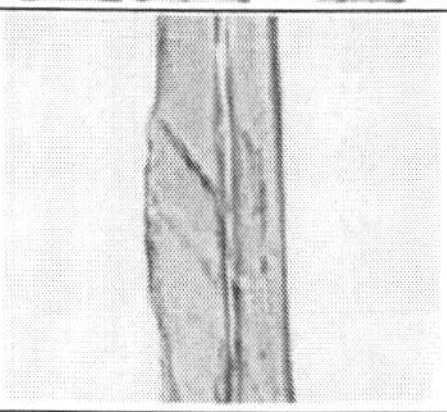
Lana	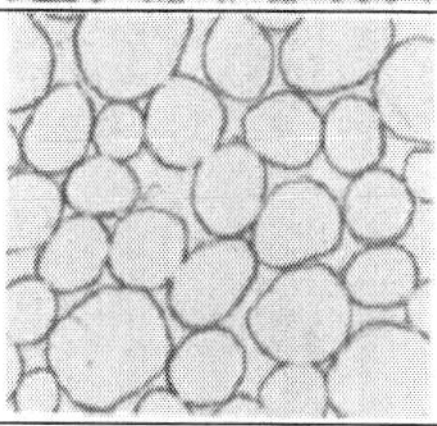	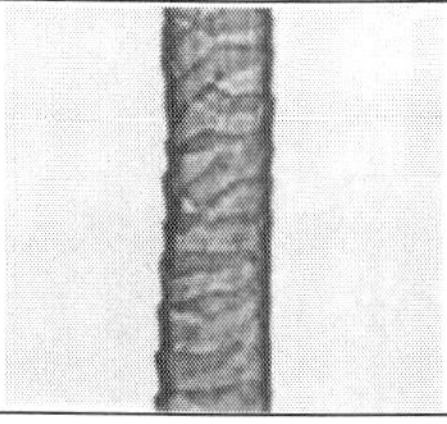

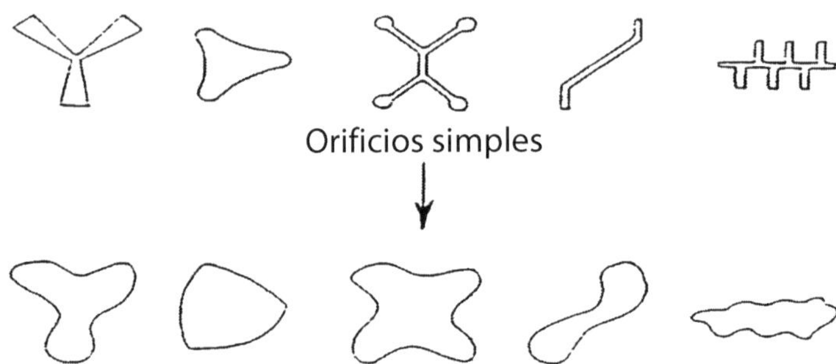

Forma de la sección transversal de la fibra

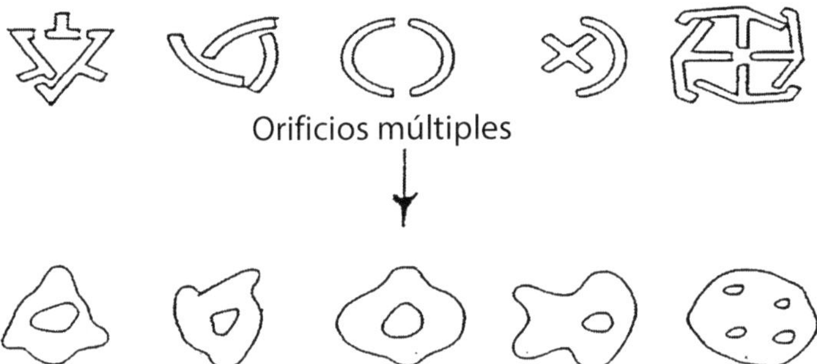

Forma de la sección transversal de la fibra

7.1.4.2. Propiedades deseables en una fibra

Las propiedades básicas deseables de una fibra son:

- Alto punto de fusión, que la haga apta a tratamientos térmicos, ya sean de tintura o planchado.
- Suficiente resistencia y elasticidad.
- Tintabilidad, es decir, que se le pueda aplicar color de forma permanente.
- Hidrifilidad moderada, que sea confortable al contacto con la piel.

Pero todas estas propiedades dependen del campo de aplicación y para las prendas de vestir las propiedades más apreciadas son:

- Percepción: el tacto, aspecto visual...
- Capacidad de protección frente al calor, al frío o al agua.
- Fácil cuidado de la prenda.

- Confort.
- Durabilidad y mantenimiento.

En cambio, cuando se trata de usos más técnicos o industriales, las propiedades más apreciadas en una fibra son:

- Resistencia a la tracción y fatiga.
- Resistencia a diferentes agentes.
- Durabilidad al uso y mantenimiento.
- Protección frente a agentes externos.

	NATURAL		ARTIFICIAL	SINTÉTICA				
	Animal	Vegetal						
	Lana seda	Algodón Lino	Rayón	Poliéster	Poliamida Olefinas	Acrílica	Vinílica	Poliéster Algodón
Resistencia a la Temperatura	BAJA	SÍ	BAJA	BAJA (origina pliegues)	BAJA	BAJA	BAJA	BAJA
Resistencia a los ácidos	SÍ	NO	BAJA	ALTA (excepto sulfúrico y nitricol	BAJA	MEDIA (soluble en ácidos fuertes)	MEDIA (solo diluidos)	ALTA
Resistencia a los alcalinos	BAJA	SÍ (menor al Lino)	BAJA	ALTA	BAJA	BAJA	MEDIA (solo diluidos)	ALTA
Resistencia a la lejía	BAJA	MEDIA	BAJA	ALTA	BAJA	MEDIA	BAJA	MEDIA
Acción Mecánica	MUY SENSIBLE	RESISTENTE menor en lino	MUY SENSIBLE	SENSIBLE	SENSIBLE	MUY SENSIBLE	SENSIBLE	SENSIBLE

Características de las fibras

7.2. El etiquetado de los productos textiles

El **Real Decreto 928/1987, de 5 de junio**[1], relativo al etiquetado de composición de los productos textiles, tiene como objeto perfeccionar los instrumentos normativos desde un punto de vista práctico para los fabricantes y comerciantes de tales productos, al igual que salvaguardar los intereses de los consumidores y usuarios y su derecho a la información.

Esta norma es de aplicación a:

a) Las empresas dedicadas a la fabricación, importación y comercialización de productos textiles.

b) Todos los productos textiles que se fabriquen, comercialicen o distribuyan en el mercado nacional.

7.2.1. Denominaciones

1. **Productos puros**: solo se permite el uso de las calificaciones «100 por 100», «puro», «todo», seguidas de la denominación de una fibra, para designar productos textiles compuestos exclusivamente por dicha fibra. Queda prohibida cualquier otra expresión equivalente.

   A efectos de lo dispuesto en el párrafo anterior, se tolerará una cantidad de otras fibras hasta un total de 2 por 100 del peso del producto textil si está justificada por motivos técnicos y no resulta de una adición sistemática. Esa tolerancia se elevará al 5 por 100 para los productos textiles obtenidos por el proceso de cardado.

2. **Productos de lana virgen**: en el caso de productos textiles constituidos por fibra de lana, podrán ser calificados como de «lana virgen» o «lana de esquilado», cuando se compongan exclusivamente de la citada fibra, y no haya sido incorporada nunca a un producto acabado y no haya sufrido operaciones de hilatura o enfieltrado, excepto las requeridas por la fabricación del producto, ni un tratamiento o utilización que haya dañado a la fibra.

---

[1] Se modifica:
- Por Orden PRE/348/2011, de 21 de febrero (Ref. BOE-A-2011-3584).
- La disposición final y los anexos I y II, por Real Decreto 1523/2007, de 16 de noviembre (Ref. BOE-A-2007-20276).
- El anexo I y II, por Real Decreto 1115/2006, de 29 de septiembre (Ref. BOE-A-2006-17097).
- El anexo I y II, por Real Decreto 2322/2004, de 17 de diciembre (Ref. BOE-A-2004-21769).
- Los anexos I y II , por Real Decreto 1748/1998 de 31 de julio (Ref. BOE-A-1998-20602).
- Los arts. 4, 5, 6 y 8 y los Anexos II y IV, por Real Decreto 396/1990, de 16 de marzo (Ref. BOE-A-1990-7738).

No obstante lo dispuesto en el apartado anterior, la denominación «lana virgen» o «lana de esquilado» podrá utilizarse para calificar la lana contenida en una mezcla de fibras cuando:

a) La totalidad de la lana contenida en la mezcla responda a las características definidas en el apartado anterior.

b) La cantidad de esta lana con relación al peso total de la mezcla no sea inferior al 25 por 100.

c) En caso de mezcla íntima, la lana solo se mezclará con una única fibra.

En el caso al que se refiere el presente apartado, la indicación de la composición porcentual completa será obligatoria.

La tolerancia justificada por motivos técnicos inherentes a la fabricación se limitará al 0,3 por 100 de impurezas fibrosas para los productos calificados de lana virgen o lana de esquilado, incluso para los productos de lana obtenidos por el ciclo del cardado.

3. **Hilo**: en caso de emplearse la palabra «hilo» en algún tejido o artículo confeccionado, deberá ir seguida del nombre de la fibra textil con que estuviera elaborado.

4. **Semilino**: los productos que contengan una urdimbre de algodón puro y una trama en lino puro y cuyo porcentaje de lino no sea inferior al 40 por 100 del peso total de la tela sin encolar podrán designarse por la denominación «mezclado» o por la de «semilino» completada obligatoriamente por la indicación de composición «urdimbre algodón puro-trama lino puro».

5. **Seda**: la denominación «seda», con o sin calificativos, se aplicará exclusivamente a lo definido como «Fibra procedente exclusivamente de los insectos sericígenos», no pudiendo utilizarse tal denominación para designar la forma o presentación en filamento o hilo continuo de cualquier otra fibra.

6. **Mezclas de fibras textiles:** todo producto textil compuesto por dos o más fibras, en el que una de ellas represente el 85 por 100 del peso total, como mínimo, se designará mediante alguna de las siguientes formas:

   - Por el nombre de la fibra y su porcentaje en peso.
   - Por el nombre de la fibra y la indicación de «85 por 100 mínimo».
   - Por la composición porcentual completa del producto, ordenada de mayor a menor.

Todos los productos textiles compuestos por dos o varias fibras, en los que ninguna de ellas alcance el 85 por 100 del peso total, serán designados por la denominación y el porcentaje del peso de al menos, las dos fibras con porcentajes mayores, seguidos de la enumeración de las denominaciones de las demás fibras

que componen el producto, en orden decreciente según su porcentaje en peso, con o sin indicación del mismo. Sin embargo:

- El conjunto de fibras en el que cada una de ellas forme parte con menos del 10 por 100 de la composición de un producto, podrá ser designado por la expresión «otras fibras», seguida de su porcentaje global.
- En el caso de especificar la denominación de una fibra que formara parte en menos del 10 por 100 de la composición de un producto, deberá expresarse la composición porcentual completa.

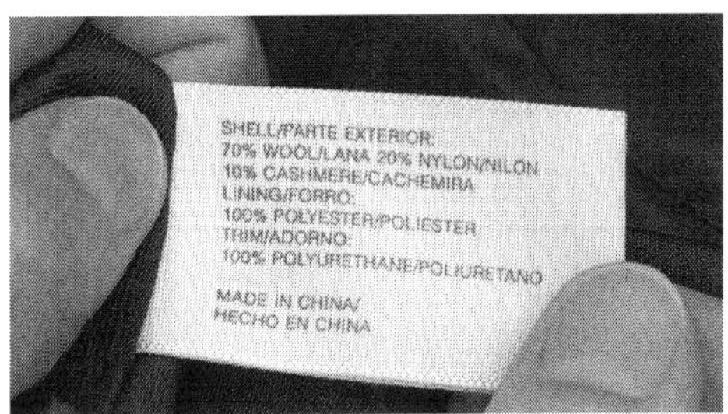

Actividad 14

Para designar productos textiles compuestos exclusivamente por dicha fibra solo se permite el uso de la calificación:

- ☐ a) «100 por 100».
- ☐ b) «Puro».
- ☐ c) Además de las dos respuestas anteriores, «todo».

7.2.2. Etiquetado

Todos los productos textiles serán etiquetados de acuerdo con lo que se indica a continuación:

1. Nombre o razón social o denominación del fabricante, comerciante o importador y, en todo caso, su domicilio.
2. Para los productos textiles fabricados en España, el número de registro industrial del fabricante nacional.
3. Para los productos textiles importados de países no pertenecientes a la CEE, y distribuidos en el mercado nacional, el número de identificación fiscal del importador.

4. Los comerciantes, tanto mayoristas como minoristas, podrán etiquetar los productos textiles con marcas registradas, a las que deberán añadir los datos relativos a su nombre, razón social o denominación, y domicilio, así como su número de identificación fiscal. En este caso, el comerciante será responsable del producto y, por tanto, de todas las infracciones en que aquel pueda incurrir.

5. Composición del artículo textil, de acuerdo con las definiciones y prescripciones de la presente disposición.

   En las prendas de confección y punto, a excepción de calcetería y medias, la etiqueta será de cualquier material resistente, preferentemente de naturaleza textil, irá cosida o fijada a la propia prenda de forma permanente, y deberá tener su misma vida útil. Quedarán exceptuados de estas obligaciones en los casos y condiciones que establezcan las normas de desarrollo de esta disposición.

   Los datos requeridos en este apartado podrán consignarse en etiqueta distinta de los exigidos en los apartados anteriores.

6. Cuando los productos textiles sean ofrecidos a la venta con una envoltura, el etiquetado deberá figurar además en la propia envoltura, salvo que pueda verse claramente el etiquetado del producto.

7. Las indicaciones o informaciones facultativas, tales como «símbolos de conservación», «inencogible», «ignífugo», «impermeable», etc., deben aparecer netamente diferenciadas.

8. El etiquetado de los productos textiles podrá ser sustituido por la indicación del mismo en los documentos o albaranes, cuando dichos productos vayan destinados a un industrial y, también, cuando vayan destinados a Organismos públicos, Instituciones y Empresas privadas que adquieran estos productos al por mayor para uso propio, debiendo constar esta circunstancia en las facturas o documentos comerciales correspondientes.

   Las denominaciones, y composición de los productos deberán indicarse claramente en tales documentos. No se permitirá la inscripción de abreviaturas, salvo si se utiliza algún código, en cuyo caso deberá incluirse obligatoriamente la clave o significado en el mismo documento.

9. Todas las indicaciones obligatorias deberán aparecer con caracteres claramente visibles y fácilmente legibles por el consumidor. Las denominaciones, calificativos y contenidos en fibras deberán indicarse con los mismos caracteres tipográficos.

10. Si un producto textil está formado por dos o varias partes que no tengan la misma composición, irá provisto de una etiqueta que indique el contenido en fibras de cada una de las partes. Este etiquetado no será obligatorio para las partes que representen menos del 30 por 100 del peso total del producto, a excepción de los forros principales. Cuando todas las partes representen menos del 30 por 100 se indicará la composición global del artículo textil.

Cuando dos o varios productos textiles formen de modo usual un conjunto inseparable y tengan idéntica composición de fibras, podrán ir provistos de un solo etiquetado.

11. La composición en fibras de los artículos de corsetería se indicará dando la composición del conjunto del producto o bien la composición de las distintas partes de dichos artículos. En los casos concretos que se detallan a continuación, se tendrán en cuenta los siguientes criterios:

    - Para los sujetadores: tejidos exterior e interior de las copas y de la espalda.
    - Para las fajas: petos delanteros, traseros y costados.
    - Para los combinados (faja-sujetador): tejidos exterior e interior de las copas, petos delanteros, traseros y costados.
    - Para las partes que no alcancen, al menos, el 10 por 100 del peso total del producto no es obligatorio el etiquetado.

12. El etiquetado por separado de las distintas partes de los artículos de corsetería contempladas anteriormente, se efectuará de modo que el consumidor final pueda fácilmente entender a qué parte de la prenda se refieren las indicaciones que figuran en la etiqueta.

13. La composición en fibras de los tejidos tipo «devoré», se dará para la totalidad del producto o se podrá indicar por separado la composición del tejido de base y la del tejido que ha sufrido tratamiento «devoré», debiendo ser expresados por su denominación dichos elementos.

14. La composición en fibras de los productos textiles bordados se dará, bien para la totalidad del producto o por separado, la composición de la tela de base y la de los hilos de bordado, debiendo especificarse estos elementos por su denominación. Si las partes bordadas ocupan menos del 10 por 100 de la superficie del producto, bastará con indicar la composición del tejido de base.

15. En la composición de los hilos constituidos por un alma y un revestimiento de diferentes fibras, presentados como tales a los consumidores, se dará, bien para la totalidad del producto o por separado, la composición del alma y la del revestimiento; dichos elementos deberán ser mencionados por su denominación.

16. La composición en fibra de los productos textiles de terciopelo, peluche o similares, se dará bien para la totalidad del producto o por separado. Si dichos productos están constituidos de una base y de una capa de uso distinto y compuestas por fibras diferentes, se mencionarán ambos elementos.

17. Todas las inscripciones a las que se ha hecho referencia deberán figurar obligatoriamente, al menos, en la lengua española oficial del Estado.

Actividad 15

La denominación «lana virgen» o «lana de esquilado» podrá utilizarse para calificar la lana contenida en una mezcla de fibras cuando:

- ☐ a) La totalidad de la lana contenida en la mezcla responda a las características definidas, entre ellas que no haya sufrido operaciones de hilatura o enfieltrado.
- ☐ b) La cantidad de esta lana con relación al peso total de la mezcla no sea inferior al 10 por 100.
- ☐ c) En caso de mezcla íntima, pudiendo mezclar la lana con varias fibra.

7.2.3. Fijación del etiquetado

El etiquetado obligatorio de los productos textiles, para su puesta en el mercado y venta directa al consumidor, se efectuará de la siguiente forma:

1. **Hilados**: figurará en las cajas u otro tipo de envoltorios en que sean expedidos para el comercio al detalle, y se hará constar, además, el número de unidades que contiene cada envase. Cuando la unidad de venta tenga un peso igual o superior a 40 gramos, cualquiera que sea la forma de presentación, el etiquetado también figurará en cada unidad.

   Además figurará el contenido de la unidad de hilo, con mención del número de metros o su peso en gramos, de manera clara e inequívoca. En ambos casos se admitirá una tolerancia de ± 5 por 100. Quedan exceptuados de la indicación de este dato los hilados que se vendan al peso, en cuyo caso, mediante un rótulo o cartel, se indicará el precio por kilogramo para cada tipo de hilado en caracteres legibles para el consumidor.

   Cuando las reducidas dimensiones de las etiquetas impidan, para artículos de pequeño volumen, la inclusión de las anteriores leyendas, se podrá prescindir de ellas, pero, en todos los casos, figurará en las cajas o envoltorios que constituyan las unidades de venta en fábrica.

2. **Tejidos**: el etiquetado será obligatorio en cada pieza, pudiendo estar tejido o impreso sobre la pieza o en el orillo, cada tres metros, o mediante etiqueta adherida en ambos extremos de la pieza o en el plegador de tal forma que esta ha de ser visible durante el tiempo que el producto permanezca a la venta.

3. **Pasamanería, encajes y bordados**: será suficiente que el etiquetado figure en la caja u otras formas de envoltura, con indicación del número de unidades que contiene, así como el metraje o peso de cada unidad.

4. **Confección y géneros de punto**: cada prenda individual llevará el preceptivo etiquetado:

   En las confecciones denominadas textiles del hogar y de ropa de mesa y cama que se comercialicen por juegos o por elementos independientes, deberá marcarse cada pieza con etiqueta. Cuando se ofrezcan al comprador presentados en cajas o en otras formas de envoltura, el etiquetado deberá figurar además en la caja o envoltura y se hará constar el número de piezas que contiene. Únicamente quedan excluidos de lo anterior los juegos de ropa de mesa, en cuyo caso podrá figurar una sola etiqueta en la pieza principal.

   En mantas, alfombras, tapices, visillos, cortinas o similares que no se comercialicen por metros, el etiquetado será obligatorio para cada unidad, cualquiera que sea su dimensión o peso, mediante una etiqueta de las mismas características que las exigidas en el párrafo anterior. Si se tratara de piezas vendibles por metros, el etiquetado se exigirá en cada pieza, figurando en ambos extremos de la misma, o bien en su plegador o bastidor. Para las alfombras y tapices, a la hora de detallar su composición no se tendrá en cuenta el tejido de base.

5. **Otros productos textiles**: cualquier otro producto textil, no contemplado en los puntos anteriores, llevará un etiquetado por cada unidad individual, salvo lo señalado en el artículo siguiente.

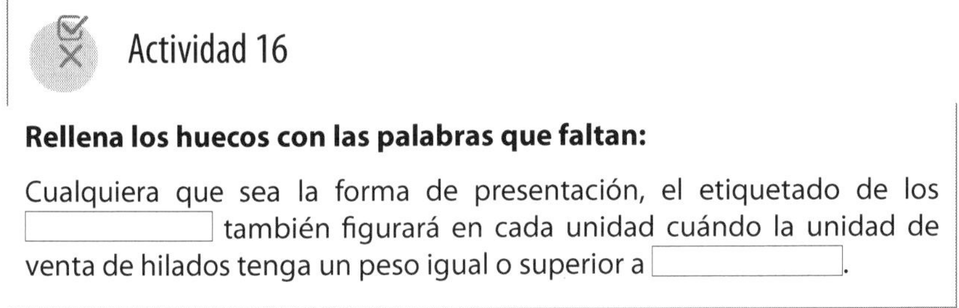

Actividad 16

Rellena los huecos con las palabras que faltan:

Cualquiera que sea la forma de presentación, el etiquetado de los ________ también figurará en cada unidad cuándo la unidad de venta de hilados tenga un peso igual o superior a ________.

7.3. Símbolos del etiquetado de la ropa

7.3.1. Introducción

Las normas de conservación y mantenimiento de los productos textiles, pese a tener una gran importancia y ser una información prácticamente imprescindible y necesaria para el consumidor, son de aplicación voluntaria y no existe una normativa que la regule. Estas normas permiten mantener las cualidades que han ido añadiendo al producto todos los operadores que han participado en la cadena textil.

El sistema de aplicación internacional basado en símbolos que se utiliza de forma habitual es el que regula la entidad GINETEX (Grupo Internacional de Etiquetado para el Mantenimiento de Textiles), entidad fundada en Paris en 1963.

GINETEX controla, define y promueve el sistema de etiquetaje de conservación y coordina sus aspectos técnicos a nivel internacional. Coopera con la ISO y le ha otorgado el derecho de usar los símbolos de conservación registrados en la WIPO -*World Intellectual Property Organisation*), siempre que salvaguarde la marca registrada propiedad de GINETEX. La norma internacional que regula actualmente este código es la **ISO 3758:2012**, que a nivel europeo es la Norma Europea EN ISO 3758:2012 y que en su versión 2 (V2) es la que vamos a considerar en nuestros contenidos.

En España los pictogramas indicados en esa norma ISO son de uso libre, en otros países requieren una licencia de utilización.

Los pictogramas utilizados son marcas registradas propiedad de GINETEX y COFREET (Comité Francés de Etiquetado para el Mantenimiento de Textiles), que colaboran en los trabajos de armonización internacional de las normas ISO 3758-2012 del cuidado textil. Estos símbolos de etiquetado tienen carácter universal (Norma Cofreet 1227).

El sistema de etiquetaje de conservación aporta al consumidor y a las empresas textiles la información para el tratamiento de conservación de los productos textiles con lo que se logra el uso de la prenda con todas sus cualidades, una mayor durabilidad y se puede evitar cualquier daño irreversible.

Los símbolos que proporciona la norma ISO son cinco símbolos básicos y algunos símbolos adicionales.

7.3.2. Símbolos básicos

Los **símbolos básicos**, que deben aparecer en el etiquetaje en este orden, son los siguientes:

1	2	3	4	5
Lavado	Blanqueo	Secado	Planchado y prensado	Conservación textil profesional

Ahora bien, si se requiere usar más de un símbolo de secado o más de un símbolo de conservación profesional, deben aparecer en el orden de lavado, blanqueo, secado en tambor, secado natural, planchado, lavado profesional en seco y lavado profesional en húmedo.

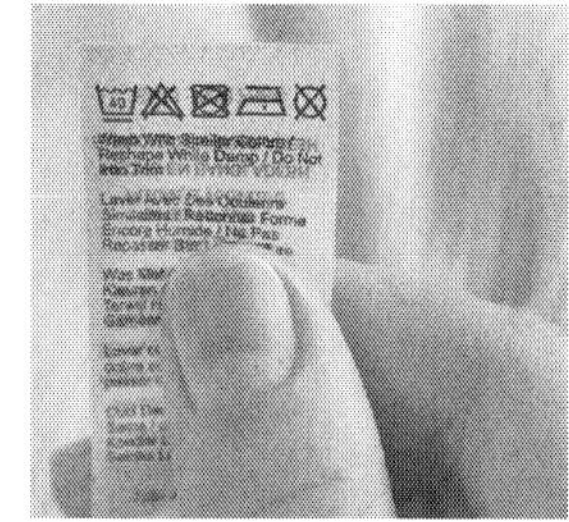

Si no aparece información en alguno de los cinco símbolos principales descritos, se puede utilizar cualquier tratamiento de conservación de los contemplados por ese símbolo.

7.3.3. Símbolos adicionales

En cuanto a los **símbolos o descripciones adicionales** podemos diferenciar entre:

- Símbolos de tratamiento.
- Símbolos de temperatura.
- Símbolo de prohibición.

1. Símbolos de tratamiento

Suave	Muy suave
—	=
Una barra debajo del símbolo significa que el tratamiento debería ser más suave que el indicado por el mismo símbolo sin una barra, por ejemplo, agitación reducida.	Una doble barra debajo del símbolo describe un proceso muy suave, por ejemplo, agitación muy reducida.

2. Símbolos de temperatura

- En relación al **símbolo de lavado**: la temperatura se indica como una **cifra** que se representa en grados centígrados (30, 40, 50, 60, 70 ó 95) pero sin la designación "ºC".

  Además, en los símbolos de lavado se pueden utilizar **puntos** junto con la temperatura de lavado, en grados Celsius (ºC), para dar información a nivel nacional sobre la temperatura, como es el caso de EEUU.

- En relación al símbolo del **secado, planchado y prensado**: se utilizan **puntos** para definir la temperatura del tratamiento.

••••	•••	••	•
Temperatura muy alta, máximo 60 ºC.	Temperatura alta, máximo 50 ºC.	Temperatura suave, máximo 40 ºC.	Temperatura baja o fría, máximo 30 ºC, mínimo 20 ºC.

Descripción Norma ISO para temperaturas nacionales en Estados Unidos

3. Símbolo de prohibición

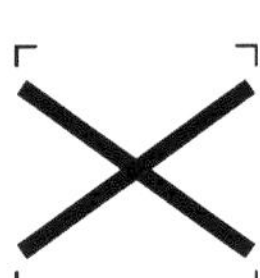

Una **cruz encima** de uno de los símbolos básicos significa que el tratamiento representado no está permitido.

7.3.4. Combinación de los diferentes símbolos básicos con los adicionales

La combinación de los diferentes símbolos básicos con los adicionales configuran las siguientes tablas de símbolos para los diferentes procesos:

1. Pictogramas combinados de lavado

Símbolo	Proceso de lavado
95	– Temperatura máxima de lavado 95 ºC. – Proceso normal.
70	– Temperatura máxima de lavado 70 ºC. – Proceso normal.
60	– Temperatura máxima de lavado 60 ºC. – Proceso normal.
60	– Temperatura máxima de lavado 60 ºC. – Proceso suave.
50	– Temperatura máxima de lavado 50 ºC. – Proceso normal.
50	– Temperatura máxima de lavado 50 ºC. – Proceso suave.
40	– Temperatura máxima de lavado 40 ºC. – Proceso normal.
40	– Temperatura máxima de lavado 40 ºC. – Proceso suave.
40	– Temperatura máxima de lavado 40 ºC. – Proceso muy suave.
30	– Temperatura máxima de lavado 30 ºC. – Proceso normal.
30	– Temperatura máxima de lavado 30 ºC. – Proceso suave.
30	– Temperatura máxima de lavado 30 ºC. – Proceso muy suave.
	– lavado a mano. – Temperatura máxima 40 ºC.
	– No lavar.

Cómo hemos indicado, en algunos países se emplean puntos junto con las temperaturas expresadas en grados Celsius. Ofrecemos en este caso, la tabla de pictogramas o símbolos relacionada con el lavado en Estados Unidos:

Símbolo	Proceso de lavado
60	– Temperatura máxima de lavado 60 °C. – Proceso normal.
60	– Temperatura máxima de lavado 60 °C. – Proceso suave.
50	– Temperatura máxima de lavado 50 °C. – Proceso normal.
50	– Temperatura máxima de lavado 50 °C. – Proceso suave.
40	– Temperatura máxima de lavado 40 °C – Proceso normal
40	– Temperatura máxima de lavado 40 °C. – Proceso suave.
40	– Temperatura máxima de lavado 40 °C. – Proceso muy suave.
30	– Temperatura máxima de lavado 30 °C. – Proceso normal.
30	– Temperatura máxima de lavado 30 °C. – Proceso suave.
30	– Temperatura máxima de lavado 30 °C. – Proceso muy suave.

2. Pictogramas combinados de blanqueo

Símbolo	Proceso de blanqueo
	– Se permite cualquier agente oxidante de blanqueo.
	– Sólo se permite blanqueo con un agente oxidante exento de cloro.
	– No blanquear.

Sabías que...

Aunque no es un símbolo actual, en caso de que el triángulo lleve en su interior las letras "CL", está permitido el uso de blanqueantes con cloro.

3. Pictogramas combinados de secado

A) Secado en tambor 

Se representa el cuadrado (símbolo básico del secado) con un círculo en su interior, con las siguientes combinaciones:

Símbolo	Proceso de secado en tambor
	– Secado en tambor permitido. – Temperatura normal; temperatura de emisión máxima 80 ºC.
	– Secado en tambor permitido. – Temperatura baja; temperatura de emisión máxima 60 ºC.
	– Secado en tambor no permitido.

Sabías que...

Existen **cinco grandes sistemas de pictogramas** que indican cómo se debe lavar, secar y planchar una prenda: Estados Unidos, Europa, China, Japón y Australia. Por eso podemos encontrar símbolos diferentes con significados parecidos como los siguientes:

Símbolo	Proceso de secado en tambor
	– Secado a máquina, antiarrugas o prendas delicadas.
	– Secado a máquina, prendas delicadas o muy delicadas.

B) Secado natural

Se representa el cuadrado con líneas interiores y cuyos significados son:

Proceso de secado natural		Procesos de secado natural a la sombra	
Símbolo	Descripción Nª de registro	Símbolo	Descripción Nª de registro
	– Secado al aire.		– Secado al aire a la sombra.
	– Secado al aire por goteo.		– Secado al aire por goteo a la sombra.
	– Secado plano.		– Secado plano a la sombra.
	– Secado plano por goteo.		– Secado plano por goteo a la sombra.

Como hemos visto en la simbología de lavado, en algunos países existen regulaciones y requisitos específicos relacionados con el etiquetado de conservación y con algunos símbolos de conservación. A modo de ejemplo, en Japón el uso de los símbolos de secado natural es obligatorio, de acuerdo a sus leyes y reglamentaciones.

Por su parte en EEUU la simbología del secado natural queda reflejada en la siguiente tabla:

Símbolo	Secado natural
	– Secado al aire.
	– Secado por goteo.
	– Secado plano.
	– Secado al aire a la sombra.
	– Secado por goteo a la sombra.
	– Secado plano a la sombra.

4. Pictogramas combinados de planchado y prensado

Símbolo	Proceso de planchado
	– Planchado a la temperatura máxima de la placa inferior de 200 ºC.
	– Planchado a la temperatura máxima de la placa inferior de 150 ºC.
	– Planchado a la temperatura máxima de la placa inferior de 110 ºC. – La plancha de vapor puede causar un daño irreversible.
	– No planchar.

5. Pictogramas combinados de conservación textil profesional

A) Lavado en seco

Se representa con un círculo con el interior vacío.

El círculo puede llevar en su interior las siguientes indicaciones sobre el lavado profesional:

Símbolo	Procesos de lavado en seco
P	– Limpieza en seco profesional en tetracloroetileno y todos los disolventes enumerados para el símbolo F. – Proceso normal.
P	– Limpieza en seco profesional en tetracloroetileno y todos los disolventes enumerados para el símbolo F. – Proceso suave.
F	– Limpieza en seco profesional en hidrocarburos (temperatura de destilación entre 150 °C y 210 °C, punto de inflamación entre 38 °C y 70 °C). – Proceso normal.
F	– Limpieza en seco profesional en hidrocarburos (temperatura de destilación entre 150 °C y 210 °C, punto de inflamación entre 38 °C y 70 °C). – Proceso suave.
	– No lavar en seco.

B) Lavado en húmedo

La letra del interior del círculo indica el tipo de producto a utilizar para la limpieza en seco. Aunque los símbolos utilizados en Europa son los indicados en la tabla anterior, se pueden encontrar otros símbolos que representan un círculo con alguna de las siguientes letras en el interior:

- **A**: cualquier solvente.
- **HC**: hidrocarburos.
- **SI**: siliconas.

Símbolo	Procesos de lavado en húmedo
W	– Limpieza profesional en húmedo – Proceso normal
W	– Limpieza profesional en húmedo – Proceso suave
W	– Limpieza profesional en húmedo – Proceso muy suave
W	– no realizar limpieza profesional en húmedo

7.3.5. Conservación de las prendas

Por último, la simbología para la conservación de las prendas puede venir acompañada de términos adicionales entendido, según la Norma ISO, como una información de conservación adicional que puede acompañar a las instrucciones de conservación mediante símbolos y que se necesita para el reacondicionamiento de los artículos textiles sin dañar el producto u otros que se limpian con él, permitiendo el uso ordinario y el disfrute de la prenda textil.

Ejemplos de términos adicionales pueden ser:

- Retirar...antes del lavado.
- Lavar separadamente.
- Lavar con colores similares.
- Lavar antes de usar.
- Lavar del revés.
- No escurrir o torcer.
- Sólo con paño mojado.
- No añadir suavizante de tejidos.
- Retirar inmediatamente.
- Planchar sólo el lado del envés.
- No planchar los elementos decorativos.
- Usar un paño para planchar.
- Sin blanqueantes ópticos.
- Usar una red de lavado.
- No planchar con vapor.
- Sólo vapor.
- No poner en remojo.
- Se recomienda plancha de vapor.
- Secar sin contacto directo con el calor.
- Re-formar en estado húmedo.
- Re-formar y secado plano.
- Repasar con la plancha para prevenir el amarilleamiento y el agrietamiento.

Actividad 17

Relaciona cada símbolo con su significado:

Secado por goteo.

Sólo se permite blanqueo con un agente oxidante exento de cloro.

Limpieza profesional en húmedo, proceso normal.

Planchado a la temperatura máxima de la placa inferior de 110 ºC.

Recuerda que...

Los símbolos de las etiquetas textiles dan información sobre el lavado (cubeta), blanqueamiento (triángulo), secado (cuadrado), planchado (plancha), o cuidado profesional (círculo).

Solución a las actividades

Actividad 1.

- ☐ a) Las ventanas deberán tener una altura superior a 1,5 metros.
- ☑ b) El sistema de circulación de agua para su reutilización.
- ☐ c) La identificación de espacios por colores.

Actividad 2.

- ☐ a) Sí, siempre.
- ☑ b) No, nunca.
- ☐ c) Solo cuando la ropa limpia está empaquetada y se traslada para para el reparto.

Actividad 3.

- ☑ a) Separación e interrelación de fases, marcha adelante y racionalización de espacios.
- ☐ b) Unificación de fases, marcha adelante y racionalización de espacios.
- ☐ c) Separación e interrelación de fases, marcha atrás y racionalización de espacios.

Actividad 4.

Verdadera.

Actividad 5.

Lavandería institucional →	Dotada para satisfacer las necesidades del propio centro.
Lavandería centralizada →	Tiene gestión propia.
Lavandería semicentralizada →	Aunque es gestionada por un hospital, podría dar servicio a otros centros si tiene capacidad suficiente.

Actividad 6.

Ropa de línea.

Actividad 7.

☐ a) Realizar revisiones periódicas de las instalaciones.

☐ b) Reemplazar determinadas piezas antes de que se genere una avería.

☑ c) La reparación de las máquinas cuando se produce una avería.

Actividad 8.

Falsa.

Actividad 9.

☑ a) Contenedores para clasificación de ropa sucia.

☐ b) Contenedores para clasificación de ropa limpia.

☐ c) Tolvas.

Actividad 10.

☐ a) Cintas transportadoras para el desplazamiento mecánico de la ropa.

☑ b) Conductos para el transporte de las prendas, por los que caen utilizando la gravedad.

☐ c) Soportes que se utilizan para colocar la maquinaria a una altura más cómoda.

Actividad 11.

☐ a) Madera.

☑ b) Metal.

☐ c) Acero inoxidable.

Actividad 12.

☐ a) Se depositan en el contenedor correspondiente para que las retire el servicio de limpieza.

☑ b) Se vuelven a lavar.

☐ c) Se planchan y se envían al costurero.

Actividad 13.

☐ a) Una costura inglesa.

☐ b) Un festón.

☑ c) Un repulgo.

Actividad 14.

☐ a) «100 por 100».

☐ b) «Puro».

☑ c) Además de las dos respuestas anteriores, «todo».

Actividad 15.

☑ a) La totalidad de la lana contenida en la mezcla responda a las características definidas, entre ellas que no haya sufrido operaciones de hilatura o enfieltrado.

☐ b) La cantidad de esta lana con relación al peso total de la mezcla no sea inferior al 10 por 100.

☐ c) En caso de mezcla íntima, pudiendo mezclar la lana con varias fibra.

Actividad 16.

Cualquiera que sea la forma de presentación, el etiquetado de los **hilados** también figurará en cada unidad cuándo la unidad de venta de hilados tenga un peso igual o superior a **40 gramos**.

Actividad 17.

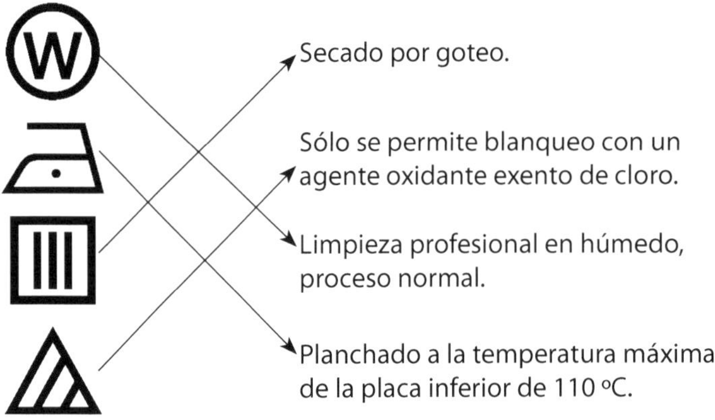

TEMA 2

Factores que hay que tener en cuenta en la limpieza de habitaciones y zonas comunes en un centro residencial. Tipo de utensilios y productos necesarios para su realización

Tú nos eliges, nosotros te **acompañamos** y tu Curso MAD360 te ayuda a organizar el estudio para no dejarte nada atrás.

Índice

1. Introducción

Hasta hace unos años, la limpieza de edificios y locales era un tema menor, pero en la actualidad, por varias y numerosas causas (entre las que destaca el avance de la tecnología), los distintos espacios con necesidad de ser limpiados, junto a una exigencia individual y colectiva más rigurosa en materia de higiene y ambientación, hacen ver la limpieza desde otra perspectiva.

Los tiempos de las bayetas y los cepillos como únicos instrumentos de limpieza han pasado. Este fenómeno se manifiesta con mayor claridad allí donde la limpieza tradicional no es suficiente y es necesario buscar soluciones específicas a problemas concretos. Este es el caso, por ejemplo, de las residencias de ancianos, aeropuertos, almacenes comerciales, ambulatorios, hospitales, empresas de alta tecnología, etc., donde cualquier planteamiento erróneo de la limpieza puede tener repercusiones nefastas sobre las personas o instalaciones. Es aquí donde la limpieza deja de ser un "mal menor" y adquiere una importancia vital en la acción preventiva de posibles enfermedades o del deterioro de las instalaciones.

En esta nueva situación, a la que se unen necesidades tan importantes en toda empresa como son la calidad y la economía, surge la "limpieza como problema" y la creciente complejidad del mismo genera que las empresas requieran personal de limpieza cualificado que, siendo conocedor de esta problemática, esté capacitado para la buena utilización de las técnicas de limpieza y, por tanto, desarrolle su trabajo con eficacia.

Actualmente disponemos de medios técnicos (que debemos conocer y aplicar adecuadamente) que nos permiten realizar un trabajo de calidad con menos esfuerzo.

Normas generales de limpieza

- La limpieza la realizaremos siempre de las zonas más limpias a las más sucias.
- Colocaremos en el carro antes de empezar la tarea, todo el material que necesitemos, incluidas las bolsas de basura.
- El carro siempre estará a la vista del trabajador, dependiendo siempre de este su custodia.
- Cuando se deba cambiar de tarea o se tenga tiempo de descanso, el carro se llevara al almacén, **nunca** se dejara sin custodia.
- El agua no se utiliza sola. Se añadirá siempre detergente más desinfectante en las concentraciones estipuladas, según la normativa vigente y que nos indique el producto.
- Dichos detergentes o desinfectantes utilizados, se adecuaran siempre al objeto especifico de las tareas a realizar, y se ajustaran **siempre** a la norma establecida en función del objeto para lo que están destinados.
- Nunca se barrera, siempre se utilizara el cepillo cubierto con paño para quitar el polvo antes de fregar, se pasara mopa o avión cubierto con frixelina.

- El personal de limpieza realizara su trabajo con guantes de protección, que pueden ser material fungible, o se pueden limpiar dependiendo del material. Se lavaran las manos siempre antes y después de su utilización.
- Se emplearan materiales diferentes según sea el local a limpiar.
- Las bayetas serán de distinto color según su utilización.
- Se atenderá al código utilizado por la OMS:
  * Rojo en aseos y baños.
  * Azul en áreas generales.
  * Verde en cocinas, comedores y áreas donde se manipulen alimentos.
- Después de utilizar el material se llevara a cabo el proceso necesario que lleve a cabo la desinfección del mismo.
- Las bolsas de basura se cerraran previamente antes de ser retiradas.
- Los cuartos de almacenamiento se mantendrán siempre limpios y al menos se efectuará su limpieza una vez por turno.
- Todos los productos de limpieza se emplearan en la cantidad adecuada utilizando los dosificadores.
- Las soluciones se preparan en el momento de su utilización, para que sean estables y evitar alteraciones.
- Al final de cada turno, se realizará el lavado de los materiales empleados por cada trabajador, con agua caliente y detergente, excepto las mopas y bayetas que se procesarán de forma mecánica. Los útiles deberán quedase limpios y secos.

1.1. Concepto de suciedad

1.1.1. El polvo

Se llama polvo a toda partícula que se encuentra en estado libre en una superficie o en suspensión en la atmósfera.

Estas partículas son con frecuencia tan pequeñas, que parecen no estar sometidas a la ley de la gravedad, ya que permanecen en suspensión en el aire. Podemos apreciarlo en el haz de un rayo de sol a través de una ventana, que nos permite ver los cientos de partículas de polvo que se encuentran flotando. La velocidad de caída de estas partículas depende de su tamaño, forma y peso específico.

El polvo grueso se deposita con facilidad en el suelo, pero el más fino, el llamado micropolvo, puede permanecer en el aire hasta siete horas en suspensión sometido a una ligera corriente, ya que no se deposita en ningún sitio.

El polvo es un compañero desagradable que se elimina muchas veces pensando solo en la estética pero olvidando con frecuencia que este elemento es nocivo para la salud.

Sabías que...

Estudios bacteriológicos demuestran que el polvo sirve de vehículo a las bacterias; un gramo de polvo puede contener alrededor de 1,5 millones de bacterias, con el riesgo que ello implica.

1.1.1.1. Procedencia y formación del polvo

Las fuentes de polvo son numerosas y variadas. El origen del polvo puede ser **vegetal, mineral** o **químico**.

En el campo, donde el aire no se ha contaminado todavía, el polvo es, sobre todo, vegetal y mineral. El polvo vegetal está formado fundamentalmente por polen, en primavera, y por la descomposición de las plantas y de las hojas en otoño.

El polvo levantado por los coches y por el viento en las carreteras es de origen mineral o químico.

Las nubes de polvo en las ciudades son múltiples y variadas. Sobre los núcleos urbanos flotan toneladas de polvo que caen continuamente. Este polvo de origen químico está producido, en su mayoría por:

- Los humos de calefacción doméstica (60 %).

- Las chimeneas de fábricas (20 %).
- Los automóviles (20 %).

Estos porcentajes pueden variar de una ciudad a otra. En Estados Unidos, por ejemplo, se considera que un 60 % del polvo que contamina la atmósfera proviene de la circulación rodada. Sin embargo, en otras ciudades el porcentaje mayor procede de los humos de las chimeneas de las fábricas. Es por ello que el índice de contaminación de muchas ciudades es tan alto que el aire se hace irrespirable.

Actividad 1

Indica si la siguiente cuestión es verdadera o falsa:

Se llama suciedad a toda partícula que se encuentra en estado libre en una superficie o en suspensión en la atmósfera.

Estas partículas son con frecuencia tan pequeñas, que parecen no estar sometidas a la ley de la gravedad, ya que permanecen en suspensión en el aire. La velocidad de caída de estas partículas depende de su tamaño, forma y peso específico.

Verdadera ☐ Falsa ☐

Está demostrado que el polvo es causa de muchas enfermedades respiratorias y alérgicas, especialmente del asma, incluso provocadas por el polvo doméstico.

Es muy significativo el interés demostrado por la Organización Mundial de la Salud (OMS) por los problemas que acarrea el polvo y los agentes contaminantes que se encuentran en la atmósfera, de los cuales están en estudio las partículas de hollín, el polvo de cemento, el óxido de carbono, el óxido de ozono y el plomo.

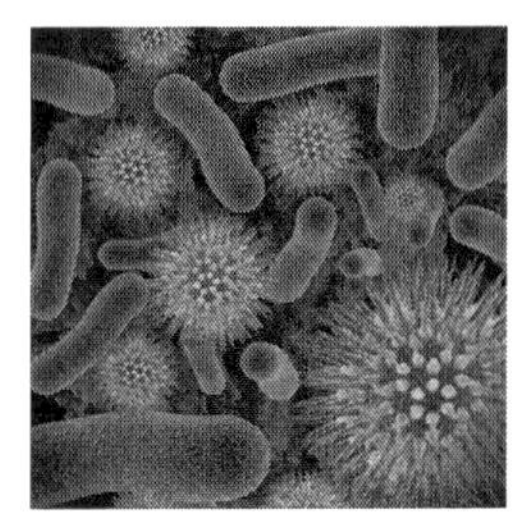

Estudios bacteriológicos demuestran que el polvo sirve de vehículo a las bacterias; un gramo de polvo puede contener alrededor de 1,5 millones de bacterias, con el riesgo que ello implica.

Las obras (construcción de carreteras y edificios) despiden mayor cantidad de polvo de la que se puede detectar a simple vista.

Igualmente, la circulación de automóviles en carreteras sin asfaltar provoca nubes de polvo muy visible que permanecen cierto tiempo en suspensión en el aire.

La circulación en carreteras asfaltadas provoca un polvo menos denso y, por tanto, menos visible, pero que hay que tener en cuenta por la contaminación que produce. Este polvo es transportado por corrientes de aire que lo trasladan al interior de los edificios a través de las ventanas, fundamentalmente.

Recuerda que...

Las fuentes de polvo son numerosas y variadas. El origen del polvo puede ser **vegetal**, **mineral** o **químico**.

1.1.1.2. Eliminación del polvo

Por todo lo anteriormente expuesto, llegamos a la conclusión de que es conveniente eliminar cuanto más polvo mejor y para ello será necesario utilizar sistemas de limpieza racionales y, por tanto, eficaces (como el barrido húmedo y la aspiración con filtro absoluto) que nos garanticen la eliminación del polvo sin mandarlo nuevamente al ambiente. De esta forma disminuiremos considerablemente las enfermedades producidas por el polvo.

1.1.2. La suciedad

La suciedad es materia en lugar equivocado; por ejemplo, el café en la taza está en su sitio pero si se derrama en el suelo se convierte en suciedad.

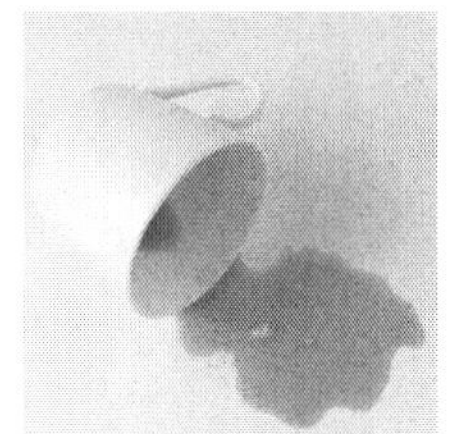

Podemos clasificar la suciedad en tres bloques:

- **Suciedad grasa**: es aquella provocada por aceites, grasas, etc. Esta suciedad solo puede eliminarse mediante sustancias químicas (detergentes alcalinos) o mecánicamente con el empleo de fregadoras y detergentes solventes.

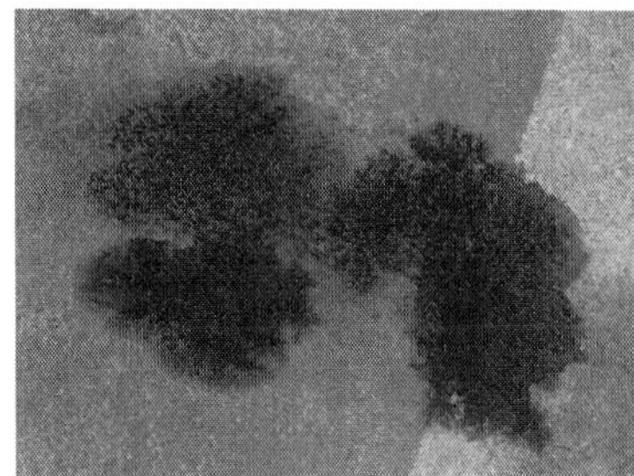

- **Suciedad no grasa**: esta suciedad es la que se adhiere tanto a las superficies horizontales como verticales y contiene poca o ninguna materia grasa. Para eliminar esta suciedad es suficiente un fregado con mopa y detergente neutro o ligeramente alcalino.

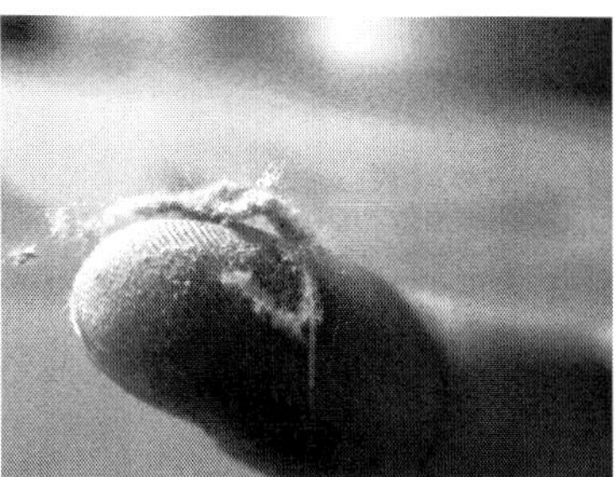

- **Manchas especiales**: son aquellas producidas por elementos o sustancias que requieren productos también especiales para su eliminación. Es el caso, por ejemplo, de:
  * Las **manchas negras** producidas por la anilina que desprenden, por ejemplo, las patas de las sillas.
  * Las **manchas de pintura**, que requieren disolventes especiales.

  * **El cemento**, que precisa de productos ácidos para su eliminación.

Sabías que...

La anilina se utiliza para la fabricación de compuestos relacionados para la industria química, para la fabricación de caucho, herbicidas, productos a base de látex, barnices, explosivos, aditivos, pigmentos e inclusive encuentra aplicación en la industria farmacéutica.

1.2. Concepto de limpieza

1.2.1. ¿Qué es limpieza?

Se define la **limpieza** como la eliminación de las suciedades adheridas en una superficie, sin dañar ésta.

Se debe considerar **suciedad** cualquier material residual que se deposite sobre una superficie, y que tenga alguna de las siguientes consecuencias:

- Constituya una amenaza para la salud.
- Entorpezca o interfiera en la actividad normal.
- Altere la estética de forma significativa.

De aquí se deduce cuáles son los **objetivos** que debe perseguir la limpieza:

- Mantener las condiciones higiénicas en los centros de trabajo.
- Respetar la estética.
- Conservar adecuadamente todas las superficies, y no deteriorarlas.
- Contribuir a la seguridad, evitando los accidentes y la transmisión de enfermedades.

Se puede distinguir entre los siguientes tipos de limpieza, según el momento de su realización:

- **Limpieza de fin de obra**: se realiza al final de una obra de construcción o de cualquier tipo de reforma. Hay básicamente dos tipos:
  * Limpieza en bruto: es un primer barrido para retirar los restos más gruesos que han quedado de la obra.
  * Limpieza en fino: es la limpieza exhaustiva de todas las superficies, paramentos y mobiliario, para eliminar todas las suciedades que pueda haber en cualquier rincón de la dependencia.
- **Limpieza de mantenimiento**: conjunto de operaciones que se llevan a cabo para conservar el nivel higiénico, estético y de seguridad de todas las superficies.

  Hay dos tipos principalmente:
  * **Limpieza rutinaria**: se realiza con una periodicidad fija, ya sea diaria, semanal, quincenal, mensual, etc.
  * **Limpieza extraordinaria**: se lleva a cabo siempre que sea necesario, aunque no esté programada.

Recuerda que...

Podemos clasificar la suciedad en tres bloques:

- Suciedad grasa.
- Suciedad no grasa.
- Manchas especiales (manchas negras, manchas de pintura y cemento).

1.2.2. ¿Qué factores determina la eficacia de la limpieza?

Para realizar eficazmente la limpieza de superficies, hay que llegar a un equilibrio entre cuatro factores:

1. **Acción mecánica o trabajo físico**. Es un factor que interesa disminuir, ya que supone un esfuerzo físico para la persona encargada de la limpieza. Para hacer que el trabajo físico sea mínimo, existen utensilios y maquinaria cada vez mejores.

2. **Acción química**. Es el efecto que tiene el uso de productos de limpieza. Si se utilizan productos adecuados, conseguiremos mejorar la acción química.
3. **Tiempo necesario** para que la acción química y mecánica sean efectivas.
4. **Temperatura**. La acción de algunos detergentes mejora con el uso de agua caliente porque ayuda a emulsionar las grasas. Sin embargo, la acción de los desinfectantes puede no ser tan eficaz las temperaturas altas.

Para llegar a la limpieza perfecta, debemos tener en cuenta estos 4 elementos que conforman el **Círculo de Sinner** y que se combinan entre sí para poder realizar una limpieza completa de forma eficaz:

La relación entre estos cuatro factores se representa en el "**Circulo de Sinner**".

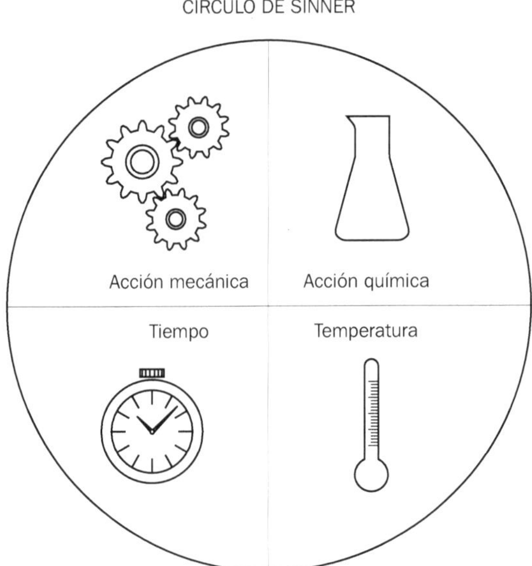

"Circulo de Sinner"

Se puede hacer variar el peso de cada uno de los valores para mejorar la eficacia total de la limpieza. Lo que interesa es aumentar la acción química y disminuir la acción mecánica y el tiempo de acción. Para ello es necesario mejorar los utensilios, y utilizar productos adecuados sobre superficies fáciles de limpiar. De aquí la importancia de conocer a fondo cada uno de estos factores.

Las superficies deben tener las siguientes características:

- **Lisas y no porosas**: los poros o pliegues favorecen la acumulación de polvo y microorganismos.

- **Lavables**: deben ser resistentes a los productos de limpieza, y no deteriorarse con el uso de los desinfectantes.
- **Resistentes**: aguantará el tránsito del personal, de los carros y cualquier tipo de aparato de uso habitual.

La limpieza de paredes y techos se realizará periódicamente y siempre que sea necesario. Se utilizará detergente neutro, y se aclarará con agua. Las paredes se limpiarán desde arriba hacia abajo, para eliminar por arrastre la suciedad y los microorganismos que pudiera haber. Se hará de forma horizontal, empezando por la parte más alta y luego descendiendo.

En la cocina es frecuente encontrar manchas de grasa. Para eliminarlas se utilizará un desengrasante.

La desinfección de las superficies es la eliminación de los microorganismos patógenos, o su reducción hasta niveles que no conlleven riesgo para la salud. Con la desinfección no se consigue eliminar todos los microorganismos, para eso es necesario aplicar procesos de esterilización física (calor, radiación, etc.) o química (esterilizantes). La desinfección se podrá realizar junto con la limpieza y de manera simultánea, o después de la limpieza. Cuando hay restos de alimentos, la limpieza se realizará primero, y la desinfección después, ya que algunos desinfectantes pierden su capacidad en contacto con materia orgánica.

Actividad 2

Enumera los 4 factores del círculo de Sinner:

1. ____________________
2. ____________________
3. ____________________
4. ____________________

1.3. Otros conceptos relacionados con la limpieza

A continuación expondremos algunas definiciones importantes relacionadas con la limpieza.

- **Asepsia**: serie de procedimientos o actuaciones dirigidas a impedir la llegada de los microorganismos patógenos a un medio aséptico (libre de microorganismos patógenos), es decir, se trata de impedir la contaminación.
- **Antisepsia**: conjunto de acciones emprendidas con el fin de eliminar los microorganismos patógenos presentes en un medio, o inhibir su proliferación.
- **Antiséptico**: sustancia química de aplicación tópica sobre los tejidos vivos (piel intacta, mucosas, heridas, etc.), que destruye o inhibe los microorganismos sin afectar sensiblemente a los tejidos sobre los que se aplica.

Se dice de los agentes que impiden la proliferación de microorganismos en los tejidos corporales. Por lo tanto, son capaces de prevenir las infecciones y enfermedades provocadas por los microorganismos.

En el ámbito clínico, suelen usarse para descontaminar la piel antes de un procedimiento o intervención.

- **Desinfección**: proceso capaz de eliminar prácticamente todos los microorganismos patógenos conocidos, pero no todas las formas de vida bacterianas (endosporas), sobre objetos inanimados.
- **Esterilización**: el concepto clásico define la esterilización como el proceso mediante el cual se destruyen todos los microorganismos viables presentes en un objeto o superficie incluidas las esporas bacterianas.

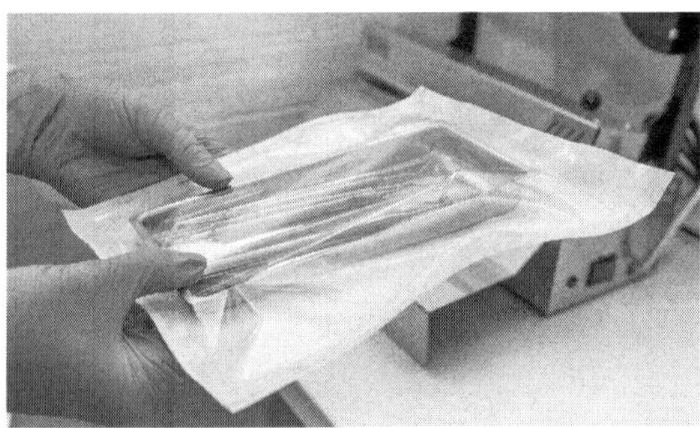

- **Detergencia**: es la capacidad de disolver la suciedad gracias a la producción y unión de tres fenómenos físicos:
  * *Poder humectante*: es la propiedad de mojar. Técnicamente es la capacidad de romper la tensión superficial del agua para que reduzca la tensión de contacto y penetre mejor.
  * *Dispersión*: es la capacidad de romper una suciedad compacta y reducirla a finas partículas.
  * *Suspensión*: es la capacidad de emulsionar la suciedad para que no se vuelva a formar adhiriéndose de nuevo a la superficie a limpiar.
- **Agente tensioactivo**: también llamado surfactante, es, como se indica en el artículo 2 del Real Decreto 770/1999, de 7 de mayo, por el que se aprueba la Reglamentación técnico-sanitaria para la elaboración, circulación y comercio de detergentes y limpiadores, todo compuesto químico que disuelto en un líquido se absorbe preferentemente en una interfase, lo que determina un conjunto de propiedades fisicoquímicas de interés práctico, en base a las cuales se clasifica en:
  * Iónicos:
    - Aniónicos.
    - Catiónicos.

* No iónicos.
* Anfotéricos.

El definir los agentes tensioactivos como componentes fundamentales de los detergentes no implica necesariamente que estén presentes en la formulación en proporción mayoritaria.

Actividad 3

Asocia mediante flechas la propiedad de los siguientes fenómenos físicos:

Poder humectante	Capacidad de romper una suciedad
Dispersión	Capacidad de emulsionar la suciedad
Suspensión	Propiedad de mojar

- **Reforzantes**: son unos componentes complementarios que mejoran ciertas propiedades características de los componentes fundamentales.
- **Aditivos**: son componentes complementarios de un detergente o de un limpiador que aportan propiedades adicionales a la acción específica de la limpieza.
- **Cargas**: son los productos utilizados para lograr el tipo de presentación y concentración deseadas de un detergente o un limpiador.
- **Coadyuvantes**: son componentes complementarios de un detergente o de un limpiador, que aportan propiedades particulares a las de los componentes fundamentales en la acción específica de la limpieza.
- **Suciedad:** se llama así a la materia orgánica y/o inorgánica potencialmente portadora de microorganismos, que llega a las superficies por medio de la contaminación directa por el uso diario, por contaminación indirecta por contacto con el aire y el polvo ambientales, por abandono temporal de los espacios, por contaminación por fluidos de humanos o animales y por contaminación directa de microorganismos de la actividad de artrópodos o roedores.
- **Flora residente**: colonización normal de microorganismos que viven en la superficie corporal (piel), así como en las cavidades y órganos huecos. Son difíciles de eliminar.
- **Flora transitoria**: microorganismos que se adquieren durante las actividades normales de la vida cotidiana. Se eliminan fácilmente. Para evitar la transmisión de microorganismos entre pacientes debe realizarse de manera adecuada la eliminación de la flora transitoria.

- **Fómites**: objetos inanimados que contienen partículas contaminadas y que se sitúan en el entorno del paciente.
- **Contaminación ambiental**: presencia en el ambiente de cualquier agente (físico, químico o biológico) o bien de una combinación de varios agentes en lugares, formas y concentraciones tales que sean o puedan ser nocivos para la salud, la seguridad o para el bienestar de la población.
- **Transmisión cruzada**: transmisión de microorganismos patógenos de paciente a paciente o de objetos contaminados a pacientes con la participación de los miembros del equipo de salud. Para evitar la transmisión de microorganismos entre pacientes, estos deben eliminarse de manera adecuada.
- **Infección**: invasión y multiplicación de microorganismos en los tejidos vivos. Los agentes que causan la infección se llaman agentes patógenos.

Las infecciones se pueden clasificar según su origen (comunitarias o extrahospitalarias y nosocomiales o intrahospitalarias) o según su causa (bacterianas, no bacterianas).

- **Área limpia**: superficie o lugar donde se trabaja con elementos limpios o estériles.
- **Área sucia**: superficie o lugar donde se eliminan fluidos corporales. Sirve de depósito y lugar para lavar y descontaminar elementos utilizados con los pacientes.

Actividad 4

Rellena el hueco con la palabra que falta:

La transmisión cruzada es la transmisión de __________ de paciente a paciente o de objetos contaminados a pacientes con la participación de los miembros del equipo de salud.

2. Limpieza de superficies

2.1. Tipos de superficies

Para limpiar cualquier superficie hay que tener en cuenta el material del que está hecha, y utilizar un producto adecuado que no la deteriore.

Los materiales más comunes son los siguientes:

2.1.1. Metales

a) **Bronce**: es una aleación de cobre y estaño. Su principal ventaja es que no se deteriora con el salitre del agua de mar, como ocurre con el cobre.

   Hay dos tipos: el más común es el bronce pulido y brillante, y además existe el bronce sin pulir, que es de color oscuro mate, muy usado para hacer esculturas.

b) **Cobre**: este metal se ha utilizado mucho en la fabricación de utensilios de cocina, pero debido a su toxicidad ha sido desplazado por el acero inoxidable, y hoy por hoy los objetos de cobre tienen un fin meramente decorativo. Su limpieza es delicada, ya que se raya fácilmente, sobre todo si se utilizan polvos abrasivos.

c) **Hierro**: es un material duro y resistente, pero sensible a la oxidación, sobre todo en contacto con agua. El uso de cloro acelera su corrosión.

d) **Aluminio**: este metal en estado puro es resistente a la corrosión, pero sensible a los ácidos minerales, a excepción del ácido nítrico.

2.1.2. Suelos: los suelos se clasifican según su dureza

1. Suelos duros: se caracterizan por su resistencia al desgaste frente al paso de un gran número de personas, carros, camas, sillas de ruedas, etc., y al deterioro por el uso de productos de limpieza y desinfección.

Con el tiempo y el uso estos suelos pueden adquirir porosidad. La suciedad y el polvo se incrustan fácilmente en los poros, por lo que es conveniente aplicar tratamientos de sellado para evitar esto.

Los suelos de piedras calcáreas pueden ser sometidos a cristalización, que es un tratamiento con productos que reaccionan con la capa superficial del suelo, formando una nueva capa que lo protege y restaura.

Otro tratamiento es el diamantado, que consiste en hacer un pequeño rebajado para eliminar desperfectos producidos por el desgaste.

Hay distintos tipos de suelo duro:

- **Piedras naturales**: mármol, granito, pizarra, piedra,...

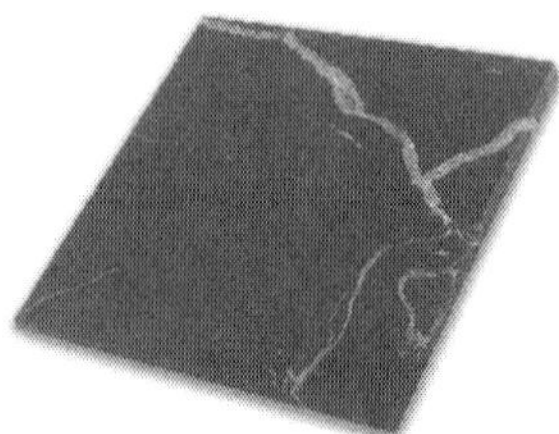

- **Piedras artificiales**: azulejos, terrazos, porcelana, baldosas cerámicas,...

- **Arcillosos**: ladrillos, gres,...

- **Arcillosos pulidos**: cerámica, gres esmaltado, baldosas esmaltadas,...
- **Cemento**: suelos de cemento, hormigón, hormigón impreso, etc.

2. Suelos medios: no son tan resistentes al desgaste como los suelos duros, pero sí se ha conseguido que tengan cierta resistencia mediante tratamientos especiales:

- **Madera**: tiene distintas características y distinto grado de dureza dependiendo de su procedencia:
  * Blanda y resinosa: abeto, pino, etc.
  * Dura y compacta: encina, haya, etc.
  * Extradura: panga-panga y wenge.
- **Corcho**: existen baldosas, planchas o plaquetas de corcho desmenuzado y comprimido a altas temperaturas.

3. Suelos blandos: son suelos que tienen poca resistencia, y se dañan fácilmente por la circulación de personas o por el roce de las ruedas. La suciedad se adhiere más fácilmente porque tienen mayor porosidad, y se limpian peor porque no admiten tratamiento con cualquier producto. Son por tanto suelos más delicados. Como ventaja presentan su confortabilidad al andar, por su tacto y su calidez. Se pueden distinguir los siguientes tipos:

- **Textiles**: su principal inconveniente es la acumulación de polvo entre las fibras, que hace necesaria la aspiración:
  * Fibra animal: lana.
  * Fibra vegetal: algodón, yute, etc.
  * Fibra química: acetato, celulosa, etc.
  * Fibra sintética: PVC, nilón, poliéster, etc.
  * Mixtos.
- **Pavimentos resistentes**: son suelos plásticos, económicos y de fácil limpieza:
  * Linóleo: es un suelo continuo y su uso está muy extendido en centros sociosanitarios, porque tiene propiedades bacteriostáticas, y es buen aislante térmico. Puede decolorarse con productos alcalinos.
  * Termoplásticos: plásticos moldeados con calor, para obtener gran resistencia tras el enfriamiento.
  * Vinílicos: son suelos tipo PVC como, por ejemplo el sintasol. Son fríos y poco elásticos. Resisten bien los productos de limpieza, pero se deterioran con el roce de las patas de los muebles.
  * Goma: suelo flexible y resistente al tránsito de personas, pero que se daña con los detergentes alcalinos, y con el roce de los muebles.
  * Compuestos especiales para instalaciones deportivas: rubcor, tartán…

Goma

También se utilizan materiales plásticos para fabricar muebles:

* **Policarbonatos**: plástico muy resistente utilizado para mobiliario exterior.
* **Melamina**: material plástico que forma chapas para recubrir muebles. Los protege del desgaste y la humedad. Consiste en láminas barnizadas con resina que se adhieren mediante prensado a un tablero de aglomerado.

Los suelos plásticos se pueden someter a un tratamiento protector, consistente en la aplicación de films o cubiertas transparentes que se adhieren al suelo en finas capas. Esto facilita su limpieza, y evita el desgaste del suelo.

2.1.3. Características de los suelos

Los suelos o pavimentos adecuados para el interior de los Centros Públicos deben reunir las siguientes características:

- Confortable.
- Seguro: antideslizante, sin relieves, etc.
- Resistente al desgaste, y al paso de personas, carros, camas, o cualquier otra maquinaria utilizada o mobiliario desplazado habitualmente.
- Fácil de limpiar: los suelos serán lisos, sin poros o uniones donde se pueda acumular la suciedad, y resistente al uso de productos de limpieza y desinfección. En general se tenderá a seleccionar materiales lavables para todas las superficies en un Centro Público.
- Aislante térmico y acústico.
- Con aspecto estético: un suelo bonito y brillante, siempre da la sensación de limpieza.

NOTA. La madera es un material no lavable con agua porque se deteriora. La melamina recubre la madera haciendo que la superficie sea lavable con agua y detergente.

2.2. Suciedad

El polvo está constituido por partículas sólidas finas que quedan suspendidas en el aire o caen por gravedad sobre las superficies. La carga electrostática de las superficies puede atraer el polvo, que quedará adherido a las mismas. Esta fuerza de atracción es débil, por lo que se puede resuspender con ayuda de un utensilio textil. Del mismo modo, se puede utilizar la fuerza electrostática de algunos productos para atraer y retener el polvo, eliminándolo así eficazmente.

En el polvo además viven los ácaros, unos arácnidos microscópicos que pueden provocar alergias y problemas respiratorios.

- Las eflorescencias son el resultado de la pérdida del agua de cristalización de una sustancia al quedar expuesta al aire.
- Se denomina pátina a la capa de óxido que cubre con el tiempo algunos metales por acción de la humedad.

No toda la suciedad es de la misma naturaleza, ni se adhiere de la misma forma a determinado material. Ya se ha visto que los materiales deben ser siempre no porosos, para que no se incruste la suciedad, y de fácil limpieza. Dependiendo del tipo de suciedad, se deberá utilizar un producto u otro:

- **Solubles en agua**: azúcares, sal, zumos, etc. Se elimina con agua y tensioactivos.
- **Emulsionables**: grasas y aceites. Es necesario utilizar detergentes alcalinos.
- **Orgánicas solubles**: leche, gelatinas, etc. Son destruidas con agentes oxidantes.

- **Minerales solubles**: precipitados de sales de dureza del agua. Eliminación con detergentes ácidos.
- **Insolubles y no emulsionables**. Restos de etiquetas, arenas, etc. Su eliminación es principalmente por procedimientos físicos.

Recuerda que...

La limpieza se debe realizar con productos y métodos que eliminen la suciedad, sin deteriorar las superficies ni dañar a las personas o al medio ambiente.

2.3. Desinfección

La **desinfección** es la reducción o disminución de los microorganismos presentes, por medio de agentes químicos y/o físicos, a un nivel que no sea dañino para el ser humano.

La reducción de microorganismos se puede realizar a tres niveles diferentes:

- **Descontaminación**: supone la reducción del volumen de los gérmenes en una proporción de 10 a 5.
- **Desinfección**: supone la reducción de gérmenes en una proporción de 10 a 2.
- **Esterilización**: supone la total eliminación de la vida microbiana.

La desinfección se diferencia de la esterilización por la falta de actividad esporicida.

2.3.1. Desinfección de superficies

Siempre que se encuentre la presencia de materia orgánica en la superficie, esta debe ser retirada. A continuación realizar la limpieza y posteriormente la desinfección. Es imprescindible que el lugar se encuentre rigurosamente limpiado antes de la desinfección.

A) Si la cantidad de materia orgánica es pequeña, se procederá del siguiente modo:

1. Remover la materia orgánica con papel toalla o paño y proceder a la limpieza, utilizando la técnica de doble cubo.
2. En caso de pavimentos o paredes:
   - Realizar primariamente la limpieza con jabón y detergente en la superficie a ser desinfectada, con la ayuda de la mopa.
   - Enjuagar y secar.
   - Después de la limpieza, aplicar el desinfectante en el área en que fue retirada la materia orgánica, dejando el tiempo necesario para la acción del producto (siguiendo las instrucciones del fabricante).
   - Enjuagar y secar.

3. Con respecto al mobiliario:
   - Realizar la limpieza con jabón o detergente en la superficie a ser desinfectada, con el auxilio del paño para mobiliario.
   - Después de la limpieza del mobiliario, realizar fricción con alcohol al 70 % u otro desinfectante prescrito por la AEMPS.

B) Si la cantidad de materia orgánica a eliminar es grande:

1. Remover la materia orgánica con ayuda de fregona y pala.
2. Desprender la materia orgánica líquida en el desagüe sanitario (desagüe) En el caso de que la materia orgánica esté en estado sólido, acondicionar en bolsa de plástico, conforme instrucciones de residuos. Utilizar EPI apropiado.
3. Procede a la limpieza, utilizando la técnica de doble cubo.
4. Seguir los mismos pasos indicados para la técnica de desinfección con pequeña cantidad de materia orgánica.

Actividad 5

Relaciona cada concepto con su definición:

Carga	Objetos inanimados que contienen partículas contaminadas y que se sitúan en el entorno del paciente.
Reforzantes	Proceso mediante el cual se destruyen todos los microorganismos viables presentes en un objeto o superficie incluidas las esporas bacterianas.
Esterilización	Son unos componentes complementarios que mejoran ciertas propiedades características de los componentes fundamentales.
Fómites	Son los productos utilizados para lograr el tipo de presentación y concentración deseadas de un detergente o un limpiador.

2.3.2. Desinfección de instrumentos y herramientas

En caso de disponer de material de trabajo no desechable, contaminado por fluidos orgánicos, sangre, u otros, se seguirán los pasos indicados a continuación:

1. Inmersión inmediata del instrumental en solución desinfectante, hay varias opciones:
   - Glutaraldehído al 2 % 30 minutos, en caso de instrumentos metálicos.
   - Lejía (hipoclorito sódico) 30 min en caso de vidrio, plástico, ya que es corrosivo para metales.
   - Alcohol al 70 % durante 20 minutos.
   - Ebullición en agua durante 20 minutos.

2. Limpieza de la suciedad presente con detergente, y una vez realizada, se facilitará de nuevo la llegada de la solución desinfectante a todo el instrumento.
3. Secado minucioso.
4. Envasado ensobrando y marcando la fecha.
5. Esterilización en autoclave (tatuaje y micropigmentación), o en aparatos de radiación ultravioleta (para utensilios de estéticas). Los instrumentos, se colocarán en cajas que también puedan esterilizarse, preparándose para ser utilizadas como servicios individuales, teniendo presente que los utensilios nunca se deben amontonar dentro de las mismas, y así la esterilización llegará a toda la superficie de los mismos. Se respetaran cuidadosamente, los tiempos de exposición del fabricante.
6. Almacenamiento de los paquetes en lugar seco y cerrado a fin de evitar la contaminación ambiental.

2.3.3. Incompatibilidades de productos

Todos los productos ácidos son incompatibles con el hipoclorito sódico (lejía), no obstante adjuntamos una relación de los más conocidos en el ámbito de la limpieza.

Producto	Incompatibilidades
Aldehídos (Glioxal, Glutaraldehído)	Hipoclorito sódico
Fenoles	Hipoclorito sódico
Amoniaco	Cloro
Cloro	Alcoholes
Ácido acético (vinagre)	Hipoclorito sódico

3. Utensilios, maquinaria y productos de limpieza

3.1. Utensilios

3.1.1. Bayetas

- **Bayetas multiusos**: sirven para limpiar y secar las superficies. Para su mantenimiento es necesario lavarlas con detergente neutro y aclarar abundantemente, se lavan a mano o a máquina y se dejan secar. Existen diferentes modalidades:

Bayetas multiusos

- **Bayeta de tela sin tejer**: esta bayeta necesita ser humedecida con agua o solución de detergente neutro.
- **Bayeta preimpregnada**: son las clásicas bayetas de un solo uso impregnadas de fábrica con algún producto específico.
- **Bayeta de celulosa**: consideradas multiusos y que, una vez humedecidas, poseen gran capacidad de absorción.

Bayeta tela sin tejer

Bayetas de celulosa

- **Bayeta ecológica**: no necesita ningún líquido específico para limpiar, ya que viene preparada de tal forma que sólo hace falta mojarla en agua para conseguir buenos resultados.

3.1.2. Gamuza

La gamuza es un utensilio adecuado para limpiar el polvo. Puede ser de tela sin tejer, para limpiar cristales, espejos, etc., y que debe utilizarse humedecida.

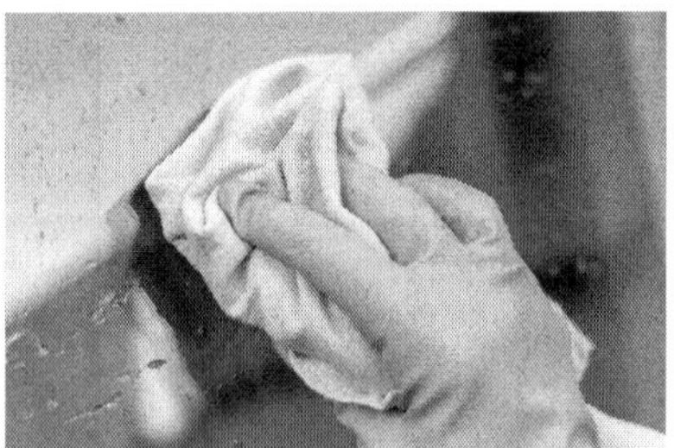

3.1.3. Paños

Los paños son clasificados por colores en función de donde vayan a ser utilizados. Existen Organismos e Instituciones en las que para la limpieza se utilizan bayetas y cubos con una gama de colores diferentes según la suciedad que debamos limpiar. Este método se conoce con el nombre de

método "de los tres colores", si se utilizan 3 bayetas. Como ejemplo de colores y tipo de suciedad a limpiar exponemos:

- Zonas poco sucias (por ejemplo, puertas, papeleras, muebles, espejos...). Bayeta y cubo "azul" por ejemplo.
- Zonas intermedias (por ejemplo, grifos, ducha, bañeras...). Bayeta y cubo "amarillo", por ejemplo.
- Zonas críticas (por ejemplo, inodoro, urinario...). Bayeta y cubo "rojo", por ejemplo.

3.1.4. Mopas

La mopa es una herramienta formada por un mango y base trapezoidal de aluminio donde se introduce una gamuza con flecos de algodón desmontable que puede ser lavada a mano o a máquina. Es utilizada en superficies lisas o rugosas para realizar una limpieza higiénica del polvo.

Aparte de las mopas de algodón, también se utilizan:

a) **Mopas de microfibra**. La nueva metodología de limpieza sustituye la tradicional fregona por la mopa de microfibra, que obtiene un grado de absorción de la suciedad muy superior por el efecto imán que se produce durante el fregado. Esto mejora la higiene y el aspecto general del suelo. A ello se une el empleo de agua, producto químico, mopa y bayetas limpias por cada habitación, creándose una eficaz barrera higiénica en cada una de ellas, evitando el transporte de gérmenes de un lugar a otro.

   Se trata de un conjunto de utensilios de limpieza basado en las microfibras, un material formado por varias capas superpuestas que mejora la adherencia de la suciedad y las bacterias que se generan en los centros sanitarios. Permite la limpieza en medio seco y en húmedo.

   La limpieza con microfibras aporta beneficios ergonómicos porque son materiales diseñados para reducir el esfuerzo y evitar las lesiones de los empleados de la limpieza, así como para disminuir el tiempo de ejecución de las tareas y la cantidad de productos químicos y de agua necesarios.

   Esta mopa es para ser usada tanto en seco como en húmedo.

   La utilización comporta muchas veces la eliminación del barrido y la reducción de hasta el 66 % del tiempo de fregado comparado con una fregona tradicional.

b) **Mopas impregnadas**. La mopa impregnada es una mopa de fliselina impregnada con parafina (producto no tóxico).

Se considera una mopa que sustituye al barrido con un rendimiento muy elevado de productividad, y un coste 75 % menor que el uso de la mopa de algodón y spray captador.

3.1.5. Fliselina o friselina

La ***tela fliselina***, también conocida como no-tejido Spunbond, es una tela no tejida de polipropileno producida por la extrusión de filamentos continuos de resina de polipropileno, por proceso *spunbonding*, generando multifilamentos. Estos son depositados en un velo y se consolidan en una calandra, donde los filamentos se termosueldan. De esta manera la tela tiene una excelente distribución y homogeneidad de filamentos.

Sabías que...

Las primeras telas de polipropileno de unión por hilatura se comercializan en la década de 1960.

Las principales características de la fliselina son:

- Producto de alta resistencia mecánica y química.
- Estabilidad dimensional y de color.
- Resistente a la abrasión.
- Muy maleable.
- No genera pelusa ni hilachas libres en condiciones normales de uso.
- Resistente al calor: no comienza a contraerse hasta los 110 ºC y funde a los 130 ºC.
- Muy baja flamabilidad.
- No es tóxico, ni alérgico y resiste a las agresiones biológicas.
- Posee propiedades de fabricación hidrofílicas e hidrofóbicas, por lo tanto es permeable como impermeable al agua.
- El peso de este producto define su utilidad y aplicación, como así también la amplia gama de colores.
- Este material puede ser laminado o coteado con otros productos (polietileno, PVC, espuma de poliuretano, etc.).

3.1.6. Estropajos

Estropajos

Es una porción de esparto que sirve para fregar. También puede estar compuesto de material de plástico, alambre, nilón (almohadilla), etc. Es utilizado para limpieza de vajilla y útiles de cocina, así como para limpieza manual de suelos y sanitarios. La finalidad de los estropajos es desprender la suciedad que se adhiere a las superficies sobre las que se aplica.

Actividad 6

Indica si la siguiente cuestión es verdadera o falsa:

La mopa es una herramienta formada por un mango y base trapezoidal de aluminio donde se introduce una gamuza con flecos de algodón desmontable que puede ser lavada a mano o a máquina.

Verdadera ☐ Falsa ☐

3.1.7. Fregona

Es una herramienta para limpiar el suelo en húmedo y suele constar de un palo de aluminio, plástico o madera, en cuyo extremo se encuentran el tejido para fregar, el palo y el tejido suelen estar anclados mediante pinza, rosca o presión. La forma de la fregona es variada, plana, alargada, redonda, puede ser estática o giratoria.

Dependiendo del tipo de tejido, podemos encontrar varios tipos de fregona; de algodón, de microfibras, de esponja, viscosa, polipropileno, poliéster, o una mezcla de varios componentes.

La fregona de microfibras puede ser de tejido simple o con inserciones de goma, que ayudan a levantar la suciedad del suelo. La fregona de esponja suelen tener un escurridor con un sistema de palanca. Se utilizan para absorver grandes cantidades de líquido y para superficies brillantes.

Fregona de hebras de algodón

Sabías que...

Los materiales textiles acumulan gran cantidad de suciedad y microorganismos entre sus fibras. Por eso deben lavarse y desinfectarse diariamente al acabar la jornada.

Para su mantenimiento se requiere dejarla sumergida en desinfectante, por un periodo de tres o cuatro horas si se ha utilizado para la desinfección de alguna área.

3.1.8. Carro mopa especial

Existen algunos modelos de carro mopa con características bastante innovadoras.

Básicamente se pueden resumir en dos:

- **Diseño ergonómico**. Con la palanca del escurridor más larga, ruedas para facilitar el movimiento y sistema de vaciado más sencillo. Estas características permiten un trabajo más cómodo.
- **Sistema limpiador de agua**. Mediante una rejilla situada algunos centímetros por encima del fondo del cubo se evita que la suciedad, que por su propio peso se va depositando en el fondo, se remueva cuando se procede a escurrir la mopa.

Prensa automática

Se coloca en un carro de limpieza profesional, es un sistema sencillo y eficaz de secado de mopas que evita lesiones musculares y de articulaciones.

Basta introducir la mopa entre los rodillos y que la presión permita escurrir la mopa hasta las puntas, lista para efectuar la limpieza del suelo.

3.1.9. Materiales no textiles

- **Recogedor**: pala de plástico o metal con un mango para recoger la suciedad arrastrada por barrido.
- **Escurridor:** utensilio complementario que se coloca sobre el cubo. Sirve para escurrir la fregona por presión.
- **Prensa:** escurridor que dispone de una palanca para realizar el escurrido con menor esfuerzo.
- **Cubos:** los hay de distinto tamaño y forma. Contienen el agua clara o con producto detergente / desinfectante disuelto.
- **Dosificadores:** sistema que se emplea para la distribución del producto en pequeñas cantidades.
- **Haragán:** utensilio que se emplea para despejar líquidos con facilidad.

3.1.10. El carro de limpieza para el sistema de doble cubo o rasante

Respecto al carro de limpieza para el sistema de doble cubo o rasante deberá:

a) Ser ágil, rodable con ruedas giratorias y sistema de frenado.

b) De superficies lisas y lavables, con tres planos a diferentes alturas.

c) Tendrá una bandeja con capacidad para dos cubetas de distinto color de 3-5 litros, y barra para transportarlo.

d) Dispondrá de una bandeja de 15 centímetros de profundidad mínima, una para material de cuartos de baño y otra para material de limpieza de mobiliario.

e) Llevará adosado un sistema de doble cubo de fregado de distinto color (normalmente azul y rojo) con escurrefregona o prensa.

f) Dos cubos pequeños de diferente color (normalmente azul y rojo) para la limpieza de superficies diferentes al suelo, y para limpiar los paños después de cada habitación.

g) Deberá contar además con el siguiente material:

- Textiles: mopas, flixelina, gamuzas, bayetas o paños (azul y rojo), estropajos, escobillas, fregonas.
- Bolsas de basura.
- Papel higiénico.
- Guantes domésticos de látex de uso individual.
- Recambios de jabón líquido.
- Reposición de papel higiénico y de jabón.
- Solución desinfectante.
- Solución detergente.
- Desincrustador.

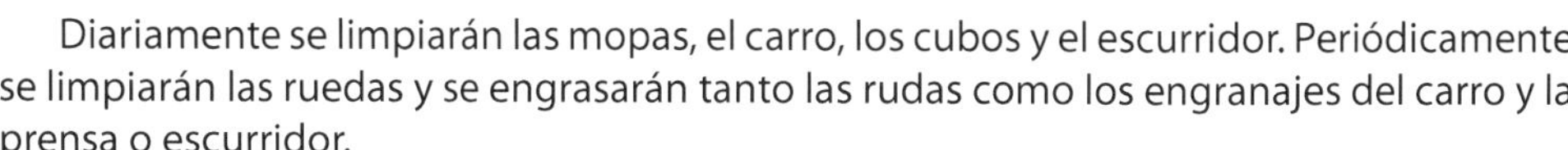

Diariamente se limpiarán las mopas, el carro, los cubos y el escurridor. Periódicamente se limpiarán las ruedas y se engrasarán tanto las rudas como los engranajes del carro y la prensa o escurridor.

Recuerda que...

El carro utilizado para el sistema de fregado con doble cubo debe llevar dos cubos de diferente color con una prensa y dos cubetas también de distinto color para la limpieza de mobiliario.

3.1.11. Conservación del material de limpieza

- Todo el material de limpieza se limpiará con agua más detergente neutro más bayeta y estropajo si fuera preciso.
- Nunca se utilizará material sucio para realizar la limpieza.
- Se realizará limpieza diaria de cubos de basura y sus correspondientes carros de transporte.
- Una vez realizada la limpieza del mobiliario se limpiará el material utilizado en limpieza de mobiliario y se dejará en situación de secado.
- Finalizada la jornada de trabajo, se someterán todos los utensilios utilizados a una correcta limpieza que permita disponer de los mismos en perfecto estado al comienzo de la jornada.
- Tras finalizar el trabajo de limpieza se cerrarán puertas y ventanas.

Actividad 7

Indica si la siguiente cuestión es verdadera o falsa:

Tras finalizar los trabajos de limpieza se cerrarán puertas y ventanas.

Verdadera ☐ Falsa ☐

3.2. Maquinaría de limpieza

3.2.1. Introducción

Toda la maquinaria que se use en el desarrollo de las labores de limpieza, estará de acuerdo con la normativa vigente en materia de Salud Laboral y específicamente se seguirán las prescripciones del artículo 41 (obligaciones de los fabricantes, importadores y suministradores) de la Ley de Prevención de Riesgos Laborales.

La maquinaria deberá contar, además, con el Certificado CE, así como el listado de las revisiones reglamentarias según normativa aplicable en cada caso. En cualquier caso, la maquinaria tendrá los siguientes tipos de protecciones:

- Protección eléctrica Clase II, con doble aislamiento.
- Protección contra humedad y polvo Clase IP 40.
- Protección sobre sobrecalentamiento.
- Nivel sonoro inferior a los límites establecidos por la normativa para los tipos de actividad que se desarrollen en las áreas de utilización.
- Mínima emisión de partículas.

El Servicio de Mantenimiento del Centro indicará los lugares donde pueden conectarse a las instalaciones del edificio.

La maquinaria de limpieza más frecuente en un Centro público es la siguiente:

- Fregadora automática.
- Aspirador de agua de filtro total HEPA.
- Aspiradores de polvo de filtro total HEPA.
- Pértigas hidrodifusoras.
- Equipos de limpieza vapor.
- Hidrolimpiadora (Punto limpio).
- Cepilladoras manuales o automática.
- Aspiradores bateadores de filtro total HEPA.
- Aspirador-recogedor de: hojas, papeles, etc.(exteriores).
- Máquina barredora automática vial.
- Máquina rotativas monodisco.
- Máquina de limpieza a presión.
- Máquina de espuma desinfectante (limpieza de aseos).

Y cualquier otra maquinaria que se considere oportuna a criterio del Servicio de Medicina Preventiva y/o Dirección del Centro.

Las máquinas deben limpiarse periódicamente con un producto adecuado. Deberán ser revisadas por el personal de mantenimiento y lubricadas correctamente.

Los cepillos se guardarán desmontados cuando no se esté utilizando la máquina. Se lavarán cada vez que estén sucios con agua templada y detergente. A continuación se dejarán secar con las hebras hacia arriba.

3.2.2. Fregadora - abrillantadora - rotativa

Basadas en el principio de un disco giratorio robusto portaplato de arrastre o cepillos y equilibrado dinámicamente. Sirven para resolver todos los problemas de los suelos, resultando una herramienta inmejorable para la limpieza y abrillantado de los mismos.

Su campo de aplicación es, principalmente, superficies amuebladas de mediana y gran dimensión.

Por su forma y estructura resulta de fácil manejo, robusta, silenciosa y eficaz.

Comprende el conjunto de platos, discos y cepillos que se fijarán al moyú de giro accionado por el motor.

La más sencilla es la monocepillo, que consta de un solo cepillo que frota el suelo para limpiar la superficie, y succiona la suciedad a continuación.

La colocación de los discos es de gran sencillez, basta encajar en las estrías del moyú que sobresale el agujero central del accesorio y fijarlo girándolo un punto hasta que se comprueba el acoplamiento en el eje por bloqueo.

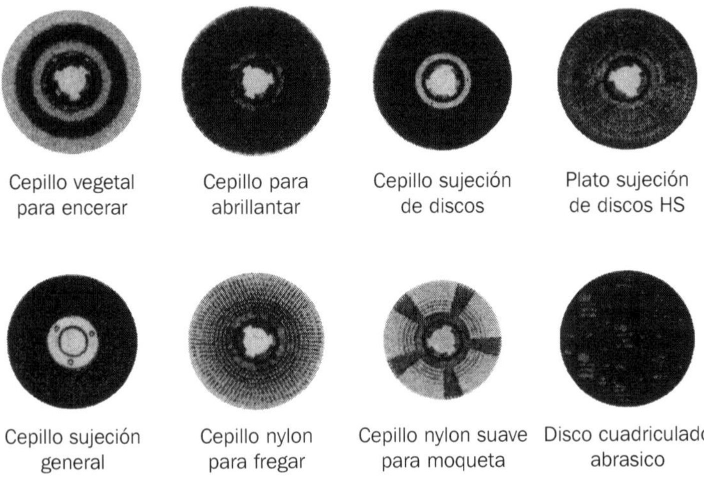

Cepillo vegetal para encerar — Cepillo para abrillantar — Cepillo sujeción de discos — Plato sujeción de discos HS

Cepillo sujeción general — Cepillo nylon para fregar — Cepillo nylon suave para moqueta — Disco cuadriculado abrasico

El motor se halla descentrado con respecto al plato para contrapesar el peso dinámico de la máquina, que junto con el del depósito aumentan la facilidad y comodidad de su transporte y utilización.

Esta colocación del motor facilita el acceso a bajos de mostradores, radiadores, mesas, etc.

También favorece la maniobrabilidad del conjunto que unido al maneral permite una compensación del equilibrio estático y dinámico para desplazarla con el mínimo esfuerzo.

En el brazo articulado, se instala el depósito de almacenamiento con agente limpiador (químico diluido en agua, con capacidad para 15 litros aprox.) que a través de un tubo flexible es aportado sobre el disco o cepillos (en su parte central para una difusión regular en toda la superficie a limpiar) controlando su dosificación con el mando de empuñadura situado en el manillar de la fregadora-abrillantadora.

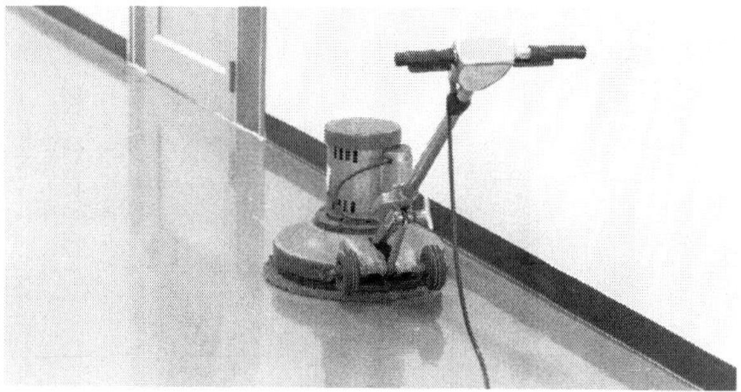

Abrillantadora

Aplicación práctica

Una vez considerado todo cuanto se ha detallado, daremos comienzo al trabajo:

- El primer paso a la hora de ponerse a trabajar es llenar el depósito de agua limpia y añadirle la proporción adecuada de detergente.
- Dicho detergente no será corrosivo e incluso tendrá propiedades protectoras para la máquina (metasilicatos) ya que durante el funcionamiento en húmedo, la suciedad arrastrada produce una capa oxidante que afecta a la conservación de la misma.
- Antes de poner en funcionamiento el motor es conveniente proceder a la proyección de una pequeña cantidad de líquido, previo accionamiento del mando correspondiente que se halla en el manillar o timón.
- De esta forma, cuando la máquina inicia el movimiento de rotación, el disco o cepillo habrá recibido el producto que envolverá el material a desplazar, evitando los desplazamientos propios del impulso producido por el arranque brusco del motor.

 Recuerda que...

La rotativa es una máquina que sirve para fregar y abrillantar los suelos de interior.

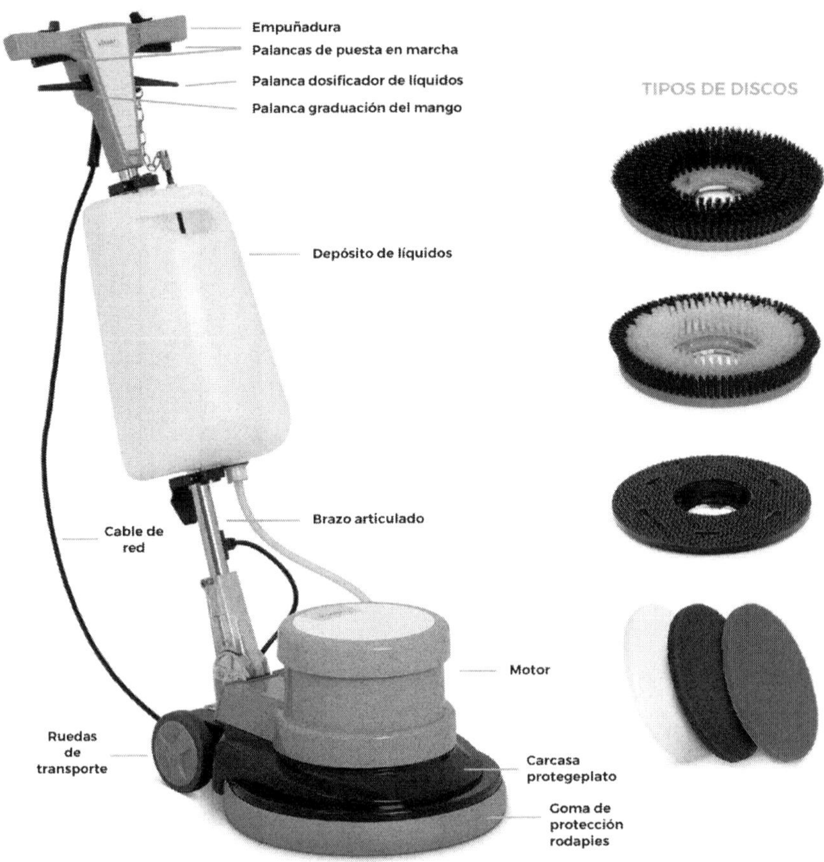

Partes de una abrillantadora

3.2.3. Aspiradoras de agua y polvo

Estas máquinas se caracterizan por su apariencia externa, semejante a un depósito de tipo "bidón" (cilíndrico) en posición vertical, siendo generalmente su estructura muy robusta, de acero o PVC.

El objetivo principal, como su nombre indica, es la aspiración mecanizada del agua y de polvo, rentabilizando en cantidad y calidad el trabajo manual.

Su desplazamiento se realiza mediante ruedas pivotantes generalmente ubicadas en su parte inferior, con superficie de rodadura protegida con banda de goma. Su tamaño, de unos 5/10 cm de diámetro, permite desplazarlas con facilidad por superficies rugosas.

Algunos modelos llevan en sus laterales soportes estructurales para fijación y acoplamiento de componentes que las transforman en autocarros facilitando su desplazamiento.

Asimismo llevan incorporados accesorios propios del procedimiento de limpieza, que pueden ser fijos o articulados.

Su funcionamiento puede realizarse con fijación flotante o posicional.

En el centro del cuerpo, por su parte superior, generalmente se instala el racord de conexión, en el que se conecta la manguera de aspiración.

Este acoplamiento de conexión (enchufe rápido), permite intercambiar rápidamente otros repuestos, en caso de un procedimiento de limpieza con varias secuencias y dispositivos de aplicación.

Por la parte superior se accede a los órganos interiores de la máquina.

Son consideradas máquinas de uso profesional o industrial.

Son perfectas para trabajos en todo tipo de superficies.

Características según su aplicación

a) Aspiradoras de agua

- Conjunto monobloque móvil, de configuración compacta, con conector para sistemas de aspiración.
- Chasis de transporte con articulación que permite un fácil volcado o extracción del contenedor.
- Sistema de cuba basculante o extraíble para manipulación por separado del bastidor portante que permite su vaciado.
- Complementos de ruedas típicas o de tipo carretilla para traslado por escaleras.

Aspiradora de agua

En las aspiradoras de agua el procedimiento de vaciado puede ser:

- Por el giro basculante del recipiente contenedor de líquido sobre los soportes del bastidor del carro.
- Por conexión de manguera a boquilla inferior de salida a través de válvula de cierre en fondo de contenedor.
- Por extracción del contenedor del soporte y vaciado independiente.

b) Aspiradoras de polvo

- Conjunto monobloque móvil, de configuración compacta, con conector por sistemas de aspiración.
- Chasis de transporte de fácil apertura para extracción de bolsa o cómodo vaciado del contenido o bolsa.
- Complementos para transporte por ruedas típicas o modelo carretilla para escaleras.

Aspiradora de polvo

En las aspiradoras de polvo el procedimiento de vaciado puede ser:

a) Por retirada de la bolsa.

b) Por vaciado en bolsa de basura del depósito contenedor.

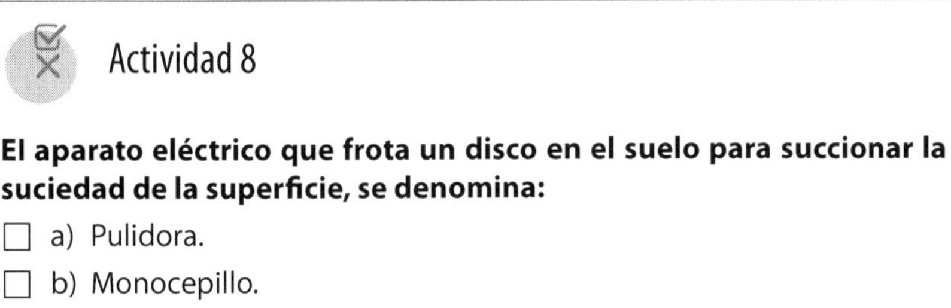

Actividad 8

El aparato eléctrico que frota un disco en el suelo para succionar la suciedad de la superficie, se denomina:

☐ a) Pulidora.

☐ b) Monocepillo.

☐ c) Aspirador mixto.

3.2.4. Fregadoras automáticas

Se trata en principio de una máquina fregadora y de una aspiradora de agua y polvo acopladas. Existen varios modelos de varios tamaños. **Es preciso elegir el modelo que se adapte mejor al grado de obstrucción de los locales**.

Estas máquinas permiten rendimientos muy elevados y están especialmente diseñadas para la limpieza de pasillos, vestíbulos de entrada, almacenes, supermercados, fábricas, etc.

Todas las fregadoras disponen de dos depósitos:

- De **agua limpia**, donde se añade el detergente.
- De **agua sucia**, donde se depositará el agua utilizada en la limpieza del suelo y recogida por el sistema de aspiración.

Un sistema de cepillos desincrusta la suciedad que se mezcla con el agua y jabón.

Las fregadoras se dividen en dos categorías principales según el lugar que ocupa el conductor:

- Conductor a tierra: son las máquinas conducidas por un operador que las sigue a pie.

- Conductor sentado: son las máquinas provistas de asiento del conductor, desde el cual el operador realiza las maniobras necesarias.

Igualmente, y según otros criterios esas categorías podrían ser:

- Según el tipo de sistema que desincrusta la suciedad del suelo: con cepillos de disco o con rodillos.
- Según la fuente de alimentación: con cable, con batería o con motor endotérmico.
- Según la tracción asistida por el cepillo: eléctrica o electrónica. .

Las máquinas que van a la red son más baratas que las de baterías. Van con cable, tienen mayor autonomía de trabajo y requieren poco mantenimiento. Si su peso varía entre 80 y 100 kg, puede ser transportada entre dos personas de un piso a otro. Según el modelo y el estado de los suelos tienen un rendimiento medio de 700/1500 m^2/hora.

Las máquinas de baterías son mucho más pesadas y requieren la adquisición de un cargador. Su peso es de 200 - 450 kg y sólo se pueden transportar con ascensor. Según el modelo y el estado de los suelos, estas máquinas tienen un rendimiento de 800/2000 m^2/hora.

Sabías que...

Algunos fabricantes punteros están ya introduciendo **baterías de litio** en algunos modelos. Estas baterías son mucho más ligeras que las baterías de tracción basadas en componentes de plomo y por tanto muy útiles cuando se trata de conseguir una fregadora liviana, ligera y maniobrable.

Las baterías juegan un papel muy importante en este tipo de máquinas. Su autonomía y la duración de los motores dependen de ello. Las baterías con placa de plomo tienen una duración de unos dos años; el fabricante da una garantía de uno. Las baterías tubulares con doble placa de plomo duran unos cinco años con una garantía de cuatro.

La mayor parte de estas máquinas se desplazan por sí mismas con sólo ejercer una ligera presión en el cepillo. Otras, sin embargo, llevan ruedas, aunque este sistema debe estar reservado a las máquinas grandes con un peso superior a 350 kg.

3.2.5. Máquinas de alta presión o hidrolimpiadoras

Las limpiadoras de alta presión eliminan la suciedad mediante chorro de agua, esta puede ser fría o caliente dependiendo del material que se limpie.

La hidrolimpiadora es una máquina que toma agua a baja presión de un depósito de la red, y a través de una bomba la impulsa a alta presión.

Para realizar su función, la hidrolimpiadora se vale de los siguientes elementos:

- *La bomba de presión*: que funciona por un motor eléctrico o de explosión, o bien puede ser accionada desde la toma de fuerza de un camión o un tractor.
- *El regulador de presión*: se encuentra en la salida de la bomba y es el responsable de modificar la presión de salida y de hacer recircular el agua cuando no se acciona la pistola.
- *Una manguera*: especialmente preparada para soportar presiones elevadas, pueden ser mangueras de una malla metálica (R1) o de dos mallas metálicas (R2), y altas temperaturas en caso de que utilicen agua caliente.
- *La empuñadura o pistola*: para abrir o cerrar el paso de agua.
- *La lanza*: con una tobera en su extremo final que al reducir considerablemente el paso de agua (caudal) convierte la presión en velocidad. La tobera es un estrechamiento de la lanza, y viene definida por el paso y por el ángulo del abanico que forma el agua a la salida.
- *El recipiente para el producto químico*: en unos casos el producto químico es conducido desde su depósito a la entrada de la bomba a través de una tubería de plástico, la bomba succiona el producto y lo mezcla con el agua dando a la salida de la bomba agua a presión con producto químico. En otros casos, el producto químico se mezcla con el agua a la salida de la bomba por el llamado efecto venturi; este tipo de hidrolimpiadoras tiene una boquilla con dos posiciones: hacia adelante echan agua a presión y hacia atrás sale agua a baja presión permitiendo de esta forma la aspiración de producto químico.
- *Serpentín*: es un tubo enrollado en doble capa donde se produce la combustión que genera el calor que calienta el agua mediante un quemador de gasoil. La regulación de la temperatura se realiza por medio de un termostato que tiene la sonda a la salida del serpentín. La salida del serpentín se conecta a la manguera de presión y de ahí a través de la pistola a la lanza, saliendo el agua caliente a presión por la tobera situada en el extremo de la lanza.

Tipos de hidrolimpiadoras

Podemos clasificar las hidrolimpiadoras en función de la intensidad con la que se vayan a utilizar, en función de si se calienta el agua o no, y en función de su autonomía.

En función de la intensidad con la que se vayan a utilizar, podemos distinguir:

- *Hidrolimpiadoras de bricolaje*: para una utilización esporádica.
- *Hidrolimpiadoras semiprofesionales*: para utilizarse tres o cuatro horas diarias.
- *Hidrolimpiadoras profesionales:* para utilizarse diariamente en jornadas de ocho horas.

En función de la temperatura del agua:

- *Hidrolimpiadoras de agua fría*: toman el agua a la temperatura ambiente y la impulsan tal cual.

- *Hidrolimpiadoras de agua caliente*: disponen de un quemador de gasoil que eleva la temperatura del agua después de haber pasado por la bomba. Están especialmente indicadas para lugares donde hay grasa o aceites.

En función de su autonomía:

- *Hidrolimpiadoras autónomas:* mueven la bomba mediante un motor de gasolina o de gasoil.
- *Hidrolimpiadoras eléctricas:* disponen de un motor eléctrico para accionar la bomba.

Actividad 9

Indica si la siguiente cuestión es verdadera o falsa:

Las fregadoras automáticas permiten rendimientos muy elevados y están especialmente diseñadas para la limpieza de pasillos, vestíbulos de entrada, almacenes, etc.

Verdadera ☐ Falsa ☐

3.3. Productos de limpieza

3.3.1. Productos de limpieza: detergentes y lejías

El producto de limpieza básico es el **agua**.

Disuelve gran parte de la suciedad formando una solución que se elimina mediante aclarado. Sin embargo algún tipo de suciedad no se disuelve en agua. Se dice que es insoluble en agua.

Además, el agua del grifo no es una sustancia pura. Contiene cierta cantidad de impurezas que, sumadas todas ellas, forman lo que se llama dureza del agua en sales. En determinadas condiciones, estas sales se depositarán y se convertirán en otro tipo de suciedad.

Debido a la incapacidad del agua para disolver cierto tipo de suciedad, se añaden a la misma productos químicos. Estos productos, sintéticos en su mayoría, se llaman **detergentes**.

Los productos de limpieza que se utilicen deben estar bien identificados, permanentemente supervisados y autorizados por el Servicio de Medicina Preventiva o el Técnico de Salud en Sanidad Ambiental de Atención Primaria del Centro, que podrá realizar los cambios que considere oportunos y dispondrán de un dosier completo de cada uno de los productos.

Deben respetarse al máximo las instrucciones de uso dadas por el fabricante y por Medicina Preventiva o el Técnico de Salud en Sanidad Ambiental de Atención Primaria y Área de Gestión Sanitaria.

No se recomienda el uso de desinfectantes de alto nivel (amplio espectro) para desinfectar instrumentos no críticos, ni superficies.

No se recomienda la utilización de aldehídos para la desinfección de superficies, dada su toxicidad.

No usar desinfectantes fenólicos en pediatría.

Se utilizarán siempre por parte del personal los equipos de protección individual necesarios para el manejo seguro de estos productos.

Los desinfectantes a utilizar deben estar inscritos en el Registro Oficial de Biocidas de la Dirección General de Salud Pública del Ministerio de Sanidad y Consumo (actual Ministerio de Sanidad).

Los detergentes y los desinfectantes utilizados deben ser compatibles entre sí y solubles en agua.

En la elección de los detergentes y desinfectantes se ha de tener siempre en cuenta:

- La compatibilidad con el material o superficie a desinfectar, en orden a evitar dañarlo.
- Las posibilidades seguras de utilización para el personal, los pacientes y el medio ambiente.

Siempre, previamente al uso del desinfectante, la superficie debe limpiarse con solución detergente (detergente disuelto en agua), para eliminar restos de materia orgánica o sangre que pueda inactivar al desinfectante.

Todos los envases con restos de sustancias peligrosas, utilizados en los procedimientos de limpieza, serán eliminados o depositados en la zona designada como almacén intermedio y en los contenedores adecuados y entregados a un gestor autorizado con cargo al adjudicatario.

Los productos a utilizar serán:

a) **Desinfectantes:**

   - Hipoclorito sódico (lejía) al 0,5 % - 1 % (5000-10.000 ppm) (usar siempre si la contaminación es con sangre).
   - Desinfectantes de alto espectro (complejos trialdehídicos, etc.).
   - Polvo abrasivo clorado.

     En superficies metálicas:

     * Alcohol 70 %.
     * Derivados fenólicos.
     * Desinfectantes de alto espectro (aldehídicos).

b) **Detergentes:**

   Serán compatibles con los desinfectantes utilizados, es decir, compuestos no iónicos (polisorbatos) o aniónicos (jabones: alkil-aril sulfonatos, sulfatos orgánicos (laurilsulfato sódico).

Una interesante diferenciación de productos la ofrece el **Real Decreto 770/1999, de 7 de mayo**, por el que se aprueba la Reglamentación técnico-sanitaria para la elaboración, circulación y comercio de detergentes y limpiadores.

Esta norma distingue detergentes y limpiadores definiéndolos del siguiente modo:

- **Detergente**: todo producto cuya composición ha sido especialmente estudiada para colaborar al desarrollo de los fenómenos de detergencia y que se basa en componentes esenciales (agentes tensioactivos) y, generalmente, componentes complementarios (coadyuvantes, reforzantes, cargas, aditivos y otros componentes accesorios).

  En este grupo entrarían productos cuya finalidad principal es el lavado, como los destinados al lavado de vajillas, al lavado de ropa, al lavado de superficies y todos aquellos otros a base de tensioactivos que puedan tener otra finalidad complementaria, como los que tienen acción desinfectante.

- **Limpiador**: es el producto cuya finalidad principal es la limpieza y mantenimiento de objetos y superficies tales como suelos, maderas, plásticos, azulejos, cristales, sanitarios, metales, tejidos o cueros. Estos productos pueden contener, entre otros componentes, disolventes, álcalis, ácidos, ceras, champú, amoniaco, aditivos y otros auxiliares.

  En este grupo se incluyen los productos destinados a purificar o aromatizar el ambiente y los limpiadores utilizados también como desinfectantes.

Para comprender bien esta clasificación vamos a definir algunos términos que se han utilizado:

- **Detergencia**: es la capacidad de disolver la suciedad gracias a la producción y unión de tres fenómenos físicos:
  * *Poder humectante*: es la propiedad de mojar. Técnicamente es la capacidad de romper la tensión superficial del agua para que reduzca la tensión de contacto y penetre mejor.
  * *Poder dispersante:* la dispersión es la capacidad de romper una suciedad compacta y reducirla a finas partículas.
  * *Poder de suspensión*: es la capacidad de emulsionar la suciedad para que no se vuelva a formar adhiriéndose de nuevo a la superficie a limpiar.
- **Agente tensioactivo**: es todo compuesto químico que disuelto en un líquido se absorbe preferentemente en una interfase, lo que determina un conjunto de propiedades fisicoquímicas de interés práctico, ya que reducen la tensión superficial del agua, se pueden clasificar en:
  * Iónicos:
    • Aniónicos.
    • Catiónicos.
  * No iónicos.
  * Anfotéricos.

El definir los agentes tensioactivos como componentes fundamentales de los detergentes no implica necesariamente que estén presentes en la formulación en proporción mayoritaria.

- **Reforzantes**: son unos componentes complementarios que mejoran ciertas propiedades características de los componentes fundamentales.
- **Aditivos**: son componentes complementarios de un detergente o de un limpiador que aportan propiedades adicionales a la acción específica de la limpieza.
- **Cargas**: son los productos utilizados para lograr el tipo de presentación y concentración deseadas de un detergente o un limpiador.
- **Coadyuvantes**: son componentes complementarios de un detergente o de un limpiador, que aportan propiedades particulares a las de los componentes fundamentales en la acción específica de la limpieza.

Recuerda que...

El detergente se usará siempre diluido en agua en la dosis adecuada. Si se aplica directamente sobre la superficie puede deteriorarla. Como indica el círculo se Sinner, requiere de acción mecánica y tiempo de acción. Puede mezclarse con productos desinfectantes para hacer la limpieza y desinfección simultánea, pero no siempre se mezclará con otros limpiadores, ya que esta práctica podría resultar peligrosa.

Según el **anexo I del RD 770/1999, de 7 de mayo por el que se aprueba la Reglamentación técnico-sanitaria para la elaboración, circulación y comercio de detergentes y limpiadores**, se establece la siguiente clasificación:

a) **Productos para el lavado de vajillas:**

1. Detergentes para lavado a mano.
2. Productos para lavado a máquina.
3. Productos auxiliares para lavado a máquina (abrillantadores, sales).

b) **Productos para el lavado de ropa:**

1. Detergentes.
2. Suavizantes.
3. Productos para el prelavado.
4. Aditivos (anticalcáreos, blanqueantes).

c) **Jabones de lavar.**

d) Productos de mantenimiento y limpieza:

1. De uso general.
2. Limpiacristales y multiusos.
3. Limpiadores para sanitarios.
4. Ceras y limpiadores para muebles y maderas.
5. Abrillantadores y limpiadores para suelos duros.
6. Productos para tejidos (quitamanchas, aprestos, limpiadores para tapicerías y alfombras y tintes).
7. Limpiacalzados y limpiadores para cuero y pieles.
8. Limpiadores para hornos, microondas, vitrocerámicas.
9. Limpiametales y productos para el tratamiento de superficies metálicas.
10. Quitagrasas.
11. Desincrustantes y desatascadores.
12. Productos para el lavado y cuidado de carrocerías, vehículos y otros elementos de transporte.
13. Ambientadores.

e) Productos para limpieza de la industria alimentaria (suelos, paredes, maquinaria, envases, cisternas, cámaras frigoríficas y otros elementos de producción, almacenamiento y transporte de alimentos).

f) Productos de mantenimiento y limpieza destinados a otras aplicaciones industriales y a otros usos profesionales.

3.3.1.1. Detergentes

Un detergente es el producto en el que su composición fue especialmente estudiada para colaborar al desarrollo de fenómenos de detergencia y que se basa en los componentes esenciales (agentes tensoactivos) y generalmente en componentes complementarios (coadyuvantes, reforzantes, etc.).

El jabón, por su parte, es un producto para el lavado y la limpieza doméstica, formulado a base de sales alcalinas de ácidos grasos asociados con otros tensoactivos. Es el producto de la reacción natural por la saponificación de un álcalis (hidróxido de sodio y potasio) y grasas de origen vegetal o animal.

Los detergentes son una mezcla de muchas sustancias. La parte activa del detergente (los tensioactivos), a semejanza de los jabones, tiene dos partes: una lipófila (que se une a la grasa) y otra hidrófila (que se une al agua). De esta forma, jabones y detergentes consiguen disolver la grasa en el agua; si bien, los detergentes son más eficaces que los jabones en aguas duras (aguas con sales disueltas de metales pesados).

Los detergentes suelen elaborarse con sustancias sintéticas, procedentes del petróleo, y sustancias oleoquímicas, procedentes de aceites y grasas.

En síntesis, los detergentes o **jabones sintéticos** son productos biodegradables (fácilmente eliminables con la ayuda del agua). Los fabrican a medida de nuestras necesidades, es decir, en función del tipo de suciedad que tenemos que eliminar. Es importante que los distingamos de los **jabones naturales** (elaborados con grasas de animales, huesos calcinados y sales alcalinas y que tardan mucho en degradarse) y cuyo uso tiende a reducirse al mínimo.

Como hemos visto, la molécula de los detergentes consta de una parte hidrófila y una lipófila, esta última parte clasifica los diferentes detergentes en:

- **Detergentes aniónicos**: el grupo liposoluble está formado por un ácido orgánico. La capacidad antiséptica de estos detergentes es baja, pero no produce selección de gérmenes. Laurilsulfato sódico, sulfato de alquil poli-oxietileno, dioctilsulfosuccinato sódico. Son compatibles con la lejía. Su mayor virtud es el gran poder emulsionante y la espuma que generan.
- **Detergentes catiónicos**: su grupo liposoluble está formado por una base. La capacidad antiséptica es más alta. Amonio cuaternario. Son incompatibles con la lejía. Poseen elevado poder desinfectante.
- **Detergentes no iónicos**: no se disocian en el agua, por lo que carecen de carga y apenas alteran la función barrera cutánea. Se emplean para regular la presencia de espuma en los tensioactivos aniónicos. Son compatibles tanto con los tensioactivos catiónicos como los aniónicos; son solubles en agua y funcionan bien en aguas duras.
- **Detergentes anfóteros**: son aquellos que actúan como catiónicos o aniónicos dependiendo del medio en el que se encuentren. Son compatibles con el resto de tensioactivos, con la piel y mucosas; tienen baja sensibilidad a las aguas duras.

En función del pH, podemos clasificar los detergentes en:

- **Detergentes alcalinos o básicos**: son aquellos cuyo pH supera el valor de 9 (los productos de limpieza con un ph entre 11 y 12 son productos alcalinos fuertes). Son productos de gran eficacia en los procesos de limpieza de la suciedad en general. Son los más indicados para manchas proteicas –sangre, sudor, chocolate– y también para manchas de grasa.
- **Detergentes ácidos**: aquellos cuyo nivel de pH es de 5 o inferior. Son productos de gran eficacia, pero de elevado poder corrosivo.
- **Detergentes neutros**: aquellos cuyo nivel de pH está comprendido entre 6 y 8. Su uso queda destinado a superficies delicadas o en tratamientos de limpieza de gran frecuencia o escasa suciedad, algo determinado por su poca agresividad.

Recuerda que...

Los detergentes llevan en su composición agentes tensioactivos y otros componentes complementarios. La detergencia se debe al poder humectante, dispersante y de suspensión del producto.

A) Componentes de los detergentes

1. Tensioactivo: Es el principal componente de los detergentes, y constituye su parte activa.

Son sustancias químicas orgánicas cuya principal función es reducir la tensión superficial del agua, mezclándose con ella y aumentando así su poder humectante. Ayuda también en la emulsión de las suciedades adheridas.

Los tensioactivos pueden ser de varios tipos, y un detergente puede contar con más de un tipo den su composición.

Según su comportamiento en disolución acuosa, podemos distinguir los siguientes:

- *Tensioactivos aniónicos*: en disolución acuosa generan iones con carga negativa. Forman mucha espuma, y tienen gran capacidad emulsionante. Son los más utilizados.
- *Tensioactivos catiónicos*: en disolución acuosa generan iones con carga positiva. Tienen gran poder desinfectante, y suavizante para el textil. Son incompatibles con los tensioactivos aniónicos, por tanto no pueden estar presentes a en el mismo detergente, ya que sus cargas se anularían y perderían su capacidad.
- *Tensioactivos no iónicos*: en disolución acuosa no presenta ningún tipo de carga. Se utilizan para regular la cantidad de espuma producida por los detergentes aniónicos.
- *Tensioactivos anfotéricos*: Dependiendo de si el medio en que se encuentran es ácido o alcalino, se van a comportar como tensioactivos catiónicos o aniónicos, respectivamente.

2. Coadyuvantes o builders: son compuestos complementarios a la acción detersiva o limpiadora del tensioactivo, que aportan propiedades particulares, aumentando la alcalinidad, y protegiendo al detergente de las aguas muy duras.

Los más frecuentes son:

- *Fosfatos*: ablanda el agua al secuestrar los iones cálcicos y magnésicos. Actúa como emulsionante de la grasa.
- *Silicatos*: actúan como inhibidores de la corrosión.
- *Carbonatos*: capacidad amortiguadora de los cambios de pH.
- *Citratos*: sirve como secuestrante y es fácilmente biodegradable.
- EDTA: Tiene un elevado poder secuestrante.

3. Aditivos: cualquier sustancia que se añade el detergente en su composición, con intención de aportan propiedades ajenas a la acción limpiadora, por ejemplo: perfumes, colorantes, blanqueantes, suavizantes, etc.

4. Auxiliares de presentación: determinan el aspecto del producto acabado.

Los más frecuentes son: sulfato sódico para detergentes sólidos, y agua para detergentes líquidos.

5. Reforzantes: son unos componentes complementarios que mejoran ciertas propiedades de los componentes fundamentales.

6. Cargas: son los productos utilizados para lograr el tipo de presentación y concentración deseadas de un detergente o un limpiador.

Recuerda que...

La parte activa de un detergente es el tensioactivo, componente que ejerce la acción de limpiar.

B) Propiedades de un detergente

La acción limpiadora de los detergentes se basa en tres propiedades básicas:

1. **Poder humectante**: es la capacidad de reducir la tensión superficial del agua, para facilitar que se mojen los tejidos y superficies.

   El agua de manera natural ofrece cierta resistencia a ser "traspasada" por cualquier agente externo. Esto se debe a la tensión superficial.

2. **Dispersión**: muchas veces la suciedad se acumula formando "manchas". El detergente rompe esa suciedad, dispersando las partículas finas que componían esa mancha.

3. **Suspensión**: las partículas dispersas deben mantenerse en suspensión y no acumularse y adherirse de nuevo en la superficie.

C) Características de un detergente

Los agentes tensioactivos de los productos regulados en el **RD 770/1999**, deberán cumplir con lo dispuesto en la legislación vigente en materia de biodegradabilidad:

- **Biodegradabilidad**: es la capacidad de biodegradación de los agentes tensioactivos.
- **Biodegradación**: es la degradación molecular del agente tensioactivo, resultante de una acción compleja de los organismos vivos del medio ambiente.
- **Porcentaje de biodegradabilidad**: es la cantidad porcentual del agente tensioactivo biodegradado según los métodos oficiales en vigor.

El **Reglamento (CE) nº 648/2004** del Parlamento Europeo y del Consejo, de 31 de marzo de 2004, sobre detergentes hace una distinción entre:

- "**Biodegradación primaria**", el cambio estructural (transformación) de un tensioactivo por microorganismos con resultado de la pérdida de sus propiedades tensioactivas por degradación de la sustancia madre y la consiguiente pérdida de su capacidad tensioactiva. La biodegradabilidad primaria se considerará satisfactoria en un nivel mínimo del 80 %, medida de conformidad con los métodos de ensayo siguientes.

- "**Biodegradación aeróbica final**", el nivel de biodegradación alcanzado cuando el tensioactivo sea totalmente descompuesto, en presencia de oxígeno, por microorganismos para dar dióxido de carbono, agua y sales minerales de cualquier otro elemento presente (mineralización).

Actividad 10

Indica si la siguiente cuestión es verdadera o falsa:

Definimos detergente como el producto cuya finalidad principal es la limpieza y mantenimiento de objetos y superficies tales como suelos, maderas, plásticos, azulejos, cristales, sanitarios, metales, tejidos o cueros.

Verdadera ☐ Falsa ☐

3.3.1.2. Desinfectantes

Un desinfectante es un agente químico que destruye o inhibe el crecimiento de microorganismos patógenos en fase vegetativa o no esporulada.

Los desinfectantes no necesariamente matan todos los organismos, pero los reducen a un nivel que no dañan la salud ni la calidad de los bienes perecederos.

Los desinfectantes se aplican sobre objetos y materiales inanimados, como instrumentos y superficies, para tratar y prevenir la infección. También se pueden utilizar para desinfectar la piel y otros tejidos antes de la cirugía.

Las características del desinfectante ideal son:

- Amplio espectro (bactericida, virucida, fungicida y esporicida).
- De acción instantánea.
- Facilidad de uso.
- Solubilidad en agua.
- No ser tóxico en concentraciones de uso.
- No tener efectos nocivos sobre el personal aplicador.
- No ser corrosivo.
- No ser inflamable, irritante, ni producir manchas ni olores.
- Estable, tanto en la forma concentrada como en la diluida del producto.
- Fácil de eliminar.
- Capaz de actuar en las más diversas condiciones (acidez, temperatura, materia orgánica).
- Económico.

Los productos desinfectantes de ambientes y superficies utilizados en los ámbitos clínicos o quirúrgicos han de estar autorizados por la Agencia Española de Medicamentos y Productos Sanitarios (AEMPS).

Los productos desinfectantes empleados en la desinfección del aire, superficies, materiales, equipos, y mobiliario, utilizados en los ámbitos clínicos o quirúrgicos, y que no entren en contacto directo con los pacientes, están reglamentados normativamente por el Real Decreto 1054/2002, de 11 de octubre, por el que se regula el proceso de evaluación para el registro, autorización y comercialización de biocidas.

Estos productos deberán incluir en su etiquetado el número de autorización otorgado por la AEMPS "N.º--- DES", que corresponda a dicha autorización.

Sabías que...

Un desinfectante NO destruye las esporas de microorganismos. Para eliminarlas sería necesario un proceso de esterilización.

A) Categorías de desinfectantes

La Nota Informativa sobre productos desinfectantes de 29/03/2011, de la Agencia Española de Medicamentos y Productos Sanitarios clasifica los desinfectantes en tres categorías legales:

- **Biocidas**: tienen esta consideración los antisépticos para piel sana, incluidos los destinados al campo quirúrgico preoperatorio y los destinados a la desinfección del punto de inyección, así como los desinfectantes de ambientes y superficies utilizados en los ámbitos clínicos o quirúrgicos que no entran en contacto con el paciente directamente, tales como los destinados a pasillos, zonas de hospitalización, zonas de atención y tratamiento, mobiliario, etc.
- **Productos sanitarios**: tienen esta consideración los productos que se destinan específicamente a la desinfección de productos sanitarios, clasificados como los pertenecientes a:
  * Grupo II a: desinfectantes para instrumentos no invasivos (incubadoras, camillas...).
  * Grupo II b: desinfectantes para instrumentos invasivos.

  Los productos que se destinan específicamente a la desinfección de productos sanitarios deben exhibir el marcado CE en su etiquetado, acompañado del número de identificación del Organismo notificado que ha intervenido en su evaluación. El fabricante debe haber efectuado una Declaración CE de conformidad con los requisitos de la regulación de productos sanitarios, y debe poseer los certificados CE correspondientes emitidos por un Organismo notificado.
- **Medicamentos**: tienen esta consideración los desinfectantes que se destinan a aplicarse en piel dañada: heridas, cicatrices, quemaduras, infecciones de la piel, etc.

Según la Agencia de Protección del Medioambiental de los Estados Unidos (*Environmental Protection Agency* –EPA–), las categorías de desinfectantes serían:

- **Desinfectante limitado**: efectivo contra algunas bacterias gram positivas (*Staphylococcus aureus*) o gram negativas (*Salmonella C*).
- **Desinfectante general o de amplio espectro**: inactiva bacterias (gram positivas, gram negativas, micobacterias), virus, hongos, esporas...
- **Desinfectante de hospital**: efectivo contra algunas bacterias gram positivas y gram negativas, incluyendo la *Pseudomona areuginosa*. Algunos amonios cuaternarios y fenoles entran en esta clasificación.
- **Detergente desinfectante**: este producto usa una combinación de detergente y desinfectante químico. No todos los detergentes y desinfectantes son compatibles. Varias presentaciones comerciales están disponibles actualmente: detergentes alcalinos formulados con compuestos que liberan cloro, detergentes alcalinos formulados con amonios cuaternarios o surfactantes no iónicos, y detergentes ácidos formulados con iodóforos.
- **Sanitizante**: es un compuesto que reduce pero no necesariamente elimina los microorganismos desde el medioambiente inanimado. Se utiliza generalmente en contacto con los alimentos.

La limpieza inicial del objeto es fundamental para que la desinfección sea eficaz, ya que muchos desinfectantes pierden total o parcialmente su actividad en presencia de materia orgánica.

Recuerda que...

Los desinfectantes se clasifican también por su nivel de actividad a los microorganismos:

- **Desinfectantes de bajo nivel (DbN)**: no son capaces de destruir en un periodo breve de tiempo esporas bacterianas, micobacterias y todos los hongos y/o virus no lipídicos o de pequeño tamaño. Eliminan bacterias vegetativas, algunos virus y algunos hongos. El tiempo de contacto mínimo para una desinfección de bajo nivel es de 10 minutos.
- **Desinfectantes de nivel intermedio (DNi)**: no eliminan necesariamente las esporas bacterianas, pero inactivan bacterias vegetativas, hongos, virus y en tiempos y concentraciones elevadas micobacterias. El tiempo de contacto mínimo para una desinfección de nivel intermedio con estos desinfectantes es de 10 minutos.
- **Desinfectantes de alto nivel (DaN)**: inactivan todas las formas vegetativas de los microorganismos, pero no destruyen toda forma de vida microbiana, puesto que no siempre eliminan todas las esporas. La mayoría requieren un tiempo de unos 20 minutos para ejercer una acción desinfectante de alto nivel; algunos precisan para destruir las esporas bacterianas un tiempo de contacto prolongado (entre 6 y 10 horas, según el desinfectante).

B) Tipos de desinfectantes

1. Compuestos halogenados

Se utilizan en la desinfección de rutina de superficies (suelos, pavimentos, baños, superficies no metálicas), cuñas, botellas y contenedores. Desinfectante de líquidos, secreciones y excrementos contaminados.

Los halógenos, especialmente el cloro y el iodo, son agentes fuertemente oxidantes por lo que son altamente reactivos y destructivos para los componentes vitales de las células microbianas.

La presentación habitual es en forma de cloro: **hipoclorito sódico (lejía) y cálcico**.

La **lejía** es el derivado clorado más utilizado, pues tiene un amplio espectro antibacteriano, es de acción rápida y a la vez económica. Podría haberse convertido en el producto de elección para la desinfección de todo el ámbito sanitario, pero su utilización está limitada porque corroe los metales, es inestable, tiene poco efecto remanente y se inactiva muy fácilmente en presencia de materia orgánica.

Su contenido en cloro activo no será inferior a 35 g/l, ni superior a 100 g/l.

En función de su contenido en cloro activo, se clasifican en:

- Lejía: aquella con un contenido en cloro activo no inferior a 35 g/l ni superior a 60 g/l;
- Lejía concentrada: aquella con un contenido en cloro activo no inferior a 60 g/l ni superior a 100 g/l.

La dilución de uso varía entre 1:10 (9 litros de agua y 1 de lejía) para zonas de alto riesgo y 1:50 (9,8 litros de agua y 200 ml de lejía) para zonas de riesgo medio, partiendo de una lejía de concentración 40 g/l.

Para las dos diluciones: tiempo de acción 15 - 30 minutos. Mínimo 10' de contacto, tiempo suficiente para que las superficies se sequen.

Preparación:

- La dilución se debe hacer con agua fría.
- No se mezclará con otros desinfectantes.
- Mantener el envase bien etiquetado, siempre cerrado y protegido de la luz.
- La dilución se preparará en el momento de su utilización y preferentemente en lugares ventilados.

La lejía se inactiva en presencia de materia orgánica, por luz solar (debe envasarse en recipientes opacos), a temperatura alta (no debe usarse con agua caliente) y el pH ácido. Corroe el níquel, hierro, acero cromado y otros metales oxidables. Tiene escaso efecto residual. Es de acción rápida y barata. Posee escasa actividad frente a micobacterias y esporas y es incompatibles con ácidos, derivados catiónicos y productos liberadores de oxígeno activo.

Los derivados clorados, como la lejía, no deben usarse como desinfectantes de alto nivel.

 Sabías que...

La mayoría de los centros han sustituido el uso de la lejía por otros productos clorados, con la misma capacidad desinfectante, pero menores inconvenientes de uso.

2. Fenoles: cresoles, ortofenilfenol, ortobencilfenol, triclosán

Los derivados metilados del fenol son los cresoles, de los que existen los tres derivados: orto, meta y para.

Se utilizan en la desinfección de objetos inanimados, superficies y ambiente a la concentración del 1 al 5 %. Son activos frente a bacterias Gram (-) y menos frente a las Gram (+) y hongos. Acción rápida en 10 o 15 minutos.

Son tóxicos y corrosivos pudiendo alterar la lana, algodón, tejidos sintéticos, níquel, zinc y cobre. Incompatibles con derivados catiónicos y algunos no iónicos. No son esporicidas y la luz ultravioleta los degrada. En un ambiente alcalino forman sales con un poder de desinfección muy reducido, tienen un mejor desempeño en un ambiente ácido. No deben ser aplicados a superficies donde se preparen alimentos. No deben ser utilizados en Neonatología.

3. Asociación de aldehídos

Es un producto bactericida de acción rápida y potencia alta. Se utiliza como alternativa al hipoclorito sódico para la limpieza y desinfección de las zonas de alto riesgo y material metálico.

- **Dilución de uso de 0,5 % a 1 % del preparado comercial**. A partir de concentraciones superiores son productos irritantes (ojos y piel).
- **Tiempo de acción 30 minutos**. Mínimo 10' de contacto, tiempo suficiente para que las superficies se sequen.
- **Preparación**: la dilución se hará siempre con agua fría. No se mezclará con lejía ni otros desinfectantes. La dilución se hará en el momento de su utilización.

Los aldehídos son agentes desinfectantes de alto nivel y esterilizantes. Como principal inconveniente está su elevada toxicidad siendo potencialmente cancerígenos. Solo actúan cuando el pH es alcalino. Su acción se interfiere escasamente por la presencia de materia orgánica.

Habitualmente se usan tres: formaldehído (primera generación), glutaraldehído (segunda generación) y glioxal (tercera generación).

- **El formaldehído** se utiliza en solución acuosa al 40 % (formalina) para la desinfección de superficies, solo o asociado a otras moléculas. Su uso es muy poco habitual. No debe mezclarse con desinfectantes que posean yodo, ya que pueden formar potentes carcinógenos. Es el desinfectante de elección en instrumentos reutilizables para hemodiálisis.

- **El glutaraldehído**: la presentación más usual del cual es como solución acuosa al 2 % para la desinfección de objetos sensibles al calor. En spray se puede utilizar para desinfectar cabinas, cámaras frigoríficas y otros habitáculos que se supongan contaminados con hongos o esporas. Buena actividad frente a micobacterias.

El glutaraldehído es un dialdehído saturado, usado como desinfectante de alto nivel y esterilizante químico. Las soluciones acuosas son ácidas y generalmente en ese estado no son esporicidas.

La actividad microbicida del glutaraldehído no solo está determinada por el pH o la concentración, sino también por la dilución en uso y por la carga orgánica. Estos productos son efectivos en un rango de 1,5 y 3 %. Las concentraciones inferiores afectan a su actividad biocida, por tal motivo los productos del mercado comercial deben venderse con un control que se debe realizar diariamente a los efectos de asegurar estos niveles.

El glutaraldehído se utiliza como desinfectante de alto nivel para equipo médico como endoscopios, tubos de espirómetro, dializadores, transductores, equipos de terapia respiratoria y de anestesia. No es corrosivo para el metal y no daña lentes, plásticos o goma. No debe ser usado para la desinfección de superficies, porque es muy tóxico para las personas.

Tanto en el caso del formaldehído como del glutaraldehído, debido a su elevada toxicidad, debe restringirse su uso a aquellas zonas en las que se considere imprescindible y que cumplan las medidas de protección establecidas.

Actualmente es recomendable utilizar productos de uno o dos aldehídos y que en su formulación no contengan formaldehído. El glutaraldehído no es un agente carcinogénico y se usa combinado con amonios cuaternarios, obteniéndose una sinergia muy poderosa. Cuando los desinfectantes están compuestos por varias sustancias, por lo general tienen un alcohol, amonios cuaternarios y un aldehído.

Desde 1999 en que fue aprobado por la FDA se utiliza como esterilizante químico el OPA (Orto-ftalaldehído). Este aldehído es activo para un amplio rango de bacterias, hongos, virus, micobacterias, incluyendo las atípicas y el Bacillus subtilis. El OPA tiene excelente estabilidad en un rango de pH entre 3 y 9. No es irritante para la piel ni las mucosas, no requiere activación ni monitoreo de exposición y tiene un aroma imperceptible.

Sabías que...

Los coronavirus son un grupo de virus que vistos al microscopio tienen un halo o corona, aunque este nuevo virus COVID-19 tiene una forma y un aspecto que lo diferencia de otros miembros previamente identificados de esta familia.

La enfermedad por coronavirus (COVID-19) es una enfermedad infecciosa provocada por el virus SARS-CoV-2.

4. Alcoholes

En el cuidado de la salud se reconoce como alcohol especialmente a dos compuestos químicos solubles en agua: el alcohol etílico y el alcohol isopropílico. Estos alcoholes son rápidamente bactericidas para toda forma vegetativa de bacterias. También son tuberculicidas, fungicidas y virucidas. No destruyen esporas bacterianas.

Su actividad depende de la concentración, situándose su máxima actividad entre 60 y 80º. La concentración óptima es del 70 %.

Tiempo de acción: mínimo 2 minutos.

El alcohol etílico es un buen desinfectante de superficies, de acción rápida y potencia intermedia.

Los alcoholes solo actúan en superficies limpias. No tienen acción residual. Se inactivan en presencia de materia orgánica. Pueden dañar el cemento de equipos ópticos y los aparatos de goma o plástico si el contacto es prolongado.

No utilizar sobre material metálico (acero inoxidable de baja calidad) ya que puede oxidarlo.

Es inflamable y utilizado como disolvente para desinfectantes no volátiles como clorhexidina o iodóforos.

5. Detergentes sintéticos que tienen poder desinfectante

a) **Detergentes aniónicos** tales como los alquilbencenosulfonato de sodio.

b) **Detergentes catiónicos** como los compuestos de amonio cuaternario.

Los detergentes basados en amonios cuaternarios son limpiadores extremadamente efectivos en un solo paso de limpieza y desinfección. Están formulados con detergentes catiónicos y no iónicos y son compatibles con detergentes anfotéricos; sin embargo, no se deben mezclar otros limpiadores con estos desinfectantes.

Los cuaternarios tienen baja toxicidad y amplio nivel de desinfección contra bacterias, hongos y virus. Su mayor efectividad es en pH alcalino en un rango de entre 7 y 10.

Estos desinfectantes no dejan manchas y no son corrosivos. Los cuaternarios por sí mismos no son efectivos contra el Mycobacterium tuberculosis pero las nuevas formulaciones con alcohol de preparaciones listas para usar permiten la actividad tuberculicida.

Los amonios cuaternarios no deben usarse como desinfectantes de alto nivel.

6. Nuevos productos con acción bactericida de amplio espectro y de baja toxicidad para el personal

Alta compatibilidad con todo tipo de materiales.

Productos:

- **Desinfectantes basados en oxígeno activo.**
    * Para la limpieza y desinfección de todo tipo de superficies.

* Recomendado especialmente para incubadoras, utillaje y aparatos.
* No utilizar sobre acero inoxidable de baja calidad ya que se puede oxidar.

- **Asociación de aminas terciarias y amonios cuaternarios.**

Por su nueva formulación permiten la limpieza y desinfección de todo tipo de superficies, aparatos y utillaje.

Nota: *Es conveniente tener un protocolo de rotación de agentes desinfectantes, para evitar la formación de cepas resistentes, de acuerdo con las instrucciones de la Unidad de Medicina Preventiva.*

<table>
<tr><th>Productos de limpieza/desinfección</th><th>Modo de usar</th><th>Indicaciones de uso</th></tr>
<tr><td>Agua</td><td>Técnica de barrido húmedo o retirada de polvo</td><td rowspan="3">Limpieza para la remoción de suciedad</td></tr>
<tr><td>Agua y jabón o detergente</td><td>Friccionar el jabón o detergente sobre la superficie</td></tr>
<tr><td>Agua</td><td>Enjuagar y secar</td></tr>
<tr><td>Alcohol al 70 %</td><td>Fricciones sobre la superficie a ser desinfectada</td><td rowspan="3">Desinfección de equipamientos y superficies</td></tr>
<tr><td>Compuestos fenólicos</td><td rowspan="4">Luego de la limpieza, inmersión o fricción Enjuagar y secar</td></tr>
<tr><td>Amonio cuaternario</td></tr>
<tr><td>Compuestos liberadores de cloro activo</td><td>Desinfección de superficies no metálicas y superficies con materia orgánica</td></tr>
<tr><td>Oxidantes (Peróxido de hidrógeno)</td><td>Desinfección de superficies</td></tr>
</table>

Productos de limpieza y desinfección de superficies

3.3.2. Abrillantadores

Para **la limpieza de mobiliario lavable** basta con utilizar detergente neutro diluido en agua con bayeta de tela sin tejer, humedecida con la solución limpiadora.

Si posteriormente queremos obtener brillo, basta con secar la superficie con una bayeta ecológica.

En **la limpieza de mobiliario no lavable**, madera en general, se utilizan productos captapolvo denominados, coloquialmente abrillantadores, que se deben aplicar en la bayeta al menos diez minutos antes de su uso, para evitar acumulaciones indeseadas sobre la superficie. Estas acumulaciones, una vez seco el producto, provocan huellas difíciles de eliminar, por lo que es importante seguir el procedimiento correcto si queremos obtener una calidad óptima.

A veces en **mobiliario de maderas nobles** hay que aplicar ceras en base disolvente para nutrir las superficies y **abrillantarlas**:

- Para realizar esta aplicación es conveniente limpiar previamente la madera con una bayeta humedecida en agua con detergente neutro.
- Dejar secar perfectamente y aplicar posteriormente la cera a través de bayeta, siguiendo el procedimiento adecuado.
- A veces, es necesario frotar esta cera para obtener el brillo deseado.

3.3.3. Productos específicos: limpiacristales, limpiametales, limpiamuebles, ambientadores

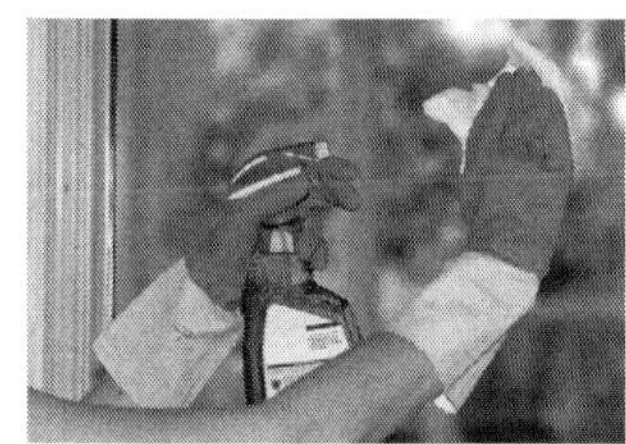

A) Los limpiacristales

Son productos adecuados para la limpieza de mesas acristaladas. Se pulveriza sobre el cristal y se aclara con un paño seco para arrastrar la suciedad junto al resto de producto. De esta forma no quedarán marcas en el cristal.

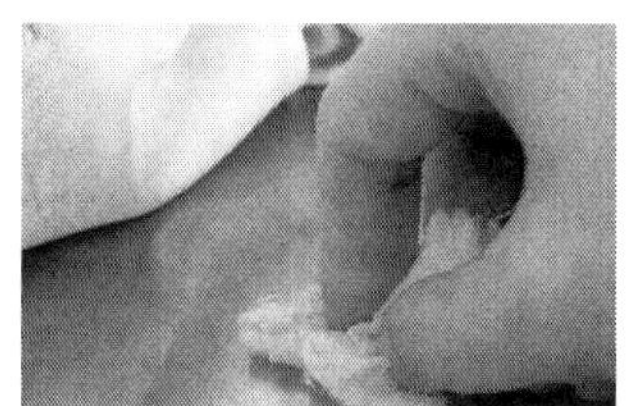

B) Los limpiametales

Se aplican sobre aquellos metales que no puedan limpiarse con solución de detergente neutro. Se aplican, se dejan secar y posteriormente, se lustran.

C) Los limpiamuebles

Son los denominados productos capta-polvo o abrillantadores. Se deben aplicar en la bayeta al menos diez minutos antes de su uso y, a ser posible, sobre mobiliario no lavable. No obstante, pueden ser sustituidos por una bayeta humedecida en solución de detergente neutro.

D) Los ambientadores

Son productos a utilizar después de haber limpiado, vaporizando en pequeñas cantidades para evitar saturaciones, nocivas para la salud de las personas.

No se deberán aplicar si se han utilizado previamente detergentes olorosos.

Son aconsejables en aseos los productos bacteriostáticos mediante sistemas de descarga secuencial, que permiten, además de una buena odorización, ralentizar el crecimiento bacteriano.

Los ambientadores no son recomendables en el ámbito hospitalario.

3.3.4. Los productos concentrados

Este tipo de productos tiene ventajas importantes y se presentan como a continuación detallamos:

- Por ejemplo, una botella equivale hasta 750 litros de producto listo para usar.
- Se utilizan mediante sistemas de dosificación instalados en red de agua.
- Con código de colores para identificación de productos, como rojo para servicios, azul para mobiliario, etc.

- Se reducen los costes de almacenamiento y transporte.
- Esta novedad evita riesgos debidos a la manipulación de productos químicos, así como controla el vertido de estos químicos, lo que favorece el entorno medioambiental.

4. Envasado y etiquetado de los productos de limpieza

4.1. Envasado

Los productos de limpieza pueden presentarse en el mercado de muchas formas: sólidos, en polvo, en escamas, en pasta, en líquidos, en aerosoles o en cualquier otra forma de presentación que el desarrollo tecnológico permita.

Los envases en que se presentan para la venta los productos de limpieza han de cumplir los siguientes requisitos:

- Los materiales que constituyen los envases y sus cierres no serán susceptibles de ser atacados por el contenido, ni formar con estas combinaciones que puedan ser peligrosas.
- Los envases y sus cierres estarán diseñados y fabricados de manera que sean estancos, fuertes y sólidos, con el fin de que no se abran y que resistan con seguridad los esfuerzos de las operaciones normales de manipulación.
- Los envases de los productos con un sistema de cierre reutilizable dispondrán de un cierre de características y diseños tales que una vez abiertos puedan ser nuevamente cerrados sin perder su carácter estanco.
- En cuanto a los productos envasados en aerosoles, su válvula, en condiciones normales de almacenamiento y de transporte, deberá permitir el cierre prácticamente hermético del generador de aerosol y estar protegida contra toda apertura involuntaria y contra toda posibilidad de deterioro, por ejemplo, mediante una cápsula de protección.

La resistencia mecánica del generador de aerosol no deberá poder verse afectada por la acción de las sustancias que contenga el recipiente, incluso durante un período prolongado de almacenamiento.

Recuerda que...

Los productos de limpieza se deben mantener en su envase cerrado para evitar accidentes por derrame. Cada envase conservará su etiqueta para conocer en todo momento la naturaleza de su contenido.

4.2. Etiquetado

4.2.1. Etiquetado de productos de limpieza

Los productos de limpieza son productos químicos, muchos de los cuales pueden exponer a la persona que los manipula, o a su entorno, a diversos riesgos de mayor o menor peligrosidad.

Es por esta razón que se obliga a los fabricantes de estos productos a informar adecuadamente al consumidor de los riesgos que su manipulación acarrea. Para ello la legislación obliga a ofrecer a través de la etiqueta del envase y de la ficha de datos de seguridad una serie de instrucciones básicas y alertas en función de la peligrosidad del producto.

Por su parte, el manipulador del producto, el operario, debe saber interpretar la información de la etiqueta y seguir fielmente las instrucciones del fabricante sobre la dosificación y seguridad del producto para aplicarlo de la manera más segura y eficaz sin dañar la superficie a limpiar.

El **Reglamento (CE) n.º 1272/2008** (en adelante denominado CLP, acrónimo de clasificación, etiquetado y envasado de sus siglas en inglés) entró en vigor el 20 de enero de 2009 debido a la necesidad de incorporar a la legislación comunitaria los criterios del Sistema Globalmente Armonizado (SGA) de las Naciones Unidas sobre clasificación, etiquetado y envasado de sustancias y mezclas químicas para lograr una armonización a nivel internacional.

Actualmente el reglameto (CE) nº 1272/2008, está modificado por **Reglamento Delegado (UE) 2020/1677 de la Comisión de 31 de agosto de 2020** que modifica el Reglamento (CE) nº 1272/2008 del Parlamento Europeo y del Consejo sobre clasificación, etiquetado y envasado de sustancias y mezclas a fin de mejorar la viabilidad de los requisitos de información relacionados con la respuesta sanitaria en caso de urgencia y el **Reglamento Delegado (UE) 2020/1676 de la Comisión de 31 de agosto de 2020** que modifica el artículo 25 del Reglamento (CE) nº 1272/2008 del Parlamento Europeo y del Consejo sobre clasificación, etiquetado y envasado de sustancias y mezclas en lo que respecta a las pinturas a medida.

El CLP tiene entre sus principales objetivos determinar si una sustancia o mezcla presenta propiedades que deban ser clasificadas como peligrosas. Una vez identificadas dichas propiedades y clasificada la sustancia o mezcla en consecuencia, deberán comunicarse los peligros detectados a través del etiquetado.

4.2.1.1. Aspectos básicos del CLP

El Reglamento CLP establece un nuevo sistema de identificación del riesgo químico, unificándolo a nivel mundial y aproximándolo en algunos aspectos al que se viene usando a nivel internacional en el transporte de mercancías peligrosas.

Ello implica, básicamente, lo siguiente:

- Un nuevo sistema de clasificación de la peligrosidad de las sustancias y sus mezclas.
- El establecimiento de nuevas clases y categorías de peligro.
- El uso de unas palabras de advertencia que prefijan el nivel de peligrosidad de la sustancia o mezcla.
- La introducción de nuevos pictogramas y una modificación exclusivamente formal de los existentes, desapareciendo la cruz de San Andrés.
- La fijación de unas indicaciones de peligro (H), equivalentes, en parte, a las anteriores frases R.
- La fijación de unos consejos de prudencia (P), que sustituyen a las anteriores frases S.

4.2.1.2. Contenido de la etiqueta

El Reglamento CLP establece que los proveedores serán los responsables de etiquetar las sustancias o mezclas en los siguientes casos:

- Una sustancia o mezcla se deberá etiquetar si está clasificada como peligrosa.
- Una mezcla se deberá etiquetar cuando esté compuesta por una o más sustancias clasificadas como peligrosas por encima de un cierto umbral.

El Reglamento CLP establece el contenido que debe llevar la etiqueta y la manera en que se han de organizar los distintos elementos de etiquetado, así como las dimensiones de la etiqueta en función del tamaño del envase.

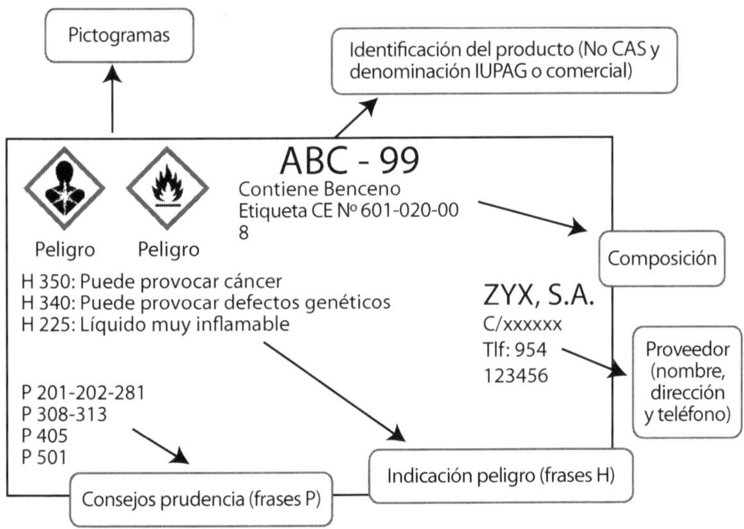

Ejemplo de etiqueta según el Reglamento CLP

La etiqueta no será necesaria cuando sus elementos figuren claramente en el propio envase.

La información que debe figurar en la etiqueta incluye:

- Nombre, dirección y teléfono del proveedor de la sustancia o mezcla.
- Cantidad nominal de la sustancia o mezcla contenida en los envases (salvo que esta cifra se encuentre especificada en otro lugar del envase).
- Identificadores del producto (denominación o nombre comercial del preparado y uso al que se destina).
- Y, cuando proceda, pictogramas de peligro, palabras de advertencia, indicaciones de peligro, consejos de prudencia e información complementaria que pueda incluir información requerida por otra legislación, por ejemplo la legislación sobre biocidas, plaguicidas o detergentes.

La etiqueta estará fijada firmemente en el envase y deberá poder leerse en sentido horizontal cuando el envase esté en su posición normal.

4.2.2. Ficha de datos de seguridad e identificación de los peligros

4.2.2.1. Fichas de datos de seguridad

La **Ficha de Datos de Seguridad (FDS)** es un documento elaborado por el fabricante de una sustancia o mezcla química en la que se ofrece abundante información sobre sus riesgos. Debe facilitarse obligatoriamente con la primera entrega de un producto químico peligroso.

El Reglamento REACH establece un nuevo modelo de Ficha de Datos de Seguridad (FDS).

La FDS consta de la siguiente información ordenada en 16 secciones con sus correspondientes epígrafes:

Sección 1: Identificación de la sustancia o la mezcla y de la sociedad o la empresa

1.1. Identificador del producto.

1.2. Usos pertinentes identificados de la sustancia o de la mezcla y usos desaconsejados.

1.3. Datos del proveedor de la ficha de datos de seguridad.

1.4. Teléfono de emergencia.

Sección 2: Identificación de los peligros

2.1. Clasificación de la sustancia o de la mezcla.

2.2. Elementos de la etiqueta.

2.3. Otros peligros.

Sección 3: Composición/información sobre los componentes

3.1. Sustancias.

3.2. Mezclas.

Sección 4: Primeros auxilios

4.1. Descripción de los primeros auxilios.

4.2. Principales síntomas y efectos, agudos y retardados.

4.3. Indicación de toda atención médica y de los tratamientos especiales que deban dispensarse inmediatamente.

Sección 5: Medidas de lucha contra incendios

5.1. Medios de extinción.

5.2. Peligros específicos derivados de la sustancia o la mezcla.

5.3. Recomendaciones para el personal de lucha contra incendios.

Sección 6: Medidas en caso de vertido accidental

6.1. Precauciones personales, equipo de protección y procedimientos de emergencia.

6.2. Precauciones relativas al medio ambiente.

6.3. Métodos y material de contención y de limpieza.

6.4. Referencia a otras secciones.

Sección 7: Manipulación y almacenamiento

7.1. Precauciones para una manipulación segura.

7.2. Condiciones de almacenamiento seguro, incluidas posibles incompatibilidades.

7.3. Usos específicos finales.

Sección 8: Controles de exposición/protección individual

8.1. Parámetros de control.

8.2. Controles de la exposición.

Sección 9: Propiedades físicas y químicas

9.1. Información sobre propiedades físicas y químicas básicas.

9.2. Información adicional.

Sección 10: Estabilidad y reactividad

10.1. Reactividad.

10.2. Estabilidad química.

10.3. Posibilidad de reacciones peligrosas.

10.4. Condiciones que deben evitarse.

10.5. Materiales incompatibles.

10.6. Productos de descomposición peligrosos.

Sección 11: Información toxicológica

11.1. Información sobre los efectos toxicológicos.

Sección 12: Información ecológica

12.1. Toxicidad.

12.2. Persistencia y degradabilidad.

12.3. Potencial de bioacumulación.

12.4. Movilidad en el suelo.

12.5. Resultados de la valoración PBT (sustancias persistentes, bioacumulativas, tóxicas) y mPmB (muy persistentes y muy bioacumulativas).

12.6. Otros efectos adversos.

Sección 13: Consideraciones relativas a la eliminación

13.1. Métodos para el tratamiento de residuos.

Sección 14: Información relativa al transporte

14.1. Número ONU.

14.2. Designación oficial de transporte de las Naciones Unidas.

14.3. Clase(s) de peligro para el transporte.

14.4. Grupo de embalaje.

14.5. Peligros para el medio ambiente.

14.6. Precauciones particulares para los usuarios.

14.7. Transporte a granel con arreglo al anexo II del Convenio Marpol 73/78 y del Código IBC.

Sección 15: Información reglamentaria

15.1. Reglamentación y legislación en materia de seguridad, salud y medio ambiente específicas para la sustancia o la mezcla.

15.2. Evaluación de la seguridad química.

Sección 16: Otra información

Actividad 11

Señale el significado de las siglas FDS y su utilidad:

- ☐ a) Ficha de datos de seguridad; contiene la misma información que la etiqueta de los productos de limpieza que contienen productos químicos.
- ☐ b) Ficha de datos de seguridad; amplía la información sobre el riesgo derivado de la utilización de productos químicos.
- ☐ c) Ficha de detergentes seguros; amplía la información sobre el riesgo derivado de la utilización de productos químicos.

4.2.2.2. Clases y categorías de peligro

El **Reglamento CLP** establece cuatro tipos de peligros que pueden representar las sustancias o sus mezclas:

1. Peligros físicos.
2. Peligros para la salud.
3. Peligros para el medio ambiente.
4. Peligros para la capa de ozono.

Los peligros se dividen en clases y estas, a su vez, en categorías.

1. Peligros físicos

Los peligros físicos están relacionados con las propiedades fisicoquímicas de los productos, se agrupan en 16 clases, divididas a su vez en 45 categorías, derivadas en su mayoría del sistema de clasificación usado para el transporte de mercancías peligrosas a nivel mundial.

Son peligros físicos:

- **Explosivos**: son sustancias (o mezclas) sólidas o líquidas que de manera espontánea, por reacción química, pueden desprender gases a una temperatura, presión y velocidad tales que pueden ocasionar daños a su entorno.

- **Inflamables**: se agrupan según sus características físicas en gases, líquidos, sólidos y aerosoles.
  * Gases inflamables: son gases que se inflaman con el aire a 20 ºC y a una presión de referencia de 101,3 kPa.
  * Líquidos inflamables: son líquidos con un punto de inflamación no superior a 60 ºC.
    • Sólidos inflamables: son sustancias sólidas que se inflaman con facilidad o que pueden provocar fuego o contribuir a provocar fuego por fricción. Las sustancias sólidas fácilmente inflamables son sustancias pulverulentas, granulares o pastosas, que son peligrosas en situaciones en las que es fácil que se inflamen por breve contacto con una fuente de ignición, tal como una cerilla encendida, y si la llama se propaga rápidamente. Los polvos metálicos o las aleaciones metálicas se clasifican como sólidos inflamables si hay ignición y si la reacción se propaga en 10 minutos o menos a todo lo largo de la muestra.
    • Aerosoles inflamables: esta categoría se refiere a los generadores de aerosoles, definidos como recipientes no recargables fabricados en metal, vidrio o plástico y que contienen un gas comprimido licuado o disuelto a presión, con o sin líquido, pasta o polvo. Estos recipientes están dotados de un dispositivo de descarga que permite expulsar su contenido en forma de partículas sólidas o líquidas en suspensión en un gas, en forma de espuma, pasta o polvo, o en estado líquido o gaseoso. Un aerosol se clasifica como inflamable cuando uno de sus componentes está clasificado como tal, concretamente: un gas, un sólido o un líquido con un punto de inflamación menor o igual a 93 ºC.
- **Comburentes**: son sustancias que, en contacto con otras, particularmente con inflamables, producen una reacción exotérmica. Muchas veces se identifican también como oxidantes, ya que esta es su clasificación desde el punto de vista químico. Generalmente liberando oxígeno pueden provocar o facilitar la combustión de otras sustancias en mayor medida que el aire.
- **Gases a presión**: son gases comprimidos contenidos en recipientes a la presión de 200 kPa o superior o que están licuados o licuados refrigerados o bien disueltos.
- **Sustancias y mezclas que reaccionan espontáneamente (autorreactivas)**: son sustancias térmicamente inestables, líquidas o sólidas, que pueden experimentar una descomposición exotérmica intensa incluso en ausencia de oxígeno (aire). Se considera que una sustancia que reacciona espontáneamente tiene características propias de los explosivos si en los ensayos de laboratorio puede detonar, deflagrar rápidamente o experimentar alguna reacción violenta cuando se calienta en condiciones de confinamiento.
- **Sustancias pirofóricas**: son sustancias o mezclas líquidas o sólidas que, aun en pequeñas cantidades, pueden inflamarse al cabo de 5 minutos de entrar en contacto con el aire. En el caso de los líquidos se incluyen aquellos que, cuando se vierten sobre un papel de filtro, provocan la carbonización o inflamación del mismo en menos de 5 minutos.

- **Sustancias que experimentan calentamiento espontáneo**: son sustancias o mezclas sólidas o líquidas, que pueden calentarse espontáneamente en contacto con el aire sin aporte de energía. Difieren de las pirofóricas en que solo se inflaman cuando están presentes en grandes cantidades (kg) y después de un período de tiempo largo (horas o días). Dicho calentamiento espontáneo se debe a que reaccionan con el oxígeno del aire y a que el calor generado no se disipa en el ambiente con suficiente rapidez. La combustión espontánea se produce cuando la producción de calor es más rápida que su pérdida y se alcanza la temperatura de combustión espontánea.
- **Sustancias que en contacto con el agua desprenden gases inflamables**: son sustancias o mezclas sólidas o líquidas que, por interacción con el agua, tienden a volverse espontáneamente inflamables o a desprender gases inflamables en cantidades peligrosas.
- **Peróxidos orgánicos**: son sustancias o mezclas orgánicas líquidas o sólidas que contienen la estructura bivalente –O-O–, que puede considerarse derivada del peróxido de hidrógeno en el que uno o ambos átomos de hidrógeno se hayan sustituido por radicales orgánicos. Pueden ser susceptibles de experimentar una descomposición explosiva, arder rápidamente, ser sensibles a los choques o a la fricción y reaccionar peligrosamente con otras sustancias. Se considerará que un peróxido orgánico tiene propiedades explosivas cuando, en un ensayo de laboratorio, pueda detonar, deflagrar rápidamente o mostrar un efecto violento al calentarlo en ambiente confinado.
- **Corrosivos para metales**: son sustancias o mezclas que, por medio de una acción química, pueden dañar gravemente, o incluso destruir, los metales.

Recuerda que...

En cualquier caso, las sustancias comburentes no pueden almacenarse ni mezclarse con las inflamables.

2. Peligros para la salud

Los peligros para la salud se hallan divididos en 10 clases y 25 categorías. Son peligros para la salud:

- **Toxicidad aguda**: cuando los efectos adversos se manifiestan tras la administración por vía oral o cutánea de una sola dosis de una sustancia o mezcla, de dosis múltiples administradas a lo largo de 24 horas, o como consecuencia de una exposición por inhalación durante 4 horas.
- **Corrosión o irritación cutánea**: el efecto *corrosión* se asocia a sustancias capaces de generar la aparición de lesiones irreversibles en la piel (una necrosis que alcanza la dermis), como consecuencia de su aplicación durante un período de hasta 4 horas. En cambio, el efecto *irritación* es el que causa la aparición de lesiones reversibles de la piel como consecuencia de su aplicación durante el mismo período de tiempo.

- **Lesiones oculares graves o irritación ocular**: se clasifican como sustancias causantes de lesiones oculares graves las que, como consecuencia de su aplicación en la superficie anterior del ojo, provocan daño en sus tejidos o un deterioro físico importante de la visión, no completamente reversible en los 21 días siguientes a la aplicación. En cambio, se clasifican como irritantes oculares las que en las mismas circunstancias producen alteraciones oculares totalmente reversibles en los 21 días siguientes a la aplicación.
- **Sensibilización respiratoria o cutánea**: se clasifican como sensibilizantes las sustancias que, por inhalación o penetración cutánea, puedan ocasionar una reacción de hipersensibilización de forma que una exposición posterior a esa sustancia o mezcla dé lugar a efectos negativos característicos. Los sensibilizantes respiratorios provocan una hipersensibilidad de las vías respiratorias después de ser inhalados, mientras que los sensibilizantes cutáneos provocan una respuesta alérgica después de un contacto con la piel.
- **Mutagenicidad (en células germinales)**: se asocia el carácter mutagénico a las sustancias y mezclas que pueden producir efectos genéticos hereditarios o aumentar su frecuencia. Una mutación es un cambio permanente en la cantidad o en la estructura del material genético de una célula y se aplica tanto a los cambios genéticos hereditarios que pueden manifestarse a nivel fenotípico, como a las modificaciones subyacentes del ADN. Los términos *mutagénico* y *mutágeno* se utilizan para designar aquellos agentes que aumentan la frecuencia de mutación en las poblaciones celulares, en los organismos o en ambos.
- **Carcinogenicidad**: se asocia a sustancias o mezclas que inducen cáncer o aumentan su incidencia. Las sustancias que han inducido tumores benignos y malignos en animales de experimentación, en estudios bien hechos, son consideradas también supuestamente carcinógenas o sospechosas de serlo, a menos que existan pruebas convincentes de que el mecanismo de formación de tumores no sea relevante para el hombre.
- **Toxicidad para la reproducción y la lactancia**: esta clase incluye los efectos adversos sobre la función sexual y la fertilidad de hombres y mujeres adultos, y los efectos adversos sobre el desarrollo de los descendientes. En el caso de la lactancia, se trata de sustancias que son absorbidas por las mujeres y cuya interferencia en la lactancia ha sido demostrada, o aquellas que pueden estar presentes en la leche materna, en cantidades suficientes para amenazar la salud de los lactantes.
- **Toxicidad específica en determinados órganos por exposición única**: se refiere a la toxicidad no letal que se producen en determinados órganos tras una única exposición a una sustancia o mezcla. Se incluyen todos los efectos significativos para la salud que pueden provocar alteraciones funcionales, tanto reversibles como irreversibles, inmediatas y/o retardadas.
- **Toxicidad específica en determinados órganos por exposición repetida**: se refiere a la toxicidad específica que se produce en determinados órganos tras una

exposición repetida a una sustancia o mezcla. Se incluyen todos los efectos significativos para la salud que pueden provocar alteraciones funcionales, tanto reversibles como irreversibles, inmediatas y/o retardadas.

- **Peligro por aspiración**: se entiende por aspiración la entrada de una mezcla, líquida o sólida, directamente por la boca o la nariz, o indirectamente por regurgitación, en la tráquea o en las vías respiratorias inferiores. La toxicidad por aspiración puede entrañar graves efectos agudos tales como neumonía química, lesiones pulmonares más o menos importantes e incluso la muerte.

3. Peligros para el medio ambiente y peligros para la capa de ozono

Los peligros para el medio ambiente se hallan divididos solamente en 2 clases y 6 categorías. Son peligros para el medio ambiente:

- **Sustancias peligrosas para el medio ambiente acuático**: la toxicidad acuática es la propiedad de una sustancia de provocar efectos nocivos en los organismos acuáticos tras una exposición de corta duración (aguda) o durante exposiciones determinadas en relación con el ciclo de vida del organismo (crónica).
- **Sustancias peligrosas para la capa de ozono**: son aquellas sustancias que, según las pruebas disponibles sobre sus propiedades y su destino y comportamiento en el medio ambiente (predicho u observado), pueden suponer un peligro para la estructura o el funcionamiento de la capa de ozono estratosférico.

Recuerda que...

Según el Reglamento CLP las sustancias corrosivas son un peligro para la salud porque en contacto con los tejidos (piel) pueden ocasionar un daño irreversible.

4.2.2.3. Palabras de advertencia

Las palabras de advertencia indican el nivel relativo de gravedad de los peligros para alertar al lector de la existencia de un peligro potencial.

Deben figurar en la etiqueta y son:

- **Peligro** (Dgr; *danger*): asociada a las categorías más graves.
- **Atención** (Wng; *warning*): asociada a las categorías menos graves.

Estas palabras de advertencia sustituyen a las anteriores indicaciones de peligro (E, O, F, T, Xn, Xi y C).

En la etiqueta va colocada debajo de los pictogramas.

4.2.2.4. Indicaciones de peligro

Las indicaciones de peligro son frases que, asignadas a una clase o categoría de peligro, describen la naturaleza de los peligros de una sustancia o mezcla peligros, incluyendo, cuando proceda, el grado de peligro. Las indicaciones de peligro (equivalentes a las anteriores frases de riesgo R), llamadas H (de *hazard*, peligro en inglés), se agrupan en peligros físicos, peligros para la salud humana y peligros para el medio ambiente.

Frase	Indicación de peligro
H200	Explosivo inestable.
H201	Explosivo; peligro de explosión en masa.
H202	Explosivo; grave peligro de proyección.
H203	Explosivo; peligro de incendio, de onda expansiva o de proyección.
H204	Peligro de incendio o de proyección.
H205	Peligro de explosión en masa en caso de incendio.
H220	Gas extremadamente inflamable.
H221	Gas inflamable.
H222	Aerosol extremadamente inflamable.
H223	Aerosol inflamable.
H224	Líquido y vapores extremadamente inflamables.
H225	Líquido y vapores muy inflamables.
H226	Líquidos y vapores inflamables.
H228	Sólido inflamable.
H240	Peligro de explosión en caso de calentamiento.
H241	Peligro de incendio o explosión en caso de calentamiento.
H242	Peligro de incendio en caso de calentamiento.
H250	Se inflama espontáneamente en contacto con el aire.
H251	Se calienta espontáneamente; puede inflamarse.
H252	Se calienta espontáneamente en grandes cantidades; puede inflamarse.
H260	En contacto con el agua desprende gases inflamables que pueden inflamarse espontáneamente.
H261	En contacto con el agua desprende gases inflamables.
H270	Puede provocar o agravar un incendio; comburente.
H271	Puede provocar un incendio o una explosión; muy comburente.
H272	Puede agravar un incendio; comburente.
H280	Contiene gas a presión; peligro de explosión en caso de calentamiento.
H281	Contiene un gas refrigerado; puede provocar quemaduras o lesiones criogénicas.
H290	Puede ser corrosivo para los metales.

Indicaciones de peligros físicos

Frase	Indicación de peligro
H300	Mortal en caso de ingestión
H301	Tóxico en caso de ingestión.
H302	Nocivo en caso de ingestión.
H304	Puede ser mortal en caso de ingestión y penetración en las vías respiratorias.
H310	Mortal en contacto con la piel.
H311	Tóxico en contacto con la piel.
H312	Nocivo en contacto con la piel.
H314	Provoca quemaduras graves en la piel y lesiones oculares graves.
H315	Provoca irritación cutánea.
H317	Puede provocar una reacción alérgica en la piel.
H318	Provoca lesiones oculares graves.
H319	Provoca irritación ocular grave.
H330	Mortal en caso de inhalación.
H331	Tóxico en caso de inhalación.
H332	Nocivo en caso de inhalación.
H334	Puede provocar síntomas de alergia o asma o dificultades respiratorias en caso de inhalación.
H335	Puede irritar las vías respiratorias.
H336	Puede provocar somnolencia o vértigo.
H340	Puede provocar defectos genéticos (1).
H341	Se sospecha que provoca defectos genéticos (1).
H350	Puede provocar cáncer (1).
H351	Se sospecha que provoca cáncer (1).
H360	Puede perjudicar la fertilidad o dañar al feto (1) (2).
H361	Se sospecha que perjudica la fertilidad o daña al feto (1) (2).
H362	Puede perjudicar a los niños alimentados con leche materna.
H370	Provoca daños en los órganos (1) (3).
H371	Puede provocar daños en los órganos (1) (3).
H372	Provoca daños en los órganos (3) tras exposiciones prolongadas o repetidas (1).
H373	Puede provocar daños en los órganos (3) tras exposiciones prolongadas o repetidas (1).

(1) Indíquese la vía de exposición si se ha demostrado concluyentemente que el peligro no se produce por ninguna otra vía.
(2) Indíquese el efecto específico si se conoce.
(3) Indíquense todos los órganos afectados, si se conocen.

Indicaciones de peligro para la salud humana

Frase	Indicación de peligro
H400	Muy tóxico para los organismos acuáticos.
H410	Muy tóxico para los organismos acuáticos, con efectos nocivos duraderos.
H411	Tóxico para los organismos acuáticos, con efectos nocivos duraderos.
H412	Nocivo para los organismos acuáticos, con efectos nocivos duraderos.
H413	Puede ser nocivo para los organismos acuáticos, con efectos nocivos duraderos.

Indicaciones de peligro para el medio ambiente

En el Reglamento CLP se han incluido, además, unas indicaciones de peligro "suplementarias" para cubrir ciertos tipos de peligros no contemplados en las indicaciones provenientes del SGA. Delante de la H correspondiente, llevan las siglas EU.

Frase	Indicación de peligro
EUH001	Explosivo en estado seco.
EUH 006	Explosivo en contacto o sin contacto con el aire.
EUH 014	Reacciona violentamente con el agua.
EUH 018	Al usarlo pueden formarse mezclas aire-vapor explosivas o inflamables.
EUH 019	Puede formar peróxidos explosivos.
EUH 044	Riesgo de explosión al calentarlo en ambiente confinado.
EUH 029	En contacto con agua libera gases tóxicos.
EUH 031	En contacto con ácidos libera gases tóxicos.
EUH 032	En contacto con ácidos libera gases muy tóxicos.
EUH 066	La exposición repetida puede provocar sequedad o formación de grietas en la piel.
EUH 070	Tóxico en contacto con los ojos.
EUH 071	Corrosivo para las vías respiratorias.
EUH 059	Peligroso para la capa de ozono.

Información suplementaria sobre los peligros. Propiedades físicas y relacionadas con efectos sobre el medio ambiente

El Reglamento CLP incluye también unos elementos suplementarios o de información que deben figurar en las etiquetas de determinadas mezclas así como una regla particular para el etiquetado de productos fitosanitarios.

Para algunas indicaciones de peligro se añaden letras al código de tres cifras, usándose códigos adicionales como los siguientes:

- **H360F**: puede perjudicar a la fertilidad.
- **H360Fd**: puede perjudicar a la fertilidad. Se sospecha que daña al feto.

Información suplementaria sobre peligros (válidos solo en los países de la UE)

Frase	Indicación de peligro
EUH001	Explosivo en estado seco
EUH006	Explosivo en contacto o sin contacto con el aire
EUH014	Reacciona violentamente con el agua
EUH018	Al usarlo pueden formarse mezclas aire-vapor explosivas o inflamables
EUH019	Puede formar peróxidos explosivos
EUH044	Riesgo de explosión al calentarlo en ambiente confinado

Propiedades físicas

Frase	Indicación de peligro
EUH029	En contacto con agua libera gases tóxicos
EUH031	En contacto con ácidos libera gases tóxicos
EUH032	En contacto con ácidos libera gases muy tóxicos
EUH066	La exposición repetida puede provocar sequedad o formación de grietas en la piel
EUH070	Tóxico en contacto con los ojos
EUH071	Corrosivo para las vías respiratorias

Propiedades relacionadas con efectos sobre la salud

Frase	Indicación de peligro
EUH059	Peligroso para la capa de ozono

Propiedades relacionadas con efectos sobre el medio ambiente

Frase	Indicación de peligro
EUH201	Contiene plomo. No utilizar en objetos que los niños puedan masticar o chupar
EUH201A	¡Atención! Contiene plomo
EUH202	Cianoacrilato. Peligro. Se adhiere a la piel y a los ojos en pocos segundos. Mantener fuera del alcance de los niños.
EUH203	Contiene cromo (VI). Puede provocar una reacción alérgica
EUH204	Contiene isocianatos. Puede provocar una reacción alérgica
EUH205	Contiene componentes epoxídicos. Puede provocar una reacción alérgica
EUH206	¡Atención! No utilizar junto con otros productos. Puede desprender gases peligrosos (cloro)
EUH207	¡Atención! Contiene cadmio. Durante su utilización se desprenden vapores peligrosos. Ver la información facilitada por el fabricante. Seguir instrucciones de seguridad.
EUH208	Contiene <nombre de la sustancia sensibilizante>. Puede provocar una reacción alérgica
EUH209	Puede inflamarse fácilmente al usarlo
EUH209A	Puede inflamarse al usarlo
EUH401	A fin de evitar riesgos para las personas y el medio ambiente, siga las instrucciones de uso

Elementos suplementarios o información que deben figurar en las etiquetas de determinadas sustancias y mezclas

4.2.3. Significado de los pictogramas

Los pictogramas de peligro son composiciones gráficas que contienen un símbolo negro sobre un fondo blanco, con un marco rojo lo suficientemente ancho para ser claramente visible. Tienen forma de cuadrado apoyado en un vértice y sirven para transmitir la información específica sobre el peligro en cuestión.

Cada pictograma deberá cubrir al menos una quinceava parte de la superficie de la etiqueta armonizada y la superficie mínima en ningún caso será menor de 1 cm^2.

Pictogramas de peligro según el Reglamento CLP

Actividad 12

Si en la etiqueta de un producto aparece este símbolo significa qué es:

- ☐ a) Peligroso para el medio ambiente.
- ☐ b) Nocivo.
- ☐ c) Biodegradable.

4.2.5. Consejos de prudencia

Los consejos de prudencia son frases que describen la medida o medidas recomendadas para minimizar o evitar los efectos adversos causados por la exposición a una sustancia o mezcla peligrosa durante su uso o eliminación.

Los consejos de prudencia (equivalentes a las anteriores frases S) se seleccionan de entre los establecidos, debiendo figurar en las etiquetas para cada clase de peligro.

El Reglamento CLP establece cuatro tipos de consejos de prudencia. Veamos el listado que nos ofrece:

- **P100 – Consejos de prudencia de carácter GENERAL**
  * **P101** Si se necesita consejo médico, tener a mano el envase o la etiqueta.
  * **P102** Mantener fuera del alcance de los niños.
  * **P103** Leer la etiqueta antes del uso.
- **P200 – Consejos de prudencia PREVENCIÓN**
  * **P201** Solicitar instrucciones especiales antes del uso.
  * **P202** No manipular la sustancia antes de haber leído y comprendido todas las instrucciones de seguridad.
  * **P210** Mantener alejado de fuentes de calor, chispas, llama abierta o superficies calientes. No fumar.
  * **P211** No pulverizar sobre una llama abierta u otra fuente de ignición.
  * **P220** Mantener o almacenar alejado de la ropa/.../materiales combustibles.
  * **P221** Tomar todas las precauciones necesarias para no mezclar con materias combustibles...
  * **P222** No dejar que entre en contacto con el aire.
  * **P223** Mantener alejado de cualquier posible contacto con el agua, pues reacciona violentamente y puede provocar una llamarada.
  * **P230** Mantener humedecido con...
  * **P231** Manipular en gas inerte.
  * **P232** Proteger de la humedad.
  * **P233** Mantener el recipiente herméticamente cerrado.
  * **P234** Conservar únicamente en el recipiente original.
  * **P235** Mantener en lugar fresco.
  * **P240** Conectar a tierra/enlace equipotencial del recipiente y del equipo de recepción.
  * **P241** Utilizar un material eléctrico, de ventilación o de iluminación/.../antideflagrante.
  * **P242** Utilizar únicamente herramientas que no produzcan chispas.
  * **P243** Tomar medidas de precaución contra descargas electrostáticas.
  * **P244** Mantener las válvulas de reducción limpias de grasa y aceite.
  * **P250** Evitar la abrasión/el choque/..../la fricción.
  * **P251** Recipiente a presión: no perforar ni quemar, incluso después del uso.

* **P260** No respirar el polvo/el humo/el gas/la niebla/los vapores/el aerosol.
* **P261** Evitar respirar el polvo/el humo/el gas/la niebla/los vapores/el aerosol.
* **P262** Evitar el contacto con los ojos, la piel o la ropa.
* **P263** Evitar el contacto durante el embarazo/la lactancia.
* **P264** Lavarse…..concienzudamente tras la manipulación.
* **P270** No comer, beber ni fumar durante su utilización.
* **P271** Utiliza únicamente en exteriores o en un lugar bien ventilado.
* **P272** Las prendas de trabajo contaminadas no podrán sacarse del lugar de trabajo.
* **P273** Evitar su liberación al medio ambiente.
* **P281** Utilizar el equipo de protección individual obligatorio.
* **P282** Llevar guantes/gafas/máscara que aislen del frío.
* **P283** Llevar prendas ignífugas/resistentes al fuego/resistentes a las llamas.
* **P284** Llevar equipo de protección respiratoria.
* **P285** En caso de ventilación insuficiente, llevar equipo de protección respiratoria.
* **P231+P232** Manipular en gas inerte. Proteger de la humedad.
* **P235+P410** Conservar en un lugar fresco. Proteger de la luz del sol.

- **P300 – Consejos de prudencia RESPUESTA**
  * **P301** en caso de ingestión.
  * **P302** en caso de contacto con la piel.
  * **P303** en caso de contacto con la piel (o el pelo).
  * **P304** en caso de inhalación.
  * **P305** en caso de contacto con los ojos.
  * **P306** en caso de contacto con la ropa.
  * **P307** EN CASO DE exposición.
  * **P308** EN CASO DE exposición manifiesta o presunta.
  * **P309** EN CASO DE exposición o malestar.
  * **P310** Llamar inmediatamente a un CENTRO de información toxicológica o a un médico.
  * **P311** Llamar a un CENTRO de información toxicológica o a un médico.
  * **P312** Llamar a un CENTRO de información toxicológica o a un médico en caso de malestar.

* **P313** Consultar a un médico.
* **P314** Consultar a un médico en caso de malestar.
* **P315** Consultar a un médico inmediatamente.
* **P320** Se necesita urgentemente un tratamiento específico (ver….en esta etiqueta).
* **P321** Se necesita un tratamiento específico (ver…..en esta etiqueta).
* **P322** Se necesitan medidas específicas (ver…en esta etiqueta).
* **P330** Enjuagarse la boca.
* **P331** No provocar el vómito.
* **P332** En caso de irritación cutánea.
* **P333** En caso de irritación o erupción cutánea.
* **P334** Sumergir en agua fresca/aplicar compresas húmedas.
* **P335** Sacudir las partículas que se hayan depositado en la piel.
* **P336** Descongelar las partes heladas con agua tibia. No frotar la zona afectada.
* **P337** Si persiste la irritación ocular.
* **P338** Quitar las lentes de contacto, si lleva y resulta fácil. Seguir aclarado.
* **P340** Transportar a la víctima al exterior y mantenerla en reposo en una posición confortable para respirar.
* **P341** Si respira con dificultad, transportar a la víctima al exterior y mantenerla en reposo en una posición confortable para respirar.
* **P342** En caso de síntomas respiratorios.
* **P350** Lavar suavemente con agua y jabón abundantes.
* **P351** Aclarar cuidadosamente con agua durante varios minutos.
* **P352** Lavar con agua y jabón abundantes.
* **P353** Aclararse la piel con agua/ducharse.
* **P360** Aclarar inmediatamente con agua abundante las prendas y la piel contaminadas antes de quitarse la ropa.
* **P361** Quitarse inmediatamente las prendas contaminadas.
* **P362** Quitarse las prendas contaminadas y lavarlas antes de volver a usarlas.
* **P363** Lavar las prendas contaminadas antes de volverlas a utilizar.
* **P370** En caso de incendio.
* **P371** En caso de incendio importante y en grandes cantidades.
* **P372** Riesgo de explosión en caso de incendio.

* **P373** NO luchar contra el incendio cuando el fuego llega a los explosivos.
* **P374** Luchar contra el incendio desde una distancia razonable, tomando las precauciones habituales.
* **P375** Luchar contra el incendio a distancia, dado el riesgo de explosión.
* **P376** Detener la fuga, si no hay peligro en hacerlo.
* **P377** Fuga de gas en llamas: No apagar, salvo si la fuga puede detenerse sin peligro.
* **P378** Utilizar....para apagarlo.
* **P380** Evacuar la zona.
* **P381** Eliminar todas las fuentas de ignición si no hay peligro en hacerlo.
* **P390** Absorber el vertido para que no dañe otros materiales.
* **P391** Recoger el vertido.
* **P301+P310** EN CASO DE INGESTIÓN: Llamar inmediatamente a un CENTRO de información toxicológica o a un médico.
* **P301+P312** EN CASO DE INGESTIÓN: Llamar a un CENTRO de información toxicológica o a un médico si se encuentra mal.
* **P301+P330+P331** EN CASO DE INGESTIÓN: enjuagarse la boca. NO provocar el vómito.
* **P302+P334** EN CASO DE CONTACTO CON LA PIEL: Sumergir en agua fresca/ aplicar compresas húmedas.
* **P302+P350** EN CASO DE CONTACTO CON LA PIEL: Lavar suavemente con agua y jabón abundantes.
* **P302+P352** EN CASO DE CONTACTO CON LA PIEL: Lavar con agua y jabón abundantes.
* **P303+P361+P353** EN CASO DE CONTACTO CON LA PIEL (o el pelo): Quitarse inmediatamente las prendas contaminadas. Aclararse la piel con agua o ducharse.
* **P304+P340** EN CASO DE INHALACIÓN: Transportar a la víctima al exterior y mantenerla en reposo en una posición confortable para respirar.
* **P304+P341** EN CASO DE INHALACIÓN: Si respira con dificultad, transportar a la víctima al exterior y mantenerla en reposo en una posición confortable para respirar.
* **P305+P351+P338** EN CASO DE CONTACTO CON LOS OJOS: Aclarar cuidadosamente con agua durante varios minutos. Quitar las lentes de contacto, si lleva y resulta fácil. Seguir aclarando.
* **P306+P360** EN CASO DE CONTACTO CON LA ROPA: aclarar inmediatamente con agua abundante las prendas y la piel contaminadas antes de quitarse la ropa.

* **P307+P311** EN CASO DE exposición: llamar a un CENTRO de información toxicológica o a un médico.
* **P308+P313** EN CASO DE exposición manifiesta o presunta: consultar a su médico.
* **P309+P311** EN CASO DE exposición o si se encuentra mal: llamar a un CENTRO de información toxicológica o a un médico.
* **P332+P313** En caso de irritación cutánea: consultar a un médico.
* **P333+P313** En caso de irritación o erupción cutánea: consultar a un médico.
* **P335+P334** Sacudir las partículas que se hayan depositado en la piel. Sumergir en agua fresca/aplicar compresas húmedas.
* **P337+P313** Si persiste la irritación ocular: consultar a un médico.
* **P342+P311** En caso de síntomas respiratorios: llamar a un CENTRO de información toxicológica o a un médico.
* **P370+P376** En caso de incendio: detener la fuga, si no hay peligro en hacerlo.
* **P370+P378** En caso de incendio: Utilizar….para apagarlo.
* **P370+P380** En caso de incendio: Evacuar la zona.
* **P370+P380+P375** En caso de incendio: Evacuar la zona. Luchar contra el incendio a distancia, dado el riesgo de explosión.
* **P371+P380+P375** En caso de incendio importante y en grandes cantidades: Evacuar la zona. Luchar contra el Incendio a distancia, dado el riesgo de explosión.

- **P400 – Consejos de prudencia ALMACENAMIENTO**
  * **P401** Almacenar…
  * **P402** Almacenar en un lugar seco.
  * **P403** Almacenar en un lugar bien ventilado.
  * **P404** Almacenar en un recipiente cerrado.
  * **P405** Guardar bajo llave.
  * **P406** Almacenar en un recipiente resistente a la corrosión/…con revestimiento interior resistente.
  * **P407** Dejar una separación entre los bloques/los palés de carga.
  * **P410** Proteger de la luz del sol.
  * **P411** Almacenar a temperaturas no superiores a…..º C/….º F.
  * **P412** No exponer a temperaturas superiores a 50º C/122º.
  * **P413** Almacenar las cantidades a granel superiores a…..kg/…lbs a temperaturas no superiores a..º C/….º F.
  * **P420** Almacenar alejado de otros materiales.

  * **P422** Almacenar el contenido en…
  * **P402+P404** Almacenar en un lugar seco. Almacenar en un recipiente cerrado.
  * **P403+P233** Almacenar en un lugar bien ventilado. Mantener el recipiente cerrado herméticamente.
  * **P403+P235** Almacenar en un lugar bien ventilado. Mantener en lugar fresco.
  * **P410+P403** Proteger de la luz del sol. Almacenar en un lugar bien ventilado.
  * **P410+P412** Proteger de la luz del sol. No exponer a temperaturas superiores a 50º C/122º F.
  * **P411+P235** Almacenar a temperaturas no superiores a…..º C/….º F. Mantener en lugar fresco.
- **P500 – Consejos de prudencia ELIMINACIÓN**
  * P501 Eliminar el contenido/el recipiente en…

Recuerda que...

Los **pictogramas** son composiciones gráficas con información específica sobre un peligro o advertencia.

Las **indicaciones de peligro** son frases que describen la naturaleza de los peligros de una sustancia.

Los **consejos de prudencia** son frases que describen la medida o medidas recomendadas para minimizar o evitar los efectos adversos causados por la exposición a una sustancia.

5. Dosificación, almacenamiento, manipulación y trasvase de productos

5.1. Dosificación

Los dosificadores más comúnmente utilizados son:

- Las botellas a las que se incorpora una dosificación manual, con el fin de utilizar el producto pulverizándolo.
- Los productos concentrados con tapón dosificador, que permiten incorporar en el agua la dosificación exacta de producto.
- Los productos instalados en la red de agua, que son los que mayores ventajas aportan al operario de limpieza.

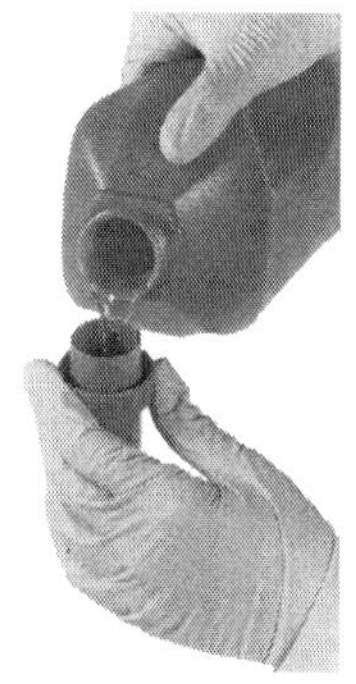

Este último es un sistema manual que nos permite, mediante la pulsación de un botón, elegir el producto a utilizar en limpieza sin entrar en contacto con él y en forma dosificada.

La dosificación inteligente de producto se caracteriza por:

- Se dosifica mediante sistema venturi, la cantidad de agua y de producto, con solo apretar un botón, sin manipulación por parte del personal de limpieza.
- Se obtiene en todo momento la dilución exacta del detergente a utilizar.
- No requiere conexiones eléctricas, solo necesita una toma de agua de la red para su instalación.
- Se evitan derrames.
- Fácil utilización, solo se deberá pulsar el botón correspondiente al producto que se vaya a utilizar en la limpieza.
- Permite la reducción de costes de almacenamiento y transporte.
- Es un sistema que requiere para su implantación estar informado y formado sobre su manejo, ya que cambia sustancialmente los hábitos de trabajo al que estamos acostumbrados. Debemos saber que simplifica nuestro trabajo.

Es importante saber que evita riesgos producidos en la manipulación de productos químicos, así como ayuda a controlar su vertido, lo que mejora y favorece el entorno medioambiental.

Recuerda que...

La dosis de producto adecuada es la que indica el fabricante.

5.2. Almacenamiento

Debemos tener ciertas precauciones a la hora de almacenar productos de limpieza, ya que, como venimos señalando, estos contienen sustancias químicas y por tanto pueden reaccionar entre sí, emitir gases peligrosos, provocar incendios o explosiones.

El almacenamiento de productos químicos se deberá realizar de acuerdo con lo especificado en el **Real Decreto 656/2017, de 23 de junio,** por el que se aprueba el Reglamento de Almacenamiento de Productos Químicos y sus Instrucciones Técnicas Complementarias.

Recomendaciones de almacenaje:

- Guardar en los lugares de trabajo las cantidades de productos químicos que sean estrictamente necesarias para el desarrollo de la actividad diaria.

- Almacenar las sustancias peligrosas debidamente separadas, agrupadas por el tipo de riesgo que pueden generar y respetando las incompatibilidades que existen entre ellas; por ejemplo, las sustancias combustibles y reductoras deben estar separadas de las oxidantes y de las tóxicas.
- Mantenga alejados unos de otros productos que pueden reaccionar entre sí, como pueden ser la lejía, el salfumán, el amoníaco.
- Elegir el recipiente adecuado para guardar cada tipo de sustancia química y tener en cuenta el posible efecto corrosivo que pueda tener sobre el material de construcción del envase.
- No guardar los líquidos peligrosos en recipientes abiertos. Los envases adecuados para tal fin se deben cerrar después de ser usados o cuando queden vacíos. Serán preferentemente de seguridad (con cierre automático).
- Tener en cuenta que el frío y el calor deterioran el plástico, por lo que este tipo de envases deben ser revisados con frecuencia y mantenerse protegidos del sol y de las bajas temperaturas.
- Sitúe en las zonas bajas de las estanterías los productos más voluminosos y los más utilizados.
- Todos los envases deben tener su correspondiente etiqueta. Si utiliza envases diferentes al original, asegúrese de que son adecuados y están perfectamente limpios del anterior producto.
- Haga pedidos regularmente para no almacenar demasiada cantidad. A menor producto almacenado menor riesgo.
- Evite apilar demasiadas cajas. La caja de la base soporta el peso del resto y puede ceder en cualquier momento provocando un accidente.
- Disponer de una buena ventilación en los locales, especialmente en los lugares donde se almacenen sustancias tóxicas o inflamables.
- Nunca almacene productos de limpieza dentro o sobre cuadros eléctricos.
- Evitar realizar trabajos que produzcan chispas o que generen calor (esmerilar, soldar...) cerca de las zonas de almacenamiento, así como el trasvasar sustancias peligrosas.
- Las estanterías estarán sujetas a la pared y entre sí y las baldas serán de tipo bandeja para evitar posibles derrames.

	+	-	-	-	+
	-	+	-	-	-
	-	-	+	-	+
	-	-	-	+	0
	+	-	+	0	+

+ Se pueden almacenar juntos
0 Solamente podrán almacenarse juntos, adoptando ciertas medidas
- No deben almacenarse juntos

5.3. Manipulación y trasvase

En **términos generales** se tendrán en cuenta las siguientes precauciones:

- Evitar la inhalación de los vapores y utilizar estos productos en lugares bien ventilados. Cuando no sea posible, se deberá utilizar protección respiratoria provista del adecuado filtro.
- Cuando se manipulen estos productos, utilizar siempre una protección ocular adecuada, así como la ropa de trabajo y guantes indicados.
- Alejar del sol y de las fuentes de calor los envases de los productos de limpieza.
- No utilizar disolventes halogenados para operaciones de limpieza en grandes superficies.
- En caso de duda, consulte la ficha de seguridad del producto que pretende manipular.
- Está prohibido el uso de lámparas desnudas, fuentes de calor que no estén autorizadas, realizar soldaduras y fumar.
- No limpies el suelo del almacén con agua, serrín ni productos orgánicos.
- Procura no obstruir las salidas normales o de emergencia.
- Siempre se dispondrá de ventilación adecuada y se evitará la exposición a la luz solar.

- Nunca manipular en zonas de almacenamiento del producto (excepto carga y descarga) o de alimentación a las instalaciones de ensacado.
- Señaliza con rótulos normalizados.
- Usa los EPI adecuados: guantes, mascarillas, filtros NOx (en caso de incendio o descomposición), etc.
- Instala duchas y lavaojos en zonas próximas a la zona de trabajo.

Si existe **riesgo en el almacenamiento de productos químicos**, se recomienda:

- Mantener el stock al mínimo operativo, lo que redunda en aumento de seguridad, reducción de costes y reducción de la superficie necesaria para almacén.
- Disponer de un listado actualizado de las sustancias químicas presentes en el almacén, así como de las cantidades almacenadas.
- Disponer de la ficha de seguridad de todas las sustancias químicas almacenadas.
- Separación, de las distintas sustancias en función de su incompatibilidad y su peligrosidad, agrupando las familias con características similares.
- Utilizar el equipo adecuado. Tanto los ojos como otras partes del cuerpo pueden ser afectados por salpicaduras.
- Si se salpica ácido a los ojos, lavarse inmediatamente con abundante agua fría y acudir siempre al servicio médico.
- Si se manipulan productos corrosivos, tomar precauciones para evitar su derrame; si éste se produce, actuar con rapidez según las normas de seguridad. Los riesgos para el organismo pueden llegar por distintas vías: respiratoria, por ingestión, por contacto, etc. Todas ellas requieren atención.
- Mantener limpio y ordenado el puesto de trabajo.
- No dejar materiales alrededor de las máquinas. Colocarlos en lugar seguro y donde no estorben el paso.
- No obstruir los pasillos, escaleras, puertas o salidas de emergencia.

En el caso de una **emergencia**:

1. Preocuparse por conocer el plan de emergencia y las instrucciones de la empresa al respecto.
2. Seguir las instrucciones que se indiquen y, en particular, de quien tenga la responsabilidad en esos momentos.
3. No correr ni empujar a los demás. Si se está en un lugar cerrado, buscar la salida más cercana sin atropellamientos. Usar las salidas de emergencia, nunca los ascensores o montacargas.
4. Prestar atención a la señalización, ayudará a localizar las salidas de emergencia.

A la hora de realizar operaciones de limpieza en lugares elevados, tanto dentro como fuera de los edificios, se precisan medios auxiliares cuando se tiene que actuar sobre superficies u objetos que no están al alcance. Estas operaciones llevan consigo riesgos de caída de altura, cuyas consecuencias pueden ser graves o mortales para el trabajador.

Debemos almacenar de una forma apropiada los productos químicos, es parte de la fase preventiva de posibles incidentes en el lugar de trabajo.

El almacenamiento adecuado de los productos químicos se convierte en una cuestión minuciosa y constante. Muchos productos químicos tienen requerimientos especiales de almacenamiento con restricciones de temperatura, tiempo o seguridad, y no se debe olvidar que los recipientes de almacenamiento, acumulación y transporte de estos productos han de ser del material y tamaño más apropiado a las características del producto que contienen, y deben tener un sistema de cierre seguro.

Actividad 13

Indica si la siguiente cuestión es verdadera o falsa:

Si se salpica ácido a los ojos, lavarse inmediatamente con abundante agua caliente y acudir siempre al servicio médico.

Verdadera ☐ Falsa ☐

5.3.1. Condiciones a tener en cuenta para el manejo seguro

- No guardar ni consumir alimentos o bebidas, ni fumar en los lugares donde se utilicen productos de limpieza.
- Evitar el contacto con la piel, así como la impregnación de la ropa con estos productos.
- No reutilizar botellas de agua o contenedores de bebidas, rellenándolos con los productos en cuestión.
- Cuando sea necesario trasvasarlos desde su envase original a otro más pequeño, utilizar envasadores especiales que eviten las salpicaduras y usar recipientes apropiados, etiquetándolos adecuadamente.
- Los recipientes deberán permanecer siempre bien cerrados y almacenados en lugar fresco y bien ventilado.
- Evitar el contacto con productos incompatibles.

Sabías que...

Si se manipulan productos corrosivos debemos tomar precauciones para evitar su derrame; si éste se produce debemos actuar con rapidez según las normas de seguridad. Los riesgos para el organismo pueden llegar por distintas vías: respiratoria, por ingestión, por contacto, etc.

5.3.2. Medidas a tomar en caso de vertido

- En el caso de que se trate de productos ácidos o alcalinos, neutralizar y diluir con agua. Consultar la ficha de seguridad para conocer el agente neutralizante, ya que varía dependiendo de la naturaleza del producto derramado.
- En el caso de que se trate de disolventes, recoger con materiales absorbentes (sepiolita, tierra de diatomeas, etc.).
- En cualquier caso, evitar que los productos derramados alcancen los desagües.

Actividad 14

¿Qué medidas debemos tomar en caso de vertido si se trata de productos ácidos o alcalinos?

6. Operaciones básicas de limpieza

Dedicamos nuestros contenidos en este tema a concretar las actuaciones y operaciones básicas de limpieza que se deben de realizar en los diferentes parámetros horizontales y verticales de un centro residencial, así como en sus espacios y mobiliario de exteriores. En el tema 6 de nuestra propuesta editorial se hablará concretamente de la limpieza de habitaciones y de cuartos de baños.

6.1. Suelos

6.1.1. Introducción

Los especialistas en limpieza nos encontramos con diferentes variedades de suelos que pueden complicarnos la limpieza. Esto sucede porque a través de los años el hombre ha intentado embellecer los lugares donde habita, decorándolos con diferentes tipos de pavimentos y revestimientos.

Asimismo, ha buscado mayor confort y ha investigado en materiales que resulten decorativos y que sean fáciles de limpiar.

Esto explica la diversidad de pavimentos con los que se encuentran las personas que deben limpiar.

El pavimento debe responder a exigencias variadas según el lugar y la actividad a que se destinen los locales donde irá colocado; por ejemplo:

- La resistencia al desgaste no deberá ser la misma si el suelo tiene que soportar o no el tráfico de carretillas.
- El pavimento en algunos casos debe aparecer brillante, porque juega un papel importante el aspecto estético, para la finalidad a que se destina el edificio.
- El aislamiento acústico (sin ruido) desempeña a veces un papel especial (Bibliotecas).
- El aislamiento térmico es un factor muy apreciable (salas de ordenadores).

Finalmente, en todos los casos, los pavimentos deben ser antideslizantes (no resbaladizos).

El pavimento responde generalmente a un deseo de estética. Por tanto, para conservar su aspecto es preciso eliminar la suciedad que se deposita en él.

Ello contribuye también a conseguir higiene y seguridad, ya que un suelo polvoriento se hace resbaladizo y a través del polvo los gérmenes se depositan en las superficies con el consiguiente riesgo.

Hay que saber que un suelo brillante no tiene por qué ser resbaladizo, lo mismo que un suelo brillante no significa que esté limpio.

La limpieza tiene también como finalidad proteger el pavimento de un desgaste prematuro.

En cualquier tipo de suelo, antes de proceder a su limpieza, será necesario retirar todos aquellos elementos o residuos que pudiera haber.

Cualquier resto de sangre, heces u otros líquidos corporales se recogerán con papel absorbente, utilizando para ello guantes de goma.

En interiores se realizará el barrido en húmedo, y no en seco, para evitar levantar partículas de polvo que pudieran quedar suspendidas en el ambiente.

Según su dureza los suelos se pueden dividir en:

- **Suelos duros**: piedras naturales (mármol, granito, pizarra), piedras artificiales (terrazo, porcelana, cerámica), arcillas (gres) y cemento (hormigón). Los suelos duros pueden ser porosos o lisos.

  Son suelos muy resistentes a los golpes y al desgaste, por lo tanto son muy duraderos, soportan muy bien la humedad y los productos de limpieza, por lo que su mantenimiento resulta sencillo, aunque son fríos y duros a la pisada. Como norma general, es conveniente limpiarlos con agua y productos neutros. Algunos de ellos con el paso del tiempo pueden adquirir porosidad, por lo que es necesario aplicarles tratamientos de limpieza y sellado que eviten que la suciedad se incruste en los poros como el cristalizado, el abrillantado y el encerado.

- **Suelos medios**: madera y corcho. El pavimento medio por excelencia es la madera, aunque el corcho es también un elemento de dureza media empleado como pavimento. Son suelos muy cálidos y decorativos, consiguen un ambiente acogedor y cómodo y se pueden combinar con pavimentos textiles, aunque son suelos delicados y menos resistentes al desgaste como los pavimentos duros.

En este tipo de suelos se debe evitar en la medida de lo posible la humedad. Para protegerlos se utiliza un tratamiento de sellado como la cera o el barniz de vitrificación.

- **Suelos blandos**: son los pavimentos formados por materiales, cuyo nivel de dureza y resistencia al desgaste y rozamiento es bajo. Pueden ser plásticos o revestimientos textiles:

  * Los suelos textiles, como alfombras y moquetas. Pueden estar compuestos de fibras animales, como la lana, fibras vegetales, como el mimbre, la caña, el coco, el algodón, el cáñamo y el yute, fibras químicas, como la celulosa y el acetato y fibras sintéticas, como el PVC, el nylon, el poliéster que son algo más resistentes al rozamiento. Estos suelos también pueden ser mixtos, como los compuestos de fibra sintética y lana.
  * Pavimentos resistentes o plásticos, como el linóleo, los termoplásticos, los vinílicos y los de goma.
  * Los suelos blandos son buenos aislantes acústicos y térmicos, ofrecen una sensación de confort y comodidad, soportan mal la humedad por lo que se han de mojar lo menos posible, también son sensibles a los productos químicos. Se deben aspirar con frecuencia para evitar la acumulación de polvo y la proliferación de ácaros , cuando sea necesario, se utilizarán productos neutros específicos para pavimentos textiles. Los suelos plásticos son resistentes al agua y a los detergentes y, por tanto, sencillos de limpiar, aunque nunca se deben usar disolventes que contengan petróleo, pues podrían dañarlos.

Recuerda que...

Es importante distinguir el granito ya que en ocasiones se confunde con el mármol. El granito está compuesto de cuarzo, feldespatos y mica. La mica se refleja en la superficie y forma mota brillantes. Sin embargo, la superficie del mármol aparece veteada y su composición es calcárea.

Si se quiere mantener en buenas condiciones el pavimento es preciso conocer su composición y características, con el fin de saber aplicar sobre el mismo los tratamientos, sistemas de limpieza y productos adecuados, que permitan conservarlos como si fueran nuevos, realizando una limpieza rápida y eficaz.

Es por ello que vamos a proceder a dar una breve descripción de los mismos, clasificándolos en cuatro grupos.

Recuerda que...

Las características de los pavimentos deben responder a las necesidades del local según la actividad que allí se realiza. La resistencia es fundamental en los suelos de un centro público, porque suelen pasar muchas personas e incluso objetos con ruedas. Que sea liso y no poroso también es importante para la conservación del material. Y un buen aspecto físico y el brillo son características deseables por cuestiones estéticas.

6.1.2. Tipos de suelos

6.1.2.1. Los suelos porosos

Entre los más utilizados se encuentran: mármol, terrazo, travertino, baldosa de arcilla (también llamada baldosa catalana), suelos de cemento, hormigón, madera y corcho.

Estos suelos son resistentes al desgaste, duros y fríos. Debido a su porosidad, la suciedad se incrusta en ellos y resulta difícil de sacar, por lo que es conveniente darles un tratamiento de base que facilitará su mantenimiento posterior.

Respecto a la madera tenemos que decir que presenta un buen aislamiento térmico. Sobre su tratamiento debemos saber que la aplicación de barnices es tarea de especialistas y que los profesionales de limpieza nos dedicamos sólo y exclusivamente a su mantenimiento.

Mármol ***Terrazo*** ***Travertino***

Baldosa Catalana ***Madera***

Debemos saber que el enemigo número uno de la madera es el agua.

Actividad 15

De entre los siguientes tipos de pavimentos, señale cuáles se corresponden con la siguiente clasificación de los tipos de suelos: medio - duro - blando:

- ☐ a) Suelo de abeto - suelo de gres esmaltado -moqueta.
- ☐ b) Linóleo - mármol - suelo de pino.
- ☐ c) Suelo de cerámica - suelo de pizarra - corcho.

6.1.2.2. Los suelos blandos homogéneos (lisos)

Estos suelos cada día se utilizan más; debido a su poco peso se abarata considerablemente su colocación. *A continuación vamos a detallar los más utilizados*:

a) El linóleo

Las propiedades de este suelo plástico lo hacen ideal para su colocación en centros, debido a que tienen propiedades bactericidas, es decir, en este tipo de suelo no se encuentran a gusto las bacterias y por tanto no se multiplican con facilidad. Además es un buen aislante térmico.

Linóleo

Hay que recordar que este suelo es muy sensible a los productos básicos o alcalinos, por lo que nunca deben utilizarse soluciones detergentes cuyo pH sea superior a 10.

Sabías que...

Los suelos de linóleo son antiestáticos (que impide o limita la formación de electricidad estática), y bacteriostáticos (impiden la multiplicación de las bacterias en su superficie).

b) Los suelos plásticos o PVC

Los suelos plásticos o de cloruro de polivinilo (PVC) son pavimentos homogéneos (lisos). Su superficie es lisa y van colocados en tiras o losetas, generalmente soldadas.

Sintasol

Los suelos plásticos son resistentes a los productos químicos y a los desgastes. Son pavimentos fríos y poco elásticos, sensibles a los colorantes, como la anilina procedente de las patas de sillas, camillas, etc., y a las quemaduras de cigarrillos.

Entre los más colocados podemos citar: sintasol, saipolam-ceflex.

c) La goma

La goma es un suelo flexible y buen aislante. No acumula contaminantes bacterianos. Es un pavimento sensible a los solventes y detergentes alcalinos. Al igual que a los suelos de PVC les dañan los colorantes basándose en anilina. La luz influye también en la goma, ya que la decolora. Sobre este tipo de suelos no se debe utilizar nunca solventes.

Goma

6.1.2.3. Suelos duros homogéneos (lisos)

Estos revestimientos duros son muy resistentes, sin apenas desgaste, impermeables y fríos.

Entre los más colocados se encuentran: granito, gres, plaquetas, azulejos, etc.

Hay que tener en cuenta que a estos revestimientos no se les puede aplicar ningún tratamiento de base.

Gres

Especialmente hay que ser capaces de distinguir el granito, ya que en ocasiones se le puede confundir con el mármol.

Lo que puede ayudarnos a distinguir el granito del mármol es lo siguiente: el granito está compuesto de cuarzo, feldespato y mica. La mica se refleja en la superficie del granito en forma de motas brillantes.

Sin embargo la superficie del mármol aparece veteada y su composición es calcárea.

Con carácter general, para la limpieza de suelos clasificados como duros se deben utilizar productos de limpieza con un pH superior a 7 para eliminar bien las manchas.

6.1.2.4. Los suelos textiles

Dentro de los suelos textiles se encuentran las alfombras y las moquetas, pavimentos de tres dimensiones, largo, ancho y alto, a tener en cuenta a la hora de limpiarlos.

La moqueta se coloca cada vez más como pavimento, ya que es un material confortable y su amplio colorido permite decorar los locales con facilidad. Se dice que la alfombra o moqueta es fácil de limpiar, pero todos los profesionales en la materia sabemos que aspirar y cepillar una alfombra es fácil, pero quitar manchas y limpiar con champú u otros productos requiere especialización.

Podemos distinguir básicamente tres tipos: moqueta de lana con pelo, moqueta sintética con pelo y moqueta sintética sin pelo o Tapisom.

Asimismo, debemos saber que las moquetas se colocan: pegadas al suelo (las sintéticas), tensadas (las de lana) y sueltas (sintéticas o de lana).

Lo que más deteriora las alfombras o moquetas es el polvo, que con las pisadas ayuda al desgaste del tejido de la alfombra o moqueta.

Cuatro puntos claves para un buen mantenimiento de las moquetas son: aspirar a diario, cepillar con regularidad, quitar las manchas sin demora y fregar con champú cuando sea necesario, dilatando esta operación lo más posible.

Sabías que...

Según la NTP 521 del Instituto Nacional de Seguridad e higiene en el trabajo, "pruebas realizadas en laboratorio demuestran que la moqueta puede generar una importante emisión de COV". Los COV (compuestos orgánicos volátiles) son contaminantes que se acumulan en la atmósfera.

6.1.3. Fichas técnicas de suelos

6.1.3.1. Suelos calcáreos: mármol - terrazo - travertino

A) Tratamiento de base

En obras nuevas:

- Fregar con máquina, disco negro y detergente ácido, para eliminar las manchas de cemento. Si es preciso, utilizar la espátula. Aclarar.

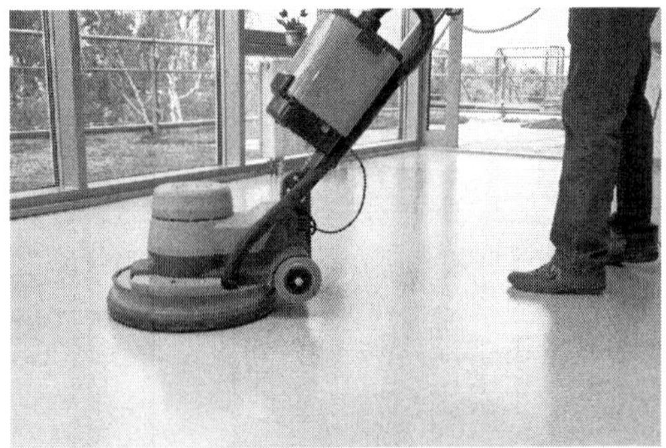

Abrillantadora

- Fregar con detergente alcalino. Aclarar y dejar secar 24 horas.
- Cristalizar con lana de acero (fina) para mármol, gruesa para terrazo, y producto cristalizador con ayuda de una máquina abrillantadora.
- Aplicar una emulsión tapaporos con mopa de algodón o aplicador.

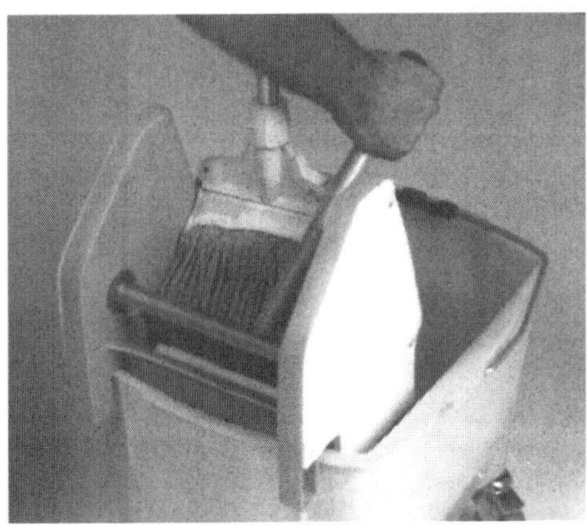

Carro con mopa de algodón

B) Mantenimiento

1. Suelos cristalizados:

- Barrido húmedo.
- Fregado con mopa y detergente neutro o lavicera. En caso de que resbale, será conveniente utilizar un producto antideslizante en agua.

Fregado con mopa

2. Suelos tratados con emulsión:

- Barrido húmedo.
- Método spray a ser posible con máquina de alta velocidad.

C) Recomendaciones

- No limpiar con detergentes ácidos los suelos calcáreos, salvo en limpieza de obra y siempre teniendo en cuenta la concentración.
- No utilizar ceras en base disolvente en estos suelos ya que resbalan.
- Sobre estos suelos, si están al aire libre, no se aplicará ningún tipo de tratamiento.

D) Composición

- **Terrazo**. Chispas o trozos de piedra, ligadas en cemento, no cocidas, pulidas.
- **Mármol**. Calcita más o menos pura, más o menos mezclada con minerales (vetas). Piedra natural recristalizada.
- **Travertino**. Piedra calcárea natural (calcita) con agujeros en su estructura. Piedra sedimentaria.

E) Propiedades

- Revestimientos muy duros, de poco desgaste, impermeables y fríos.

6.1.3.2. Suelos duros homogéneos: plaqueta, azulejo, gres, ladrillo vitrificado y granito

A) Tratamiento de base

En obras nuevas:

- Remover las manchas de cemento con agua y detergente ácido. Fregar a continuación con detergente alcalino. Aclarar y aspirar el agua.

B) Mantenimiento

- Barrido húmedo.
- Fregado con mopa y detergente neutro o lavicera.

C) Recomendaciones

- No utilizar ceras en base disolvente en pavimentos lisos o pulidos, ya que se hacen muy resbaladizos.
- No barnizar, ni vitrificar.

D) Composición

- **Plaquetas de gres**: arcilla, arena, caolín y otras materias minerales son mezcladas y comprimidas bajo presión muy fuerte en moldes de acero y sometidas a temperaturas superiores a 900 ºC.
- **Azulejo y ladrillo vitrificado**: arcilla cocida vitrificada al horno.
- **Granito**: piedra natural moteada, rica en cuarzo y mica. Es una piedra muy dura. Se coloca ya pulida.

E) Propiedades

- Revestimientos muy duros, sin apenas desgaste, impermeables y fríos.

Recuerda que...

Para quitar los restos de cemento que quedan en los azulejos después de una obra se debe utilizar un detergente ácido fuerte.

6.1.3.3. Plaquetas porosas - klinkers

A) Tratamiento de base

Obras nuevas:

- Eliminar las manchas de cemento y yeso con detergente ácido diluido en agua.
- Quitar las manchas de pintura con espátula o disolvente.
- Para eliminar las eflorescencias de salitre, no aplicar ningún detergente alcalino en los 6 meses siguientes a su colocación.
- Pasado este tiempo proteger el suelo con aceite de linaza o con una emulsión tapaporos rica en materias plásticas.
- En caso de utilizar aceite: harán falta una o dos capas según la porosidad del suelo. La primera capa será muy abundante y al cabo de dos horas deberá eliminarse el aceite que no haya penetrado y haya quedado en suspensión. Dejar secar durante tres días.

B) Mantenimiento

- Barrido húmedo.
- Método spray con máquina de alta velocidad o fregado con mopa y detergente neutro.

C) Recomendaciones

- No dar tratamiento hasta que hayan desaparecido las eflorescencias de salitre.
- No tratar estas plaquetas cuando están colocadas al aire libre.
- No se aconseja barnizar o vitrificar.

D) Composición

- Arcilla cocida.

E) Propiedades

- Pavimento cálido por su color y tono satinado.
- Durante los seis primeros meses pueden aparecer eflorescencias de salitre.

6.1.3.4. Suelos de hormigón

A) Tratamiento de base

1. **Suelos ligeramente sucios:**
   - Cepillar en seco y pasar la aspiradora.
   - Quitar las manchas de cemento y de pintura con una espátula o cepillo metálico.

2. **Suelos sucios:**
    - Fregado con máquina y detergente alcalino.

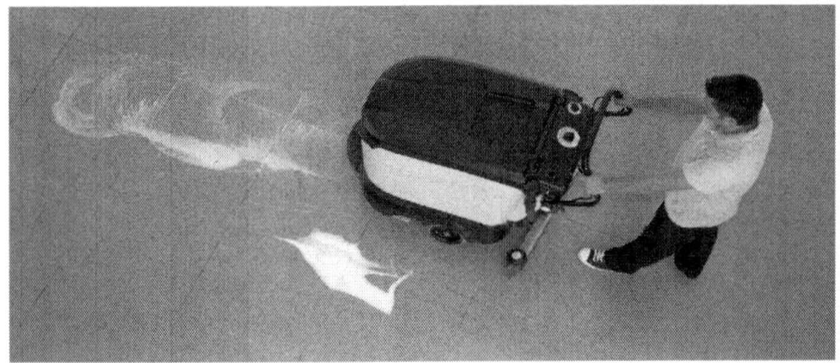

Fregado automático de suelos

3. **Suelos grasientos:**
    - Fregar con detergente alcalino en concentración alta. Aclarar bien.
    - Es necesario impregnar el suelo con resinas sintéticas para evitar que se levante polvo y que resulte más fácil de limpiar.
    - Esta operación deberá realizarse cuando el suelo esté totalmente limpio de grasa.
    - El tratamiento ideal para estos suelos es la pintura EPOXI.

B) Mantenimiento

- Barrido en seco o aspirado.
- Fregado periódico con detergente alcalino en baja concentración.

C) Recomendaciones

- Evitar el uso de productos alcalinos o ácidos en altas concentraciones.

D) Composición

- Cemento Portland, arena y grava comúnmente empleados en obras de albañilería.
- La superficie puede ser más o menos impermeable según la técnica que se emplee en su elaboración.

E) Propiedades

Suelos duros: 5resistencia media a la abrasión, ya que algunas partículas de cemento se sueltan de la superficie. Polvoriento si no se trata.

6.1.3.5. Plásticos (polivinilo - PVC)

A) Tratamiento de base

Los revestimientos plásticos pueden mantenerse de dos maneras:

1. **Con método spray**: método sencillo, rápido y eficaz. Este brillo es resistente a las pisadas.
2. **Con emulsiones**: tratamiento recomendado para locales muy frecuentados o en los que el método spray no puede ser aplicado con regularidad. La emulsión es resistente a las pisadas, repele la suciedad y permite el fregado con mopa.

1. Tratamiento de base con método spray

- Fregar con máquina, con detergente alcalino y disco abrasivo (verde o azul). Aclarar, dejar secar y aplicar dos capas de emulsión-spray, pulverizando toda la superficie con máquina.
- El mantenimiento será barrido húmedo y método Spray.

2. Tratamiento de base con emulsión

- Limpiar a fondo. Aclarar y dejar secar. Aplicar dos o tres capas de emulsión.
- El mantenimiento será barrido húmedo y método Spray o fregado con mopa y detergente neutro o lavicera.

Sabías que...

Los suelos de polivinilo (PVC) son sensibles a los colorantes grasos, como por ejemplo el betún, las ceras, el alquitrán. Estos productos dejan manchas indelebles, es decir, que no se pueden eliminar.

B) Composición

- Cloruro de polivinilo al que se añaden cargas minerales u orgánicas, emolientes y colorantes. Estos revestimientos se presentan en tiras o plaquetas de 1-5 mm de espesor, a veces con soporte de fieltro o corcho. Las juntas se pueden soldar.

C) Propiedades

- Gran resistencia al desgaste y a los productos químicos; son sensibles a los colorantes basándose en anilina (betún, pinturas grasas).

6.1.3.6. Linóleo

A) Tratamiento de base

El linóleo puede mantenerse de dos formas distintas:

- **Con productos en base disolvente**, igual que la madera o el corcho.
- **Con emulsiones en base agua en locales de mucho tráfico**. El tratamiento con emulsiones forma una película muy resistente, donde no se adhiere fácilmente la suciedad ni se marcan las pisadas. Se puede fregar con mopa.

1. Tratamiento de base con cera

- Con cera: fregado con máquina, disco verde y detergente alcalino suave. Aclarar y dejar secar. Aplicar dos capas de cera virgen líquida y caliente. Sacar brillo-lustrar.
- El mantenimineto se hará con barrido húmedo (mopsec impregnado de producto capta-polvo), y encerado periódico. Lustrar.

2. Tratamiento de base con emulsión

- Con emulsiones:
  * Limpieza a fondo.
  * Aclarar y dejar secar.
  * Aplicar dos o tres capas de emulsión, autobrillante o semi-abrillantable.
- El mantenimineto se hará:
  * Barrido húmedo.
  * Emulsión autobrillante: fregado con mopa y detergente neutro o lavicera.
  * Emulsión semi-abrillantable: método spray con disco rojo y emulsión.

B) Recomendaciones

- Evitar el uso incontrolado de detergentes alcalinos, ya que descomponen los elementos del linóleo.

C) Composición

- Aceite de lino (linoxina) y cargas de resinas (colofano, copal), virutas de madera, de corcho, así como materias colorantes sobre trama de yute. Presenta una superficie lisa, sin poros. No se debe barnizar. Tiene propiedades bacteriostáticas.
- Es un revestimiento flexible, con alto porcentaje de corcho y es buen amortiguador de los ruidos.
- Pavimento ideal para escuelas, residencias y hospitales.

6.1.3.7. Suelos de goma

A) Tratamiento de base

Los suelos de goma pueden mantenerse de dos maneras:

1. **Método spray**
   - Este procedimiento le da al suelo un brillo satinado en el que no se notan las pisadas.
   - Fregado con máquina, disco verde y detergente alcalino suave. Aclarar, dejar secar y aplicar dos capas de emulsión. Mediante máquina de alta velocidad y spray vaporizar toda la superficie.
   - Mantenimiento:
     * Barrido húmedo.
     * Método spray.
2. **Con emulsiones para locales de gran tráfico**: el tratamiento con emulsión hace la superficie resistente, donde no se pega la suciedad, ni se marcan las pisadas. Permite el fregado con mopa y detergente suave.
   - Tratamiento de base con emulsión:
     * Limpieza a fondo.
     * Aclarar y dejar secar.
   - Mantenimiento:
     * Aplicar dos o tres capas de emulsión.
     * Barrido húmedo.
     * Método spray o fregado con mopa y detergente neutro o lavicera.

B) Recomendaciones

No utilizar detergentes alcalinos ni cera en base disolvente.

C) Composición

Contiene, además de la goma, materiales minerales finamente molidos y colorantes. La mezcla obtenida se lamina y se vulcaniza en cilindros calientes (calandra). Tiene un espesor de 3 a 8 mm.

D) Propiedades

Flexible, amortigua los ruidos de pisadas. El suelo de goma es sensible a los colorantes a base de anilina (betún), a los aceites y a los solventes. Bajo el efecto de la luz intensiva, del aire y también a consecuencia de un mantenimiento inadecuado, la goma se endurece y se cuartea (piel de elefante).

6.1.3.8. Madera

A) Tratamiento de base

- Acuchillado e impregnación (barnizado) por especialista.

En caso de que no se pueda barnizar:

- Se aplicarán tres capas de cera líquida virgen, caliente y se lustrará (sacar brillo).
- O bien se aplicará una capa de cera líquida, seguida de otra en caliente y se lustrará posteriormente (maderas exóticas).

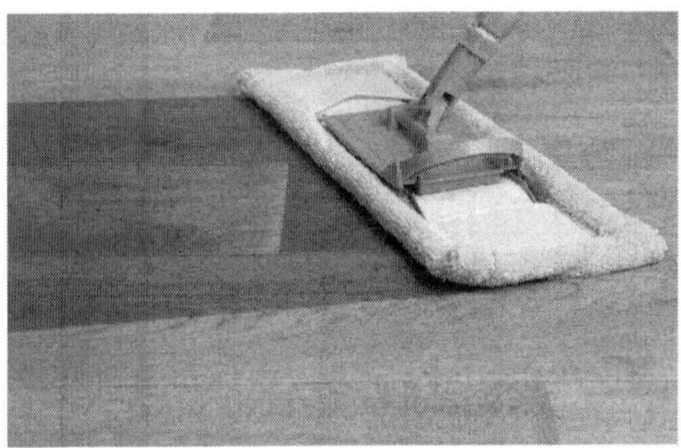

Barrido húmedo de madera

B) Mantenimiento

- Barrido húmedo.
- Método spray.
- Reparar con cera líquida las zonas muy transitadas (periódicamente).

C) Limpieza general

- Fregar con disco negro y disolvente (tipo aguarrás). Dejar secar y aplicar cera.

D) Recomendaciones

- No utilizar lejía sobre superficies o suelos de madera.
- No emplear agua habitualmente ni emulsiones en base agua.

E) Tipos de maderas

- Esencias tiernas (resinosas): pino, eucaliptus, arce, abeto.
- Esencias duras (hojas caducas): roble, haya, fresno, nogal, olmo, castaño, cerezo.
- Maderas exóticas: muhuhu, mosaico, bongosí, moave, wengé, limba, jarrah, teka.

F) Tipos de parquets

- De láminas, a la inglesa, mosaico, pegados en forma de "V", tarima.

Sabías que...

Los suelos de madera pueden ser tratados con ceras que contienen productos grasos o aceites. Suelen ser producto de gran calidad y resistencia que resalta la estructura natural de la madera y de su aplicación se obtiene una superficie a poro abierto, de tonalidad mate-satinada, resistente e hidrófuga.

6.1.3.9. Corcho

A) Tratamiento de base

- Impregnación o vitrificación por especialista.
- En caso de que no se pueda impregnar: limpiar a fondo, dejar secar durante varias horas y aplicar dos capas de cera virgen líquida caliente y posteriormente lustrar (sacar brillo).
- Primer tratamiento después de la impregnación: 1 capa de emulsión autobrillante como capa protectora.

B) Mantenimiento

- Barrido húmedo (mopsec impregnado con producto capta-polvo).
- Método spray.
- Encerado: con cera líquida (tratamiento periódico). Después lustrar (sacar brillo).

Detalle de mopsec

C) Limpieza general

- **Corcho no impregnado**:
    * Fregar con máquina y disolvente (tipo aguarrás).
    * Renovar la capa de cera.
- **Corcho impregnado**:
    * Fregar con máquina y disolvente (tipo aguarrás).
    * Aclarar y dejar secar.

* Volver a tratar las zonas desgastadas o toda la superficie si es necesario.
* No esperar el desgaste total antes de renovar el tratamiento.

D) Recomendaciones

- No tratar nunca un corcho no impregnado con emulsiones autobrillantes. No encerar nunca en gimnasios.

C) Composición

- Granos de corcho prensados en caliente. Muy buen aislante térmico y acústico. Pierde color bajo el efecto de los rayos solares. Su superficie es muy porosa y difícil de limpiar sin impregnación.

6.1.4. Limpieza de suelos

6.1.4.1. Métodos secos

- **Barrido en seco** (con escoba o cepillo): se utilizará exclusivamente en talleres y almacenes ubicados fuera de las áreas asistenciales y en exteriores.
- **Mopa gasa** (siempre de un solo uso): se usa para una primera eliminación de la suciedad que no está adherida al suelo e irá seguida del método húmedo más adecuado en cada caso. La técnica de barrido será en zigzag y evitando repasar por una zona ya limpia. Se recambiará la flixelina en cada Unidad y cada vez que su nivel de suciedad lo justifique.

Mopa de gasa

6.1.4.2. Métodos húmedos

1. **Barrido húmedo**: el barrido húmedo es un procedimiento de eliminación de la suciedad del suelo mediante el uso de medios que permiten la adherencia de las partículas evitando su diseminación en el ambiente. Para ello suelen emplearse mopas húmedas. El barrido se inicia recorriendo la estancia en zigzag (no se debe pasar dos veces por el mismo lugar). Se denomina sistema rasante o con mopa.

   Es preciso barrer de manera que se evite la movilización de partículas de polvo y como consecuencia los gérmenes que están en el suelo u otras superficies, vuelvan a suspenderse en el aire. No se barrerá nunca con cepillo sin cubrir. El único sistema adecuado y permitido será por lo tanto la limpieza húmeda, con mopa o avión cubierto con fliselina.

Dado que más del 80 % de la suciedad y polvo quedan adheridos a la fibra, el posterior proceso de fregado se efectuar sobre pavimentos prácticamente limpios, posibilitando que la acción de los detergentes y desinfectantes sea más eficaz.

El procedimiento de limpieza utilizando el sistema de barrido húmedo se describe a continuación:

1. *Llenado de la bañera dosificadora*: se llena de agua la bañera con la solución correcta de producto, de modo que no sobrepase la marca que hay en ella.

   La bañera dosificadora está dividida en dos secciones, una en la cual aplicamos la solución desinfectante, y en la otra sección es donde introduciremos la mopa para que se impregne de producto detergente-desinfectante según el grado de suciedad.

2. *Colocación de la mopa*: se coloca la mopa en el suelo con la cara interna hacia abajo, se introduce el soporte en las bandas y se dobla el soporte a la izquierda y a la derecha, la mopa queda sujeta al soporte sin necesidad de inclinarse.

3. *Impregnación de la mopa*: se moja la mopa en la bañera, presionando el pedal bajamos agua del depósito a la parte delantera. De esta manera garantizamos la utilización de producto siempre limpio.

   En otros sistemas no se utiliza bañera dosificadora. La impregnación del producto se hace directamente por pulverización de la solución limpiadora.

4. *Fregado*: se friega la zona con la cara de la mopa que hemos impregnado y se realiza el fregado con movimientos en S como si estuvieran fregando con una fregona convencional, por medio de este sistema a la vez podemos ir secando la sección que vamos limpiando con la otra cara de la mopa; de esta manera ejercemos una mayor limpieza y facilitamos el proceso de secado con lo cual evitamos el velado de los suelos y reducimos las posibles caídas fortuitas.

5. *Retirada de mopa*: se retira la mopa sucia. Si fuera desechable se tira, y si no lo es,. Se introduce en el saco de mopas sucias. La mopa se desprende mediante un mecanismo, para así evitar tocarla.

6. *Lavado de mopas reutilizables*: se carga la lavadora y se lavan las mopas, para volverlas a utilizar en el próximo servicio. Las mopas tienen un ciclo de vida de 700 lavados, una vez sobrepasado este número se irán renovando progresivamente.

Recuerda que...

En el interior de centros públicos debe realizarse el barrido en húmedo para evitar la dispersión del polvo y el resto de contaminantes.

2. **Fregado con un solo cubo**: exclusivamente en áreas administrativas y de no contacto con enfermos.

3. **Doble cubo**: Antes de limpiar el suelo se quitará el polvo y la suciedad del mismo (papeles, etc.), empleando una mopa o avión forrado en paño húmedo. Después se procederá al fregado con el método de doble cubo: un recipiente rojo (cubo de sucio) con agua y detergente jabonoso y otro recipiente azul (cubo de limpio) para aclarar con agua y desinfectante.

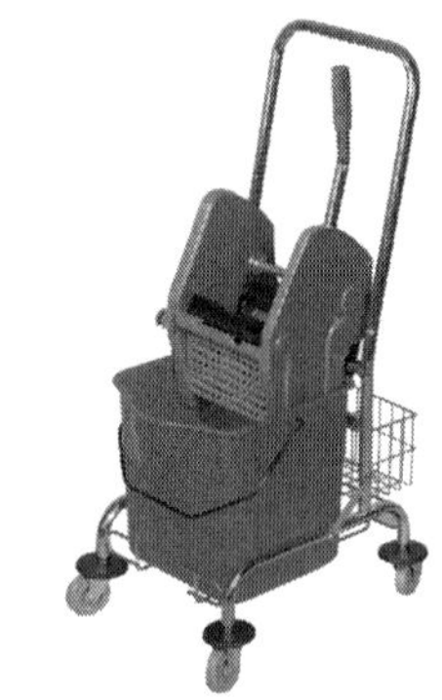

   Para el contenido de los cubos se presentan tres opciones siendo las tres válidas según la mayor o menor criticidad de la zona objeto de limpieza y desinfección.

   - *Opción A*:
     * Cubo AZUL: agua+detergente+desinfectante.
     * Cubo ROJO: agua.
   - *Opción B*:
     * Cubo AZUL: agua+desinfectante.
     * Cubo ROJO: agua+detergente.
   - *Opción C*:
     * Cubo AZUL: agua+detergente+desinfectante.
     * Cubo ROJO: agua+detergente+desinfectante.

   El procedimiento de la técnica de fregado con doble cubo será:

   1. Se coloca la prensa o escurridor sobre el cubo rojo.
   2. Se introduce la fregona limpia en el cubo azul.
   3. Se escurre la fregona sobre el cubo rojo.
   4. Se friega en zigzag desde la zona limpia a la zona sucia de la estancia.
   5. Se introduce la fregona en el cubo rojo, se enjuaga varias veces y se escurre al máximo.
   6. Se sumerge la fregona en el cubo azul.
   7. Se escurre y se sigue fregando.

   La técnica de fregado para pasillos será realizando primero una mitad y después la otra mitad, señalizando la zona (suelo húmedo, suelo resbaladizo). La mitad del pasillo debe estar libre para el tránsito. El equipo de limpieza debe estar en la zona que se está limpiando.

Las habitaciones se limpiarán siempre de los rincones hacia la puerta de salida.

Materiales:

- Carro de limpieza con doble cubo.
- Una fregona, que deberá estar siempre limpia y seca antes de usarse. Después de su uso se guardará limpia y escurrida.
- Mopa y paño para envolver la mopa. Se utilizará cada día un paño limpio.
- Bayetas de varios colores, distintas para cada uso.
- Bolsas de recogida de basura: para cubos y papeleras, galga-50 y para residuos clínicos y cubos grandes, galga-200.
- Contenedores de material biológico donde se indique.

4. **Sistema en horizontal/plano o de mopa rasante**:

   Diferencias que debe tener el carro de transporte del material de limpieza *versus* el sistema anterior (doble cubo):

   - Cubo más grande (16 litros de agua) con soporte incorporado para escurrir las mopas o recipiente específico para la preparación y transporte de las mopas pre-preparadas.
   - Palo de fregar con sistema automático para la colocación de las mopas.
   - Palo retráctil y regulable en altura para la sujeción de mopas.
   - Mopas fabricadas a base de poliéster y algodón, microfibras de poliéster y polipropileno, otras combinaciones.

   Método (según el tipo a utilizar):

   - Llenar el cubo de agua conjuntamente con el producto a la concentración adecuada para la zona a limpiar.
   - Colocar las mopas pre-preparadas en la cubeta.
   - Introducir algunas mopas, tendremos la precaución de que queden totalmente sumergidas o previamente impregnadas.
   - Adaptar el palo a la mopa que utilizaremos, y con una ligera presión la escurriremos en el soporte destinado a ello.
   - Fregar el suelo empezando por la zona más alejada de la puerta, y a la salida de la habitación desecharemos la mopa depositándola en una bolsa de plástico.
   - Utilizar una mopa por habitación o cada 25 metros (según suciedad).
   - El proceso se repetirá en cada habitación, box...
   - El cambio de mopas evitará posibles contaminaciones cruzadas.
   - Las mopas sucias son lavadas y desinfectadas diariamente mediante un proceso automático (lavandería).

5. **Fregado a máquina:**

   Máquina con discos que reparten el producto sobre el suelo por rotación y absorben al mismo tiempo la suciedad desprendida. Es útil solo en locales amplios y con bajo grado de obstaculización en la capacidad de maniobra (pasillos y zonas de grandes dimensiones). Siempre irá acompañado del repaso manual de los bordes a los que la máquina tiene difícil acceso.

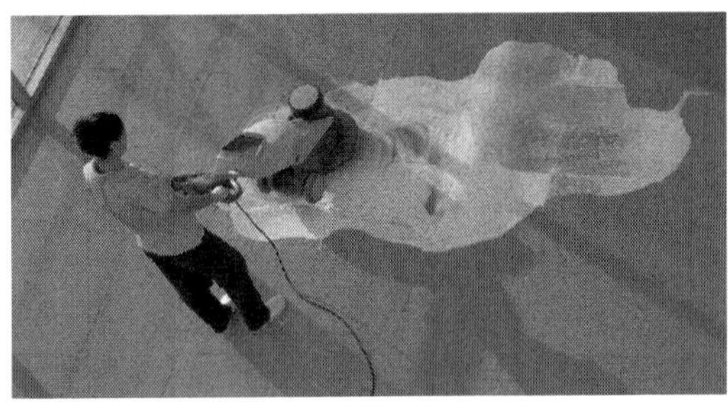

6.1.5. Fregado a fondo de suelos

6.1.5.1. Introducción

Se realizará siempre que se quiera aplicar al suelo un tratamiento de base.

Se trata de fregar a fondo, mecánicamente, el suelo, con objeto de poder aplicar posteriormente una emulsión de protección en suelos plásticos o una cristalización en piedras calcáreas.

Esta operación requiere dos personas:

- Una que utilice una fregadora con depósito y producto decapante diluido, plato de arrastre y disco abrasivo (negro, marrón o verde).
- Otra que maneje una aspiradora de agua, equipada con boquilla de mano.

6.1.5.2. Procedimiento

- Se extiende la solución limpiadora alrededor de la zona de trabajo. Muy importante: cerca de los zócalos o muebles fijos, se llevará la máquina de derecha a izquierda para evitar salpicaduras.

Por ejemplo:

- Se extiende la solución limpiadora en un área pequeña para que el detergente vaya actuando sobre la suciedad.
- Se vuelve sobre la zona tratada (sin añadir solución), de forma lenta y regular, hasta pasar la máquina al menos tres veces sobre la misma parte.

- Se aspira el agua sucia.
- Se aclara la zona entera con máquina, agua limpia más neutralizante y se aspira a continuación.
- Los bordes de los zócalos y rincones se harán con rascador de bordes al que se le colocará un estropajo marrón o negro, ya que la máquina no llega bien a estas zonas. Caso de no disponer de este tipo de herramienta, se adaptará a un cepillo de fregar un estropajo, con el fin de no tener que realizar esta operación a mano.

6.1.5.3. Productos

- Si se trata de remover suciedad sin más, se utilizará un detergente alcalino. Se echará unas gotas de detergente ácido en el agua de aclarar, con el fin de neutralizar los restos de solución alcalina depositada en el suelo.
- Si se trata de remover suciedad mineral (cemento, yeso, etc.), se utilizará un detergente ácido. Se echará unas gotas de detergente alcalino en el agua de aclarar, con el fin de neutralizar los restos de solución ácida depositada en el suelo.

6.1.5.4. Decapado de suelos

- Se trata de un fregado a fondo del suelo, destinado a levantar viejas capas de ceras y emulsiones, para el que se utilizará el mismo procedimiento que hemos descrito anteriormente.
- Se usará un detergente alcalino o decapante específico, según la suciedad a eliminar.

Importante:

Suelo bien fregado, aclarado y sin residuo de detergente, es decir, neutralizado.

6.1.6. Cristalización de piedras calcáreas

6.1.6.1. Introducción

En este método de tratamiento específico de las piedras calcáreas (mármol, terrazo, travertino) interviene un efecto mecánico y un efecto químico.

Consiste en la aplicación de un producto cristalizador que reacciona con la superficie formando una capa dura y resistente que protege el suelo.

La cristalización se hace con:

- Una máquina rotativa, tipo fregadora-abrillantora con plato de arrastre, lana de acero de grueso distinto, según se trate de cristalizar terrazo o mármol (más fina para el mármol) y un producto de cristalización conteniendo fluosilicatos y, en algunos casos, ceras.

6.1.6.2. Procedimiento

- Se divide la superficie a tratar en zonas de unos 9 m^2 aproximadamente y se pulveriza el producto puro en el suelo directamente. La cantidad de producto a aplicar estaría en función de la porosidad del suelo.
- A continuación, y simultáneamente, se pasa la máquina equipada con el plato de arrastre y con el alambre hasta que la superficie esté completamente seca y brillante. Al pasar la máquina se produce una reacción termoquímica a nivel del suelo que endurece la superficie y la hace brillante (cristalización de las sales).

Importante:

Bordeando los zócalos, llevar la máquina de derecha a izquierda para evitar las salpicaduras. Si se producen, solamente se podrán quitar en seco y con alambre. Proteger los revestimientos metálicos y de madera.

Cuando se consigue el nivel de brillo deseado no insistir (esto es particularmente importante para el mármol blanco). No volver a pasar un alambre seco ya que se podría "matar" el brillo.

La "vida" de este tratamiento es muy variable, de un mes a un año según la calidad del suelo, del tráfico que tiene que soportar, del lugar donde está colocado, etc.

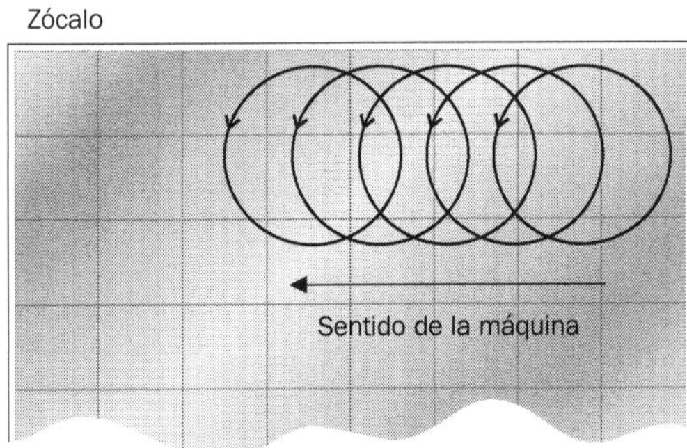

Este tratamiento permite realizar una limpieza de mantenimiento muy sencilla y económica, con barrido húmedo y fregado con agua y detergente neutro.

La reposición se puede hacer mediante cristalización parcial en las zonas desgastadas, sin necesidad de decapado previo.

Recuerda que...

El procedimiento de cristalizado de suelos solamente se puede realizar en aquellos pavimentos que tengan una base calcárea: mármol, terrazo, mosaico, condición indispensable para que se produzca la reacción química llamada cristalización.

6.1.7. Aplicación de emulsiones

6.1.7.1. Normas generales

- El suelo estará perfectamente fregado, neutralizado, aclarado y secado.
- Se aplicarán las capas lo más finas posibles (como piel de cebolla).
- Se dejará secar perfectamente entre capa y capa, antes de aplicar la siguiente.
- Se aplicarán las capas según el dibujo:

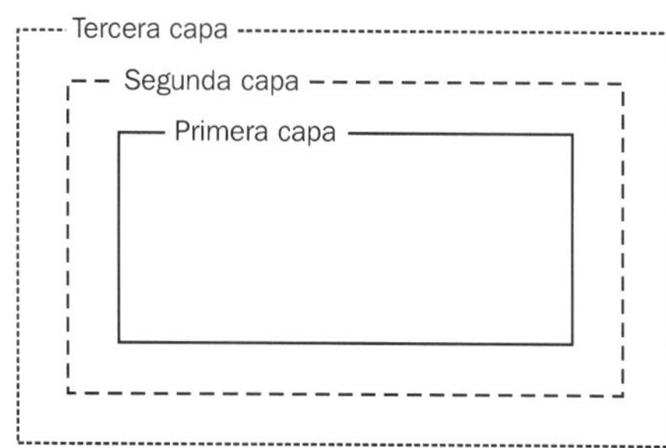

- La primera capa se apartará un palmo del zócalo, la segunda medio palmo y la tercera cubrirá todo.
- El número de capas a aplicar estará en función del tráfico y del desgaste que tenga que soportar.
- Cuando se deteriora, antes de la aplicación de una nueva capa hay que decapar la anterior.

 Sabías que...

Cuanto más fina la capa, más dura.

6.1.7.2. Métodos de aplicación de emulsiones

a) Se aplicará con mopa

- La mopa deberá ser de algodón usado, limpia, con los flecos abiertos.
- Se echa la emulsión pura en el cubo de la mopa.
- Se empapa bien la mopa y se la escurre hasta que no gotee.
- Se delimita la zona a tratar y se aplica la emulsión, toda por igual, procurando que cubra toda la superficie.

- Se deja secar perfectamente antes de aplicar la siguiente.
- Al final se deberá limpiar el material para evitar que se quede duro e inservible.

b) Se aplicará con aplicador

El aplicador consta de:

- Palo con pinza incorporada.
- Una piel sintética.
- Un soporte de espuma que haga de mullido.

6.1.7.3. Procedimiento

- Se echa la emulsión en charcos pequeños, directamente en el suelo. Se extiende con el aplicador estirando el producto al máximo, con objeto de que la capa sea lo más fina posible.
- Frotar la superficie describiendo óvalos alargados, con el fin de que la capa quede uniforme y bien extendida.

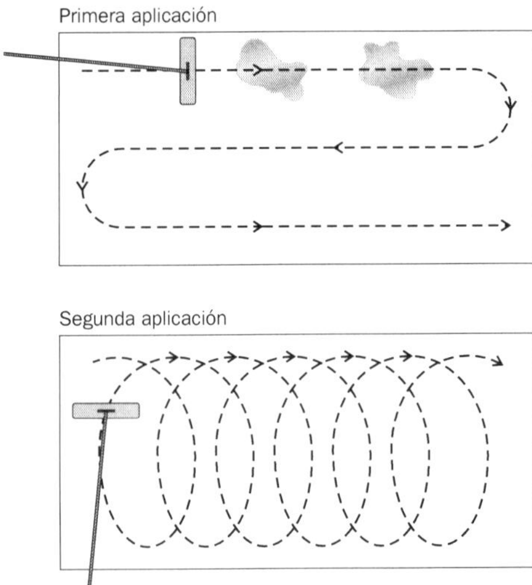

- Una vez cubierta toda la superficie dejar secar perfectamente, antes de aplicar la segunda capa.
- La segunda aplicación es conveniente darla cruzando con relación a la primera. No se debe presionar sobre el aplicador para evitar la formación de espuma.
- Al finalizar deberá ponerse a remojo el material utilizado para evitar que se quede duro e inservible.

6.1.7.4. Conservación

La conservación dependerá del tipo de emulsión que hayamos aplicado, es decir, emulsión semiabrillantable o emulsión autobrillante lavable.

a) Emulsión semibrillantable

Se utilizará barrido húmedo, seguido de método spray que deberá realizarse a diario. Con este sistema la emulsión se endurece considerablemente, recuperando a diario el desgaste producido en el suelo. Este sistema sólo podrá aplicarse cuando se disponga de un operario para pasar la máquina a diario.

b) Emulsión autobrillante lavable

Se utilizará barrido húmedo y fregado con mopa y detergente neutro. Se puede reponer parcialmente aplicando una nueva capa en los sitios desgastados. Esta operación se puede realizar hasta dar un total de siete capas que, una vez aplicadas, es preciso proceder a decapar (fregar a fondo) el suelo en su totalidad, antes de volver a aplicar una nueva emulsión. Este sistema permite dilatar el tratamiento durante bastante tiempo en función al tráfico que tenga que soportar el suelo.

El producto a aplicar debe reunir determinadas condiciones:

- Se debe aplicar fácilmente.
- Su eliminación, cuando sea necesario eliminar la capa, se podrá realizar mediante un simple fregado con detergente decapante.
- Deberá ser autobrillante y antideslizante.

6.1.7.5. Problemas tras la aplicación de emulsiones

- Cuando un suelo se encera en exceso se produce el efecto de "suelo pegajoso". Cuando se utiliza poco producto, no se consigue el brillo deseado.
- Si se aplican capas muy gruesas de cera, o se van acumulando unas capas sobre otras, el suelo no se ve homogéneo. Esto se soluciona con capas finas de cera, y decapando antes de aplicar una nueva capa.
- Si se encera un suelo que no está bien seco, se producen manchas acuosas.
- Los productos en base agua no se podrán aplicar sobre madera. Se utilizarán ceras.

6.1.8. Método Spray /máquinas de alta velocidad

Es el sistema más económico para la limpieza de los suelos. Simplifica el mantenimiento, cambiando los conceptos tradicionales de limpieza diaria, limpieza semanal y limpieza periódica.

Consiste en limpiar, encerar y abrillantar en una sola operación. Los materiales necesarios son:

- **Máquina**: una abrillantadora con una presión sobre el suelo mínima de 35 g/cm2. Las máquinas ideales para esta operación son las de alta velocidad, con los que se alcanzan rendimientos altos.
- **Disco abrasivo**: la fabricación de estos discos es de fibras de nailon o de poliéster expansionadas. La agresividad del disco a emplear se debe elegir según el tipo de pavimento, de suciedad a limpiar y de tipo de máquina.

  El grado de agresividad de un disco se determina por su color. Como norma general cuanto más claro es el color, menos abrasivo, aunque existe alguna marca que no es así. Los discos son sensibles al agua caliente, que no debe pasar de 60ºC para que no se encojan.

  Los discos tienen la misión de extender el producto, ayudar a la acción química del producto mediante una acción mecánica, recuperar la suciedad disuelta o abrillantar.
- **Producto**: para la aplicación del "método spray" se debe utilizar una emulsión mediante vaporizador. La emulsión debe contener detergentes, solventes y ceras, todo ello emulsionado con agua.

6.1.9. Otros tratamientos

- **Diamantado**: tratamiento sobre suelos viejos, sin brillo y con arañazos. Se aplica sobre suelos duros (mármol, terrazo, granito, etc.). Consiste en rebajar con diamantes la capa superficial del suelo. Después de este tratamiento se debe cristalizar para garantizar la duración.
- **Film**: recubrimiento plástico para las superficies que las protege e impermeabiliza. Se aplica con rotativa.

6.2. Manchas de superficies lavables: eliminación

6.2.1. Tipos de suelos

Para la elección de los productos se deberá tener en cuenta el tipo de suelo y la conservación del mismo. La mayoría de los suelos utilizados en centros públicos se pueden agrupar en cuatro tipos:

- **Pisos de mampostería (mármol, terrazo, mosaico de cerámica, pizarra, cantera)**: son vulnerables a los ácidos y a las sales alcalinas. Para su limpieza lo mejor es un detergente líquido neutro.
- **Pisos de madera o similares (madera dura, madera blanda, mosaico de corcho)**: no se usará para su limpieza agua en exceso. Se realizará la limpieza con disolventes.

- **Pisos elásticos (asfalto, linóleo, corcho, vinilo)**: los disolventes pueden perjudicarles. El agua puede perjudicar el adhesivo. Serán decapados y encerados al menos cada seis meses. Cada 15 días se les tratará mecánicamente y diariamente se efectuará barrido húmedo.
- **Pisos conductivos (terrazo, mosaico de cerámica, vinilo, corcho)**: "conducen" la electricidad. Se encuentran en quirófanos, paritorios, urgencias y zonas adyacentes. Se deben usar productos seguros para la conductividad, enjuagar cuidadosamente para que no queden restos de producto y recoger la solución con el aspirador de humedad.

6.2.2. Mobiliario lavable

Se considera mobiliario lavable a la formica, materiales sintéticos en general, mármoles, granitos, cristales, etc.

El mobiliario lavable deberá limpiarse con agua, detergente neutro y bayeta que se pueda mojar. A veces es necesario utilizar también estropajo. La bayeta deberá aclararse cuantas veces sea preciso.

6.2.3. Eliminación de manchas de sangre u otros fluidos

Colocándose guantes resistentes y caso de ser necesario mascarilla: verter hipoclorito sódico al 10 % u otro derivado clorado con resinas absorbentes (polvos o gránulos) que proporcionen una concentración de cloro de 10.000 ppm (partes por millón), sobre la superficie contaminada.

- Dejar 20 minutos de tiempo de contacto.
- Limpiar el área con toallas desechables.
- Eliminar los residuos en un contenedor de material biológico.
- Retirarse los guantes y lavarse las manos.

6.2.4. Manchas de óxido

Las manchas de óxido podrán eliminarse, limpiando bien la superficie con un paño humedecido con una solución de citrato sódico al 10 por 100, impregnándola luego con una crema blanqueadora, tras lo cual se frotarán vigorosamente las manchas de óxido. A continuación se enjuagará bien y se secará con un paño suave limpio y seco.

6.2.5. Manchas de grasa

Las grasas y los aceites se eliminan fácilmente con sustancias desengrasantes o por lavado y frotación con disolventes orgánicos, que deben reunir las siguientes características:

- Temperatura de inflamación por encima de 60 ºC.
- El umbral de toxicidad debe ser superior al del metilcloroformo 350 ppm.

- Nunca utilizar gasolina, benceno o tetracloruro de carbono.
- Es recomendable el metilcloroformo (líquido).

En relación con la prevención de Riesgos Laborales, conviene recordar que los disolventes de grasas pueden lesionar las manos y provocar úlceras insidiosas tras exposiciones repetidas.

6.2.6. Manchas de tinta

A las manchas de tinta se les debe aplicar una solución de alcohol, ácido acético blanco, glicerina, ácido oxálico y éter.

Una vez aplicada esta solución y antes de secar, se aclarará bien con agua y detergente neutro (aprox. 10 gramos por litro).

Se deja secar, se vuelve a aspirar profundamente y, a continuación, se aplicará una solución de agua y amoníaco en proporción de diez a una.

Si la mancha de tinta es muy reciente (depende de la marca de la tinta) suele ser suficiente aplicar una solución de detergente para tejidos delicados y alcohol.

6.2.7. Manchas de cal del agua

Para las manchas de cal, muy habituales en el cuarto de baño, se aplicará un líquido antical. Si no se dispone de dicho líquido, las manchas de cal se eliminarán con un detergente ácido o con un poco de vinagre.

6.2.8. Manchas de chicles

- Eliminar todo el exceso de chicle, retirándolo con los dedos.
- Con ayuda de hielos en una bolsa, aplicar frío hasta que se endurezca.
- Con ayuda de una espátula de plástico o tarjeta de crédito vieja, raspar todo el chicle posible.
- Eliminar cualquier resto que haya quedado con una solución de agua y un detergente ácido al 50 % o bien alcohol de 96º.

6.3. Limpieza de zonas exteriores del centro

Los patios suelen ser lugares dotados de bancos para disfrute de las personas que residen en los centros, por ejemplo, residencias de ancianos, psiquiátricos, etc., y deberán ser objeto de una esmerada limpieza diaria.

Se limpiarán diariamente las papeleras y se les colocará bolsas de basura. Se retirarán los desperdicios que haya en el suelo con escoba y recogedor y se manguearán posteriormente los bancos y suelos, con el fin de dejarlos en perfectas condiciones de limpieza.

Para la limpieza de aceras, viales, aparcamientos, patios y entradas del centro se aconseja seguir las siguientes pautas:

Se procederá a la recogida de basuras y residuos depositados en los viales, zonas de maniobra, plazas de aparcamiento.

Se limpiará (barrerá y regará) una vez al día en horario que se determine por la Dirección del Centro o Servicio asignado a tal fin. Estas acciones se deberán realizar con máquinas especiales.

Semanalmente, limpieza del pavimento de las puertas de acceso a las diferentes dependencias con agua caliente a presión y producto desincrustante.

Una vez al año, desmontaje y lavado de las luminarias, lavado a presión de pavimentos y marquesinas, barrido y fregado con máquina de toda la superficie.

Se procederá a la limpieza de las papeleras y los contenedores instalados, así como el cambio de bolsas, que serán de color negro, tantas veces como sean necesarias, en todas ellas.

Se realizará siempre que sea necesario, y por su peligrosidad, la limpieza de manchas de combustible, aceites, grasas, vertidos de agua u otros líquidos.

Asimismo, el servicio de limpieza deberá proceder a la limpieza de elementos que se hayan ocasionado por actos de vandalismo, así como grafitis, y se aplicarán las medidas preventivas que faciliten la limpieza de todo tipo de pintadas ocasionadas en las fachadas del Centro.

6.3.1. Barrido en exteriores

El barrido consiste en el arrastre en seco de los residuos acumulados en la vía para su posterior retirada.

En general, el barrido ha sido y sigue siendo la forma más eficiente, económica y rápida de retirar los residuos en pavimentos irregulares o sobre los que existen muchos obstáculos que dificultan la mecanización del trabajo.

Básicamente, existen tres tipos de barrido en función de los medios utilizados:

- Barrido manual.
- Barrido mecanizado.
- Barrido mixto.

A) Barrido manual

El barrido manual es el tratamiento de limpieza cuya función consiste en arrastrar y amontonar, valiéndose de una escoba o cepillo, todos los residuos que se encuentran en aceras, bordillos y calzadas y recoger lo barrido embolsándolo para su posterior retirada e integración en los circuitos de gestión de los residuos sólidos urbanos.

El personal de limpieza que efectúa el barrido manual tiene como principal herramienta de trabajo una escoba grande. Las principales herramientas o útiles con los que cuenta para su labor son:

- Escoba grande.
- Carrito portabolsas o vehículo auxiliar.
- Escobillo (escobijo).
- Recogedor.
- Espuerta.
- Tablillas.
- Azada.
- Llaves de papeleras.
- Bolsas homologadas.

Procedimiento de trabajo

Para conocer el procedimiento de trabajo del servicio de barrido manual individual, distinguiremos si el trabajador trabaja con un carrito porta bolsas o si se ayuda para su desplazamiento y para la carga de residuos de un pequeño vehículo, generalmente un pequeño motocarro.

1. **En el primer caso (carrito) el procedimiento es el siguiente:**
   - Desplazamiento del trabajador a pie con los útiles y herramientas desde el centro de trabajo hasta el inicio del sector.
   - Colocación de una bolsa en el aro del carrito porta bolsas.

   - Vaciado en la bolsa dispuesta en el carrito de las papeleras situadas en el tramo de calle seleccionado para comenzar a trabajar.
   - Retirada de la hierba o maleza existente en el acerado con el uso de la azada.

- Barrido de la acera con la escoba, generando diferentes pilas de residuos, prestando especial atención al entorno de los contenedores, introduciendo las bolsas de basura que pudieran existir fuera de los contenedores, en el interior de los mismos. El trabajador avanza barriendo la acera desde la línea de fachada hasta el bordillo, hasta una distancia aproximada de 50 metros.

- Regresa barriendo los residuos existentes junto al bordillo y entre los coches.
- Una vez ha regresado hasta su carrito, cambia las herramientas de barrido por las de recogida y en el mismo sentido de avance del barrido procede a la recogida de las pilas de residuos previamente barridos con el uso del escobillo y el recogedor.
- Acopio de los residuos en la bolsa del carrito. Una vez llena, la bolsa se introducirá bien cerrada en el contenedor más cercano.
- El procedimiento se repetirá en todas y cada una de las calles del sector hasta la finalización del mismo.

2. **En el caso del barrido manual con vehículo auxiliar el procedimiento de limpieza será el siguiente:**
   - Desplazamiento del trabajador con el vehículo auxiliar y con las herramientas desde el centro de trabajo hasta el inicio del sector. A lo largo de la jornada el vehículo se irá desplazando periódicamente en función de la longitud y de la cantidad de residuos que tenga dicho recorrido.
   - Vaciado de las papeleras situadas en el acerado, o el tramo de calle seleccionado para comenzar a trabajar con la ayuda de la espuerta.
   - Retirada de la hierba o maleza existente en el acerado con el uso de la azada.
   - Barrido de la calle (aceras, bordillos, alcorques, etc..) con la escoba, generando diferentes pilas de residuos, teniendo especial atención al entorno de los contenedores, introduciendo las bolsas de basura que pudiesen existir fuera de los contenedores en el interior de los mismos.
   - Recogida de la acumulación de residuos previamente barridos con el uso de escobillo y recogedor o mediante las tablillas y la espuerta.

- Acopio de los residuos en bolsas: una vez llena se introducirá en la caja del vehículo auxiliar.
- Por regla general, partiendo del lugar en que estaciona el vehículo auxiliar, el trabajador avanza por una acera hasta una distancia aproximada de 50 metros o bien hasta la esquina más próxima, regresando al vehículo barriendo por la acera del otro lado. Después cambia el cepillo o escoba por el escobijo y la pala o el recogedor y procede a la recogida de las pilas de residuos formadas, en el mismo sentido de avance del barrido.
- El procedimiento se repetirá en todas y cada una de las calles del sector hasta la finalización del mismo.
- Por último indicar que cuando se llene la caja del vehículo de residuos el trabajador deberá desplazarse con el mismo hacia uno de los puntos de descarga establecidos para proceder al vaciado de la carga del vehículo auxiliar.

Este servicio permite mayor movilidad al trabajador, que podrá realizar recorridos más largos y ocuparse de sectores cuya distancia al centro de trabajo sea superior a 1km (se estima que el barrido manual con vehículo auxiliar tiene un rendimiento un 20% superior al del barrido manual individual).

Este tipo de servicio se utiliza en lugares cuyo grado de suciedad sea inferior al de una barriada convencional, es decir, lugares con un grado de suciedad o de acumulación de residuos medio-bajo. Es especialmente indicado en urbanizaciones de extrarradio, que suelen encontrarse alejadas del casco urbano de la ciudad y sus grados de ensuciamiento son usualmente bajos.

El barrido manual con vehículo auxiliar permite retirar volúmenes de residuos medios en la caja del vehículo, algo que no es posible con el barrido manual individual.

El **barrido de repaso** consiste en la realización de trabajos de limpieza de aceras, paseos, bordillos, vaciado de papeleras, limpieza de alcorques, setos, etc., propios de operaciones de barrido manual, pero destinado a zonas que después de las operaciones básicas de limpieza todavía presentan suciedad.

El barrido de repaso no es por tanto un barrido de la totalidad de la superficie vial sino únicamente de la zona en la que se observan deficiencias. Suelen ser zonas que necesitan de un mantenimiento adicional aunque ya se hayan limpiado en la misma jornada laboral, al ensuciarse con rapidez debido a la cantidad de personas que transitan por ellas.

El barrido de repaso también es recomendable en puntos concretos como paradas de autobuses, taxis, bocas de metro, estaciones de ferrocarril, cines, teatros y algunos parques y plazas.

Dado que la limpieza de repaso se realiza en zonas que suelen estar alejadas entre sí, el tratamiento adecuado es el barrido individual motorizado.

Este tipo de servicio suele realizarse con una máquina autopropulsada, manejada por un trabajador y dotada de cepillos escarificadores y de un sistema de carga de residuos, destinada a barrer todos los pavimentos que lo permitan, ya sean calzadas, aceras o áreas peatonales.

B) Barrido mecánico

El barrido mecánico es el sistema de limpieza efectuado por una máquina autopropulsada –denominada autobarredora, o barredora–dotada de cepillos escarificadores y un sistema de carga de residuos, destinada a arrancar la suciedad del pavimento y dirigirla hacia un sistema mecánico que la transporta al depósito interno. Previamente, las barredoras humidifican las zonas a barrer con objeto de no levantar polvo.

La función esencial de una barredora es el arranque y transporte de las partículas sólidas depositadas en el pavimento, ya estén adheridas o sueltas. Las sueltas pueden removerse con facilidad por la acción de los cepillos. Las adheridas podrán ser desincrustadas por rascadores adicionales para facilitar la labor por un efecto puramente mecánico.

El barrido mecánico está efectuado por un solo trabajador, que realiza las operaciones de conducción y manejo de la barredora desde la cabina.

El barrido mecánico se aplica en calzadas, aceras y áreas peatonales que dispongan de pavimento continuo y libre de obstáculos, cuya anchura no sea inferior a 2 metros.

Existen dos tipos de barrido mecánico que vienen diferenciados por el sistema mecánico que transporta los residuos barridos al interior del depósito de la barredora para su almacenamiento provisional:

1. Barrido mecánico de arrastre.
2. Barrido mecánico de aspiración.

1. Barrido mecánico de arrastre

El barrido mecánico de arrastre es el sistema de limpieza en que la barredora –por medio de unos cepillos–arranca, arrastra y recolecta los residuos del pavimento hasta lanzarlos sobre tolvas o cintas transportadoras que los recogen y almacenan.

Las barredoras de arrastre basan su eficacia en dos grupos de cepillos (cepillos laterales y cepillo central) que arrancan los residuos del suelo dirigiéndolos al centro de la máquina.

a) Procedimiento

1. En primer lugar el trabajador se desplaza con la barredora a buena velocidad desde el centro de trabajo hacia el lugar designado como inicio de recorrido.
2. En el inicio del recorrido comienza el trabajo de la barredora. La velocidad de trabajo de la barredora es bastante inferior a la de desplazamiento. Los residuos existentes en las vías del recorrido son barridos y dirigidos por los cepillos giratorios hacia un gran cepillo cilíndrico central que los arrastra del pavimento y los conduce hacia una cinta transportadora interna que los lleva hacia el depósito de almacenamiento de residuos.

3. Una vez se llena el depósito de la barredora, esta debe dirigirse hacia los lugares designados como puntos de transferencia para efectuar el vaciado del mismo. Generalmente esta operación tiene lugar al final de la jornada.

b) Características

El barrido mecánico de arrastre se caracteriza, con respecto al de aspiración, por su capacidad para retirar residuos de tamaño medio (como graneles, tierras y restos procedentes de la actividad industrial) sin obturar ninguno de los mecanismos de la barredora.

Las barredoras de arrastre suelen contar solo con tres ruedas (dos adelante y una atrás), lo que les permite una mayor flexibilidad y maniobrabilidad en la operativa.

Las barredoras de arrastre están indicadas para zonas con alto grado de ensuciamiento, puesto que la tolva ha de ser de grandes dimensiones para evitar pérdidas de productividad por excesivos desplazamientos para descargar los residuos acumulados.

2. Barrido mecánico de aspiración

El barrido mecánico de aspiración es el tratamiento de limpieza realizado con una máquina autopropulsada, y que cuenta con un sistema de aspiración para transportar los residuos retirados por los cepillos giratorios al depósito interno de la barredora. El servicio, en un sector dado, está efectuado por un único trabajador.

En este barrido mecánico, la función de los cepillos es la de concentrar los residuos bajo la tolva de aspiración, donde son aspirados y almacenados en un depósito. El propio funcionamiento de la máquina hace que sean propensas a la formación de polvo, por ello se debe realizar una mayor humectación de los residuos antes de ser aspirados.

Este tipo de barrido está destinado a zonas con menor grado de ensuciamiento en las que se desea lograr un acabado más perfecto.

a) Procedimiento

- En primer lugar el trabajador se desplaza con la barredora a buena velocidad desde el centro de trabajo hacia el lugar designado como inicio de recorrido.
- En el inicio del recorrido comienza el trabajo de la barredora. La velocidad de trabajo de la barredora es bastante inferior a la de desplazamiento. Los residuos existentes en las vías del recorrido son barridos por los cepillos giratorios concentrándolos y dirigiéndolos hacia una tolva provista de un sistema de aspiración. Allí son aspirados y enviados hacia el depósito de almacenamiento. La acción de los cepillos giratorios en este tipo de vehículos está más controlada por el trabajador, el cuál debe ir cambiando el ancho de barrido y el ángulo de incidencia de los cepillos sobre el pavimento con bastante frecuencia. Es bastante frecuente que dichos vehículos dispongan de un tercer cepillo. Este tercer cepillo se sitúa en la parte delantera del vehículo mediante un brazo articulado que le permite barrer puntos del pavimento de difícil acceso, como es el caso de la zona situada bajo los bancos, rincones de pequeñas dimensiones, etc.

- La barredora actuará en toda la superficie accesible a la máquina, eliminando los desperdicios y residuos acumulados en la zona a tratar, con un ancho mínimo de 1,5 metros por pasada, realizando las pasadas que sean necesarias. En itinerarios de avance muy lineal, se procurará que el número de pasadas sea impar, con el fin de evitar los desplazamientos en vacío.
- Una vez se llena el depósito de la barredora esta debe dirigirse hacia los lugares designados como puntos de transferencia para efectuar el vaciado del mismo. Generalmente esta operación tiene lugar al final de la jornada.

b) Características

El barrido mecánico de aspiración logra eliminar residuos que el barrido manual no puede recoger, sobre todo el polvo y la arena, consiguiendo un acabado óptimo. Su limitación la dicta el tamaño del residuo, el cual debe ser inferior a la boca de aspiración para no obturar dicho conducto.

Este servicio se puede aplicar en muchos tipos de zonas gracias a la existencia de numerosos tipos de barredoras, diferenciadas tanto en tamaño como en versatilidad. No obstante, existen una serie de características básicas de las zonas que hacen que dicho servicio sea el idóneo (algunas características son comunes al barrido mecánico de arrastre):

- Es aplicable en pavimentos continuos, amplios y libres de obstáculos e irregularidades.
- Si el pavimento se encuentra elevado o se trata de aceras, se deben disponer de rampas de acceso o vados para que las máquinas puedan acceder continuamente.
- Zonas de alta intensidad de tráfico, con varios carriles de circulación, con prohibición de estacionamiento y con longitudes lineales considerables.
- Es ideal para los bordillos de calzadas y medianas.
- Óptimo para la absorción de acumulación de tierras.

c) Útiles y herramientas

Para la realización del barrido mecánico, el trabajador contará con:

- Una llave de carga.
- Una boca de carga de 45.
- Una manguera de carga.
- Un enlace o similar para bocas de carga rápida si estas fuesen utilizadas.

C) Barrido mixto

El barrido mixto es el tratamiento de limpieza realizado por un equipo de operarios que actúan siguiendo la sistemática operativa del barrido manual con brigada junto con una máquina barredora autopropulsada, cuya misión esencial es recoger los productos del barrido de este equipo de operarios.

La combinación de los tratamientos de limpieza de barrido manual y mecánico permite unir ventajas y a la vez eliminar inconvenientes, consiguiendo una modalidad de barrido con el que se obtienen los mejores resultados de limpieza viaria.

Las barredoras más adecuadas para este tipo de tratamiento son las de aspiración. En algunos lugares se están utilizando sopladoras de mochila para efectuar esta modalidad de barrido, aunque este sistema no es el más aconsejable ya que aumenta la cantidad de partículas en suspensión en el aire.

La barredora es manejada por el conductor, quien desde la cabina realiza las operaciones de barrido del pavimento por el que circula y de recogida de los residuos amontonados a su paso por los barrenderos.

La aspiración de los residuos debe hacerse de manera inmediata después del barrido manual, de modo que todo el conjunto del equipo avance de forma simultánea.

Este tratamiento es especialmente apto en:

- Aquellas calles cuyos bordillos estén ocupados por vehículos estacionados.
- Áreas con mucho volumen de residuos fuera del acceso de la barredora.
- Aquellas aceras de anchura considerable pero con gran cantidad de obstáculos, como farolas, cabinas telefónicas, marquesinas, etc., que dificulten la labor de la barredora.
- Eventos de gran número de personas.

6.3.2. Baldeo

El baldeo es el sistema de limpieza que consiste en el arranque de la suciedad por la proyección de agua a presión contra los residuos de la superficie viaria (polvo, papeles, colillas, residuos) y su arrastre por la corriente del agua a la boca de alcantarillado más próxima.

No hay que confundir el baldeo con el riego, ya que el riego de la calzada no tiene una finalidad de limpieza sino de humedecer el suelo para evitar que se levante el polvo y refrescar el ambiente.

El baldeo no es un sistema de limpieza muy utilizado debido a sus costes; apenas únicamente entre un 10 y un 15 % de los medios destinados a la limpieza viaria son para medios de baldeo.

Para facilitar un mayor avance del servicio, con la consiguiente mejora del rendimiento, y evitar que se evacúen por el alcantarillado residuos voluminosos, es recomendable antes del baldeo, barrer la zona a limpiar.

Podemos considerar que hay tres tipos de baldeo, en función de la procedencia del agua:

- Baldeo manual.
- Baldeo mecánico.
- Baldeo mixto.

A) Baldeo manual

El baldeo manual es el que utiliza agua con una manguera conectada a la red de riego, en combinación con la acción de un cepillo o una escoba.

Este sistema suele utilizarse como tratamiento básico de limpieza en lugares que cuenten con bocas de riego no separadas más de 50 metros entre sí en las dos aceras de la calle. Por eso, en otras calles no se utiliza a menos que sea como un tratamiento complementario.

El baldeo manual tiene por objetivo el arrastre de todos los residuos que se encuentren en las aceras, bordillos y las franjas de calzada contiguas a las aceras (en especial bajo los vehículos estacionados). Parte de los residuos removidos irán con el agua hacia el alcantarillado y otros, los de mayor tamaño, serán recogidos por el propio trabajador.

Generalmente este servicio se hará con uno o dos trabajadores por cada sector. Estos auxiliares pueden ir equipados con un carrito o motorizados.

Algunos de los vehículos auxiliares utilizados para el baldeo manual están dotados de una manguera y de un grupo compuesto por un motor auxiliar y una bomba, capaz de incrementar la presión del agua procedente de la red de riego hasta valores cercanos a las 15 atmósferas.

B) Baldeo mecánico

El baldeo mecánico es el sistema de limpieza por baldeo en que el agua utilizada es aportada por un vehículo cisterna con bomba a presión.

Con este sistema la suciedad acumulada en las vías de circulación y aceras, tal como polvo, papeles, residuos, etc., es arrastrada por la fuerza del agua proyectada a través de boquillas orientables situadas en la parte delantera de los vehículos cisterna hasta el bordillo y por debajo de los coches aparcados, facilitando, de esta forma, el trabajo del trabajador.

Actualmente existe una amplia gama de máquinas baldeadoras de baja, media y alta presión con distintos tipos de boquillas y conexiones para mangueras, unas destinadas al baldeo de calzadas, otras al de aceras y un último grupo utilizado para fines especiales.

Las baldeadoras son manejadas por un solo trabajador que desde la cabina realiza todas las operaciones, tanto las de conducción propiamente dichas, como las de baldeo extendiendo o recogiendo el brazo baldeador, abriendo y cerrando el paso de agua, y orientando el brazo baldeador subiéndolo o bajándolo según interese.

C) Baldeo mixto

El baldeo mixto es una combinación simultánea del baldeo mecánico con el baldeo manual.

Consiste, por tanto, en el arranque, arrastre y recogida de los residuos de las aceras, en los bordillos e incluso, eventualmente, en las calzadas, mediante la acción combinada de la proyección de agua y de un cepillo o escoba que refuercen la acción de baldeo.

Suele utilizarse cuando el baldeo manual no es posible al no disponerse de suficientes bocas de riego, o estas se distribuyen de forma no idónea.

El baldeo mixto puede aplicarse en algunas zonas como tratamiento único y básico de limpieza o, bien, como tratamiento de apoyo periódico en zonas donde se aplica el barrido manual o mecánico.

El baldeo mixto es el que mejor acabado de limpieza proporciona a la vía pública, por lo que con frecuencia muchos municipios lo utilizan como servicio de limpieza intensiva de aceras y/o calzadas en determinadas épocas del año.

En caso de arrastres provocados por lluvias torrenciales, el baldeo mixto es el sistema más adecuado para la retirada de barro de la vía pública.

6.3.3. Fregado

El fregado es un sistema de limpieza utilizado generalmente en zonas peatonales y otros enclaves sometidos a ensuciamiento continuo (como las zonas de contenedores o aparcamientos de vehículos). Este sistema, además de agua caliente a elevada presión, se sirve de un cepillado mecánico de la superficie que suele acompañarse de aditivos como detergentes, decapantes, desincrustantes, desengrasantes y abrillantadores. Una vez eliminada la suciedad, el tratamiento a menudo conlleva el posterior secado mediante aspiración.

El fregado se puede realizar con dos tipos de vehículos, optando por uno u otro en función del sitio al que se aplica:

- Fregadora.
- Hidrolimpiador.

La fregadora se utiliza en aceras, paseos y zonas peatonales que permitan el paso de la máquina. Este servicio, atendido por un conductor, incorpora al fregado con agua caliente el secado de la superficie fregada.

Las contadas zonas a las que se puede aplicar este sistema han de ser amplias y con el menor número de obstáculos posible, sin escalones ni discontinuidades. El pavimento ha de ser liso, preferentemente pulido.

El hidrolimpiador realiza las tareas de fregado en superficies inaccesibles para una fregadora común; suele utilizarse para trabajos de limpieza profunda de enclaves de contenedores, en limpieza de manchas de aceite y grasa, en limpieza de pintadas sobre cualquier superficie, en retirada de carteles, fregado de escaleras, pasos aéreos y subterráneos, mercados, bancos de piedra o madera, balaustradas, etc. Este servicio es realizado por un conductor y un trabajador, que cuidarán de tomar las medidas adecuadas para no causar daños a las personas.6.3.11. Limpieza de cubiertas planas, terrazas y terrazas ajardinadas

6.3.4. Limpieza de cubiertas planas, terrazas y terrazas ajardinadas

- **Las terrazas cubiertas**: tendrán el mismo tratamiento que los pasillos generales.
- **Las terrazas descubiertas y/o cubiertas planas**: las que sean de acceso normal por el público se limpiarán (barrerán y regarán) diariamente.
- Aquellas en las que el público no tiene acceso normal, se limpiarán (barrerán y regarán) quincenalmente, en horario que se determine. Semanalmente se limpiarán las superficies próximas a las tomas de aire acondicionado.
- El resto de zonas, con retirada de todo elemento inservible, trimestralmente.
- Se realizará un mantenimiento y conservación de las plantas, tanto de interior como de exteriores, realizando el riego necesario para la buena conservación de la planta, reposición de plantas secas o en mal estado, tratamientos fitosanitarios, limpieza de hojas por acumulación de polvo, abonado y reposición de tierra, podas, tratamiento herbicida, y toda la limpieza diaria de todas las zonas ajardinadas.
- La limpieza de zonas verdes, parques y jardines consiste en la limpieza mediante barrido manual, y si es preciso riego manual, así como barrido mecánico y vaciado de las papeleras situadas en los paseos y zonas libres de los parques y jardines.

Este tipo de limpieza comprende las siguientes labores:

- Recogida de restos de las labores de conservación, como son la eliminación de la vegetación de crecimiento espontáneo, la siega o la poda.
- Eliminación de hojas y ramas caídas.
- Recogida de desperdicios, excrementos y basuras.
- Vaciado de papeleras.
- Limpieza de residuos u objetos que aparezcan en los alcorques de los árboles.
- Limpieza de fuentes de beber.
- Limpieza de la superficie y borduras de estanques, fuentes, riachuelos y otros elementos similares que formen parte decorativa de la zona.
- Limpieza de los drenajes superficiales, desagües y arquetas.
- Retirada y traslado de todos los residuos.

Las distintas labores de limpieza de las zonas verdes se realizarán tantas veces como sea necesario para que estas se encuentren siempre en un estado de limpieza idóneo.

Los trabajadores del servicio de limpieza informarán puntualmente a los servicios técnicos municipales del deterioro o ausencia de elementos como tutores, rejillas, bocas de riego, aspersores, etc.

Recuerda que...

La reducción de microorganismos se puede realizar a tres niveles diferentes:

- Descontaminación: supone la reducción del volumen de los gérmenes en una proporción de 10 a 5.
- Desinfección: supone la reducción de gérmenes en una proporción de 10 a 2.
- Esterilización: supone la total eliminación de la vida microbiana.

La desinfección se diferencia de la esterilización por la falta de actividad esporicida.

6.3.5. Lavado de cubos de basura y papeleras

Una buena limpieza viaria comprende también la utilización de papeleras, contenedores de recogida selectiva y contenedores de recogida de residuos, por lo que supone de prevención del ensuciamiento viario. Para ello es necesario que se encuentren en número suficiente y que su uso no plantee incomodidad al ciudadano.

Las papeleras de recogida de residuos viarios deben cumplir los siguientes condicionantes para resultar efectivas:

- Altura adecuada.
- Boca de entrada ancha.
- No contar con tapaderas.
- Resistentes a actos de vandalismo.
- Fácil lavado y mantenimiento.
- Capacidad de soportar las inclemencias climatológicas.
- No suponer un obstáculo en la vía pública.
- Integración con el medio urbano.

A) Vaciado y recogida

La frecuencia de recogida de las papeleras es muy variable según la zona de instalación. Lo conveniente es estimar un llenado del 50% para su recogida, procurando como máximo una recogida cada dos días en zonas de afluencia media-alta, incrementando la densidad de papeleras si las existentes presentaran altos niveles de llenado.

La recogida de residuos se programa según el tipo de papelera instalada, siendo el método más sencillo, rápido y limpio el vaciado directo desde la cubeta, aunque este método precisa de lavados frecuentes.

Otros sistemas como el volteo, basculante o puerta inferior son mucho más simples, pero a la vez más rudimentarios y sucios.

En cualquier caso, hay que evitar:

- La descarga directa con la mano.
- La descarga sin bolsa en los contenedores de recogida de los residuos sólidos urbanos.

La organización de la recogida de papeleras puede hacerse a través de:

- El servicio de limpieza viaria de la zona.
- Un servicio específico de recogida.

El más utilizado es el primero; los operarios de barrido vacían las papeleras sobre sus carritos.

B) Lavado

El lavado de las papeleras es muy importante para un uso higiénico por parte de los ciudadanos; una papelera sucia y en mal estado dejará de utilizarse al representar una amenaza para la salud más que un beneficio.

Con el lavado se ha de conseguir la retirada de:

- Residuos líquidos.
- Polvo.
- Pintadas.
- Carteles.
- Restos de residuos en el interior.

Según la localización de la papelera, la frecuencia de lavado podrá variar entre tres y seis veces al año.

Los sistemas de lavado de papeleras más utilizados son los mecánicos, ya que los manuales suponen un rendimiento inferior. La brigada de limpieza debe estar compuesta como mínimo por un peón-conductor y un vehículo con hidrolimpiador.

C) Mantenimiento

Además del lavado, debe contarse con un servicio que detecte las averías y daños en las papeleras, de modo que en un máximo de 48 horas sean reparadas o sustituidas.

Sabías que...

Varios estudios de costes estiman que es aproximadamente 100 veces más caro recoger un papel del suelo que retirarlo de las papeleras urbanas. Por esta razón han de organizarse servicios de recogida para que no existan reboses de residuos ni un número exagerado de receptáculos porque el llenado suele ser relativamente aleatorio. La previsión aconsejable ha de ser de un llenado del 50% para proceder a su vaciado, recogiendo en periodos máximos de dos días en zonas de afluencia media alta.

6.4. Techos

Los techos falsos, se ensucian con la contaminación del ambiente convirtiéndose en un foco de infección que puede afectar a las personas que trabajan bajo los mismos. La limpieza de los techos puede hacerse de forma manual, o a máquina.

6.4.1. Limpieza manual

Se limpiara con agua tibia y un detergente neutro, a ser posible bactericida y fungicida ó con pulverización de productos enzimáticos, tipo espuma.

- **Mopa húmeda**: para superficies verticales (paredes) y techos. La flixelina irá humedecida en agua con solución detergente y/o desinfectante. La técnica consistirá en la limpieza del techo en trazos horizontales desde el centro a la unión con paramentos verticales sin repasar zonas ya limpias, seguida de la limpieza de las paredes en vertical y de arriba hacia abajo. El uso de agua caliente contribuye al ablandamiento y eliminación de la suciedad.

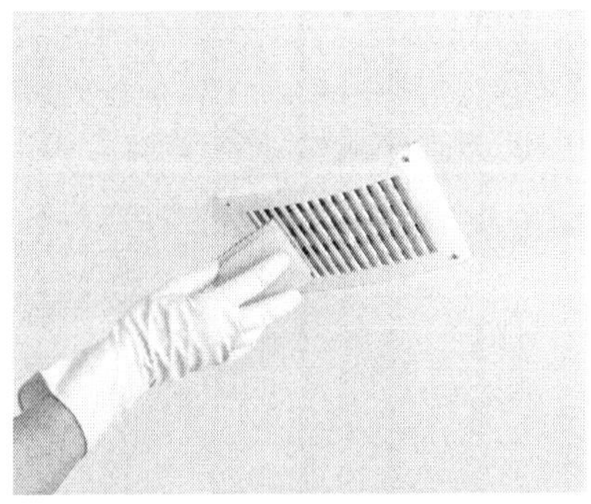

- **Mopa tratada químicamente**: mopa gasa impregnada con un producto germicida en base oleosa que capta el polvo.

La limpieza de cualquier superficie vertical lleva aparejado retirar toda cartelería no corporativa que se encuentre fijada en la misma.

6.4.2. Limpieza a máquina

Con un equipo que lleva una bomba de aspiración y de agua. Se limpia el techo mediante chorro de agua, con detergente ligeramente alcalino que es aspirado inmediatamente. Utilizando este método apenas se derrama agua.

Habrá que limpiar todos los dispositivos como sensores de temperatura y sistema de detección y alarma de incendios, así como las luminarias, y aires acondicionados que se encuentren en el **techo**.

Procedimiento de limpieza del sistema de detección de alarmas

En general la limpieza de este tipo de dispositivos se efectúa de la siguiente manera.

1. Se retira el dispositivo de su base.
2. Se quita la tapa superior para descubrir la celada del sensor.
3. Se retira el excedente de polvo con una brocha suave.
4. Se limpia con aire a presión y se coloca nuevamente la tapa, cerciorándose de que las cejas de sujeción queden correctamente colocadas.

Recuerda que...

En una limpieza general se comenzará por el techo, se continuará por las paredes, terminando por el suelo.

6.4.3. Limpieza de filtros de aire

El almacenamiento de polvo y otras partículas en los filtros dificulta el flujo de aire y la calidad del aire disminuye, pudiendo producir malos olores y la proliferación de agentes alérgenos.

En primer lugar, hay que extraerlos del equipo de climatización. Generalmente suelen ser de fácil acceso para evitar cualquier tipo de problema durante la extracción. En caso de duda, se recomienda consultar el manual del equipo antes. Los filtros del aire acondicionado están compuestos generalmente por fibras que no son excesivamente duras como el nailon u otras similares. Por ello, hay que evitar el uso de cualquier tipo de producto abrasivo. Para limpiar los filtros, lavarlos suavemente con agua tibia. En principio, bastará con frotarlos únicamente con las manos y guantes. No se deben aplicar jabones ni otro tipo de productos fuertes. También pueden utilizarse aspiradoras o aparatos similares.

Si fuese necesario, se utilizarán cepillos con cerdas blandas para no dañar las fibras del filtro. A continuación, han de dejarse al aire para que se sequen. Una vez limpios y secos, han de colocarse en la posición inicial que ocupaban dentro del equipo.

La frecuencia con la que debemos limpiarlos dependerá del tipo de máquina, del uso que se haga de ella y del protocolo del centro. En función del fabricante y del modelo, los períodos varían, no obstante la mayoría de los centros suele hacer mensualmente.

6.5. Paredes

La limpieza de fachadas consiste en eliminar las suciedades realizadas por personas o animales, en las partes bajas de los edificios y mobiliario urbano de las ciudades, así como la limpieza de fachadas completas, cuando aparecen deterioradas o sucias debido a la contaminación ambiental y a la climatología correspondiente.

Limpieza de fachadas

6.5.1. Clases de limpieza

La limpieza de fachadas la podemos clasificar en:

- **Limpieza manual** para eliminar restos pegados en la pared de carteles o pequeñas manchas.
- **Limpieza mecanizada**, en la que es necesario utilizar máquinas de agua a presión o de chorro de arena.

6.5.1.1. La limpieza manual

Este tipo de limpieza se realizará, por ejemplo, después de una campaña electoral, y consiste en quitar los carteles de las fachadas, o bien, en limpiar las marquesinas de autobuses, o incluso, limpiar algún graffiti.

Material necesario

El operario de limpieza necesitará:

- Un cubo de agua.
- Una brocha.
- Una espátula.
- Una cuchilla de rascar suelos.

Procedimiento

Se humedecerán los papeles y carteles pegados a la superficie con la brocha mojada en agua, dejándoles actuar un rato, con el fin de que se reblandezcan. Se quitarán con la mano aquellos que se puedan despegar sin dificultad y deberá utilizarse una espátula para aquellos que ofrezcan mayor resistencia. Los restos que queden sin despegar se podrán rascar con la cuchilla de suelos hasta que desaparezcan por completo, como es el caso de las superficies lisas.

Aquellos carteles que tengan adhesivos más resistentes se despegarán con más facilidad si en el agua de mojado se añade un producto ácido o catiónico.

Si las superficies son rugosas se deberá utilizar un cepillo de púas duras, de raíces o incluso metálico, con el fin de poder rascar y despegar los restos de suciedad o papeles que hayan quedado en las superficies más rugosas.

Al realizar esta limpieza hay que tener en cuenta que las superficies rugosas de tirolesa se pueden deteriorar y que en las superficies pintadas al temple o encaladas, hay que volver a pintar las zonas que se hayan deteriorado una vez despegada la suciedad sólida.

Las pinturas plásticas y los esmaltes al óleo aguantan bien la limpieza, aunque debemos tener en cuenta que los disolventes, tipo aguarrás, acetona o sosa no se deben usar sobre ellas.

Las superficies de madera barnizada tampoco admiten para su limpieza disolventes ni decapantes.

Cuando en limpieza de fachadas aparezcan eflorescencias de salitre, se deberá efectuar una limpieza posterior con producto ácido o catiónico, hasta su total eliminación.

6.5.1.2. Limpieza mecánica

Los sistemas de limpieza mecánica que ofrecen mejores resultados son el de proyección de chorro de arena y el de agua a presión.

La presión que ejercen los dos sistemas de limpieza a presión es lo suficientemente agresiva como para desbastar parte del material y, por tanto, eliminar la suciedad.

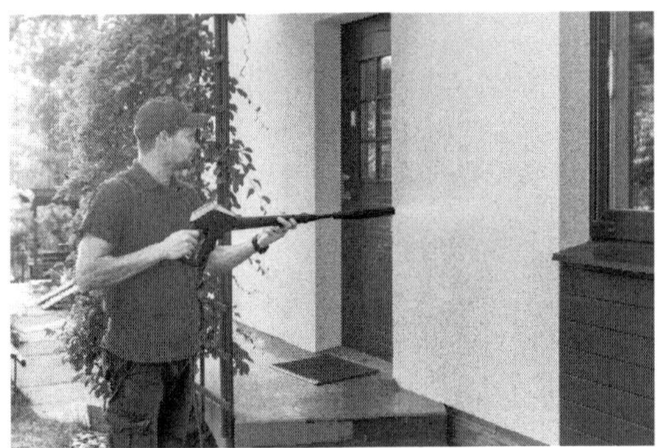

Limpieza de agua a presión

A) Limpieza con chorro de arena

Este sistema de limpieza, que es muy agresivo, se utiliza especialmente en restauración de fachadas de edificios, cuyos materiales son bastante duros como el granito, basalto, etc. Este método podría dañar las piedras calizas, el mármol, etc., ya que son piedras blandas.

Procedimiento de limpieza

Consiste en lanzar a través de una máquina de presión provista de una boquilla especial con lanzadera de proyección, un chorro de arena muy fina contra la fachada a limpiar, desbastando la superficie y dándole un aspecto de nueva construcción.

Tiene el inconveniente de que hay que recoger la arena, para rentabilizarla nuevamente, se produce desgaste de la superficie y levanta una gran cantidad de polvo durante la operación.

Limpieza con chorro de agua

B) Limpieza con chorro de agua

Este sistema de limpieza es menos agresivo que el de chorro de arena y tiene la ventaja de que se puede utilizar sobre cualquier material, exceptuando la madera. Además, no daña los materiales a limpiar y se puede emplear con el producto de limpieza y agua caliente, lo cual aumenta el poder de limpieza sobre las superficies.

Para utilizar este método de limpieza sólo se necesita una toma de agua, y una toma de corriente o fuente de energía. Permite realizar un trabajo fácil sin necesidad de utilizar disolventes eliminando la suciedad y también determinados graffitis.

Es necesario asegurarse de que hay sumideros o alcantarilla para absorber el agua que se proyecta. En caso de no existir habría que utilizar un aspirador de agua para evitar inundaciones.

Las máquinas hidrolimpiadoras (conocidas como Karcher, por ser una de las principales y tradicionales marcas que comercializa esta maquinaria) que son las utilizadas en esta limpieza permiten regular la presión de salida, tipo de chorro y temperatura, lo cual las hace muy versátiles.

Procedimiento de trabajo:

Para realizar este proceso de trabajo se remoja con agua caliente la superficie, pulverizando con la boquilla en una superficie de trabajo en la que empleamos un tiempo de trabajo no superior a media hora, teniendo en cuenta que será relativo a la cantidad de suciedad a limpiar y el tipo de superficie.

Después se cambia a la boquilla de chorro y se trabaja lentamente rociando las partes sucias hasta que desaparezcan. De no ser así, se utilizarán posteriormente productos químicos.

Hay que procurar trabajar dirigiendo el chorro de agua hacia abajo y hacia fuera, para evitar salpicaduras en la medida de lo posible, y ponerse guantes para evitar quemarse con las boquillas, cuando se trabaje con agua caliente.

Se comenzará por la parte inferior y se irá subiendo hacia arriba, sobre todo si se trabaja con materiales porosos.

La presión y la temperatura variarán según el material del que esté compuesta la superficie a limpiar, siendo aconsejable de una forma general una temperatura de 80 ºC. Y una presión de 100 bar. Si la superficie fuera de plástico se usará una temperatura inferior a 50º y si además la superficie fuera blanda como la tirolesa se usará una presión inferior. En aceros inoxidables, metales en general, hormigones sin pintar, piedras graníticas, etc., se puede usar una temperatura y una presión superiores, caso de que la temperatura y presión normales no ofrecieran buen resultado.

Al finalizar una zona de trabajo se repasará con la boquilla pulverizadora, desde arriba hacia abajo, para asegurarse de que no queda ningún resto de suciedad en la superficie.

Los restos de suciedad que no desaparezcan con este sistema de limpieza deberán repasarse con un cepillo impregnado de un producto de limpieza adecuado a la suciedad a limpiar.

Hay que tener en cuenta que los disolventes no deben usarse con agua caliente, ya que al ser volátiles se evaporan con facilidad y pueden producir vapores tóxicos.

Limpieza con disolventes

Las manchas que se hayan introducido en las superficies porosas que no salgan con la hidrolimpiadora se tratarán con un producto específico, denominado "quita sombras", y que no es más que un disolvente que penetra hasta dentro de los poros y disuelve la suciedad. Este producto es más efectivo si se aplica una vez seca la pared.

Recuerda que...

En la limpieza de fachadas se pueden utilizar métodos mecánicos a chorro (agua o arena), que son lanzados a presión contra la superficie desprendiendo las partículas de suciedad o pintura adherida.

6.5.2. Limpieza de graffitis

Desde hace algunos años ha aumentado la práctica de pintadas sobre fachadas, muros y otras superficies, con rotuladores y aerosoles de pintura, para poner un nombre o bien hacer dibujos.

Esto representa un gasto incalculable para las personas que lo practican, y también para los responsables de la limpieza de las mismas.

Limpieza de graffitis

Tienen la característica de ser todos tinta o pintura, lo cual simplifica la gama de productos a usar.

Se pueden eliminar manualmente, pero el tiempo empleado dispararía el coste del trabajo.

Para limpiar manualmente una pintada, habrá que aplicar directamente decapantes (bastante densos para que no se escurran), adecuados al tipo de pintura a quitar (si es para cera, esmalte o acrílico) se deja actuar 5 o 10 minutos, y se elimina frotando con un cepillo fuerte, levantando las partes más difíciles con una espátula, y limpiando la zona con disolvente una vez terminado el trabajo. Después se pueden eliminar las "sombras" restantes con otro producto adecuado, para ello, arrastrando los restos de todo con agua caliente.

Limpieza de graffitis

Actividad 16

¿Qué sistema de limpieza de fachadas no podremos utilizar si está es de madera? Indícalo.

Ya hemos dicho que la limpieza con chorro de agua a presión permite disolver fácilmente aquellos graffitis más recientes y que no se hayan introducido en los poros del material. Por tanto, posteriormente se procederá a limpiar más detenidamente aquellos que no "salen" bien.

La secuencia de trabajo será:

1. Remojar con chorro de agua caliente pulverizada.
2. Limpieza de graffitis con chorro concentrado.
3. Limpieza con decapantes de los graffitis que no se eliminaron bien.
4. Tiempo de actuación del decapante.
5. Repaso con chorro de agua concentrado.

6. Eliminación de restos, con repaso de chorro de agua caliente pulverizada.
7. Secado.
8. Limpieza de "sombras" con "quita sombras" mediante pulverizador.
9. Tiempo de actuación del "quita sombras".
10. Repaso de las zonas con restos de suciedad con el chorro concentrado.
11. Eliminación de restos de suciedad en las zonas afectadas con chorro pulverizado, dirigiendo la suciedad del suelo hacia el desagüe más próximo.

Sabías que...

El grafiti comenzó como una práctica vandálica que consistía en hacer pintadas o marcas en las superficies de lugares públicos. En algunos lugares del mundo el grafiti es legal y juega un papel decorativo.

6.5.3. Limpieza de paredes

Es esta una tarea que se realiza periódicamente, y tenemos que distinguir entre varios tipos de paredes.

6.5.3.1. Paredes no lavables: pintadas y empapeladas

Se deberá eliminar el polvo de las mismas una vez al mes, arrastrando el polvo hacia el suelo con mopsec o producto capta-polvo o a través de aspiradora.

Las manchas se eliminarán con un trapo húmedo y detergente neutro con suavidad, probando primero en zonas no visibles para evitar que la pintura se deteriore.

Para eliminar manchas de lápiz, el roce de la suela de los zapato o de la goma de los carros o sillas de ruedas, se utilizará goma de borrar o miga de pan.

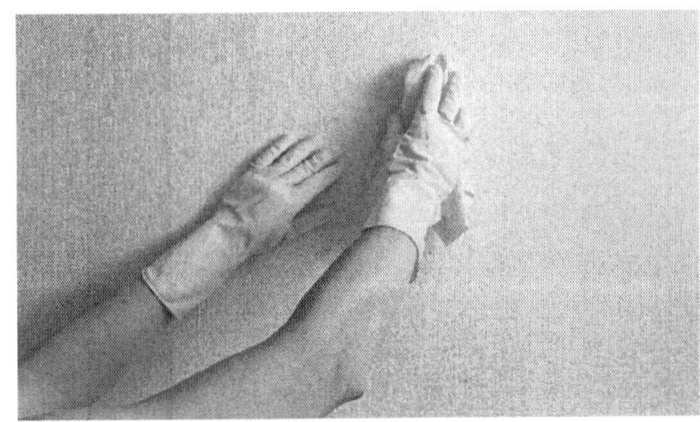

6.5.3.2. Paredes lavables

Deberán lavarse con agua y detergente neutro o alcalino, en función del grado de suciedad.

Para ello podremos utilizar tubo telescópico con mojador y rastrillo, que nos permite realizar la limpieza con el mismo esfuerzo.

Las paredes alicatadas se desmancharán a diario según necesidades y se limpiarán completamente al menos una vez al mes. Para ello, la técnica más rápida es utilizando las herramientas de limpiar cristales, es decir, el mojador, la raqueta y la guía telescópica.

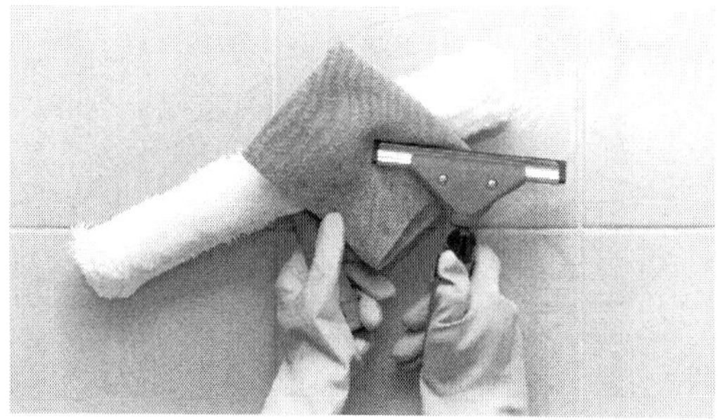

El procedimiento es:

- Introducir el mojador en una solución de agua y detergente apropiado según el tipo de suciedad que haya (neutro para suciedad normal, amoniacal si hay grasa, desinfectante en aseos donde sea necesario).
- Escurrirlo con la mano de arriba hacia abajo.
- Se procederá a humedecer la pared de abajo hacia arriba para evitar que al limpiarla de arriba-abajo se produzcan churretes en la misma imposibles de limpiar.
- Eliminar con la raqueta o rastrillo, de arriba-abajo secando la goma del rastrillo cuantas veces sea preciso.
- Repasar con un trapo seco donde sea necesario, especialmente los bordes y restos de gotas.

 **Recuerda que...**

Los churretes se producen cuando se intenta limpiar una pared de arriba hacia abajo, ya que al caer solución limpiadora sobre una superficie seca se producen líneas verticales introducidas en la superficie que resultan imposibles de eliminar.

Los productos a utilizar serán:

- **Detergente neutro**: es el producto por excelencia para limpieza de paredes. Todas las paredes se deberán limpiar con él y utilizar otros productos cuando el neutro no funcione.
- **Detergente alcalino**: en proporción no superior al 2 % para limpieza de paredes con grasa.
- **Detergente ácido**: para eliminar suciedades de cal o cemento, sobre todo en limpiezas de obra.

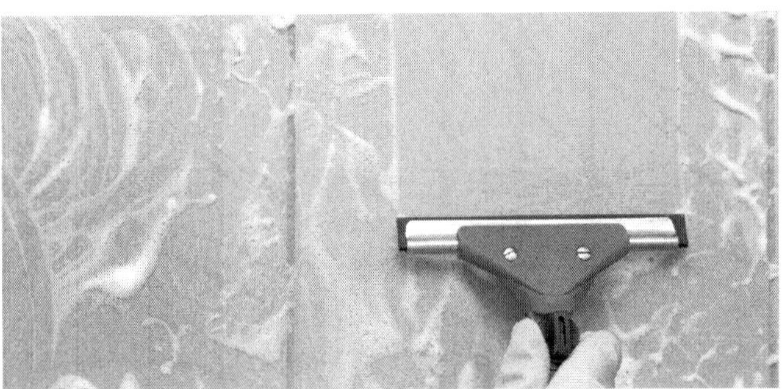

Actividad 17

Señale la mejor técnica de las siguientes para eliminar manchas en una pared empapelada:

☐ a) Con goma de borrar o con una bola de miga de pan.

☐ b) Con un rascador.

☐ c) Con un cepillo de cerdas duras.

Limpieza de zócalos:

Se realiza después de limpiar la pared.

Las suciedades no adheridas se retirarán con ayuda de una brocha y las manchas adheridas se quitarán con un estropajo. Después se lavará con paños limpios y una disolución de detergente-desinfectante, y se secará con un paño suave limpio.

6.5.3.3. Limpieza de paredes de pintura

1. Tipos de pintura

La tabla siguiente muestra, de forma resumida, las características de los tipos de pinturas y barnices más habituales:

Tipo de Pintura	Características
Al temple	Aspecto mate. Acabado liso, rugoso o goteado. Coloraciones pálidas, porosas y permeables. Poca resistencia al agua y al roce.
A la cal	Aspecto mate. Acabado liso. Blanca o coloración muy pálida, porosa y absorbente. Endurece con la humedad y el tiempo. Buenas propiedades microbicidas.
Al silicato	Aspecto mate. Acabado liso. Coloración pálida, algo absorbente. Dura y de gran resistencia a la intemperie.
Al cemento	Aspecto mate. Acabado liso. Absorbente. Dura y de gran resistencia a la intemperie.
Plástica	Aspecto mate o satinado. Acabado liso, rugoso o goteado. Gama completa de coloraciones. Buena resistencia al lavado y al roce. Son propicias para pintar superficies al aire libre.
Al óleo	Aspecto satinado. Acabado liso. Gama completa de coloraciones. Buena resistencia al roce y lavabilidad media.
Al esmalte	Aspecto mate, satinado o brillante. Acabado liso. Gama completa de coloraciones. Buena resistencia al lavado y al roce.
Martelé	Aspecto brillante con reflejo metálico. Acabado con ligero relieve. Coloración diversa. Buena resistencia al lavado y al roce.
Laca nitrocelulósica	Aspecto mate, satinado o brillante. Gama completa de coloraciones. Buena resistencia al lavado y al roce. Buen extendido y rápido secado.
Barniz hidrófugo de silicona	Aspecto brillante. Acabado liso y transparente. Gran resistencia al agua.
Barniz graso	Aspecto mate, satinado o brillante. Acabado liso y transparente. Buena resistencia al roce y al lavado.
Barniz sintético	Aspecto mate, satinado o brillante. Acabado liso y transparente. Buena resistencia al roce, al lavado y a la intemperie.

Son productos destinados a revestir superficies para protegerlas de los agentes externos (acción del aire, humedades, luz solar, etc.) y a la vez darles una determinada coloración con fines estéticos o puramente decorativos.

Recuerda que...

El revestimiento de una pared es la capa que se coloca sobre la pared para protegerla o decorarla. Se las clasifica en diferentes tipos de acuerdo a su composición, tecnología y diseño. Actualmente existe una gran variedad de materiales de revestimiento de paredes que aportan diferentes texturas y tonos:

- Piedra. La piedra natural aporta color y textura a las paredes. Se utilizan mucho para fachadas o para dar textura en las paredes internas.
- Azulejos cerámicos. Muy usados en cocina, baño y en ocasiones fachadas.
- Vinilo. Las losetas vinílicas poseen gran capacidad de insonorización.
- Paneles tridimensionales, microcemento pulido, láminas metálicas, gres esmaltado, madera, ladrillo, PVC.

2. Procedimiento de limpieza de paredes de pintura plástica

Las ventajas de las paredes pintadas con pintura plástica es que son lavables. Podemos mantener una buena apariencia de las mismas por mas tiempo sin la necesidad de repintar.

Para mantener las paredes limpias la tarea debería ser periódica. No solo se cuentan las manchas que accidentalmente ensucian las paredes, sino también la acumulación de polvo y hollín de los aparatos calefactores o de la misma contaminación exterior.

1. Se quita el polvo de la superficie a lavar, si existe alguna mancha, se debe eliminar con agua.
2. Con el equipo de protección necesario se procede a preparar en un recipiente la solución de agua tibia con detergentes no abrasivos u otros productos.
3. Con una esponja o bayeta se aplica la solución sobre la superficie a tratar, fregando cuanto sea necesario en forma uniforme de arriba hacia abajo, así hasta eliminar la suciedad.
4. Se enjuaga varias veces con agua limpia. Es importante cambiar el agua del recipiente tantas veces como sea necesario. En el último enjuague el agua debe quedar totalmente transparente después de escurrir la esponja o bayeta.
5. Se procede al secado de la pared con un trapo seco.

Si se trata de una mancha de grasa, aplica un quitagrasas con una esponja y agua.

Recuerda que...

La pintura plástica es lavable, lo que facilita la higiene de las paredes pintadas en espacios interiores.

Las pinturas con base de aceite, son propicias para pintar superficies al aire libre.

3. Limpieza de paredes de pinturas al temple

Se debe limpiar en seco. Lo recomendable es solo quitar el polvo, y en caso de mayor suciedad hay que volver a pintar. Para manchas localizadas se puede utilizar goma de borrar.

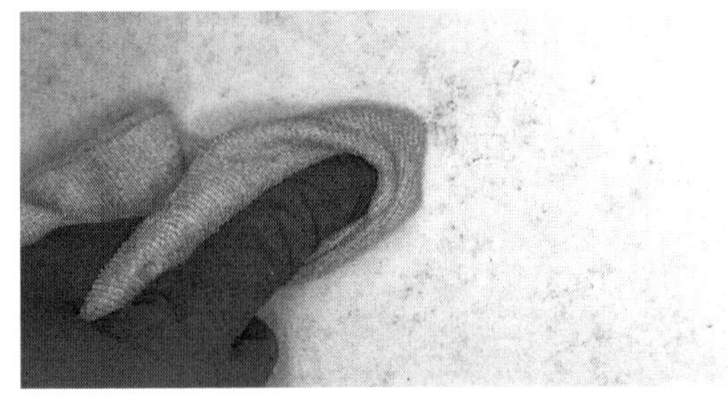

 Sabías que...

En una estancia se realizará en primer lugar la limpieza de techos, después la limpieza de paredes siempre desde arriba arrastrando la suciedad hacia el suelo, y por último la limpieza del suelo.

6.5.3.4. Mantenimiento de aceros en puertas y ascensores

Material necesario:

- Un cubo con agua caliente.
- Un trozo de jabón natural dentro del cubo.
- Bayeta suave de limpieza.
- Bayeta de secado.

En los aceros de puertas y ascensores hay que tener en cuenta si han sido limpiados anteriormente por otras personas o comenzamos a limpiarlos por primera vez. Aquí, los productos que se hayan utilizado juegan un papel importante, ya que se tiene por costumbre utilizar aerosoles aceitosos que fijan las huellas de los dedos y que van formando capas de suciedad grasa sobre los aceros. Por tanto, se limpiará:

Procedimiento:

- Hay que dejar disolver parte del trozo de jabón natural en el agua caliente.
- Con la bayeta impregnada de esta solución se procede a limpiar de un lado a otro, nunca en círculos, o bien, de abajo hacia arriba y viceversa.
- Se debe secar de la misma forma.

Este tipo de limpieza se deberá hacer durante ocho o diez días, hasta que se eliminan en su totalidad los restos de productos inadecuados que se encuentran en el acero. Luego, proceder a realizar la *limpieza de mantenimiento como describimos a continuación:*

Material necesario

- Cubo con agua limpia.
- Solución de detergente neutro en botella pulverizadora.
- Bayeta suave de limpieza.
- Bayeta de secado.

Procedimiento:

- Se pulveriza la superficie.
- Se frota con la bayeta de un lado a otro o de abajo arriba, nunca en círculos.

- Se seca posteriormente de un lado a otro o de abajo arriba.
- Se aclara la bayeta cuantas veces sea necesario.

En este tipo de limpiezas también podemos utilizar como herramienta el mojador y el rastrillo.

6.5.3.5. Mantenimiento de textiles en paredes

Material necesario:

- Aspiradora-cepilladora con alargador.
- Percloroetileno.
- Champú para limpieza de textiles.
- Trapos blancos.

Procedimiento:

- Se procederá a aspirar la pared.
- Las manchas, si las hubiera, se limpiarán impregnando un trapo con percloroetileno, y aplicándolo posteriormente en las manchas por tamponación, para evitar que se extiendan.
- También, podrá aplicarse sobre las manchas espuma de champú, en textiles acrílicos, trabajándola de fuera hacia dentro para evitar que las manchas se extiendan.

Recuerda que...

Para la limpieza de paredes enteladas, se utilizará preferentemente una espuma especial para telas.

6.5.3.6. Mantenimiento de paredes de madera

Material necesario:

- Mop-sec.
- Productos capta polvo.
- Bayeta humedecida.
- Gamuza.

El agua deteriora la madera, por tanto, evitaremos mojarla.

Procedimiento:

- Se pulveriza el mop-sec con producto capta-polvo al menos 30 minutos antes de su utilización.

- Se procede a pasar el mop-sec por la madera para quitar el polvo.
- Si quedara alguna mancha, se humedecerá una bayeta y se procederá a quitarlas manualmente.
- Se secará posteriormente con una gamuza.

6.5.3.7. Criterios de calidad

- Las paredes deberán quedar sin restos de suciedad y a ser posible brillantes.
- Los bordes quedarán limpios y secos.
- La restauración de las juntas del revestimiento cerámico se pueden restaurar con masilla de juntas.

6.5.3.8. Medidas preventivas

1. **Evitar lesiones y caídas**
   - Mantener la espalda recta y flexionadas las rodillas al agacharse.
   - Utilizar palo telescópico siempre que sea posible para no emplear escaleras.
   - Colocar el cubo de agua y las herramientas adecuadamente para evitar tropiezos y caídas.
   - Si se utilizan escaleras, que sean homologadas y respetando las normas de seguridad.
2. **Evitar intoxicaciones**
   - Utilizar guantes.
   - No mezclar los productos de limpieza.

6.6. Cristales, ventanas y espejos

6.6.1. Introducción

Por norma general los cristales se limpiarán con un a frecuencia establecida según el protocolo de cada centro, ocasionalmete suele ser cada mes o cada dos meses, a ser posible, se limpiarán con rastrillo, agua, detergente neutro y, en su defecto, con limpiacristales, aunque es un gasto innecesario, ya que los cristales son las superficies más fáciles de limpiar y el agua y detergente son suficientes, y, si además se acompaña de rastrillo, la rapidez se suma a la eficacia de la limpieza.

- Se limpiarán siempre de arriba hacia abajo. Para las zonas altas se puede utilizar un tubo telescópico.
- Para eliminar las manchas difíciles y adheridas se utiliza un rascador o rasca-vidrios.

- En ocasiones los insectos voladores chocan con el cristal y quedan pegados dejando una mancha que se puede retirar con alcohol de quemar.
- La luz del sol se refleja en los cristales y puede dificultar que se vean las manchas. Por eso se debe limpiar el cristal siempre cuando no le esté dando el sol.

6.6.2. Material básico

El material básico para la limpieza de cristales es:

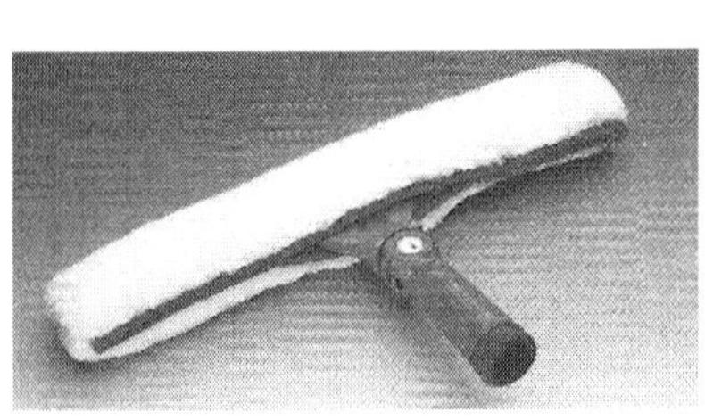

Mojadores

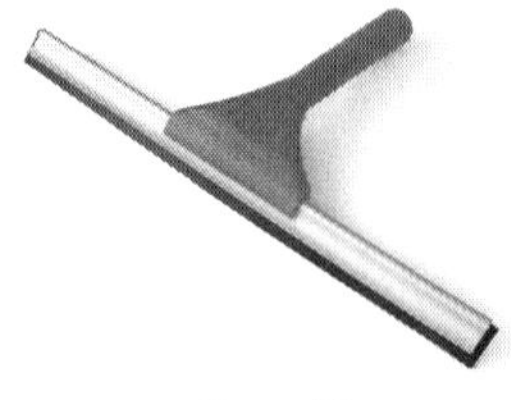

Rastrillo

Rascavidrios

6.6.3. Descripción del montaje del rastrillo

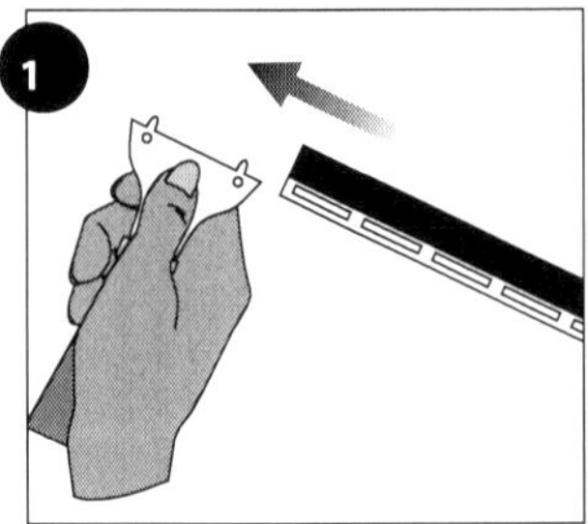

1. Apretar el muelle de acero en la parte inferior del mango. Introducir el mango abierto en la guía. El dibujo muestra la parte inferior de la guía

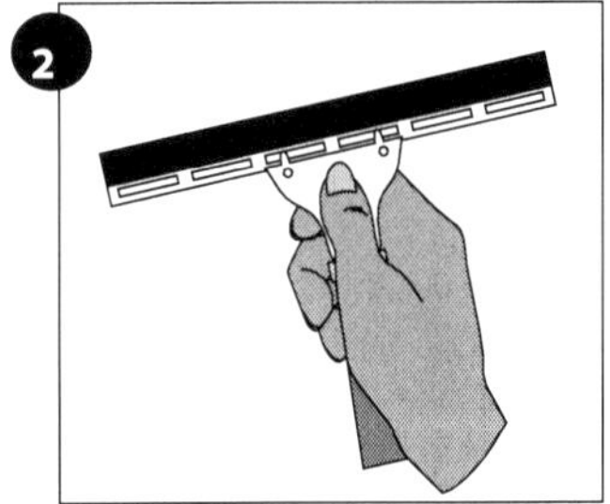

2. Dejar entrar los dos dientes del muelle en cualquiera de las dos aberturas de la guía. Ésta, al igual que el labio de goma, queda bien sujeta y asegurada

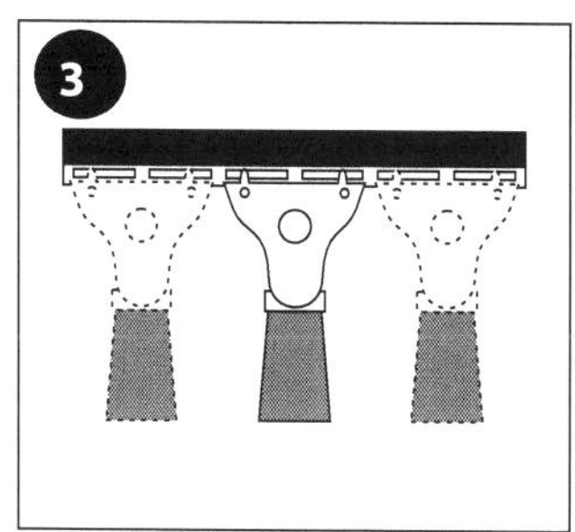

3. El mango, como se indica, puede acoplarse en varios lugares de la guía

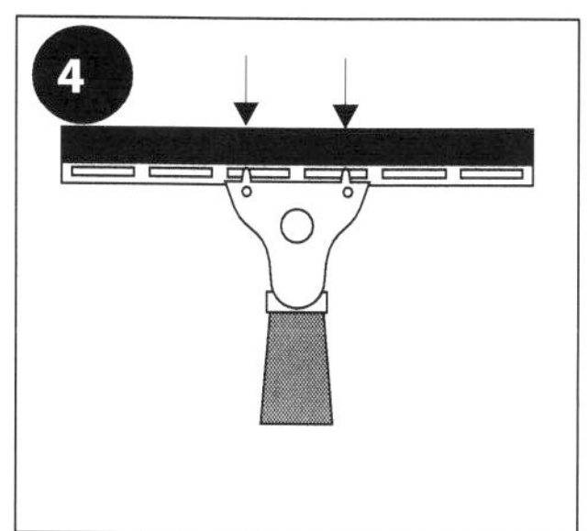

4. En las dos marcas practicadas en la guía puede colocarse el mango en la posición central, que es la más usada

6.6.4. Limpieza de ventanas pequeñas

1. Humedecer con una esponja la fila superior

2. Al quitar el agua inclinar la guía para que el agua pueda salir bien hacia abajo

3. Limpiar ahora los marcos inferiores de la fila más alta con una esponja bien escurrida, antes de iniciar la limpieza de la fila siguiente

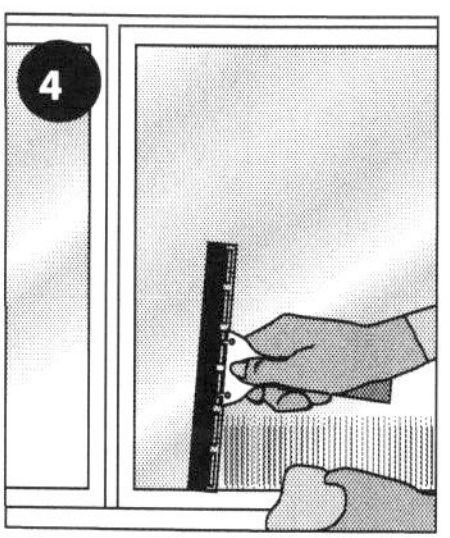

4. Al limpiar los cristales en el interior del edificio,hay que colocar siempre una esponja debajo del limpiacristales para evitar que caigan gotas en el suelo

6.6.5. Limpieza de ventanas grandes y en alturas en exteriores

Existen unas herramientas basadas en tubos telescópicos y articulados que permiten el acceso a prácticamente cualquier lugar de limpieza. Lo importante es elegir los más adecuados, a fin de **conseguir calidad y rentabilidad óptimas**.

Procedimiento:

VENTANAS GRANDES

1. Lavar primero a lo largo del borde superior con el «Strip» lavavidrios, después hacia arriba y abajo según el dibujo. Procurar no tocar el marco de la ventana. Utilizar el tubo telescópico para la limpieza de la parte alta del cristal, evitando así el trabajo peligroso desde la escalera

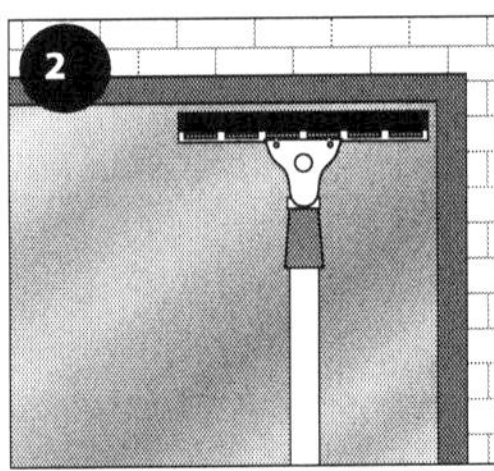

2. Antes de empezar a quitar el agua, inclinar el limpiacristales ligeramente hacia la derecha. No apretarlo demasiado hacia el cristal teniendo presente que es precisamente el filo agudo de goma el que realiza la limpieza

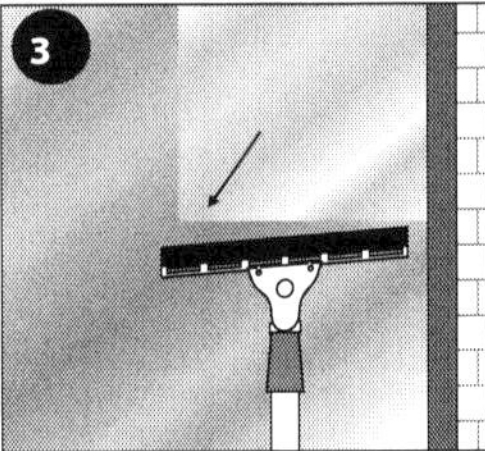

3. Después de cada pasada hacia abajo, escurrir el limpiacristales con suaves golpecitos sobre la parte aún mojada del cristal para quitar agua sobrante y suciedad. No es necesario limpiar la goma cada vez

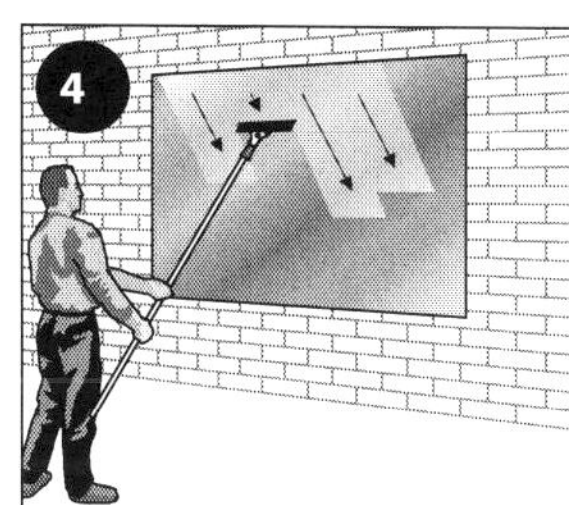

4. Procurar siempre que la guía sobresalga unos centímetros sobre la superficie ya seca. Tirar en sentido ligeramente oblicuo hacia abajo. Después de cada pasada, escurra el limpiacristales suavemente con unos golpecitos sobre la parte aún mojada del cristal. A partir de cierta altura se podrá limpiar sin ayuda del tubo telescópico

5. Se limpia la parte inferior de la ventana sin el tubo. Apoye la guía suavemente hacia el borde lateral izquierdo dejándola sobresalir un poco por la parte ya seca del cristal

6. Con el limpiacristales ligeramente inclinado, arrastre el agua horizontalmente hacia el borde derecho

7. Inclinar el limpiacristales como indica el dibujo limpiando a lo largo de la ventana. La goma toca todo el borde inferior

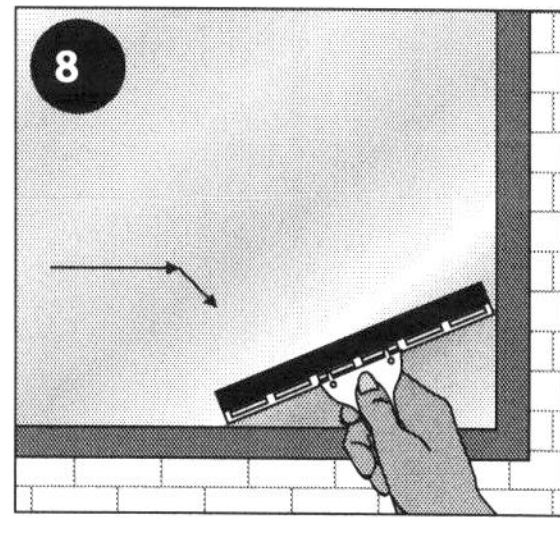

8. Cuando se aproxime al borde derecho, vigilar la guía hacia la derecha para que el extremo de su goma toque el borde lateral. Luego vaya bajando la guía hasta el borde inferior

9. Para dar el último toque, colocar una gamuza en el extremo del tubo, limpiando a lo largo del borde y en los rincones para quitar eventuales gotas de agua. El borde inferior séquelo bien con una esponja escurrida

Actividad 18

En la limpieza de cristales, indica cuál de las siguientes afirmaciones es incorrecta:

- ☐ a) Los cristales deben limpiarse cuando les da el sol con el objeto de ver mejor las manchas.
- ☐ b) Los cristales deben limpiarse de arriba hacia abajo.
- ☐ c) Las manchas de insectos podemos eliminarlas más fácilmente con alcohol de quemar.

6.6.6. Medidas de seguridad para limpiar ventanas en altura

Las medidas generales de seguridad para limpiar ventanas en altura son:

- Como mínimo, conecte un extremo de la correa a su punto de anclaje antes de salir por la ventana.
- Mantenga ambos extremos conectados mientras limpia la ventana.
- No se pare sobre el borde de una ventana que esté resbaladizo o deteriorado.
- No se pare sobre el borde de una ventana a menos que haya suficiente espacio para pararse sobre él y que el ángulo del borde no sea mayor de 30 grados.
- Al terminar de limpiar una ventana, mantenga por lo menos un extremo de la correa conectado hasta que esté dentro del edificio.
- No pase de ventana a ventana por fuera del edificio. Entre al edificio y repita el procedimiento de conexión.

Seguridad en la limpieza de ventanas

Para la limpieza de cristales y paramentos verticales en altura o de difícil acceso disponemos de una amplia gama de maquinaria y accesorios que permiten proceder a la limpieza de los mismos con comodidad y, sobre todo, con seguridad.

A continuación detallamos modelos de todo tipo con diferentes prestaciones según necesidad:

Escalera convertible dos tramos

Escalera extensible dos tramos

Escalera transformable 3 tramos

Andamio suspendido

Andamios móviles

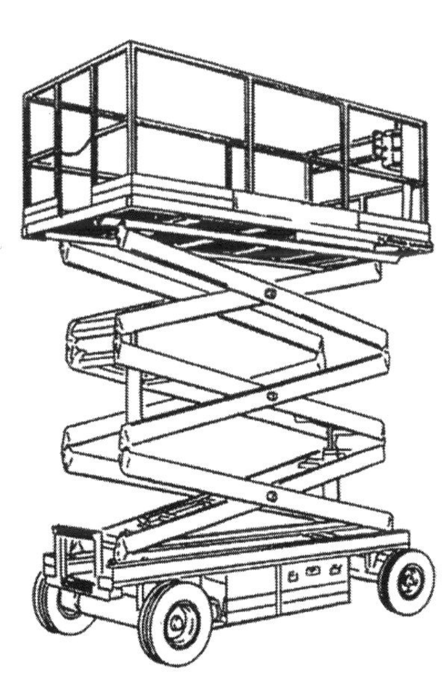

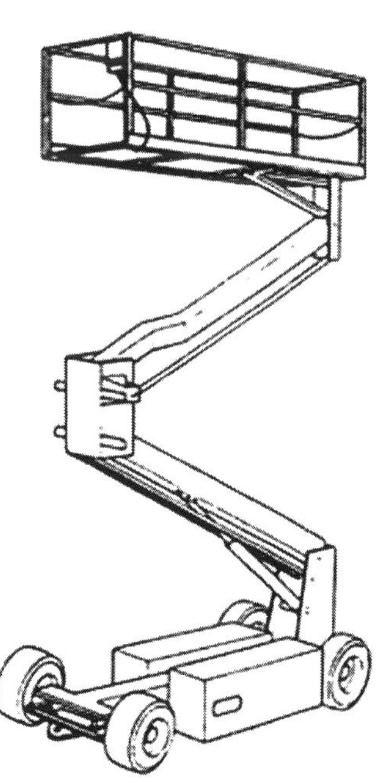

Plataformas aereas autopropulsadas de tijera, articuladas y telescópicas

Plataformas aereas autopropulsadas de tijera, articuladas y telescópicas

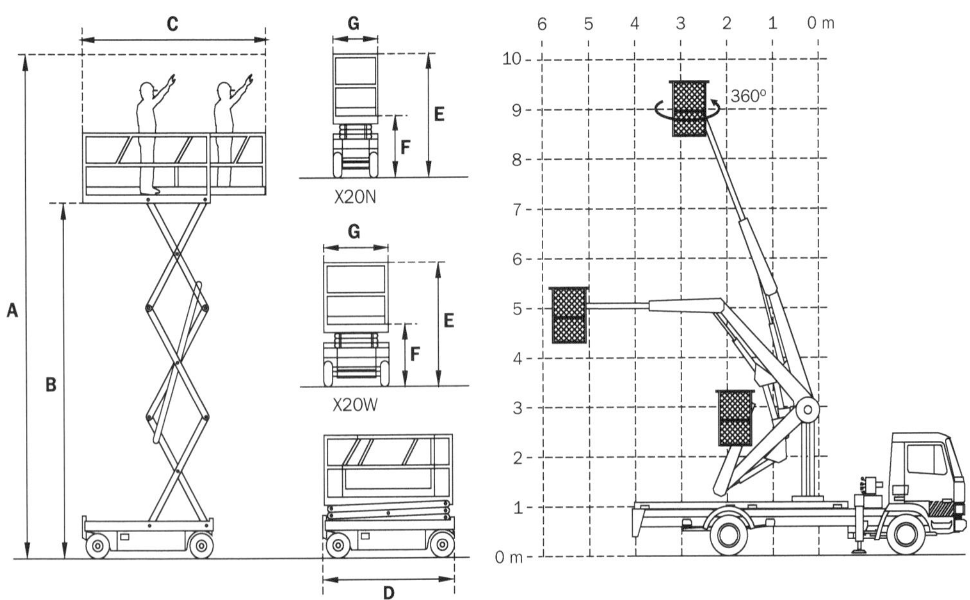

Plataformas sobre camión articuladas y telescópicas

Plataformas sobre camión articuladas y telescópicas

Actividad 19

Indica que es un "Strip":

6.6.7. Sistemas de posicionamiento para limpiar ventanas en altura

6.6.7.1. Conexión al punto de anclaje

Hay que verificar el punto de anclaje, para ello:

a) **Escoger el punto de anclaje apropiado:** suficiente fuerte como para resistir la fuerza necesaria para detener la caída, que no tenga desperfectos antes de conectarse a él y que no haya obstáculos debajo, sobre los cuales podría caer.

La selección y colocación de los diferentes anclajes estructurales requiere unos conocimientos específicos de la estructura interna y de la resistencia de los materiales de construcción donde van a ser colocados para garantizar que su resistencia e independencia son acordes a las solicitaciones a las que van a ser sometidos. Es esencial que los anclajes estructurales se instalen, prueben e inspeccionen por personal competente. La NTP 893 contiene detallada información técnica sobre los anclajes estructurales.

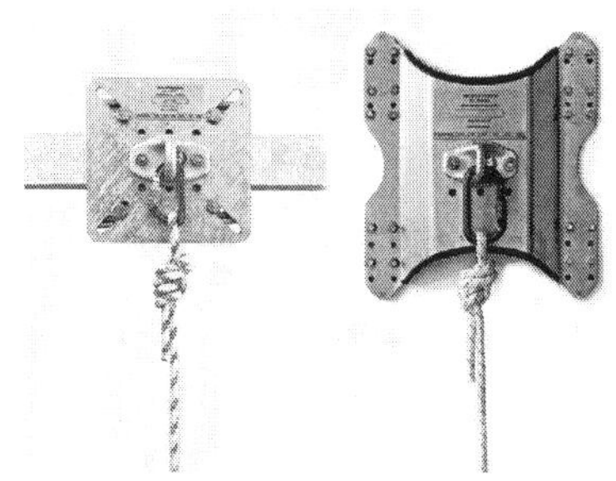

Ejemplos de anclajes en edificios

En cuanto a los dispositivos de anclaje, la norma UNE-EN 795 especifica los requisitos y métodos de ensayo aplicables a dichos dispositivos. La NTP 809 contiene detallada información técnica sobre los dispositivos de anclaje.

La selección concreta del tipo de dispositivo de anclaje a utilizar debería figurar detalladamente en la planificación previa de la tarea requerida, para este tipo de técnicas de acceso y posicionamiento para realizar trabajos temporales en altura.

b) **Sistema de conexión al anclaje:**

Teniendo en cuenta el Real Decreto 1215/1997, de 18 de julio, por el que se establecen las disposiciones mínimas de seguridad y salud para la utilización por los trabajadores de los equipos de trabajo:

- El sistema utilizado se compone de una línea de trabajo, como medio de acceso, ascenso, descenso y sujeción, y de una línea de seguridad, como medio de protección anticaídas o de emergencia.
- El trabajador debe utilizar un arnés que disponga de los elementos de enganche necesarios para conectar los dispositivos de regulación de cuerda.
- El trabajador permanece suspendido de la cuerda de trabajo y, habitualmente, utiliza un asiento mientras realiza la tarea.

Ambas cuerdas, la de trabajo y la de seguridad, deben disponer de anclajes independientes y compatibles, que no se interfieran mutuamente, de manera que la cuerda de seguridad se pueda montar en forma paralela e independiente a la cuerda de trabajo.

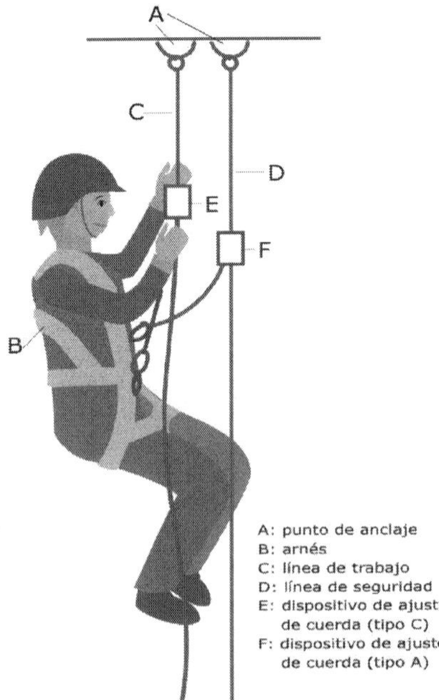

Ejemplo de sistema para el acceso y posicionamiento mediante cuerdas

6.6.7.2. Tipos de cuerda

Se considera "cuerda de trabajo" ("línea de trabajo" según la norma UNE-EN 12841) la línea de anclaje utilizada principalmente para soporte durante el acceso a la posición de trabajo, la salida y la sujeción en ella. Esta cuerda permanece en tensión debido al peso del operario mientras realiza su tarea, accede o sale de la posición de trabajo.

Se considera "cuerda de seguridad" ("línea de seguridad" según la norma UNE-EN 12841) la línea de anclaje suministrada como garantía de seguridad. Esta cuerda, a diferencia de la cuerda de trabajo, únicamente estará en tensión debido al peso del operario en el caso de fallo en el subsistema correspondiente a la cuerda de trabajo (véase el apartado 2 de la NTP 1110).

Las cuerdas, tanto la de trabajo como la de seguridad, responden, normalmente, al tipo A de la norma UNE-EN 1891.

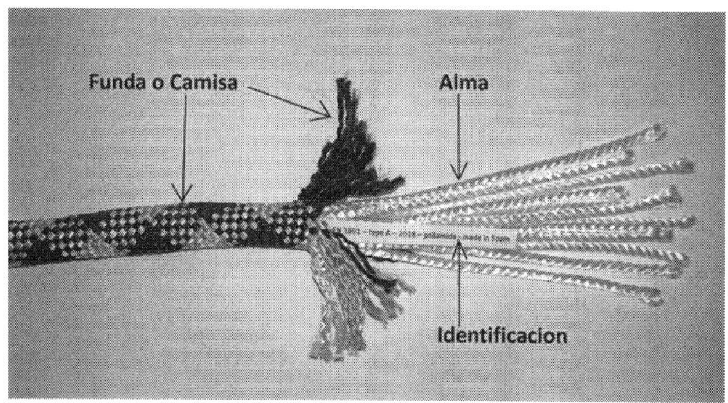

Ejemplo de composición de una cuerda de tipo A de la norma UNE-EN 1891

Actividad 20

La .... contiene detallada información técnica sobre los dispositivos de anclaje.

- ☐ a) NTP 809.
- ☐ b) UNE-EN 1891.
- ☐ c) UNE-EN 12841.

6.6.7.3. Tipos de dispositivos de regulación del operario de limpieza

Tanto en la línea de trabajo como en la de seguridad, se utiliza un dispositivo de regulación de cuerda que permite al usuario variar su posición a lo largo de la misma y estar

protegido contra una caída de altura. Los dispositivos de regulación de cuerda se subdividen en los tipos A, B y C siguientes:

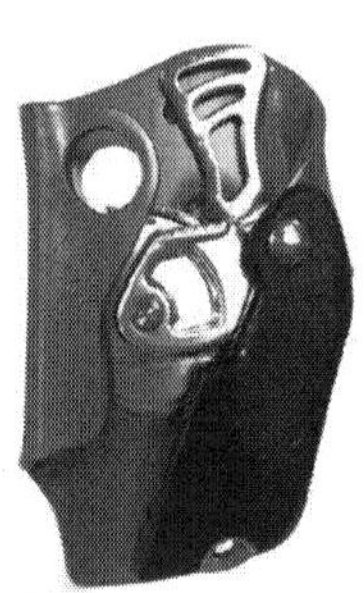

TIPO A

Dispositivo de regulación de cuerda para una línea de seguridad que acompaña al usuario durante los cambios de posición y/o permite la regulación de la línea de seguridad, y que se bloquea automáticamente sobre la línea de seguridad bajo la acción de una carga estática o dinámica

TIPO B

Dispositivo de regulación de cuerda accionado manualmente que, cuando se engancha a una línea de trabajo, se bloquea bajo la acción de una carga en un sentido y desliza libremente en sentido opuesto

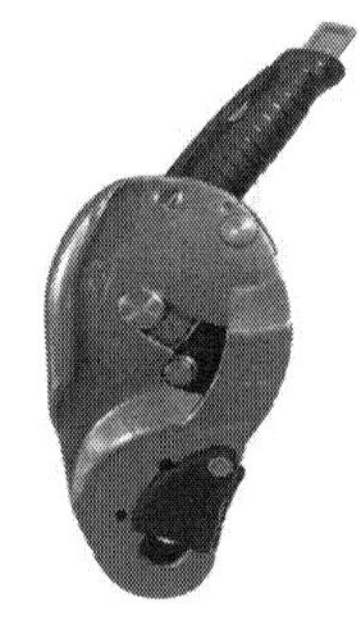

TIPO C

Dispositivo de regulación de cuerda por rozamiento, accionado manualmente, que permite al usuario conseguir un movimiento de descenso controlado y una parada, sin manos (elemento de bloqueo manos–libres), en cualquier punto de la línea de trabajo.

6.6.7.4. Sujeción de los elementos de trabajo

Las herramientas manuales y otros accesorios de poco peso pueden asegurarse mediante conectores, cordinos (cuerdas de diámetro inferior a 8 mm), cintas, eslingas o bandas apropiadas y resistentes, para evitar su caída. La sujeción puede realizarse en zonas específicas o puntos de conexión diseñados para esa función en el arnés y/o en el asiento, si se dispone del mismo.

6.6.7.5. Consejos prácticos de seguridad

Le ofrecemos unos consejos prácticos para **trabajar con seguridad**:

- Siga las instrucciones.
- Si no sabe, pregunte.
- Corrija las condiciones inseguras, si está en su mano y conocimiento, o avise, en otro caso, al mando inmediato.
- Ayude a mantener el orden y la limpieza.
- Use las herramientas apropiadas.

- Utilice correctamente las máquinas o vehículos.
- Cúrese todas las heridas: solicite los primeros auxilios.
- Utilice, ajuste o repare herramientas sólo cuando esté autorizado.
- Use ropas adecuadas y manténgalas en buenas condiciones.
- No gaste bromas pesadas.
- No pase de ventana a ventana cuando trabaje en el exterior.
- Cuando trabaje en el exterior de ventanas sujete las herramientas para evitar su caída al vacío.
- Obedezca todas las instrucciones.
- Cumpla todas las normas.
- Informe de todo riesgo o condición insegura.

6.6.3. Limpieza de espejos

Los espejos se limpian con agua y jabón siguiendo el mismo procedimiento que para los cristales. Para una limpieza más duradera se limpian una bayeta y un producto limpiacristales que deja una capa protectora que evita la acumulación de polvo.

Los espejos del baño suelen presentar marcas de gotas de agua o vaho, que no siempre desaparecen fácilmente. Se puede utilizar una solución de agua con unas gotas de vinagre o amoniaco para su eliminación.

6.7. Aseos públicos y urinarios

La limpieza de aseos públicos se realizará con el mismo procedimiento que la limpieza de servicios comunes, teniendo en cuenta que se deberá utilizar detergente desinfectante

para la limpieza diaria, o bien, el uso de lejía de 5 g de cloro activo, aplicada después de la limpieza, y dejando actuar al menos cinco minutos, con el fin de que sea eficaz como desinfectante.

La frecuencia de limpieza se realizará cuantas veces sea preciso en función de la ocupación de estos servicios.

Fregado con mopa plana

Recuerda que...

Es necesario cuidar mucho de limpiar primero las superficies menos sucias, es decir, limpiar de lo menos sucio a lo más sucio, lavabo, bañera, bidé, inodoro, con el fin de no contaminar, es decir, pasar la suciedad del inodoro hacia lavabo, bañera, etc.

Los aseos públicos se dividen: para mujeres, para hombres, y para personas con discapacidad. Los aseos para mujeres tienen inodoro, y los de hombre suelen tener inodoro y urinario.

Los aseos para personas con discapacidad deben tener características estructurales de accesibilidad:

- Color de los sanitarios que contraste con los paramentos.
- Lavabo a altura de 70 cm., sin pie ni mueble, que permita el acercamiento y uso con silla de ruedas.
- Grifos de accionamiento por presión o palanca.
- Barras de apoyo a altura adecuada ancladas firmemente junto al inodoro.
- Todos los accesorios, papel higiénico, jabón, papel secamanos, etc., estará a la altura adecuada para su uso desde silla de ruedas.
- Para la limpieza se cuidará bien de la desinfección adecuada, y se secarán perfectamente las barras de apoyo.

6.7.1. Limpieza de urinarios

- Se realizará de la misma forma que la explicada para los inodoros. Se aplica la solución limpiadora sobre todas las superficies exteriores, desagües y accesorios de los urinarios. Se verterá solución limpiadora con la escobilla y se limpiarán los interiores del urinario.
- Al igual que en los inodoros es conveniente que la solución permanezca en el interior del urinario durante unos minutos, para aumentar su efectividad.
- Es necesario prestar una especial atención a la zona por donde sale el agua y al fondo del sifón, ya que con frecuencia quedan residuos de hierro o cal que forman sarro y que, a la larga, resulta muy difícil de quitar.

Urinario

- Para eliminar este tipo de suciedad es necesario utilizar un detergente ácido, posteriormente a la limpieza diaria, dejándolo actuar unos minutos y frotando seguidamente para desincrustar dicha suciedad. Si la suciedad mineral es elevada el tiempo de contacto será mayor. Posteriormente se tirará de la cadena.

Sabías que...

Las griferías y los pomos de las puertas en los baños acumulan gran cantidad de microorganismos porque se manipulan con las manos húmedas.

6.7.2. Limpieza de aseos según la frecuencia de uso

A) Aseos con alta frecuentación

Los aseos deberán encontrarse durante todo el día en perfecto estado de uso, dada la gran afluencia de usuarios en horario de actividad, realizando la limpieza necesaria para conseguir tal fin, por lo que deberá extremarse la limpieza, sobre todo en las horas de mayor afluencia de usuarios.

La limpieza y reposición de suministros se realizará como mínimo cuatro veces en turno de mañana y tres veces en turno de tarde y siempre que sea necesario. Por tratarse de una zona de alta frecuentación, la frecuencia en la limpieza de estos aseos deberá adaptarse a las necesidades de cada momento.

Deberá mantenerse un registro que las personas encargadas de la limpieza, cumplimentarán con su nombre, fecha y hora de cada limpieza. Asimismo deberá comunicar los desperfectos observados.

B) Aseos de baja frecuentación

Coincidente con la limpieza de estos aseos, dos veces por turno, se realizará la reposición de material de higiene consumible.

- **Vestuarios de personal**: se limpiarán una vez por turno y se llevará registro de las limpiezas como en los aseos de alta frecuentación.
- **Resto de aseos públicos**: se limpiará al menos dos veces al día.
- **Aseos de otras dependencias**: una vez al día y cuantas veces se precise (despachos, salas...).

Actividad 21

La limpieza en aseos de alta frecuentación se realizará como mínimo:

☐ a) 3 veces en turno de mañana, 3 veces en turno de tarde y siempre que sea necesario.

☐ b) 4 veces en turno de mañana, 3 veces en turno de tarde y siempre que sea necesario.

☐ c) 2 veces en turno de mañana, 2 veces en turno de tarde y siempre que sea necesario.

7. Planificación de la limpieza

La organización del trabajo es una tarea fundamental dentro del sector limpieza. Los recursos disponibles se deben utilizar de la mejor manera posible. Esto implica un enorme esfuerzo a nivel de dirección de empresa, aunque también, y este es el aspecto que nos interesa, a nivel técnico.

Para utilizar maquinaria, herramientas y productos de limpieza hay que saber dónde se van a utilizar y las prestaciones que ofrecen, con el fin de organizar el trabajo y obtener el máximo rendimiento de las mismas. Es por ello que la organización y estructuración del servicio es fundamental.

Se deduce por tanto que hay que analizar, organizar y mecanizar el trabajo.

Factores a tener en cuenta en un lugar de trabajo:

- La afluencia del personal.
- Parte reservada a la producción y parte para el tránsito de las personas (normalmente 3:1).
- Índice de ocupación del lugar por máquinas, muebles, etc.
- Servicios accesorios que hay que proporcionar, tales como reposición del papel sánico, cambio de toallas, etc.
- Si los muebles o enseres que ocupan el local están fijos al suelo o son móviles.
- Si el servicio se debe realizar en horas normales.

Es necesario conocer si la limpieza debe efectuarse en:

- Un edificio expresamente estudiado para el uso a que en realidad se destina.
- Un edificio viejo.

7.1. Sistema por tareas

Una vez determinadas las características del trabajo, se forman equipos de operarios asignando a cada grupo una o varias operaciones de limpieza bien determinadas. Los

operarios trabajan en colaboración y habrá de estudiarse un proceso lógico de operaciones para no provocar interferencias, tiempos muertos, etc.

Este sistema se presta a muchas variantes y ofrece las ventajas siguientes:

- Especialización del personal que de esta manera alcanzará el máximo rendimiento.
- La adquisición de máquinas, equipos y materiales se limitará al mínimo indispensable.

En cambio tiene las desventajas:

- El personal puede tener contactos entre sí durante la realización del trabajo.
- Si el grado de limpieza o el rendimiento no han sido satisfactorios, puede haber dificultad para establecer el error o la responsabilidad.

7.1.1. División por zonas

Los distintos **Centros Públicos** pueden dedicarse a muy diversas actividades. El tipo de servicio que presten al usuario, va a ser determinante para establecer un programa de limpieza.

Incluso en cada Centro Público se pueden identificar distintas zonas que se clasificarán en función del uso al que estén destinadas, lo que también va a influir en la planificación de la limpieza:

- **Zonas nobles**: son todas las áreas destinadas al uso exclusivo de los usuarios del centro. Para ellos constituye su casa, y necesitan sentirse cómodos y seguros. Por eso, y especialmente en estas zonas, se debe prestar especial atención a su limpieza, desinfección y orden. De esto, entre otros factores, depende la calidad del servicio que da la institución.

  A su vez se pueden subdividir según el tipo de uso que se haga de ellas:

  * Privadas: son zonas particulares de un usuario, como puede ser la habitación de un paciente o residente en un centro sanitario-asistencial.
  * De uso común: son zonas nobles a las que tienen acceso todos los usuarios del centro. Se incluyen en este grupo las salas de estar, cafeterías, terrazas, etc.
  * De utilidad vial: son los accesos y vías de comunicación por las que los usuarios se desplazan de unas áreas a otras, como los pasillos y escaleras.

- **Zonas de servicio**: todas las áreas de uso exclusivo para el personal se consideran zonas de servicio. Se incluyen tanto las zonas destinadas a actividades del propio personal (entrada de personal, aseos y vestuarios, oficinas de personal, etc.), como zonas de trabajo destinado a los usuarios, en las que sólo está permitido el acceso a personal (cocina, office, lavandería, talleres de mantenimiento, etc.).
- **Zonas comunes**: aunque pertenecen al Centro suelen estar ubicadas en el exterior, por lo que son accesibles a cualquier persona, aunque no haga uso de las dependencias internas. Son, por ejemplo, los aparcamientos y aceras.

7.1.2. Frecuencia en la limpieza

La frecuencia con la que se limpiarán las superficies se debe planificar, fijando una periodicidad que dependerá de **diversos factores**:

- Frecuencia de uso de las instalaciones, utensilios y equipos: a mayor frecuencia de uso, mayor frecuencia en la limpieza.
- Tipos de actividad que se lleven a cabo en el Centro.
- Tipo de suciedad: las suciedades pueden tener distinto origen, ser sólidas o liquidas, grasas, orgánicas, minerales, etc.
- Estado de limpieza: además de la periodicidad fijada, se realizará la limpieza siempre que sea necesario, en función de la suciedad existente en cada momento.

Teniendo en cuenta lo anterior, se establecerá una periodicidad para la limpieza de cada dependencia e incluso cada superficie. A modo de ejemplo, se pueden seguir las siguientes pautas, aunque esto se puede ver modificado según el uso dado:

- **Limpieza diaria**: barrido húmedo y fregado de suelos, repaso de las paredes que más se ensucian, vaciado de papeleras, limpieza de mobiliario, ascensores, aseos, etc. Así como limpieza y desinfección de los utensilios, que se hará como mínimo después de cada jornada laboral, y la limpieza de cubos y contenedores que se hará diariamente. Dependiendo del uso, alguna de estas acciones se puede planificar dos veces al día.
- **Limpieza semanal**: limpieza de papeleras, azulejos del baño, cable del teléfono, etc.
- **Limpieza quincenal**: cortinas, puertas, etc.
- **Limpieza mensual**: radiadores.
- **Limpieza trimestral**: paredes, techos, lámparas del techo.

Además de la periodicidad fijada para la limpieza rutinaria, se limpiarán todas las dependencias, superficies y mobiliario, siempre que sea necesario, es decir, cuando haya suciedad por cualquier motivo imprevisto.

7.1.3. Orden en la limpieza

En el interior del centro público la limpieza se realizará siempre de manera que la suciedad no se arrastre hacia las zonas limpias. Para ello se ha de proceder:

- **Desde arriba hacia abajo**: la suciedad tiende a caer por gravedad, por lo que las zonas más bajas se limpiarán en último lugar.
- **Desde dentro hacia fuera**: para evitar volver a pisar las zonas limpias al salir de una dependencia.
- **Desde lo más limpio hacia lo más sucio**: para evitar el arrastre de las suciedades a través de los utensilios de limpieza.

A primera hora de la mañana se evitará realizar tareas ruidosas para no molestar a los usuarios o residentes. Los pasillos y entrada se limpiarán en primer lugar para que cuando se incremente la entrada y circulación de personas en el centro, la suciedad sea arrastrada hacia las zonas más internas, y las habitaciones. Los pasillos y entradas son zonas de paso y se volverán a ensuciar durante el día, por lo que se deben limpiar nuevamente al final de la jornada.

Con respecto a las habitaciones, se seguirá el siguiente orden:

- **Habitaciones libres**: son las que están disponibles, no ocupadas por un usuario. Se repasarán en primer lugar para que puedan ser ocupadas en cualquier momento.
- **Habitaciones ocupadas**: están en uso, y su limpieza diaria se realizará cuando el usuario no se encuentre en su interior. Esto no es posible en situaciones en las que el usuario no pueda salir de la habitación por motivos de salud, por ejemplo.
- **Habitaciones de salida**: son aquellas que estaban ocupadas, pero han quedado libres. Se les dará prioridad y la limpieza se realizará cuanto antes para que se puedan volver a ocupar. En este caso la limpieza será profunda, incluyendo la desinfección de todos los espacios y elementos.

El resto de dependencias del centro se limpiarán preferentemente en el turno u horario en que estén desocupadas.

7.2. Sistema por zonas

Después de haber calculado el área a limpiar, considerando el tipo de pavimento, el grado de suciedad, la frecuencia de limpieza, el grado de limpieza necesario, ¿cuándo? y en ¿cuánto tiempo? se puede efectuar el trabajo, el edificio se divide en un cierto número de zonas equivalentes entre sí, a cada una de las cuales se asignaría un operario, el cual es responsable de todo el trabajo en dicha zona.

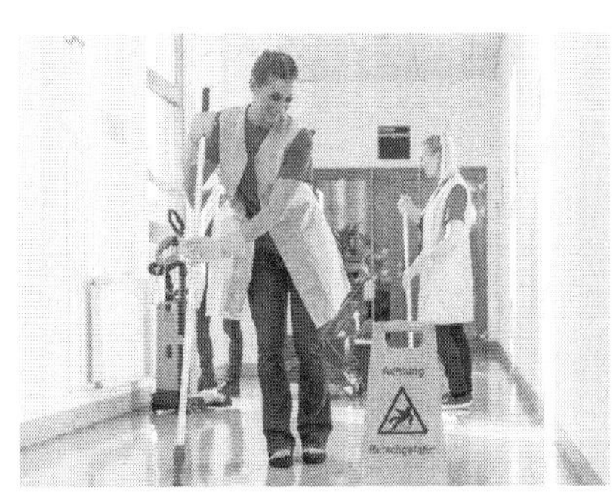

Ventajas que ofrece este sistema:

- Posibilidad de controlar y confrontar en cualquier momento el rendimiento y el resultado obtenido.
- Posibilidad de señalar inmediatamente y con seguridad la causa de un resultado negativo.
- Eliminación de contactos entre el personal durante las horas de trabajo.

Desventajas:

- Necesidad de proveer a cada operario de todo el material y productos requeridos en cada caso, lo cual supone un gasto importante.
- El personal no tiene la posibilidad de especializarse y por lo tanto de mejorar el rendimiento.

7.3. Sistema mixto

Después de haber tomado los datos, como en el sistema por zonas, se divide el edificio a su vez en zonas, cada una de las cuales será asignada a un grupo igual de operarios. Cada operario es responsable sólo de una parte del trabajo a efectuar dentro de la propia zona, mientras un grupo volante hace un repaso general.

Se logran con este sistema las ventajas enumeradas para las dos anteriores y al mismo tiempo, los inconvenientes resultan atenuados.

Normalmente el sistema por tareas es el más natural. Puede ser modificado con el tiempo según las necesidades, requiere una adquisición mínima de material y es el que sí puede dar los mejores y más inmediatos resultados cuando hay que mantener edificios grandes. El sistema por tareas garantiza con el tiempo una especialización del personal y, por lo tanto, un aumento del rendimiento en el trabajo.

El sistema por zonas, en cambio, puede presentar ventajas sólo en complejos pequeños o grandes complejos que ya están de por sí divididos en unidades independientes. En este caso habrá que proporcionar a cada operario todo el equipo indispensable, lo que lleva consigo un considerable aumento del capital invertido en maquinaria y equipo.

El sistema mixto podrá aplicarse a edificios que no estén divididos homogéneamente y en los cuales las características particulares de los mismos aconsejan una combinación de ambos sistemas anteriores y su empleo alternativo.

¿Por qué organizar el trabajo?

- Para no olvidar nada.
- Para evitar tener que empezar varias veces la misma tarea.
- Para evitar tener que correr en vano de un sitio a otro.

La organización del trabajo personal debe estar basada en los objetivos perseguidos. El problema está en que la práctica dejamos que nuestra actividad profesional esté gobernada por el reloj y no por la brújula. Queremos hacer más cosas con mayor rapidez, pero ¿en qué dirección?

En el trabajo fijarse objetivos y organizar las tareas significa orientar la forma de proceder según determinados principios.

El mejor método de trabajo no nos servirá de mucho si no hemos determinado con claridad lo que queremos conseguir.

Cualquier meta supone un reto. Formularnos objetivos nos sirve para adecuar nuestro esfuerzo. Es entonces cuando, alcanzados, se tiene la buena sensación de ver el trabajo que se ha realizado.

Un objetivo es:

- Un estado claramente descrito y perseguido.
- El resultado de una acción definido de antemano.
- El "punto" al que se quiere llegar.

Un objetivo tiene la función de:

- Movilizar energía.
- Incrementar la constancia.
- Concentrar la atención sobre un punto.

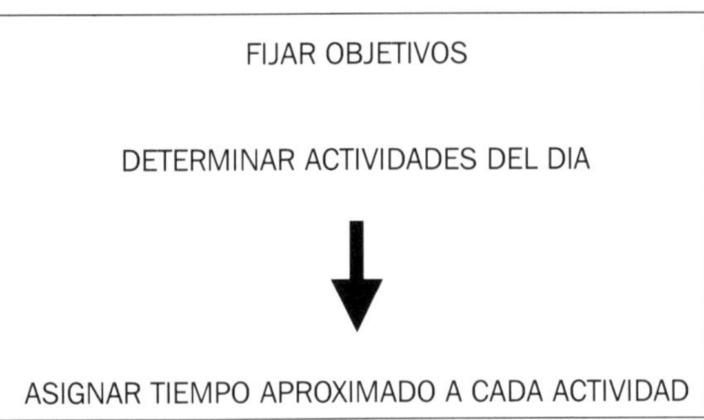

Planificar supone prever.

Planificar reduce la frecuencia de los errores.

Planificar permite un autocontrol.

Planificar lleva a mejores resultados y ahorra tiempo.

Para poder realizar un buen trabajo

- Pregunte cuáles son los objetivos de dicho trabajo.
- Respete el trabajo de sus colegas.
- Hágase su plan de organización personal.

Es muy importante que respetemos la organización o PLANNING DE TRABAJO:

- Para responder
  * A las necesidades del cliente.
  * A las demandas de nuestra empresa.
- Para realizar con éxito
  * Mi trabajo.
  * El trabajo de mi equipo.
- Para respetar
  * La organización del trabajo.
  * El planning.
  * El trabajo de mis colegas.

7.4. Medidas de limpieza de centros públicos frente a COVID-19

En este apartado trataremos de desgranar las principales medidas impuestas para la limpieza de diferentes tipos de centros públicos debido a la alta transmisión comunitaria de SARS-CoV2.

7.4.1. Centros universitarios

7.4.1.1. Ventilación y limpieza del centro

La nueva evidencia sobre la transmisión del SARS-CoV-2 por aerosoles hace necesario enfatizar la importancia de la ventilación y reforzar algunas recomendaciones relacionadas. Los criterios generales para asegurar la ventilación podemos concretarlos en:

Concepto de ventilación

Es la renovación de aire interior con aire exterior. Esta ventilación se puede conseguir por medios naturales (mediante apertura de puertas y ventanas), ventilación forzada (mecánica) o mediante una combinación de los dos sistemas. Además, para mantener ventilación adecuada, es necesario trabajar en dos direcciones: aumentar la renovación del aire y reducir la ocupación (número de personas).

Tipos de ventilación

Ventilación natural

Será la habitual en los centros. Para la ventilación natural se recomienda la ventilación cruzada, con apertura de puertas y/o ventanas opuestas o al menos en lados diferentes

del aula o de la sala, para favorecer la circulación de aire y garantizar un barrido eficaz por todo el espacio. En este caso, resulta más recomendable repartir los puntos de apertura de puertas y ventanas que concentrar la apertura en un solo punto.

Ventilación mecánica

Si la ventilación natural no fuera suficiente, una alternativa es la ventilación forzada (mecánica), con equipos extractores individuales con un caudal de aire adecuado o con sistemas centralizados, es decir, comunes para todo el edificio o gran parte de él. Estos sistemas son los mismos sistemas utilizados para la climatización y funcionan aumentando la renovación de aire interior con el aire exterior. Si se utiliza un sistema de ventilación mecánica, la tasa de aire exterior se debe incrementar y se ha de minimizar la fracción de aire recirculado, con el fin de obtener suficiente renovación de aire.

Características de una ventilación adecuada

La **ventilación natural** es la opción preferente. Se recomienda ventilación **cruzada**, si es posible de forma **permanente**, con apertura de puertas y/o ventanas opuestas o al menos en lados diferentes de la sala, para favorecer la circulación de aire y garantizar un barrido eficaz por todo el espacio. Es más recomendable repartir los puntos de apertura de puertas y ventanas que concentrar la apertura en un solo punto. Se deberá ventilar con frecuencia las instalaciones del centro, a poder ser de manera permanente, siempre que sea posible o al menos durante 10-15 minutos al inicio y al final de la jornada y siempre que sea posible entre clases, garantizando además una buena ventilación en los pasillos; y con las medidas de prevención de accidentes necesarias. El tiempo de ventilación mencionado de 10-15 minutos es orientativo y debe adaptarse a las condiciones y características de cada espacio.

En situaciones de alta transmisión comunitaria de SARS-CoV2, se debe valorar la **priorización de la ventilación** natural por su efectividad en la prevención de la transmisión por encima de aspectos como las condiciones de temperatura y humedad necesarias para el **confort térmico** o a los requerimientos de eficiencia energética.

Si la ventilación natural no es suficiente, se puede utilizar **ventilación forzada** (mecánica), debiendo aumentarse el suministro de aire exterior y disminuir la fracción de aire recirculado al máximo, con el fin de obtener una adecuada renovación de aire. Los equipos de ventilación forzada deben estar bien instalados y garantizarse un adecuado mantenimiento.

Únicamente si no es posible conseguir la ventilación adecuada mediante ventilación natural o mecánica, se podrían utilizar **filtros o purificadores de aire** (con filtros HEPA). Si fuera imprescindible la utilización de filtros de aire, estos deben tener la eficacia que asegure el caudal de aire recomendado y se debe recibir asesoramiento técnico para su ubicación y mantenimiento.

Cada centro dispondrá de un **protocolo** de limpieza, desinfección y ventilación, que responda a las características del centro y a la intensidad de uso. Se recomienda que incorpore las indicaciones presentes en el apartado VII sobre limpieza.

Se recomienda disponer a lo largo del centro universitario de **papeleras con bolsa** y a poder ser con tapa y pedal para la eliminación de residuos de uso personal (pañuelos, mascarillas...)

Si se van a utilizar materiales o **espacios con diferentes alumnos/as de manera consecutiva** se desinfectarán las superficies y materiales utilizados si es preciso, y se ventilará la sala al menos 5 minutos tras cada sesión o en función de los parámetros citados que garanticen una ventilación adecuada.

Dado que la realización de **ejercicio físico** también aumenta la emisión de aerosoles, se debe promover su realización en espacios **exteriores.** En el caso de que se realicen en interiores es de especial importancia el uso adecuado de la mascarilla, aumentar la distancia, e intensificar la ventilación.

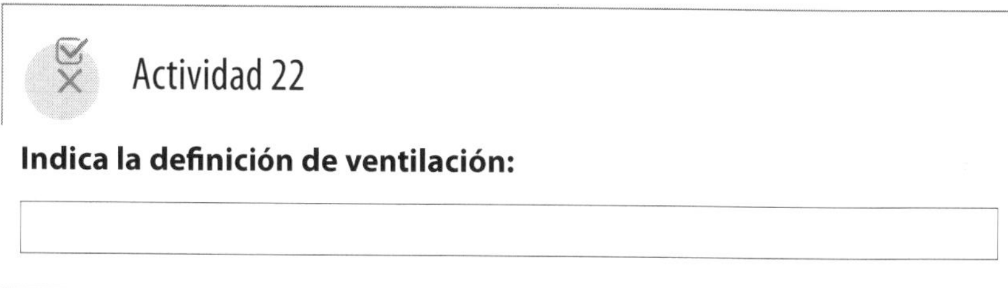

Actividad 22

Indica la definición de ventilación:

7.4.1.2. Limpieza y desinfección de las superficies y espacios

En las tareas de limpieza se prestará especial atención a las **zonas de uso común y a las superficies de contacto más frecuentes** como pomos de puertas, mesas, muebles, pasamanos, suelos, teléfonos, perchas, y otros elementos de similares características, **utilizando desinfectantes como diluciones de lejía (1:50)** recién preparada o cualquiera de los desinfectantes con actividad virucida que se encuentran en el mercado y que han sido autorizados y registrados por el Ministerio de Sanidad.

En el uso de ese producto se respetarán las indicaciones de la etiqueta.

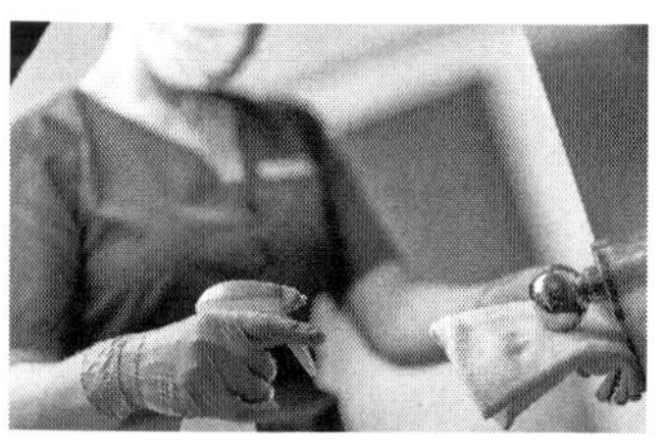

En el caso de que se empleen uniformes o ropa de trabajo, se procederá al lavado y desinfección regular de los mismos, siguiendo el procedimiento habitual.

Se realizará la limpieza **al menos una vez al día**, reforzándola en aquellos espacios que lo precisen en función de la intensidad de uso, por ejemplo, en los aseos, donde se hará al menos 3 veces al día.

Las medidas de limpieza se extenderán también, en su caso, a **zonas comunes y zonas privadas** y puestos de trabajo de las personas trabajadoras, tales como vestuarios, taquillas, aseos, cocinas y áreas de descanso. Asimismo, cuando existan puestos de trabajo compartidos por más de una persona, se realizará la limpieza y desinfección del puesto tras la finalización de cada uso o turno, y al finalizar la jornada, con especial atención al mobiliario y otros elementos susceptibles de manipulación, sobre todo en aquellos utilizados por más de una persona.

En el caso de que se establecieran **turnos en las aulas** u otros espacios, cuando cambie el alumnado, se recomienda la **limpieza, desinfección y ventilación entre turno y turno**.

Se ha de fomentar que todas las personas mantengan limpios sus objetos personales, como teléfono, dispositivos electrónicos, etc., así como los objetos y superficies compartidas.

Hay que asegurar que haya una ventilación adecuada al usar productos de limpieza para evitar que el estudiantado o miembros del personal inhalen vapores tóxicos.

A estas medidas se deben sumar las medidas habituales de limpieza e higiene que deben realizarse tras una reapertura del centro tras un periodo no lectivo.

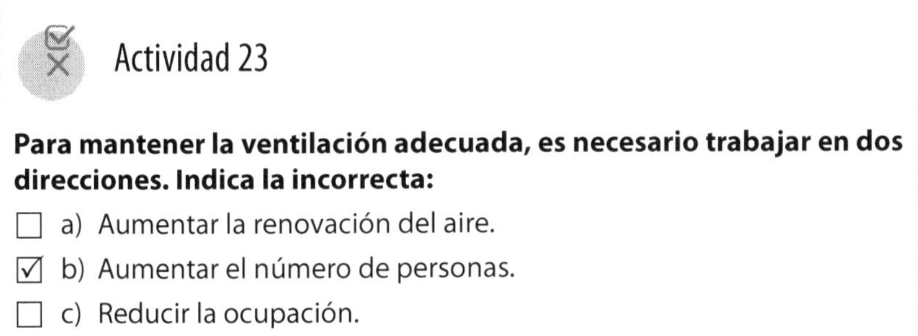

Actividad 23

Para mantener la ventilación adecuada, es necesario trabajar en dos direcciones. Indica la incorrecta:

- ☐ a) Aumentar la renovación del aire.
- ☑ b) Aumentar el número de personas.
- ☐ c) Reducir la ocupación.

7.4.2. Centros educativos

7.4.2.1. Limpieza y desinfección

En los centros educativos se intensificará la limpieza, en especial en los baños y en las superficies de mayor uso.

Cada centro dispondrá de un **protocolo** de limpieza y desinfección que responda a sus características.

Este protocolo recogerá las siguientes **indicaciones**:

- Limpieza y desinfección al menos una vez al día, reforzándola en aquellos espacios que lo precisen en función de la intensidad de uso, por ej. en los aseos donde será de al menos 2-3 veces al día según el uso habitual y el número de usuarios.
- Se tendrá especial atención a las zonas de uso común y a las superficies de contacto más frecuentes como pomos de puertas, mesas, muebles, pasamanos, suelos, teléfonos, perchas, y otros elementos de similares características.

- Las medidas de limpieza y desinfección se extenderán también, en su caso, a zonas privadas de los trabajadores, tales como áreas de descanso, vestuarios, taquillas, aseos, cocinas (donde se limpiará toda la vajilla, cubertería y cristalería en el lavavajillas, incluida la que no se haya usado, pero haya podido estar en contacto con las manos de los estudiantes).
- En las aulas, será suficiente con realizar la limpieza una vez al día, incluido mobiliario (mesas y otras superficies de contacto, etc.).
- En el caso de que se establecieran turnos en las aulas, comedor u otros espacios, cuando cambie el alumnado, se indica la limpieza, desinfección y ventilación entre turno y turno.
- Asimismo, se realizará una limpieza y desinfección de los puestos de trabajo compartidos, en cada cambio de turno, y al finalizar la jornada con especial atención al mobiliario y otros elementos susceptibles de manipulación, sobre todo en aquellos utilizados por más de un trabajador. Al terminar de utilizar un ordenador de uso compartido, se desinfectará la superficie del teclado, del ratón y de la pantalla.
- Se utilizarán desinfectantes como diluciones de lejía (1:50) recién preparada o cualquiera de los desinfectantes con actividad virucida autorizados y registrados por el Ministerio de Sanidad. En el uso de estos productos siempre se respetarán las indicaciones del etiquetado, y se evitará que el alumnado esté en contacto o utilice estos productos.
- Tras cada limpieza y desinfección, los materiales empleados y los equipos de protección utilizados se desecharán de forma segura, procediéndose posteriormente al lavado de manos.
- Se debe vigilar la limpieza de papeleras, de manera que queden limpias y con los materiales recogidos, con el fin de evitar cualquier contacto accidental.
- La limpieza y desinfección de talleres, laboratorios y otros espacios singulares utilizados para prácticas en el ámbito de la Formación Profesional, atenderá a la normativa específica del sector productivo o de prestación de servicios de que se trate en materia de limpieza, desinfección, desinsectación y otras de salud ambiental, así como a las específicas establecidas para la prevención del contagio del SARS-CoV-2.

7.4.2.2. Ventilación del centro

La **ventilación natural** es la opción preferente. Se **recomienda ventilación cruzada, si es posible de forma permanente**, con apertura de puertas y/o ventanas opuestas o al menos en lados diferentes de la sala, para favorecer la circulación de aire y garantizar un barrido eficaz por todo el espacio.

Si la ventilación natural no es suficiente, **se puede utilizar ventilación forzada** (mecánica), debiendo aumentarse el suministro de aire exterior y disminuir la fracción de aire recirculado al máximo, con el fin de obtener una adecuada renovación de aire.

Únicamente si no es posible conseguir la ventilación adecuada mediante ventilación natural o mecánica, se podrían utilizar **filtros o purificadores de aire (dotados con filtros HEPA). Como alternativa, puede valorarse el uso de otros espacios** (aulas o salas del centro educativo, o municipales).

Si un profesional presta asistencia en el mismo espacio con diferentes alumnos/as de manera consecutiva (fisioterapeuta, logopeda, enfermería...) se desinfectarán las superficies utilizadas y se ventilará la sala al menos 5 minutos tras cada sesión o en función de los parámetros citados que garanticen una ventilación adecuada.

En el caso de programar actividades que aumentan la emisión de aerosoles como gritar o cantar se recomienda realizarlas siempre que sea posible en el exterior y, si no lo fuera, garantizar una adecuada ventilación, mantener la distancia y el uso adecuado de la mascarilla. Dado que la realización de ejercicio físico también aumenta la emisión de aerosoles, se debe promover la realización de las clases de educación física en espacios exteriores. En el caso de que se realicen en interiores es de especial importancia el uso adecuado de la mascarilla, aumentar la distancia e intensificar la ventilación.

7.4.2.3. Gestión de los residuos

Se recomienda que los pañuelos desechables que el personal y el alumnado emplee para el secado de manos o para el cumplimiento de las medidas de higiene respiratoria sean desechados en papeleras con bolsa y a poder ser con tapa y pedal.

Todo material de higiene personal (mascarillas, guantes, etc.) debe depositarse en la fracción resto.

Sabías que...

La fracción resto es la agrupación de residuos de origen doméstico que se obtiene una vez efectuadas las recogidas separadas.

En caso de que un alumno/a o una persona trabajadora presente síntomas mientras se encuentre en el centro educativo, será preciso aislar la papelera o contenedor donde haya depositado pañuelos u otros productos usados en el espacio de uso individual donde se le haya aislado. Esa bolsa de basura deberá ser extraída y colocada en una segunda bolsa de basura, con cierre, para su depósito en la fracción resto.

7.4.3. Centros administrativos públicos

En los centros públicos en los que se desarrollan actividades de gestión y administración se deben realizar tareas de **ventilación periódica** en las instalaciones y, como mínimo, **de forma diaria y por espacio de cinco minutos.** En la medida de lo posible se incrementará la entrada de aire fresco y se reducirá la recirculación del aire.

Se **reforzarán la limpieza y la desinfección de las instalaciones**, en especial las superficies de contacto habitual como manillas, pomos, mesas y ordenadores, interruptores, pasamanos, ascensores, escaleras, etc.

En aquellas **oficinas abiertas al público** debe realizarse una limpieza y desinfección de las instalaciones al menos **dos veces al día**.

Se limpiará el **área de trabajo** usada por un empleado **en cada cambio de turno.**

Se recomienda el **uso individualizado de material de oficina** y otros **equipos ofimáticos** como impresoras debiendo desinfectarlos tras su utilización. Cuando su uso no sea exclusivo de un solo trabajador, se desinfectarán entre usos.

Los **detergentes habituales son suficientes**, aunque también se pueden **contemplar** la incorporación de **lejía** u otros productos desinfectantes a las rutinas de limpieza, siempre en condiciones de seguridad.

Es preciso proveer al personal de los productos de higiene necesarios para poder seguir las recomendaciones individuales, adaptándose a cada actividad concreta. Con carácter general, es necesario mantener un aprovisionamiento adecuado de **jabón, solución hidroalcohólica y pañuelos desechables.**

Se proporcionarán toallitas y productos desinfectantes para limpiar mostradores, teléfonos, teclados, ratones de ordenador, medios telemáticos y accesorios (mandos), etc.

Se adoptarán medidas para evitar el contacto con superficies que puedan estar contaminadas (mantener las puertas abiertas para evitar contacto con pomos, manillas, etc.).

Se atenderá a las recomendaciones de carácter profesional y de higiene y limpieza que puedan establecer las autoridades sanitarias respecto a protocolos de trabajo, protección y limpieza y desinfección de espacios concretos como aseos, etc.

En cuanto a la gestión de los residuos en los centros de trabajo la gestión de los ordinarios continuará realizándose del modo habitual, respetando los protocolos de separación de residuos.

Al igual que indicamos en el caso de los centros educativos, se recomienda que los pañuelos desechables que el personal emplee para el secado de manos o para el cumplimiento de la "etiqueta respiratoria" sean desechados en papeleras o contenedores protegidos con tapa y, a ser posible, accionados por pedal. Igualmente, todo material de higiene personal desechado debe depositarse en la fracción resto.

En caso de que un trabajador presente síntomas mientras se encuentre en su puesto de trabajo, será preciso **aislar el contenedor** donde haya depositado pañuelos u otros productos usados. Esa bolsa de basura deberá ser extraída y colocada en una segunda bolsa de basura, con cierre, para su depósito en la fracción resto.

7.4.4. Edificios de entornos comunitarios

Los edificios de entornos comunitarios son edificios en los que conviven un elevado número de personas, de ahí la importancia de establecer medidas concretas de limpieza y desinfección dirigidas a la prevención del contagio por COVID-19.

Es recomendable limpiar con más frecuencia o desinfectar siempre que en los espacios compartidos:

a) Se produce un alto tránsito con gran cantidad de personas.

b) Tiene malo ventilación.

c) No se ofrece una opción para lavado de manos o uso de desinfectante de manos.

d) Esta ocupado por personas con más riesgo de enfermar gravemente a causa del COVID-19.

Por otro lado, el hecho de que exista una persona que enferme o de positivo en la prueba de detección de COVID-19 en las últimas 24 horas desde su presencia en el edificio es motivo para limpiar y desinfectar el lugar.

Entre las **medidas de limpieza de rutina** que debemos tener presentes en estos edificios destacamos:

- Elaborar un plan de limpieza de rutina que tenga en cuenta el tipo de superficies y con que frecuencia se tocan en el edificio, para que el plan sea lo más ajustado a la realidad del edificio. Por ejemplo, si el espacio es un lugar de alto tránsito será preciso una frecuencia mayor de limpieza. **Al menos una vez al día** se debe priorizar la limpieza de las superficies de contacto del edificio, usando producto de limpieza habitual u optando por desinfectar.

- Es importante leer la etiqueta del producto para determinar las medidas de precaución que son necesarias en su uso. Esto podría suponer usar un equipo de protección individual específico, por ejemplo, gafas o mascarillas de protección.
- Las manos se han de lavar después de realizar las tareas de limpieza. Con agua y jabón durante 20 segundos y tras quitarse los guantes.
- Si se determina realizar una **desinfección regular**, hay que tener en cuenta:
  * Si la etiqueta del producto desinfectante no indica que puede utilizarse tanto para limpieza como desinfección, limpiar las superficies previamente como jabón o detergente antes de la desinfección.
  * Usar productos desinfectantes que estén incluidos en la lista N de la EPA que sean efectivos contra el COVID-19. Si no estuvieran disponibles se puede usar una solución de blanqueador con cloro.
  * Hay que seguir siempre las indicaciones de la etiqueta del producto para su uso seguro y eficaz.

Para las **superficies blandas como alfombras, tapetes y cortinas** se usará un producto que contenga jabón, detergente u otro limpiador apto para esas superficies, usando la máxima temperatura de agua permitida y secando posteriormente completamente. Usar la aspiradora como de costumbre.

Por otro lado, en **caso de que una persona enferme o tenga resultado positivo** en la prueba de detección de COVID-19 hay que realizar una **limpieza y desinfección de los espacios** donde estuvo esa persona. En este caso, antes de la limpieza y desinfección se deben de cerrar las áreas utilizadas por la persona y esperar varias horas antes de limpiarlas y desinfectarlas. En el proceso de limpieza y desinfección abrir las puertas y ventanas y utilizar ventiladores o configurar los sistemas de calefacción, ventilación y aire acondicionado para aumentar la circulación de aire en el área. Igualmente, usar productos de la lista N de la EPA teniendo en cuenta las instrucciones de su etiqueta. Usar mascarilla y guantes. Si es preciso, aspire el lugar con una aspiradora con bolsa y filtro de aire de alta eficiencia para partículas (HEPA). Para el uso de la aspiradora, apagar temporalmente el sistema de calefacción, ventilación y aire acondicionado si no es centralizado, para evitar la contaminación de las unidades.

Actividad 24

Indica si la siguiente cuestión es verdadera o falsa:

Al igual que indicamos en el caso de los centros educativos, se recomienda que los pañuelos desechables que el personal emplee para el secado de manos o para el cumplimiento de la "etiqueta respiratoria" sean desechados en papeleras o contenedores protegidos con tapa y, a ser posible, accionados por pedal.

Verdadera ☐ Falsa ☐

Solución a las actividades

Actividad 1.

Falsa.

Actividad 2.

1. Temperatura.
2. Energía mecánica.
3. Tiempo.
4. Producto químico.

Actividad 3.

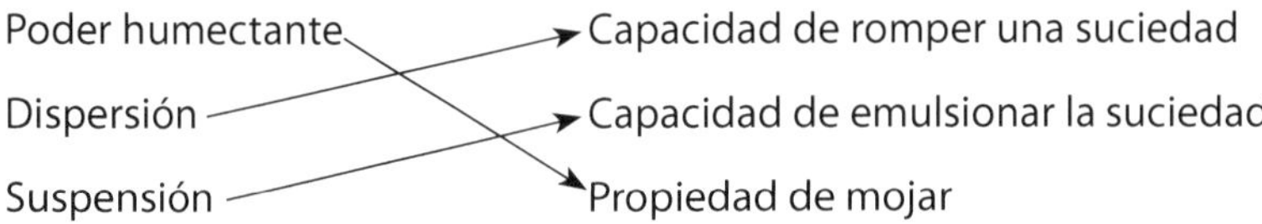

Actividad 4.

La Transmisión cruzada es la transmisión de **<u>microorganismos patógenos</u>** de paciente a paciente o de objetos contaminados a pacientes con la participación de los miembros del equipo de salud.

Actividad 5.

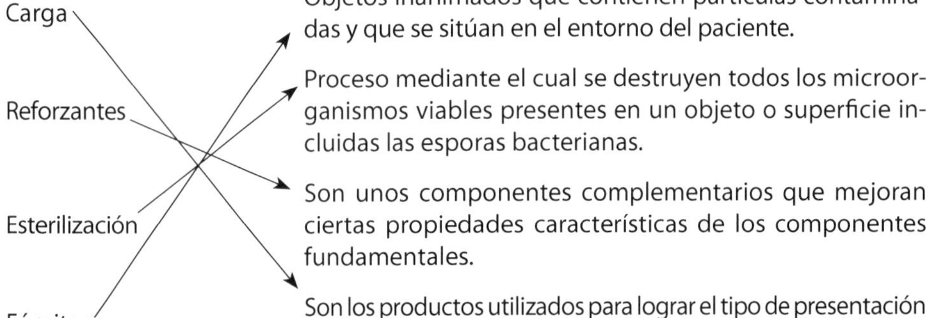

Actividad 6.

Verdadera.

Actividad 7.

Verdadera.

Actividad 8.

- ☐ a) Pulidora.
- ☑ b) Monocepillo.
- ☐ c) Aspirador mixto.

Actividad 9.

Verdadera.

Actividad 10.

Falsa.

Actividad 11.

- ☐ a) Ficha de datos de seguridad; contiene la misma información que la etiqueta de los productos de limpieza que contienen productos químicos.
- ☑ b) Ficha de datos de seguridad; amplía la información sobre el riesgo derivado de la utilización de productos químicos.
- ☐ c) Ficha de detergentes seguros; amplía la información sobre el riesgo derivado de la utilización de productos químicos.

Actividad 12.

- ☑ a) Peligroso para el medio ambiente.
- ☐ b) Nocivo.
- ☐ c) Biodegradable.

Actividad 13.

Falsa.

Actividad 14.

En el caso de que se trate de productos ácidos o alcalinos, **neutralizar y diluir con agua.** Consultar la ficha de seguridad para conocer el agente neutralizante, ya que varía dependiendo de la naturaleza del producto derramado.

Actividad 15.

- ☑ a) Suelo de abeto - suelo de gres esmaltado -moqueta.
- ☐ b) Linóleo - mármol - suelo de pino.
- ☐ c) Suelo de cerámica - suelo de pizarra - corcho.

Actividad 16.

Limpieza con chorro de agua.

Actividad 17.

- ☑ a) Con goma de borrar o con una bola de miga de pan.
- ☐ b) Con un rascador.
- ☐ c) Con un cepillo de cerdas duras.

Actividad 18.

- ☑ a) Los cristales deben limpiarse cuando les da el sol con el objeto de ver mejor las manchas.
- ☐ b) Los cristales deben limpiarse de arriba hacia abajo.
- ☐ c) Las manchas de insectos podemos eliminarlas más fácilmente con alcohol de quemar.

Actividad 19.

Es un lavavidrios.

Actividad 20.

- ☑ a) NTP 809.
- ☐ b) UNE-EN 1891.
- ☐ c) UNE-EN 12841.

Actividad 21.

- ☐ a) 3 veces en turno de mañana, 3 veces en turno de tarde y siempre que sea necesario.
- ☑ b) 4 veces en turno de mañana, 3 veces en turno de tarde y siempre que sea necesario.
- ☐ c) 2 veces en turno de mañana, 2 veces en turno de tarde y siempre que sea necesario.

Actividad 22.

Es la renovación de aire interior con aire exterior.

Actividad 23.

- ☐ a) Aumentar la renovación del aire.
- ☑ b) Aumentar el número de personas.
- ☐ c) Reducir la ocupación.

Actividad 24.

Verdadera.